پاکستان
انقلاب کے دہانے پر

پاکستان
انقلاب کے دہانے پر

روئیداد خان

ترجمہ:
عرفان احمد امتیازی

OXFORD
UNIVERSITY PRESS

اوکسفرڈ یونیورسٹی پریس

OXFORD
UNIVERSITY PRESS

گریٹ کلیرنڈن اسٹریٹ، اوکسفرڈ OX2 6DP

اوکسفرڈ یونیورسٹی پریس یونیورسٹی آف اوکسفرڈ کا ایک شعبہ ہے جو دنیا بھر میں
درج ذیل مقامات سے بذریعہ اشاعت کتب تحقیق، علم و فضیلت اور تعلیم میں اعلیٰ معیار کے
مقاصد کے فروغ میں یونیورسٹی کی معاونت کرتا ہے۔
اوکسفرڈ نیو یورک
ایتھنز اوکلینڈ بینگ کوک بگوٹا بیونس آئرس کلکتہ
کیپ ٹاؤن چنائے دارالسلام دہلی فلورینس ہونگ کونگ استنبول
کراچی کوالالمپور میڈرڈ میلبرن میکسیکوسٹی ممبئی
نیروبی پیرس ساؤپالو سنگاپور ٹیپی ٹوکیو ٹورونٹو وارسا

اور معاون کمپنیاں برلن اباداں میں

Oxford برطانیہ اور چند دیگر ممالک میں اوکسفرڈ یونیورسٹی پریس کا رجسٹرڈ ٹریڈ مارک ہے۔

© اوکسفرڈ یونیورسٹی پریس ۱۹۹۸ء

مصنف کے اخلاقی حقوق پر زور دیا گیا ہے۔

پہلی اشاعت ۱۹۹۹ء
دوسری طباعت ۲۰۰۰ء

ISBN 0 19 579042 1

پاکستان میں ماس پرنٹرز، کراچی میں طبع ہوئی۔
امینہ سیّد نے اوکسفرڈ یونیورسٹی پریس
۵- بنگلور ٹاؤن، شارع فیصل،
پی۔او بکس ۱۳۰۳۳، کراچی-۷۵۳۵۰، پاکستان
سے شائع کی۔

انتساب

میں اپنی اس کوشش کو
اپنے والدین گرامی قدر
کے نام معنون کرتا ہوں

ترتیب

تصاویر

کچھ اردو ایڈیشن کے بارے میں

اظہار تشکر

دیباچہ

ابتدائیہ ۳

باب ا۔ ایوب ۴۵

باب ۲۔ بھٹو۔ زیرِ عتاب ۵۷

باب ۳۔ یحییٰ ۶۳

باب ۴۔ بھٹو۔ عروج وزوال ۷۳

باب ۵۔ محمد ضیاء الحق ۹۷

باب ۶۔ غلام اسحٰق خان ۱۲۳

باب ۷۔ تصادم کی جانب ۱۳۶

باب ۸۔ احتساب حکمرانوں کا ۱۶۸

باب ۹۔ فاروق لغاری ۱۸۳

باب ۱۰۔ کردار و صداقت ۱۹۴

باب ۱۱۔ طاقت کا سرچشمہ: ظاہری اور حقیقی ۲۰۵

باب ۱۲۔ سرکاری اہلکار ۲۱۶

باب ۱۳۔ اسلام میں سیاسی جانشینی کا مسئلہ ۲۲۵

باب ۱۴۔ سپریم کورٹ کا دوسرا جنم؟ ۲۳۱

باب ۱۵۔ آزادی کے پچاس سال ۲۳۸

باب ۱۶۔ تفکر و تدبّر ۲۴۴

کلام آخر ۲۵۴

ضمیمہ جات ۲۶۷

حوالاجات ۳۱۰

اشاریہ ۳۱۵

تصاویر

۱۔ یارانِ سوویت یونین ؟ ۹

۲۔ جمال عبد الناصر۔پاکستان میں اپنے سرکاری دورے پر ۱۸

۳۔ کراچی میں ژواین لائی کی آمد ۲۸

۴۔ محمد ایوب خان ۴۶

۵۔ اسکندر مرزا ۴۸

۶۔ ایوب خان تاشقند میں ۵۲

۷۔ ذوالفقار علی خان بھٹو ۵۶

۸۔ یحییٰ خان ۶۲

۹۔ یحییٰ خان ذوالفقار علی بھٹو کو اقتدار منتقل کر رہے ہیں ۷۲

۱۰۔ ذوالفقار علی بھٹو اپنی کابینہ کے وزیروں کے ساتھ ۷۵

۱۱۔ ضیاء الحق ۹۸

۱۲۔ ضیاء الحق، روئیداد خان کے ساتھ ۱۰۴

۱۳۔ غلام اسحٰق خان ۱۲۴

۱۴۔ غلام اسحٰق خان، نئے مشیروں سے حلف لے رہے ہیں ۱۳۷

۱۵۔ فاروق احمد خان لغاری ۱۸۲

کچھ اُردو ایڈیشن کے بارے میں

میری کتاب : 'Pakistan: A Dream Gone Sour' انگریزی زبان میں تقریباً سال بھر پہلے ۱۹۹۷ء میں شائع ہوئی، تو قارئین نے اس کی ایسی حوصلہ افزا پذیرائی کی کہ اُس کا اردو ایڈیشن شائع کرنے کی تحریک ہوئی تا کہ قارئین کا وہ اردو داں طبقہ جو انگریزی زبان میں کتابیں نہیں پڑھتا یا نہیں پڑھ سکتا،___ وہ بھی اسکے مندرجات سے روشناس ہو سکے۔ میں نے اوکسفرڈ یونیورسٹی پریس پاکستان کی مینجنگ ڈائریکٹر جنابہ امینہ سیدّ صاحبہ سے ذکر کیا تو پہلے انہوں نے یہ کہہ کر معذرت کی کہ ہمارا ادارہ انگریزی کتب کے اردو تراجم شائع نہیں کرتا لیکن اس بارے میں دوبارہ غور و خوض کے بعد انہوں نے مجھ کو مطلع کیا کہ آپ کی کتاب کی مقبولیت کے پیش نظر ہم یہ تجربہ کرنے کو تیار ہیں۔ میں اُن کا ممنون ہوں کہ انہوں نے ازراہِ تلطف میری کتاب مذکور کے اردو ایڈیشن کی طباعت و اشاعت کا فیصلہ کیا۔

دوسرا مرحلہ مترجم کی تلاش کا تھا جو میرے رفیقِ دیرینہ اور دوست، عزیز عرفان امتیازی کی اعانت سے طے ہو گیا۔ اُن کی اِس اعانت کے لئے میں اُن کا شکر گزار ہوں۔

ترجمہ کے سلسلے میں، میں یہ وضاحت ضروری سمجھتا ہوں کہ یہ لفظ بہ لفظ، لغوی ترجمہ نہیں بلکہ آپ کہہ سکتے ہیں کہ یہ ایک طرح کا آزاد ترجمہ ہے جس میں انگریزی متن کو اِس انداز سے اردو کے قالب میں ڈھالنے کی کوشش کی گئی ہے کہ نفسِ مضمون بھی قاری پر واضح ہو جائے اور اردو زبان کی فصاحت و بلاغت و سلاست کا اپنا مخصوص مزاج بھی مجروح نہ ہو۔

ترجمہ سے متعلق وقتاً فوقتاً میرے پرانے رفیق مجید مُفتی سے بھی مشورہ ہوتا رہا۔ میں اُن کا شکریہ ادا کرتا ہوں۔

اوکسفرڈ یونیورسٹی پریس کراچی میں اردو مطبوعات کے مدیر سعد ابراہیم صاحب بھی میرے شکریے کے مستحق ہیں کہ انہوں نے میری کتاب زیرِ نظر کی طباعت واشاعت میں بھرپور تعاون کیا۔

اسلام آباد۔ ۲۱ر جولائی ۱۹۹۸ء

روئیداد خان

# اظہار تشکر

اِس کتاب کی ترتیب و تکمیل میں جتنا حصہ میرے یارانِ دیرینہ ـــــ جمشید کے اے مارکر اور عرفان احمد امتیازی ـــــ کا ہے اتنا اور کسی کا نہیں۔ انہوں نے کتاب کے مسودے کو از اوّل تا آخر پورا پڑھا، اسکی ادارت کی اور اس سلسلے میں بیشمار مفید مشورے دیئے اور اس پر اپنے وقتِ عزیز کا گرانقدر حصہ صرف کیا۔

میرے اپنے کنبے کی حوصلہ افزائی اور امداد و اعانت کے بغیر بھی اس کتاب کی تکمیل ممکن نہ تھی خصوصاً میرے بیٹے ریاض خان نے سب سے پہلے مجھے یہ کتاب لکھنے کی تحریک دلائی، اور اپنے دفتر کی تمامتر دفتری سہولتیں میرے سپرد کر دیں۔

میرے بیٹے جاوید خاں نے سنگاپور میں اس کتاب کے پہلے مسودے کو پڑھا اور مفید آراء اور تجاویز کا اظہار کیا۔

میں نے اپنے بیٹے ممتاز خاں کے مشرقی 'ایشیائی شیر' ممالک کے بارے میں گہرے علم و تجربہ اور پاکستانی معیشت کے بارے میں ان کی مفید آراء سے بھی استفادہ کیا۔

میری بیٹی فریدہ نے بھی پورے مسودے کی نوک پلک درست کی اور بہت سے بے ڈھب جملوں کی تراکیب میں سے جھول نکالے۔

سب سے زیادہ میں ان صدور کا شکریہ ادا کرنا چاہتا ہوں جن کے ساتھ میں نے کام کیا اور جنہوں نے مجھے یہ اعزاز بخشا کہ اس کتاب میں مذکور ڈرامائی واقعات میں شامل ہو سکوں یا انکا مشاہدہ کر سکوں۔

جن کتابوں کو میں نے اپنی اس کتاب کی تحریر میں بے حد مفید پایا ہے اور جن سے میں نے استفادہ کیا ہے ان میں مندرجہ ذیل شامل ہیں :

ـــــ فرینڈز، ناٹ ماسٹرز از محمد ایوب خان

اظہار تشکر

— ایوب خاں، پاکستان کا پہلا عسکری فرمانروا از الطاف گوہر،

— پاکستان کرانیکل از سر مورس جیمز،

— ضیاء کا پاکستان از کریگ بیکسٹر،

— محاکمہ ء ریاست از پالا نیوبرگ،

— از درونِ افغانستان از ڈیگو کارڈویز، اور سیلگ ہیریسن،

— ورکنگ وِد ضیاء از جنرل خالد محمود عارف،

— لفٹننٹ جنرل گل حسن خاں کی یادداشتیں،

— 'نکسن' از سیٹفن ای ایمبروز،

— سپریم کورٹ کا نیا جنم از ولیم ای لیوخ ٹن برگ،

— دستوری قانون کے مطالعہ کا تعارف از اے وی ڈائسی،

— کردار، سب سے بالا از رابرٹ اے ولسن۔

اوکسفرڈ یونیورسٹی پریس کی مدیرہ محترمہ صبیحہ عسکری صاحبہ نے مجھے پورے مسودے کے بارے میں اپنی پختہ اور صائب رائے اور مفید مشوروں سے نوازا اور بہت سے ادارتی تغیر و تبدل، ترتیبِ نو اور نقد و نظر سے مسودہ کے حسن میں اضافہ کیا۔ میں ان کا حد درجہ شکر گزار ہوں۔

میں مذکورہ بالا اور دیگر بہت سے افراد و اشخاص کا ممنونِ احسان ہوں۔ لیکن اِس کتاب کی خامیوں کی تمامتر ذمہ داری میری اور صرف میری ہے۔

میں اپنے دیرینہ پرائیویٹ سیکریٹری منظور احمد کا بھی شکریہ ادا کرنا چاہتا ہوں جنھوں نے میرے تقریباً ناقابلِ فہم خط میں لکھے مسودے کو ٹائپ کیا، میں سید ہمایوں احمد رضوی کا شکریہ بھی خاص طور پر ادا کرنا چاہتا ہوں جنھوں نے اس کتاب کی کمپیوٹر کمپوزیشن کے سلسلے میں ماہر کا کردار ادا کیا۔

روئیداد خاں

اسلام آباد
مئی ۱۹۹۷ء

دیباچہ

"The day we see the truth and cease to speak is the day we begin to die"
Martin Luther King

"جس دِن ہم اظہارِ حق و صداقت سے دانستہ چشم پوشی کرتے ہیں، اُسی دِن سے ہم مرنا شروع کر دیتے ہیں۔"
مارٹن لوتھر کنگ

نہ میں پیشہ ور مصنف ہوں نہ تصنیف کی جانب میرا کوئی فطری رجحان ہے، نہ میں نے کتاب لکھنے کی کوئی تربیت حاصل کی ہے، لہذا میرے لئے کتاب لکھنا ایک نیا تجربہ ہے، جو بیک وقت انوکھا بھی ہے، دلچسپ بھی ہے اور ڈراؤنا بھی۔ آپ پوچھ سکتے ہیں کہ میں نے اپنی حیاتِ مستعار کی ڈھلتی شام میں آخر تحریر و تصنیف کے خار زار میں قدم کیوں رکھا؟ میرا جواب یہ ہے کہ کچھ عرصہ پہلے میرے ذہن و قلب میں یہ خواہش بیدار ہوئی کہ میں اپنی زندگی کے تجربات و مشاہدات کو قلم بند کر کے قارئین کو وہ مناظر دکھلاؤں جو میں نے اپنی آنکھوں سے خود دیکھے ہیں اور وہ صدائیں سنواؤں جنہیں میں نے اپنے کانوں سے خود سنا ہے۔ میں نے بہت چاہا کہ میں اپنی اس خواہش کو دبا دوں لیکن جتنا میں دباتا تھا، اُتنا وہ ابھرتی تھی حتّٰی کہ میرے لئے اس کے سوا کوئی چارہ نہ رہا کہ جو میں نے دیکھا، جو میں نے جانا، جو میں نے سمجھا، اُس کو بلا کم و کاست، لکھدوں۔

یہ میری خوش بختی تھی کہ مجھ کو چالیس سال سے کچھ زیادہ عرصہ حکومتِ پاکستان کی خدمت کا موقعہ ملا۔ یہ کتاب اُسی عرصہ کی یادداشتوں پر مشتمل ہے۔ ہمارے ملک پاکستان کی پچاس سالہ تاریخ میں بڑے پیچ و خم

آئے بڑے بڑے نازک مرحلے آئے بڑے بڑے سنگین بحران آئے۔ اتفاقاً ان میں سے بہت سوں کو مجھے قریب سے دیکھنے کا موقع ملا اور کچھ میں میں خود شریک بھی تھا۔ لیکن یہاں میں یہ وضاحت کر دینا ضروری سمجھتا ہوں کہ میں نے یہ کتاب لکھ کر پاکستان کی مربوط اور مبسوط تاریخ لکھنے کی کوشش ہرگز نہیں کی ہے۔ یہ کتاب، تاریخ کی کتاب نہیں ہے۔ یادداشتوں کی کتاب ہے اور یہ یادداشتیں ان واقعات سے متعلق ہیں جو قومی تاریخ میں بہت اہم ہیں اور جب قومی لیڈر اہم فیصلے کر رہے تھے میں اُن لیڈروں کے قریب موجود تھا۔ میں نے اپنی اس کتاب میں واقعات و افراد پر کوئی فیصلہ صادر کرنے کی کوشش نہیں کی ہے میں نے محض اپنی رائے دی ہے اور وہ رائے حتمی نہیں۔ محض ایک رائے ہے اُس شخص کی جسے تقدیر نے ملک کے ممتاز لیڈروں کے قریب اس وقت لا بٹھایا جب وہ لیڈر اہم فیصلے کر رہے تھے۔

بنیادی طور پر میری یہ کتاب پاکستان کے چھ صدور کی کہانی ہے جو ۱۹۵۸ کے بعد سے ملک میں برسر اقتدار رہے یعنی

- فیلڈ مارشل محمد ایوب خان
- جنرل محمد یحییٰ خان
- ذوالفقار علی بھٹو
- جنرل محمد ضیاء الحق
- غلام اسحٰق خان
- سردار فاروق احمد خان لغاری

اگرچہ میں نے کام ان چھ میں سے صرف پانچ کے ساتھ کیا لیکن میں جانتا ان سب کو تھا کسی کو ذرا زیادہ کسی کو ذرا کم۔ سب سے بہتر مجھ کو غلام اسحٰق خان کو جاننے کا موقعہ ملا اس کے بعد بالترتیب

- ذوالفقار علی بھٹو
- جنرل محمد ضیاء الحق
- جنرل محمد یحییٰ خان
- فیلڈ مارشل محمد ایوب خان
- سردار فاروق احمد خان لغاری

یہ صحیح ہے کہ سردار فاروق احمد خان لغاری کے ساتھ کام کرنے کا موقعہ مجھ کو نہیں ملا لیکن ۱۹۹۳ میں حالات ہم دونوں کو اتنا قریب لے آئے کہ مجھے انہیں اچھی طرح جاننے اور سمجھنے کا موقعہ مل گیا۔

ان سب صدور کی اپنی اپنی منفرد شخصیت تھی، ہر ایک کا اپنا اپنا کردار تھا اپنا اپنا انداز تھا۔ لیکن جو قدر سب میں مشترک تھی وہ یہ تھی کہ ان سب نے پاکستانی قوم کو کبھی بالواسطہ اور کبھی بلاواسطہ مایوس کیا۔ پاکستان کے

خواب کو تعبیر سے دور کیا، عامۃ الناس کو درد و کرب میں مبتلا کیا۔ حتّٰی کہ انہیں لگا جیسے ان کے ساتھ دھوکہ ہوا ہو اور اس طرح وہ نہ صرف اپنے حکمرانوں سے بلکہ اپنے ملک سے اپنے مستقبل سے حتی کہ اپنے آپ سے بددل اور بیزار ہو گئے۔ سوال یہ ہے کہ اُن چھ صدور نے اپنے اپنے عہدِ صدارت کے بعد قوم کے لئے کیا ورثہ چھوڑا؟ اور یہ کہ ان کی کارکردگی پر تاریخ کا فیصلہ کیا ہو گا؟

سر ونسٹن چرچل کا قول ہے کہ

"کسی شخص پر تاریخ کے فیصلے کا انحصار اس کی فتح و شکست پر نہیں بلکہ ان کے نتائج پر ہوتا ہے"

مجھے ونسٹن چرچل کے اس قول سے اتفاق ہے۔ سکندر اعظم کو دیکھیے کہنے کو فاتح عالم تھا لیکن ہندوستان سے پسپا ہوا۔ چنگیز خان نے دنیا کو اپنے گھوڑوں کی ٹاپوں تلے روند ڈالا لیکن اس کی کامیابیوں کو اس کے بیٹوں نے خاک میں ملا دیا۔ نپولین آگ بگولہ بن کر اٹھا اور گردو پیش پر چھا گیا لیکن آخر کار فرانس سے بھی ہاتھ دھو بیٹھا۔ غرضیکہ جو جتنا اونچا اڑا اتنا ہی نیچے گرا۔

۱۲ نومبر ۱۹۴۰ کو برطانوی دار العوام میں اپنے پیش رو وزیر اعظم نیول چیمبرلین کو خراج تحسین ادا کرتے ہوئے سر ونسٹن چرچل نے کہا تھا:

"تاریخ اپنا ٹمٹماتا دیا تھامے ماضی کی روشوں پر لڑکھڑاتی ہے اس کوشش میں کہ بیتے منظر دوبارہ دکھلا دے، بھولی بسری صدائے بازگشت پھر سنوا دے، ماضی کے جوش و جذبے کا چراغ پھر روشن کر دے چاہے روشنی مدھم ہی کیوں نہ ہو تاریخ اپنے میں صرف انہی قائدین کی یاد محفوظ رکھتی ہے جو صاحبِ ضمیر ہوں، راست باز ہوں نیک نیت ہوں کارزارِ حیات میں راست بازی، نیک نیتی با ضمیر صاحب کردار قائدین کی ڈھالیں ہیں۔ ان ڈھالوں کے بغیر زندگی کی جنگ لڑنا نادانی ہے، یہ نہ ہوں تو ہمارے منصوبے خاک میں مل جاتے ہیں، ہماری امیدیں پوری نہیں ہوتیں اور اپنی ناکامیوں کے باعث ہم ہدفِ تضحیک بن جاتے ہیں لیکن اگر راست بازی اور نیک نیتی کی ڈھالیں ہمارے پاس ہوں تو قسمت ہمارے ساتھ رہتی ہے ہمارا وقار کم نہیں ہوتا"۔

میں نے اپنی اس کتاب میں اپنے ملک کے ماضی کے چند دھندلے گوشوں پر روشنی ڈالنے کی کوشش کی ہے اور میں امید کرتا ہوں کہ قارئین کے لئے وہ دھندلے گوشے اس کتاب کے پڑھنے کے بعد زیادہ واضح اور روشن ہو جائیں گے۔ میرے نزدیک بنیادی سوالات یہ ہیں کہ

- پاکستان کا خواب پریشان کیسے ہو گیا؟
- ہم کہاں راستہ بھٹک گئے؟ کہاں اُلجھ گئے؟
- ہمارے قومی اداروں کا کردار کیا رہا؟ اور وہ کس حد تک موجودہ غیر تسلی بخش قومی صورتحال کے لئے ذمہ دار ہیں؟

- کیا چوروں، لٹیروں، ٹھگوں کی محکومی ہمارا مقدّر ہے ؟
- کیا کہیں سے امید کی کرن نظر آرہی ہے یا نہیں ؟
- کیا ہم من حیث القوم اپنے آپ کو اس سیاسی دلدل سے نکال سکتے ہیں ؟
- ہم مایوسی کا خول اتار کر سر بلند کیسے ہو سکتے ہیں ؟
- کیا اب پانی سر سے گذر چکا یا ابھی اُمید کی رمق باقی ہے ؟
- کیا قوم پر نزع کا عالم ہے ؟
- کیا سپریم کورٹ پر یلغار کے بعد قانون کی بالادستی قائم رہ سکتی ہے ؟
- کیا انقلاب آنے والا ہے ؟
- کیا ایسی ریاست جس کے حکمرانوں نے قوم کو بے حیائی اور ڈھٹائی سے پے در پے لوٹا ہو وہ اپنے شہریوں سے وفاداری طلب کر سکتی ہے ؟
- کیا قوم کی تجدید و احیائے نو اور نشأۃ الثانیہ ممکن ہے ؟

یہ ہیں وہ چند سوالات جو بار بار ذہن میں ابھرتے ہیں۔ میں نے اس کتاب میں ان سوالات کے جوابات حتی الوسع غیر متعصّبانہ، معروضی اور بلا کم و کاست انداز میں دینے کی کوشش کی ہے۔ اور ایسا کرتے ہوئے میرا مقصد اپنے اعمال کا جواز پیش کرنا یا ان کی وکالت ہر گز نہیں۔ نہ میرا مقصد کسی ادارے یا کسی فرد کی تضحیک یا اس کے خلاف اشتعال انگیزی ہے۔ نہ میری نیت کسی قانون کی خلاف ورزی ہے۔

''جب کوئی دولت کا پجاری، حکمران بن بیٹھے، یا جب فوجی، فوج کی مدد سے، فوجی آمریت قائم کر لے، ان کا نتیجہ بربادی و تباہی کے سوا کچھ نہیں ہوتا۔ تاجر کا ہنر معیشت میں ہے اور فوجی کا میدان جنگ میں، جہاں بانی سے دونوں نا آشنا ہیں اور ہمیشہ ناکام رہتے ہیں، ان کی نااہلی سے اعلیٰ تدبر کا زوال اور ریشہ دوانیوں کا عروج ہوتا ہے۔ سیاسی تدبر، سائنس بھی ہے اور فن بھی، اسے حاصل کرنے کے لئے عرصہ دراز لگتا ہے بلکہ پوری عمر عزیز وقف کرنا پڑتی ہے، یہ عجب بات ہے کہ کفش دوزی (جوتا بنانے) کے لئے آپ اور ہم تربیت یافتہ ماہر موچی کی خدمات ضروری سمجھتے ہیں، لیکن سیاست کیلئے ہم یہ سمجھتے ہیں کہ جو شخص ووٹ حاصل کر سکتا ہے وہ ملک بھی چلا سکتا ہے۔ اسی طرح یہ عجب بات ہے کہ جب ہم بیمار پڑتے ہیں تو آپ ہم مستند معالج کو بلاتے ہیں جس کی سند اس کی خصوصی تربیت اور پیشہ ورانہ مہارت کی ضمانت ہوتی ہے۔ ہم اس وقت یہ نہیں کہتے کہ سب سے خوش شکل معالج کو بلاؤ یا سب سے خوش گفتار ڈاکٹر کو بلاؤ۔ تو پھر جب پوری ریاست بیمار ہو تو کیا ہمیں جستجو کر کے سب سے زیادہ دانشمند قائد کو نہیں بلانا چاہیے، تاکہ وہ اپنی فہم و فراست اور حسنِ تدبر سے ریاست کی مؤثر خدمت کرے اور صحیح سمت میں قیادت کرے؟

(افلاطون۔ ۴۲۸ تا ۳۴۸ ق م)

”قابل رحم ہے وہ قوم جس کے پاس عقائد تو ہوں دین نہ ہو۔
قابلِ رحم ہے وہ قوم جو جابر کو بہادر سورما مانے اور جسے ہر جگمگاتا ہوا فاتح ، خوبصورت نظر آئے۔
قابلِ رحم ہے وہ قوم جو اپنی آواز صرف اس وقت اٹھائے جب وہ جنازے کے پیچھے چلے یا جب پھانسی کا پھندا اس کے گلے میں پڑ جائے۔
قابلِ رحم ہے وہ قوم جس کے دانشور مُرورِ وقت سے خاموش ہو جائیں اور جس کے مردانِ جری ہنوز عالم طفلی میں ہوں۔
قابل رحم ہے وہ قوم جو ٹکڑوں میں بٹی ہوئی ہو اور اس کا ہر ٹکڑا اپنے آپ کو قوم سمجھے۔

خلیل جبران
(۱۸۵۳ء تا ۱۹۳۱ء)

ابتدائیہ

میں ستمبر ۱۹۲۳ میں ایک پختون خاندان میں بہ مقام ہوتی پیدا ہوا۔ یہ جگہ شمال مغربی صوبہ سرحد کے ضلع مردان میں کلپانی ندی کے کنارے واقع ہے یہ ندی بائے زئی یا لنڈ خور سے نکلتی ہے اور جنوب کی طرف بہتی ہوئی نوشہرہ اور گاؤں پیر سبک کے درمیان دریائے کابل سے جا ملتی ہے، ہشت نگر اور یوسف زئی کا نکاس آب بھی کلپانی ندی میں جمع ہو کر اسی ندی کے رستے دریائے کابل میں جاگرتا ہے۔ کلپانی ندی میرے بچپن کی کائنات کا مرکز تھی۔ میں خود بخود اس ندی کی طرف کھنچا چلا جاتا۔ میں گھنٹوں کبھی اس میں تیرتا کبھی اس میں مچھلیاں پکڑتا، کبھی اس کے کنارے بھاگتا دوڑتا اور کبھی کھیلتا کودتا۔ یا پھر اس کے کنارے بکھری ریت پر کانچ کی گولیوں سے کھیلتا رہتا۔

پشتون، متعدد قبیلوں پر مشتمل ہیں۔ ہر قبیلے میں متعدد ذیلی قبیلے ہوتے ہیں، اور ہر ذیلی قبیلے میں متعدد خاندان ہوتے ہیں۔ قبیلہ کے بڑے ذیلی قبیلے اپنے اسمائے معرفہ کے ساتھ 'زئی' لگاتے ہیں مثلاً میرا ذیلی قبیلہ یوسف زئی ہے۔ پھر ہر ذیلی قبیلے کے جو مزید حصے بنتے ہیں انہیں 'خیل' کہتے ہیں۔ مثلاً میرا خیل 'بابو خیل' ہے، ہر خیل کا سربراہ 'ملک' کہلاتا ہے۔ میرے جد۲ مجد (دادا) کریم داد خان بھی 'ملک' تھے۔ ہمارا گاؤں ہوتی کندیوں میں منقسم ہے۔ ہماری کندی کا نام 'کندی اللہ داد خیل'' ہے، جس کی اپنی مسجد ہے، اپنا حجرہ ہے۔

میرے دادا کریم داد خان کے پانچ بچے تھے دو بیٹے اور تین بیٹیاں، میرے والد رحیم داد خان ان میں سے ایک تھے۔ میرے دادا چونکہ گاؤں کے ملِک تھے اس لئے انہیں زمینداروں سے لگان وصول کر کے سرکاری خزانے میں جمع کرانے کا اختیار تھا۔ اس خدمت کے عوض انہیں جمع کردہ رقم کا کچھ حصہ مقررہ

شرح پر بطور کمیشن ملا کرتا تھا۔ مجھے اچھی طرح یاد ہے کہ ہمارے گھر میں ایک تجوری ہوا کرتی تھی جس میں میرے دادا زمینداروں سے وصول کردہ مالیہ، سرکاری خزانے میں جمع کرنے سے پہلے رکھا کرتے تھے۔ اس تجوری کے سبب میں اپنے دادا کو دنیا کا امیر ترین شخص سمجھتا تھا۔ کبھی کبھی میرے دادا گھر سے خزانے جاتے وقت جب میرے اسکول کے پاس سے گذرتے تو میری طرف ایک پیسہ اچھال دیا کرتے۔ ان کا منشی ان کے ساتھ ہوتا تھا۔ مجھے اسکول میں ہر صبح اپنے دادا کے اسکول کے پاس سے گذرنے اور میری طرف پیسہ پھینکنے کا انتظار رہتا۔ غرضیکہ یہ اور ایسی بہت سی باتیں میرے حافظے میں ایسی نقش ہیں جیسے یہ باتیں کل کی ہوں۔

ہمارے خاندان میں میرے والد وہ پہلے فرد تھے جو کسی ایسے اسکول میں داخل ہوئے جہاں ذریعہ تعلیم انگریزی تھا۔ ابتدائی اسکول کی تعلیم سے فارغ ہو کر میرے والد نے پشاور کے اسلامیہ کالجیٹ اسکول میں داخلہ لیا۔ لیکن جب ۱۹۲۲ میں انہیں نائب تحصیلداری کی سرکاری ملازمت مل گئی تو انہوں نے پڑھائی چھوڑ دی۔ میرے والد کو یہ ملازمت غالباً میرے دادا کی خدمت کے اعتراف کے طور پر ملی ہو گی۔ بہر حال ملازمت کی وجہ جو بھی رہی ہو لیکن امر واقعہ یہ ہے کہ میرے والد کی اس تقرری کی دھوم سارے علاقہ میں مچ گئی۔ اور ہمارے خاندان کی عزت اور وقار آس پاس بے حد بڑھ گئے۔ یہ واقعہ ہمارے خاندان کے مستقبل کے لئے ایک اہم سنگ میل ثابت ہوا اور اس نے آنے والے زمانے میں میری زندگی کو بھی از حد متاثر کیا۔

میرے والد طبعاً سخت گیر تھے اور نظم وضبط کی خاطر بچوں پر چھڑی استعمال کرنے سے ذرا نہ جھجکتے تھے۔ وہ جب ایک رائے قائم کر لیتے تو پھر اس سے پیچھے نہ ہٹتے اور مجھ میں بھی یہ صفت موروثی ہے۔ ان کی شخصیت نہایت وجیہہ اور بارعب تھی۔ لوگ ان سے ڈرتے بھی تھے لیکن ان کی عزت بھی بے حد کرتے تھے۔ ان میں جرأت وہمت فطری تھی، ان کی پسند ناپسند شدید تھی، جسے پسند کرتے بے حد پسند کرتے جسے ناپسند کرتے بے حد ناپسند کرتے اور بقول والٹیر "وہ اپنی ذات پر بھی اتنی ہی شدت روا رکھتے تھے جتنی کہ اوروں پر۔"

میرے والدین نے مجھ سے محبت کا اظہار کبھی برملا نہیں کیا۔ نہ میں اپنے بچپن میں ان کے بہت زیادہ قریب تھا۔ ان دنوں گھر میں بڑوں کے مابین جو گفتگو ہوا کرتی تھی اسے آپ خاموشی سے سن تو سکتے تھے لیکن ازراہ ادب اس میں حصہ نہیں لے سکتے تھے، بزرگوں کی گفتگو کے بیچ بولنا آداب کے خلاف تھا۔

پھر ایک روز ایسا ہوا کہ میرے والد کا ہوتی سے تبادلہ ہو گیا اور ہم سب یعنی ان کے اہل کنبہ ان کے ساتھ ایک نئی جگہ چلے گئے۔ بس اس کے بعد تو یہ معمول ہو گیا کہ ہر تبادلے پر ہم ان کے ساتھ منتقل ہوتے رہتے۔

چارسدہ کے بارے میں میری سب سے زیادہ ناقابل فراموش یاد ۱۹۳۰ء کی تحریک سول نافرمانی سے

متعلق ہے۔ میں اپنی چشم تصور سے آج بھی وہ منظر صاف صاف دیکھ سکتا ہوں جس میں ہمارے گھر کے پاس، عدالتوں کے باہر، سرخپوش احتجاجی ناکہ بندی کر رہے تھے اور برطانوی گھوڑ سوار، ہجوم کو منتشر کرنے کے لئے تابڑ توڑ حملے کر رہے تھے۔ اپریل ۱۹۳۰ء کے دوسرے نصف میں، موہن داس کرم چند گاندھی کی مشہور ڈنڈی مارچ کے بعد (جو نمک کے قوانین کے خلاف احتجاج تھا) پورا ہندوستان ایک عظیم تاریخی جدو جہد میں مصروف عمل تھا۔ صوبہ سرحد میں احتجاجی ہنگامہ ۱۹ اپریل ۱۹۳۰ء کو عبدالغفار خان کے گھر واقع اتمان زئی، تحصیل چارسدہ، ضلع پشاور سے شروع ہوا۔ عبدالغفار خان کو پشاور پہنچنے سے پہلے پہلے گرفتار کر کے چارسدہ جیل میں ڈال دیا گیا۔ تمام صوبے میں جلسے ہوئے جلوس نکلے۔ میں نے ہزارہا افراد کو چارسدہ جیل کا محاصرہ کئے، برطانوی سامراج کے خلاف نعرے لگاتے اور عبدالغفار خان کی رہائی کا مطالبہ کرتے دیکھا۔ ادھر چارسدہ میں یہ منظر تھا ادھر چارسدہ سے اٹھارہ میل دور پشاور میں خون کی ہولی کھیلی جارہی تھی۔ ۲۳ اپریل ۱۹۳۰ کو کپتان ریکٹ کو افسران بالا نے حکم دیا کہ قصہ خوانی بازار میں جمع ہونے والے ہجوم کو منتشر کر دو۔ حالانکہ ہجوم پر امن تھا اور نہتہ تھا۔ پھر بھی حکم یہ تھا کہ گولی چلاؤ۔ کپتان ریکٹ کے پاس شاہی گڑھوال رائفلز کی کمان تھی۔ کپتان ریکٹ نے اونچی آواز میں چلا کر کہا: ''گڑھ والیو! تین بار گولی چلاؤ'' اسی وقت حوالدار چندر سنگھ (جو کپتان ریکٹ کے بائیں طرف کھڑا ہوا تھا) گرجا: ''گڑھ والیو! گولی مت چلانا''۔ یہ سن کر گڑھوال کی پہاڑیوں کے بہادر سپاہیوں نے اپنی تانی ہوئی رائفلیں زمین پر رکھ دیں۔ کپتان ریکٹ غصہ میں آگ بگولہ ہو گیا، اور حوالدار چندر سنگھ سے حکم عدولی کی جواب طلبی کی۔ حوالدار چندر سنگھ نے نہایت تحمل سے جواب دیا: ''ہجوم نہتہ ہے، نہتوں پر گولی نہیں چلائی جاسکتی''۔ اگرچہ گڑھوالی سپاہیوں نے تو گولی نہیں چلائی لیکن ان کے ساتھی سفید فام سپاہیوں نے بے محابہ گولی چلا دی اور دو ڈھائی سو لاشوں کے ڈھیر لگا دیئے۔ گڑھوالی سپاہیوں پر حکم عدولی کے الزام میں مقدمے چلے اور انہیں بطور سزا مختلف میعادوں کے لئے جیل جانا پڑا۔ یہ سارا واقعہ میرے ذہن میں پیوست ہے اور اس کا نقش میری شخصیت پر ان مٹ ثابت ہوا۔

میں اور میرا کنبہ ہم ۱۹۳۰ تا ۱۹۳۸ء پاراچنار، مانسہرہ اور کوہاٹ میں رہے۔ اور ان جگہوں میں مجھے بہت سے ایسے تجربات حاصل ہوئے جو میرے ان ساتھیوں کو نصیب نہ ہو سکے جنہیں مردان سے باہر رہنے کا کبھی موقعہ نہ ملا۔

شروع میں مجھ کو کوہاٹ کے اسلامیہ ہائی اسکول میں داخل کر دیا گیا لیکن وہاں کا ماحول مجھ کو کچھ زیادہ نہ بھایا۔ چنانچہ میرے کہنے پر مجھ کو کوہاٹ کے بھارتری ہائی اسکول میں منتقل کر دیا گیا۔ اس ہندو اسکول میں میرا جو وقت گذرا بہت اچھا گذرا اور میرے ذہن میں آج تک اس اسکول سے بہت سی خوشگوار یادیں وابستہ ہیں۔ خصوصاً اس اسکول کے اساتذہ کی لگن اور فرض شناسی کو میں کبھی نہ بھول سکا۔

میں ۱۹۳۸ء میں اسلامیہ کالج پشاور میں سال اول میں داخل ہوا۔ شاید پاکستان میں بہت سوں کو یہ معلوم نہ ہو کہ اسلامیہ کالج پشاور قائم کیسے ہوا تھا؟ اس کالج کے قیام کی کارروائی کے روح رواں صوبہ سرحد کے چیف کمشنر سر جارج رُس کیپل تھے۔اور ان کے معاون تھے صاحبزادہ عبدالقیوم جن کی قابلیت واہلیت مسلم تھی اس سلسلے میں سر جارج رُس کیپل نے وائسرائے ہند کو لکھا تھا کہ :

"یہ کالج قائم ہو گیا تو سرحد کے مسلمانوں کا ہندوستان کی دوسری درسگاہوں خصوصاً علی گڑھ، جانا رک جائے گا"۔

علی گڑھ اس زمانے میں مسلمانوں کی سیاسی جدوجہد کا گہوارہ سمجھا جاتا تھا۔ ایک اور خط میں سر جارج رُس کیپل نے وائسرائے ہند کو لکھا تھا کہ :

"اب نوجوانوں کے والدین کو اپنی اولاد کی تعلیم کی ضرورت اور اہمیت کا احساس ہوتا جارہا ہے، لیکن خاندانی چاہت و محبت کے باعث یہ لوگ اپنے بچوں کو اپنی نظروں سے دور نہ کریں گے۔ اور (مذہبی لگاؤ کے باعث) نہ یہ لوگ اپنے بچوں کو مشنری درسگاہوں میں بھیجیں گے اسلئے کہ اگرچہ مشنری درسگاہیں اپنے طلبہ کو عیسائی تو نہیں بناتیں لیکن مادہ پرست، دہریہ اور ملحد ضرور بنادیتی ہیں"

صوبہ سرحد کے طبقہ رؤسا کی شدید مخالفت کے باوجود اسلامیہ کالج پشاور قائم ہو گیا۔ چنانچہ ۱۹۱۲ء میں سر جارج رُس کیپل نے اپنی ایک رپورٹ میں لکھا :

"پڑھے لکھے مسلمانوں میں چند خود غرض ایسے بھی ہیں جو عامۃ الناس کی ترقی کے مخالف ہیں۔ ان کا کہنا ہے کہ تعلیم عام ہو گئی تو کسانوں کے بچے اپنی موجودہ حیثیت سے اوپر ابھرنے کے خواب دیکھنے لگیں گے، وہ نہ امیروں کے لئے لکڑی کاٹیں گے نہ پانی ڈھوئیں گے۔ اور اس طرح معاشرہ کا روایتی توازن بگڑ جائے گا"

جب ۵ اپریل ۱۹۱۳ کو اسلامیہ کالج پشاور کی رسم افتتاح ہو رہی تھا تو ایک سفید پوش بزرگ صورت شخص نے کھڑے ہو کر پشتو زبان میں لمبی چوڑی تقریر کی جس کا ماحصل یہ تھا کہ : "یہ پہلا موقعہ ہے کہ سرحد کے مسلمانوں نے زن و غلمان کے علاوہ کسی اور کام پر اپنا پیسہ صرف کیا ہے"۔

میں ابھی اسلامیہ کالج پشاور میں سال دوم میں زیر تعلیم ہی تھا کہ دوسری جنگ عظیم شروع ہو گئی۔ ہمارے کالج کے کامن روم میں ایک ریڈیو سیٹ رکھا رہتا تھا۔ میں اس سیٹ سے چمٹا جنگ سے متعلق خبریں سنتا رہتا۔ چاہے جرمن فسطائی تھے یا نہیں تھے لیکن سچ تو یہ ہے کہ کم از کم اوائل جنگ میں میری ہمدردیاں جرمنوں کے ساتھ تھیں۔ اس لئے نہیں کہ مجھے جرمنوں سے کوئی لگاؤ تھا۔ بلکہ صرف اس لئے کہ اپنے

حکمرانوں کو ہزیمت خوردہ دیکھنا چاہتا تھا۔ تاہم اس کے باوجود جب کالج کی منتظمہ کمیٹی نے کالج کے پرنسپل مسٹر ہولڈزورتھ کی ملازمت ختم کرنے کا فیصلہ کیا تو میں نے اس فیصلہ کے خلاف احتجاجی ہڑتال اور احتجاجی مظاہرے میں حصہ بھی لیا۔

میں نے لاہور پہلی مرتبہ ۱۹۳۹ میں دیکھا جب میں نے گورنمنٹ کالج لاہور میں منعقدہ مجلس مباحثہ میں شرکت کی۔ مباحثہ میں نوجوان مقرر حصہ لے رہے تھے۔ میں اپنے کالج کی نمائندگی کر رہا تھا۔ جب ہمارے کالج نے ٹرافی جیت لی تو مجھ کو بے حد خوشی ہوئی۔ میں لاہور کی شان و شوکت اور اس کی نفاست و نظافت سے بے حد متاثر ہوا۔

۱۹۴۰ء میں میں دوبارہ لاہور گیا۔ لیکن اس مرتبہ میرا مقصد لاہور کے فورمین کرسچن کالج میں سال سوم میں داخلہ تھا۔ مجھے اس کالج کا آزادانہ، ترقی پسندانہ اور مذہبی رواداری کا ماحول بہت پسند آیا اور اس ماحول کا اثر میری زندگی پر بہت دور رس ثابت ہوا۔ میرے دل میں اس کالج کو چلانے والے امریکی اساتذہ کے لئے احترام و عقیدت کے ایسے گہرے جذبات پیدا ہوئے جو ہمیشہ قائم رہے اور ہیں۔

فورمین کرسچن کالج لاہور میں میرے کئی نئے دوست بنے جن میں بی ساہنی ایک ہندو، بابی فاروقی، (جن کے باپ مسلمان تھے اور ماں ہندو) روشن لال سوری قابل ذکر ہیں۔ روشن لال سوری بعد میں انڈین ایر فورس کا ایک ممتاز پائلٹ بنا۔ لیکن میرے ان نئے دوستوں میں سب سے زیادہ قابلِ ذکر اور سر فہرست نام جمشید کے اے مارکر کا ہے جو حال ہی میں پاکستان کی خارجہ سروس میں بطور سفیر کبیر کارہائے نمایاں سرانجام دینے کے بعد ریٹائر ہوئے ہیں۔ میں نے اپنے ان نئے دوستوں سے بہت کچھ سیکھا۔ لیکن میری زندگی پر سب سے گہرا اثر جمشید مارکر کی دوستی کا ہے۔ جمشید مارکر نے ہی مجھ کو مغربی کلاسیکی موسیقی سے روشناس کرایا۔ مجھے یاد ہے کہ کیسے ہم اپنے گارڈن ٹاؤن لاہور والے مکان کی چھت پر گرمیوں کی شاموں میں بیتھوون کا "مون لائٹ سوناٹا" سنتے اور سر دھنتے تھے۔ یہ میری خوش قسمتی تھی کہ مجھ کو ایسے قابل اور باصلاحیت دوستوں کی رفاقت ملی۔ ان سب کی زندگیوں کے پس منظر میری زندگی کے پس منظر سے بالکل مختلف تھے۔

ہم سب نے مل کر گارڈن ٹاؤن لاہور میں چالیس روپے ماہانہ کرایہ پر ایک مکان لے لیا تھا۔ یہ مکان اس جگہ سے زیادہ دور نہیں تھا جہاں آج کل فورمین کرسچین کالج کا کیمپس ہے۔ ہمارا کھانا ایک ہندو باورچی مہرچند بنایا کرتا تھا۔

لاہور ہی میں میں پہلی مرتبہ مارکسزم سے متعارف ہوا۔ طلبہ اور طالبات کا ایک چھوٹا سا گروپ تھا جو اکثر مارکسی فلسفہ کی باتیں کرتا رہتا تھا۔ میں اس سے بالکل ناواقف تھا۔ میں ان کے علم کی گہرائی اور معلومات کی وسعت سے بے حد متاثر ہوتا لیکن اپنی کم علمی کے باعث ان سے بحث مباحثہ کا حق ادا نہ کر پاتا۔ چنانچہ میں نے صورت حال کی اصلاح کا فیصلہ کر لیا۔ میرے پاس اتنا وقت اور تحمل تو نہ تھا کہ میں مارکس اور اینجلز کی تمام تصانیف

کا شروع سے آخر تک مطالعہ کر تا لیکن میں نے اشتمالی منشور (Communist Manifesto) کو بغور پڑھا اور اس نے مجھ کو متاثر بھی بہت کیا۔ مجھے یہ نظریہ بے حد پر کشش لگا کہ درجہ بندی سے پاک ایسا انسانی معاشرہ تشکیل دیا جائے جہاں نظم زندگی اشتراکی اور اشتمالی ہو۔ میں مارکس کے اس بنیادی نظریے کا قائل ہو گیا کہ:

"ہر ایک سے اس کی صلاحیت کے مطابق لو اور ہر اک کو اس کی ضرورت کے مطابق دو"

میرے نزدیک جدلی مادیت طبقاتی استبداد کی تاریک رات کو روشن بھی کرتی تھی اور استبداد کو ختم کرنیکا راستہ بھی دکھلاتی تھی۔ انقلابی عمل کی جانب مارکسزم کی دعوت مجھ کو بہت بھلی اور سہانی لگی، میرے قلب و ذہن کو نہ آل انڈیا نیشنل کانگریس کے مطالبہ آزادی نے متاثر کیا نہ آل انڈیا مسلم لیگ کے مطالبہ پاکستان نے۔ مجھ کو تو سب سے زیادہ متاثر روس کے اکتوبر ۱۹۱۷ء والے سرخ انقلاب نے کیا۔ جس کے متعلق ٹراٹسکی نے کہا تھا (اور سچ کہا تھا) کہ یہ دنیا کو تہہ و بالا کرنیکی ایک بے مثال کوشش ہے تاکہ ریاست، معاشرت، معیشت، اور ثقافت کی تشکیل نو کر کے دنیا میں ایک 'نیا انسان' جنم دیا جا سکے۔

۲۲ جون ۱۹۴۱ کو جمشید مارکر اور میں پلازہ سینما لاہور میں میٹنی شو دیکھ رہے تھے کہ شو کے وقفہ میں ہم نے سنا کہ ہٹلر نے سوویت یونین پر حملہ کر دیا ہے۔ ہماری ہمدریاں سوویت یونین کے ساتھ تھیں چنانچہ ہم نے سوویت یونین کی مدد کیلئے رقم جمع کرنیکی خاطر لاہور کے پلازہ سینما میں جارج برنارڈ شا کا ڈراما 'جنیوا' اسٹیج کیا۔ ہم سب ایسے طلباء و طالبات جو سوویت یونین سے ہمدردی رکھتے تھے، ایک چھوٹے سے فلیٹ میں باقاعدگی سے اجلاس کیا کرتے تھے۔ یہ فلیٹ انڈیا کافی ہاؤس کے بالمقابل کمرشل بلڈنگ میں واقع تھا۔ کافی ہاؤس لاہور میں لوگوں سے میل جول، میرے لئے کئی پہلوؤں سے تحریک و انگیخت فکری کا ایک انوکھا اور مفید تجربہ ثابت ہوا۔ وہاں میری ملاقات لاہور کی سوسائٹی کے ممتاز اور معروف افراد سے ہوئی۔ ان میں سے کچھ دانشور طلبہ کے لیڈر تھے جیسے رمیش چندرا اور مظہر علی خان، مستقبل کے انقلابی بھی تھے جیسے ایم این رائے۔ کافی کے دور پر دور چلتے، طویل اور لامتناہی بحثیں چلتی رہتیں۔ اورسن ویلز نے کہا تھا (اور صحیح کہا تھا) کہ:

"دنیا بھر میں ویانا کا کیفے ہی ایسی واحد جگہ ہے جہاں آپ کافی کا صرف ایک پیالہ آرڈر کر کے آٹھ گھنٹے یا اس سے بھی زیادہ بیٹھے رہیں اور یہ کہ نہ صرف آپ کو کوئی تنگ نہ کرے بلکہ آپ کی پذیرائی شاہانہ انداز میں ہوتی رہے"

میرے نزدیک انڈیا کافی ہاؤس بھی اس اعتبار سے ویانا کے کیفے سے کم نہ تھا۔ انڈیا کافی ہاؤس کی کافی دوزخ کی طرح گرم، ابلیس کی طرح سیاہ، فرشتوں کی طرح خالص اور محبت کی طرح میٹھی ہوتی تھی (چارلس ڈی ٹیلی رینڈ سے ماخوذ)۔ کافی ہاؤس کے عالمگیر جذبے کا بہترین اظہار ان الفاظ سے ہوتا ہے جو آسٹریا ہنگری کے وزیر خارجہ کاؤنٹ زرنین نے اس وقت کہے تھے جب اس سے کسی نے کہا تھا کہ روس

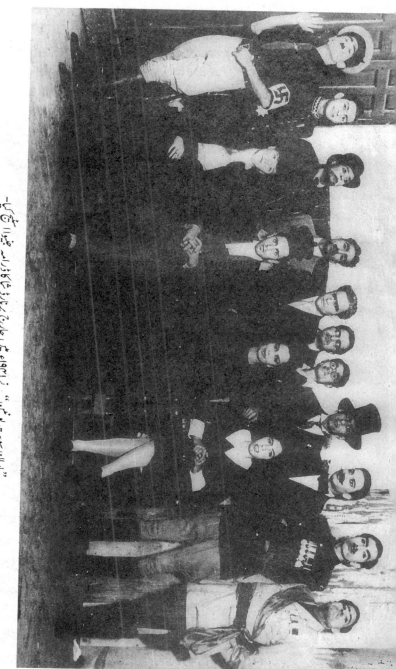

"یاران سویت یونین" نے ۱۹۴۱ء میں جارج برنارڈ شا کا ڈرامہ جنیوا اسٹیج کیا۔
مصنف جنرل فرانکو کے کردار میں دائیں طرف سے دوسرے نمبر پر

میں انقلاب برپا ہو گیا ہے۔ زرنین نے یہ سنکر کہا تھا:

"چھوڑو چھوڑو بھلے آدمی۔ وہاں کون انقلاب لائے گا۔ ٹراٹسکی جو کیفے سنٹرل میں بیٹھا شطرنج کھیلتا رہتا ہے؟ مذاق نہ کرو بھائی!"

میرے لاہور میں قیام کے دوران ایک مرتبہ میں اور جمشید مارکر ایک ہی سائیکل پر سوار لارنس گارڈن میں کہیں جا رہے تھے۔ جمشید مارکر سائیکل چلا رہے تھے اور میں ان کے پیچھے کیریئر پر بیٹھا ہوا تھا۔ ایک اینگلو انڈین ٹریفک سارجنٹ نے ہم دونوں کو روک کر ہمارا چالان کر دیا۔ جمشید مارکر کا قصور یہ تھا کہ ان کی سائیکل کے کیریئر پر گدی نہیں تھی اور میرا قصور یہ تھا کہ میں بغیر گدی کے کیریئر پر بیٹھا کیوں۔ ہم دونوں یعنی جمشید مارکر اور میں اس چالان سے خاصے وحشت زدہ ہوئے۔ جب ہم اینگلو انڈین مجسٹریٹ کے سامنے پیش ہوئے تو ہم نے دیکھا کہ اس نے ہمارا کوئی نوٹس نہیں لیا۔ تھوڑی دیر بعد مجسٹریٹ کے پیش کار نے ہمیں بتلایا کہ "اب آپ دونوں جا سکتے ہیں" مجسٹریٹ صاحب نے آپ کو صرف تنبیہ کر کے چھوڑ دیا ہے" ہمیں اپنے کانوں پر یقین نہ آیا۔ ہم نے سوچا کہ اس میں پیشکار کی کوئی چال نہ ہو۔ چنانچہ ہم وہیں کھڑے رہے۔ جب مجسٹریٹ نے ہماری ہچکچاہٹ دیکھی تو اس نے خود ہم سے کہا: "تم دونوں جا سکتے ہو" اس کے بعد ہم نے اطمینان کا سانس لیا اور ہم کمرہ عدالت سے باہر نکلے۔ قانون کی عظمت و جبروت کے سامنے یہ میری پہلی پیشی تھی۔

میں فورمین کرسچین کالج لاہور کی انجمن مقررین کا سیکریٹری منتخب ہوا۔ مس وی زیڈ سنگھ اس انجمن کی صدر نشین تھیں۔ وہ ٹمپل روڈ پر بنگلہ نمبر ۳۹ میں رہا کرتی تھیں۔ ان دنوں پورا لاہور ان پر فریفتہ تھا۔ لوگ ان سے ملنے کی خواہش میں سرگرداں رہتے۔

جب مارچ ۱۹۴۰ میں لاہور میں قرارداد پاکستان منظور ہوئی تو میں لاہور میں موجود تھا۔ لیکن اس واقعہ کا مجھ پر کوئی خاص اثر نہیں ہوا اور نہ میں نے اس واقعہ کی غیر معمولی اہمیت کو محسوس کیا۔

میں کشمیر پہلی مرتبہ ۱۹۴۱ فورمین کرسچین کالج لاہور کے ایک گروپ کے ساتھ گیا۔ اس گروپ میں امریکی اساتذہ پروفیسر ڈاکٹر شیٹس اور پروفیسر ڈاکٹر ویلٹے اور طلبہ جمشید مارکر اور سوری تھے۔ کشمیر سے لاہور واپسی پر میں نے لاہور کو خیر باد کہا اور اپنے والد کے اصرار پر مسلم یونیورسٹی علی گڑھ کی ایم اے اور ایل ایل بی کی کلاسز میں داخلہ لے لیا۔ لاہور سے علی گڑھ کا ماحول بے حد مختلف تھا۔ سیاسی اعتبار سے لاہور کا ماحول معتدل تھا جب کہ مسلم یونیورسٹی علی گڑھ اس وقت تک مسلم ہندوستان کا اسلحہ خانہ بن چکا تھا۔ ماحول میں شدت، جنون کی حدوں کو چھو رہی تھی۔ کیا طلبہ کیا اساتذہ سب کے سب پاکستان کے حامی، جذبات کو اپنے جوش و خروش اور آئیڈیلزم سے بھڑ کا رہے تھے۔ میرے ساتھی طلبہ پاکستان کو ایک روشن خواب سمجھتے تھے۔ وہ پاکستان کو ایسی منزل سمجھتے تھے جہاں وہ جان و دل وار کر بھی پہنچنا چاہتے تھے۔ مختصر یہ کہ ان کے نزدیک پاکستان، جنت ارضی کے مترادف تھا۔ میں اس نقطہ نظر کا حامی نہیں تھا۔ علی گڑھ کا ماحول جو لاہور کے ماحول

کے بالکل الٹ تھا، مجھ پر اکثر و بیشتر افسردگی طاری کر دیتا۔ یونیورسٹی کا مقررہ معیاری لباس اچکن اور ترکی ٹوپی تھا۔ مجھے یہ کبھی پسند نہ آیا (یہاں یہ ذکر بے محل نہ ہوگا کہ ۱۹۲۵ میں ترکی میں کمال اتاترک نے ترکی ٹوپی پہننا ممنوع قرار دیدیا تھا) میں اپنے کام سے کام رکھتا اور اپنی پڑھائی میں مصروف رہتا۔ دن میں ایم اے (تاریخ) کی تعلیم حاصل کرتا اور شام میں ایل ایل بی (قانون) کی، دونوں پڑھائیوں کے درمیان جو وقت بچتا اس میں میرے دوست انور عادل مجھے اپنی سائیکل کے کیریئر پر بٹھلا کر کیفے ڈی جمیل لے جاتے جہاں ہم مزے لے لے کر گاجر کا حلوہ کھاتے اور چائے پیتے۔ تاج محل آگرہ بھی انور عادل نے مجھے اپنے مہمان کے طور دکھلایا۔

ابھی میں علیگڑھ میں ہی تھا کہ ایک دن یکایک مجھ کو اپنے والد صاحب کی جانب سے ایک خط ملا جس میں درج تھا کہ میری شادی طے کر دی گئی ہے۔ میں نے احتجاج کیا کہ میں ابھی شادی نہیں کرنا چاہتا لیکن میری صدائے احتجاج سنی ان سنی ہوگئی۔ پہلے تو شادی کی تاریخ بھی انہی دنوں میں مقرر ہوگئی تھی جن دنوں مجھے ایم اے اور ایل ایل بی کے امتحانات دینے تھے۔ خیر میرے کہنے سننے پر شادی کو امتحانات ختم ہونے کے بعد تک مؤخر کر دیا گیا۔ ادھر امتحانات ختم ہوئے (۱۹۴۴) اور ادھر میری شادی ہوگئی۔ میں ابھی برسر روزگار تک نہ تھا اور شادی شدہ زندگی کے سارے عواقب پوری آب و تاب کے ساتھ میرے سامنے جلوہ فگن تھے۔

خوش قسمتی سے انہی دنوں گورنمنٹ انٹرمیڈیٹ کالج ایبٹ آباد میں تاریخ کے لیکچرر کی خالی آسامی کا اشتہار نکلا۔ میں نے درخواست دیدی۔ صوبائی وزیروں کی ایک کمیٹی نے میرا انٹرویو لیا۔ مجھے چن لیا گیا، اور میرا تقرر ۱۶۰۔۴۔۱۲۰ کے اسکیل میں ہوگیا۔ میری تنخواہ میں سے پندرہ فیصد رقم وار فنڈ کے لئے کٹ جاتی۔ ہٹلر کی شکست میں میرا حصہ یہی کٹوتی تھا۔

جولائی ۱۹۴۴ میں میں گورنمنٹ انٹرمیڈیٹ کالج، ایبٹ آباد پہنچا اور اپنے فرائض سنبھالے۔ اس زمانے میں یہ کالج مانسہرہ روڈ پر کرائے کے ایک مکان میں قائم تھا۔ نوجوان طلبہ کو علم تاریخ پڑھانا میرے لئے ایک مسرور کن تجربہ تھا۔ شاید میرے خوش ہونے کی ایک وجہ یہ بھی ہو کہ کیمپس مجھ کو باہر کی دنیا کے تلاطم سے بچاتا تھا۔ جبکہ میں باہر کی متلاطم حقیقی زندگی کے تھپیڑوں سے گھبراتا تھا۔ یہ زمانہ دوسری جنگ عظیم کا زمانہ تھا، اشیائے صرف کی کمی کے باعث چینی، مٹی کے تیل، کپڑے وغیرہ کی راشن بندی تھی۔

ایک روز شام کے وقت ایک صاحب محمد ایوب نامی جو فوج میں کرنیل تھے اپنی موٹر سائیکل پر سوار ہمارے کالج آئے اور کالج کے گیراج میں اپنی موٹر سائیکل کھڑی کرنے کی اجازت چاہی۔ گیراج خالی پڑا تھا اسلئے ان کی خواہش کے خلاف بھلا اعتراض کیا ہو سکتا تھا۔ چنانچہ انہوں نے کالج کے گیراج میں اپنی موٹر سائیکل کھڑی کر دی اور چلے گئے۔ اور اس طرح میں اس شخص سے پہلی بار ملا جسے چودہ سال بعد مملکت خداداد پاکستان کا صدر بننا تھا۔

۱۹۴۶ء میں اخبار خیبر میل میں ایک اشتہار چھپا جس میں شمال مغربی سرحدی صوبے کی صوبائی جوڈیشل سروس میں بھرتی کے لئے درخواستیں منگوائی گئی تھیں۔ میں نے بھی درخواست دیدی لیکن صوبائی پبلک سروس کمیشن نے اس بنا پر میری درخواست قبول کرنے سے انکار کر دیا کہ صوبائی جوڈیشل سروس میں تقرر کے لئے سب جج کی عمر کم از کم ۲۳ برس ہونا ضروری تھا اور میں ۲۳ برس سے کچھ کم تھا۔ صوبائی جوڈیشل کمشنر پشاور نے صوبائی پبلک سروس کمیشن کی رائے سے اتفاق نہیں کیا اور از خود میرا معاملہ صوبائی پبلک سروس کمیشن کے پاس دوبارہ غور کیلئے یہ کہہ کر بھیج دیا کہ کم سے کم ۲۳ برس کا ہونا سب جج مقرر ہوتے وقت ضروری ہے نہ کہ امتحان میں بیٹھتے وقت۔ چنانچہ خوش قسمتی سے صوبائی پبلک سروس کمیشن نے اپنا پہلا فیصلہ بدل دیا اور مجھ کو سب ججی کے مقابلے کے امتحان میں بیٹھنے کی اجازت دیدی۔ میں نے امتحان دیا۔ کامیاب ہوا اور اول پوزیشن حاصل کی لیکن چونکہ میری عمر امتحان میں کامیابی کے بعد بھی ۲۳ برس سے کم تھی، مجھ کو سب جج مقرر نہیں کیا جاسکتا تھا۔ چنانچہ مجھے کچھ عرصہ کے لئے بندوبست مال کی تربیت اور عدالتی تربیت حاصل کرنے کے لئے بھیج دیا گیا۔

جب بالآخر ستمبر ۱۹۴۶ء میں میں ۲۳ برس کا ہو چکا تو مجھ کو تحصیل صوابی ضلع مردان میں سب جج مقرر کر دیا گیا۔ میں نے اپنا عہدہ سنبھالا معلوم ہوا کہ میرے پیش رو سب جج جو ہندو تھے، تقریباً تین سو مقدمات بغیر فیصلہ سنائے چھوڑ گئے تھے۔ ان میں سے کچھ مقدمات حق شفعہ کے تھے، کچھ رہن واگذار کرانے کے، کچھ ازدواجی نوعیت کے، اور کچھ توضیحی تشریحی قسم کے۔ میرے پاس قانون کی سند (ایل ایل بی) ضرور تھی لیکن قانون کے عملی اطلاق کا کوئی عملی تجربہ نہ تھا۔ غرضیکہ عدالت میں میرا پہلا دن خاصہ حوصلہ شکن تھا۔ اگر میرا پیشکار میری مدد نہ کرتا تو نہ جانے میں کیسے اپنا کام نمٹا پاتا۔ جب عدالت کا وقت ختم ہوا میرے اعصاب شل ہو چکے تھے۔

عدلیہ اپنی غیر جانبداری اور انصاف پسندی کے لئے مشہور تھی، اسی لئے اراکین عدلیہ اپنے آپ کو انتظامیہ اور سماجی تقریبات سے دور رکھتے تھے۔ چونکہ میں بھی اب عدلیہ کا رکن بن چکا تھا لہذا میں نے بھی عدلیہ کی روایات کے مطابق اپنے آپ کو صوابی کی انتظامیہ اور صوابی کی سماجی تقریبات سے الگ تھلگ رکھا۔

۶ جولائی ۱۹۴۷ء کو شمال مغربی سرحدی صوبے میں ریفرنڈم ہوا، یہ جاننے کے لئے کہ آزادی کے بعد صوبہ پاکستان میں شامل ہونا چاہتا ہے یا نہیں۔ مجھ کو اس روز تحصیل صوابی ضلع مردان کے ایک پولنگ سٹیشن کا پریذائڈنگ افسر مقرر کیا گیا۔ پاکستان بنانے کے لئے جوش و جذبے کی شدت کا تجربہ مجھ کو علی گڑھ (۱۹۴۲ تا ۱۹۴۴) میں ہو چکا تھا۔ جولائی ۱۹۴۷ میں پورا صوبہ سرحد اسی قسم کے جوش و جذبے سے سرشار تھا۔ ریفرنڈم کا نتیجہ کیا نکلے گا وہ ہر شخص کو پہلے سے معلوم تھا اور وہی نکلا جس کی توقع تھی یعنی صوبہ سرحد کے لوگوں نے بھاری اکثریت سے پاکستان میں شامل ہونے کے حق میں اپنا ووٹ دیدیا۔

ستمبر ۱۹۴۸ء میں میں نے پاکستان ایڈمنسٹریٹو سروس کے مقابلہ کے امتحان میں بیٹھنے کا فیصلہ کیا۔ چنانچہ امتحان کی تیاری کے لئے کچھ کتابیں لانے میں صوابی سے پشاور گیا، اور وہاں غلام اسحٰق خان کے پاس ٹھہرا۔ جی ں وہی غلام اسحٰق خان جنہیں چالیس سال بعد مملکت خداداد پاکستان کا صدر بننا تھا۔ ۱۲ ستمبر ۱۹۴۸ء کی صبح و ہم دونوں نے مسٹر محمد علی جناح، گورنر جنرل پاکستان کی وفات حسرت آیات کی اندوہ ناک خبر سنی۔ میں پشاور سے مردان گیا وہاں ایک تعزیتی جلوس ڈپٹی کمشنر مردان کی قیادت میں نکل رہا تھا، میں نے اس جلوس یں شرکت کی اور پھر مردان سے صوابی واپس پہنچ گیا۔

جنوری ۱۹۴۹ میں میں نے پاکستان ایڈمنسٹریٹو سروس کے مقابلہ کا تحریری امتحان سنٹرل ماڈل اسکول لاہور کے ہال میں دیا۔ جولائی ۱۹۴۹ء میں زبانی امتحان دینے میں مرکزی پبلک سروس کمیشن کے دفتر واقع نگل روڈ کراچی گیا۔

میں ستمبر ۱۹۴۹ء میں تحصیل چارسدہ ضلع پشاور میں بطور سب جج کام کر رہا تھا کہ مجھ کو پاکستان ایڈمنسٹریٹو سروس میں تقرری کے احکام ملے۔ جنہیں پاکر میں بہت خوش ہوا کہ اب مجھ کو ان لوگوں کی جانشینی کا اعزاز ملے گا جن کو حقیقتاً فرمانروایان ہند سمجھا جاتا تھا۔

اکتوبر ۱۹۴۹ء میں میں پاکستان ایڈمنسٹریٹو سروس اکیڈمی لاہور پہنچا جہاں سب کامیاب امیدواروں کو تربیت کے لئے جمع ہونا تھا۔ اس اکیڈمی میں میں نے تقریباً نو ماہ کا عرصہ گذارا۔ اس زمانے کے بارے میں اگر مجھ کو کچھ یاد ہے تو یہ ہے کہ وہاں دیوانی اور فوجداری قوانین، معاشیات، اسلامیات وغیرہ پر غیر دلچسپ قسم کے لیکچر ہوا کرتے تھے۔ گھوڑ سواری سیکھنے کو البتہ میں نے دلچسپ پایا اور بہ آسانی اتنی سیکھ لی کہ میں نے اس کا امتحان بغیر کسی دقت کے پاس کر لیا۔ اکیڈیمی میں میرے کچھ نئے دوست بھی بنے جن سے دوستی زمانے کے نشیب و فراز سے بے نیاز آج تک قائم ہے۔

جب اکیڈیمی کی تربیت لاہور میں مکمل ہوگئی تو عملی تربیت کے لئے ہمیں مغربی پاکستان سے مشرقی پاکستان جانا تھا۔ میں لاہور سے دہلی، دہلی سے کلکتہ، اور کلکتہ سے ڈھاکہ پہنچا۔ اس سفر میں میرے دوست اور رفیق کار آفتاب احمد خان میرے ساتھ تھے۔ دہلی میں پہلے تو میں پروفیسر عبدالمجید خان کے ہاں ٹھہرا۔ وہ فورمین کرسچین کالج لاہور میں (۱۹۴۰ تا ۱۹۴۲) میرے استاد رہ چکے تھے اور ان دنوں بھارتی پارلیمنٹ کے رکن تھے۔ پھر مسٹر پوری نے اصرار کیا کہ میں ان کے پاس ٹھہروں۔ پاکستان بننے سے پہلے مسٹر پوری صوبہ سرحد میں استغاثہ کے پولیس انسپکٹر ہوا کرتے تھے اور میرے والد کے دوست تھے۔ چنانچہ میں پروفیسر عبدالمجید خان کے یہاں سے مسٹر پوری کی طرف چلا گیا۔ اگرچہ مسٹر پوری کی اہلیہ پردہ نشین خاتون تھیں لیکن انہوں نے ازراہ تکلف و عزت افزائی مجھ سے پردہ نہیں کیا۔ نہ صرف یہ بلکہ اپنے ہاتھ سے پکائے ہوئے لذیذ کھانوں سے میری تواضع بھی کی۔ میں مسٹر پوری اور مسز پوری کی اس محبت و مروت سے بے حد متاثر ہوا۔

آخر کار دہلی سے کلکتہ ہوتا ہوا میں ڈھاکہ پہنچا۔ جب ہمارا ڈکوٹہ ہوائی جہاز ڈھاکہ کے ہوائی اڈے پر اترا تو چاروں طرف سبزہ ہی سبزہ تھا شادابی ہی شادابی تھی اور فطری حسن اس بلا کا تھا کہ میں دیکھتا کا دیکھتا رہ گیا۔

نو ماہ مغربی پاکستان میں پھر نو ماہ مشرقی پاکستان میں تربیت کے بعد میں مئی ۱۹۵۱ء میں دیگر زیرِ تربیت افسروں کے ساتھ بیرونِ ملک تربیت کے لئے مشرقی پاکستان سے آسٹریلیا کے لئے روانہ ہو گیا۔ میں چٹاگانگ سے پہلے کولمبو اور پھر کولمبو سے سڈنی گیا۔ بحری سفر دلچسپ رہا۔ حالانکہ میں کھیل کود کا رسیا نہیں پھر بھی مجھ کو بحری سفر کے دوران جہاز کی کھیل کود اور تفریح کی کمیٹی کا سیکریٹری بنا دیا گیا۔ میں اپنے اس اعزاز سے بہت محظوظ ہوا اور جو کچھ کر سکتا تھا کیا۔ جب آپ کھلے سمندر میں آسمان تلے جہاز میں سفر کرتے ہیں تو اصلی دنیا تو نظروں سے اوجھل ہو جاتی ہے اور آپ کی دنیا جہاز تک محدود رہ جاتی ہے جہاں نت نئی دوستیاں جنم لیتی ہیں اور پروان چڑھتی ہیں۔

میں ستمبر ۱۹۵۱ میں آسٹریلیا سے واپس پاکستان پہنچا تو میری خدمات صوبہ سرحد کی حکومت کے سپرد ہو چکی تھیں۔ میں پشاور پہنچا اور حسبِ دستور صوبہ سرحد کے اس وقت کے وزیرِ اعلیٰ خان عبدالقیوم خان کے پاس حاضر ہوا۔ خان صاحب کی شخصیت بے حد فعال تھی، ان کی انتظامی قابلیت و صلاحیت غیر معمولی تھی۔ صوبے کو ترقی کے راستے پر گامزن کر کے ترقی کی منازل کو سرعت سے طے کروانا، ان کا ایمان تھا۔ لیکن ان خوبیوں کے ساتھ ساتھ وہ بے رحم دشمن تھے، مخالفت برداشت نہیں کر سکتے تھے، چنانچہ اکثر اعلیٰ افسر خان صاحب کی خوشنودی کے حصول کی خاطر انتخابات میں دھاندلی کے میدان میں ایک دوسرے سے بازی لے جانے کی کوشش میں لگے رہتے۔ میں اس پورے منظر کو نفرت اور بیزاری سے دیکھتا رہتا۔ شاید یہی ابتداء تھی اس عمل کی جس میں سرکاری افسر حکومت وقت کی خوشنودی اور ذاتی منفعت کی خاطر، غیر جانبداری اور ایمانداری کے بجائے سیاست میں ملوث ہوتے چلے گئے۔

اگست ۱۹۵۲ میں اسسٹنٹ کمشنر ٹانک (ضلع ڈیرہ اسمٰعیل خان) مقرر ہو گیا۔ یہاں کسی زمانے میں اسکندر میرزا بھی اسسٹنٹ کمشنر رہ چکے تھے۔ وہ ان چند پہلے ہندوستانیوں میں سے تھے جو پہلے سینڈ ہرسٹ (انگلستان) عسکری تربیت کے لئے گئے۔ وہاں سے واپسی پر عسکری سروس سے پولیٹیکل سروس میں منتقل ہو گئے۔ انہیں سب "اسکندر" کہا کرتے تھے۔ وہ اپنی ہوشیاری اور حاضر دماغی سے دوسروں پر غلبہ پا کر خوب محظوظ ہوا کرتے تھے، ان کے متعلق مشہور ہے کہ انہوں نے ایک احتجاجی جلوس کو جو اپنی منزل پر پہنچ کر شاید ہنگامہ بپا کرتا چائے میں مُسہل پلا دیا۔ نتیجہ یہ ہوا کہ جلوس منزل پر پہنچنے سے پہلے ہی منتشر ہو گیا اور ہنگامہ نہ ہوا۔

مئی ۱۹۵۳ میں میرا تبادلہ ٹانک سے واپس پشاور ہو گیا جہاں مجھے رجسٹرار انجمن ہائے امداد باہمی صوبہ سرحد لگا دیا گیا۔ یہاں میں نے گاؤں گاؤں گنے کے کاشتکاروں کی انجمن ہائے امداد باہمی بنوا دیں تا کہ گنے کے

کاشتکار اپنی پیداوار شکر سازی کے کارخانوں کو اجتماعی بنیادوں پر فراہم کریں اور اسطرح شکر سازی کے کارخانہ داروں سے اپنے گنے کی بہتر قیمت حاصل کر سکیں۔ میرے فرائض میں ایسی انجمنوں کی نگرانی کا فرض بھی شامل تھا۔ یہ ایک دلچسپ اور مفید تجربہ تھا۔ افسوس کہ اکتوبر ۱۹۵۵ میں جب صوبہ سرحد، مغربی پاکستان کی وحدت میں ضم ہوا تو میرے اس تجربہ کو بھی خیر باد کہہ دیا گیا۔

صوبہ سرحد ۱۹۰۱ میں قائم ہوا تھا جب ۱۹۵۵ میں صوبہ سرحد کو مغربی پاکستان میں ضم کیا گیا تو صوبہ سرحد کے عوام نے بالعموم اس عمل کو پسند نہیں کیا۔ ان کا خیال تھا کہ یہ مشرقی پاکستان کے خلاف سازش ہے اور صوبہ سرحد پر صوبہ پنجاب کے تسلط کے مترادف ہے۔ چنانچہ اس سے سرحد اور پنجاب کے مابین بین الصوبجاتی کشیدگی بھی پیدا ہوئی۔

اکتوبر ۱۹۵۵ میں غلام اسحٰق خان سرحد کے صوبائی سیکریٹریٹ میں اس محکمہ کے سیکریٹری تھے جس کے تحت امداد باہمی کا رجسٹرار کام کرتا تھا۔ وحدت مغربی پاکستان کے مخالف غلام اسحٰق خان اور میں ہم دونوں تھے۔ اور اسی لئے اس وقت کے گورنر صوبہ سرحد خان قربان علی خان اور لاہور میں موجود مغربی پاکستان کے ارباب اختیار ہم دونوں (غلام اسحٰق خان اور مجھ) کو پسند نہیں کرتے تھے۔

۱۹۵۶ میں میں ژوھب (بلوچستان) میں بطور پولیٹیکل ایجنٹ متعین تھا، جنرل محمد ایوب خان اس وقت بری فوج کے سپہ سالار اعلیٰ (کمانڈر انچیف) تھے۔ وہ ان دنوں ژوھب شکار کھیلنے آئے اور چار روز تک میری سرکاری رہائش گاہ میں جو کاسل یا قلعہ' کہلاتی تھی میرے مہمان رہے۔ ہم صبح ہی صبح شکار کھیلنے نکل جاتے اور سورج ڈھلے واپس لوٹتے، واپسی پر کچھ دیر تو ہم دہکتی انگیٹھی کے سامنے بیٹھ کر اپنے آپ کو گرم کرتے پھر جنرل ایوب کے دوسرے ساتھیوں کے ساتھ رات کا کھانا کھاتے۔ جنرل ایوب کے دوسرے ساتھیوں میں جنرل واجد علی برکی، جنرل حمید اور بریگیڈ یحییٰ خان کے نام تو مجھے یاد ہیں۔ باقی ساتھیوں کے نہیں۔ جنرل واجد علی برکی تو میری سرکاری رہائش گاہ کاسل' (قلعہ) میں میرے مہمان تھے باقی سب مثلاً جنرل حمید، بریگیڈیر یحییٰ وغیرہ ژوھب ملیشیا کے میس میں ٹھہرے۔ آنا تو اسکندر میرزا کو بھی تھا لیکن وہ اپنی کمر میں تکلیف کے باعث نہ آسکے۔

میں نے شکار میں بالکل حصہ نہیں لیا۔ جنرل ایوب خان نے جب یہ دیکھا کہ شکار پارٹی میں ہر ایک کے پاس پرندے ہیں لیکن میرے پاس ایک بھی نہیں تو انہوں نے ژوھب سے راولپنڈی واپس روانہ ہونے سے پہلے اپنے شکار میں سے چھ پرندے ازراہ تلطف مجھ کو دے دیئے۔

ژوھب کا صدر مقام فورٹ سنڈیمن ہے۔ جب میں وہاں چارج لینے پہنچا تو مجھ سے لوگوں نے کہا کہ مجھ سے پہلے کسی انگریز پولیٹکل ایجنٹ کو اس کے اردلی نے اس کے دفتر میں گولی ماردی تھی اور اس مقتول انگریز کی روح قلعہ کے مہمان خانہ میں آج تک گھومتی پھرتی ہے۔ جب جنرل محمد ایوب خان سونے کے لئے اپنے

کمرے میں جانے لگے تو میں نے باتوں باتوں میں اس روایت کا ذکر بھی کر دیا۔ جنرل محمد ایوب خان سمجھے کہ میں مذاق کر رہا ہوں اور ہنس کر سونے چلے گئے۔ اگلی صبح انہوں نے مجھے بتلایا کہ وہ تمام رات گہری نیند سوتے رہے اور کسی بھوت وغیرہ نے انہیں پریشان نہیں کیا۔ خدا کرے ہوا بھی یونہی ہو۔

جنرل محمد ایوب خان نے سول سروس کے معاملات میں گہری دلچسپی کا اظہار کیا اور بہت سے ایسے سوالات کئے جن سے تجسّس ٹپکتا تھا۔ دو سال بعد جب وہ پاکستان کے صدر اور چیف مارشل لاء ایڈمنسٹریٹر بنے تب معلوم ہوا کہ ان کا تجسّس کس لئے تھا۔

اوائل ۱۹۵۷ء میں میرا تبادلہ ژوھب سے ڈیرہ اسمٰعیل خان ہو گیا۔ میں ژوھب سے اپنے آبائی گاؤں ہوتی جا رہا تھا کہ راستہ میں بنوں میں میرا چھوٹا بھائی یونس خان ملا جس نے مجھے یہ روح فرسا خبر بد سنائی کہ میرے والد بزرگوار کی حالت نازک ہے۔ اس نے بتلایا کہ ہمارے پڑوس میں دور کا ایک رشتہ دار رہتا تھا، وہ ایک دن اپنی بیوی کو بری طرح زدو کوب کر رہا تھا اور بیوی مدد کے لئے چیخ چلا رہی تھی۔ میرے والد نے اس احمق شوہر کو بیوی کو پیٹنے سے منع کیا تو اس خبطی نے میرے والد پر گولی چلا دی۔ بنوں میں تو مجھے یہی بتلایا گیا تھا کہ میرے والد کی حالت نازک ہے لیکن جب میں اپنے گاؤں ہوتی پہنچا تو دیکھا کہ میرے والد میرے پہنچنے سے پہلے ہی فوت ہو چکے تھے۔ اِنَّا لِلّٰہِ وَاِنَّا اِلَیْہِ رَاجِعُوْن o اس طرح اچانک میرے والد کی وفات نے میری زندگی کو اس طرح تہ و بالا کر دیا کہ کبھی اس کا مجھ کو گمان تک نہ ہوا تھا۔ میں نے اپنی شخصیت کو اپنے والد کے حوالے سے پہچانا تھا۔ اب جب کہ وہ مجھ سے ہمیشہ ہمیشہ کے لئے جدا ہو چکے تھے میں رنج والم اور غم واندوہ کے سمندر میں ڈوب گیا۔ یک لخت میں نے اپنے آپ کو یکہ و تنہا اور غیر محفوظ پایا۔ میرے والد میرے لئے قوت و عزم کا ایک بلند، مضبوط اور روشن منارہ تھے۔ وہ تھے تو مجھے دنیا کے تند و تیز تلاطم کی پرواہ نہ تھی لیکن میری ہمت و جرأت کے سرچشمے کے زیر زمین چلے جانے کے بعد میں اکیلا رہ گیا تھا۔

سوگ ختم ہوا تو میں ہوتی سے ڈیرہ اسمٰعیل خان چلا گیا۔ اور وہاں بطور ڈپٹی کمشنر میں نے اپنے آپ کو ترقی آبپاشی کے کام میں غرق کر دیا۔ پورا موسم سرما میں نے گھوڑے کی پیٹھ پر آبپاشی کے چھوٹے چھوٹے مقامی نوعیت کے منصوبوں کے معائنے میں گذارا۔ یہ وہ منصوبے تھے جن کے مکمل ہونے اور کامیابی سے چلنے پر پورے ضلع کی خوش حالی کا انحصار تھا۔

اکتوبر ۱۹۵۸ء کا مارشل لاء

۸ اکتوبر ۱۹۵۸ء کو میں نے ریڈیو پر سنا کہ ملک میں مارشل لگا دیا گیا ہے، سول حکومتیں برطرف کر دی گئی ہیں، مجالس قانون ساز (وفاقی صوبائی) توڑ دی گئی ہیں، اور بری فوج کے کمانڈر اِن چیف جنرل محمد ایوب

خان ملک کے چیف مارشل لاء ایڈمنسٹریٹر بن گئے ہیں۔ مجھ کو یہ خبر سن کر دلی صدمہ ہوا۔ میں نے فورمین کرسچین کالج (۱۹۴۰ تا ۱۹۴۲) اور مسلم یونیورسٹی علیگڑھ (۱۹۴۲ تا ۱۹۴۴) میں جو کچھ پڑھا، سنا، سمجھا اور سیکھا تھا یہ اس کی سراسر نفی تھی۔ مجھے تو یہ باور کرایا گیا تھا کہ حالتِ امن میں مارشل لا نہیں لگ سکتا، میں شدید ذہنی مخمصے میں الجھ گیا نہ میر املک برسرپیکار تھا نہ ملک کی داخلی صورت حال اتنی ابتر تھی کہ جج صاحبان اپنے گھروں سے اپنی عدالتوں تک نہ جاسکیں۔ ڈائسی (مشہور عالم آئینی قوانین کے ماہر) نے کہا تھا کہ امن کے زمانے میں کسی ملک میں مارشل لا لگنے کی ایک صورت صرف یہ ہو سکتی ہے کہ داخلی حالات اتنے ابتر ہو جائیں کہ جج اپنے فرائض ادا کرنے اپنے گھروں سے اپنی عدالتوں تک نہ جاسکیں۔

میں اسی شش و پنج میں تھا کہ ٹیلی فون کی گھنٹی بجی، معلوم ہوا کہ مقامی فوجی کرنل نے مجھ کو مع ضلع سپرنٹنڈنٹ پولیس، فوج کے بریگیڈ کے صدر دفتر میں بلایا ہے۔ اب مجھے معروضی حالات مین انقلابی تبدیلی کا احساس ہوا۔ میں حسب تقاضہ، فوج کے بریگیڈ کے صدر دفتر پہنچ گیا۔ ضلع کے سپرنٹنڈنٹ پولیس میرے ساتھ تھے۔ اس نے ہمیں دیکھتے ہی آؤ دیکھا نہ تاؤ تابڑ توڑ آگے پیچھے بہت سے احکام جاری کر دیئے اور اگلے ۲۴ گھنٹوں میں ان کی تعمیل چاہی۔ ایک حکم یہ تھا کہ چوبیس گھنٹوں کے اندر اندر گیہوں کے تمام ذخیروں کو اپنی تحویل میں لے لیا جائے۔ دوسرا حکم یہ تھا کہ تمام اشیائے صرف (سونے سمیت) کی قیمتوں کو کنٹرول کر لیا جائے۔ میں جو کر سکتا تھا میں نے کیا۔ تھکا ہارا شام کو دیر سے جب میں اپنے دفتر پہنچا تو معلوم ہوا کہ کئی بار میرے ڈویژنل کمشنر کا فون آچکا ہے، انہیں ڈر تھا کہ کہیں مارشل لا والوں نے مجھے گرفتار نہ کر لیا ہو۔ خیر آہستہ آہستہ میں نے اپنے آپ کو نئے ماحول سے مانوس کر لیا۔ آخر جان سب کو پیاری ہوتی ہے۔ ملک بھر میں مارشل لا کا خیر مقدم کیا جارہا تھا، نئے دور کو ایک نئی روشن صبح سے تعبیر کیا جارہا تھا اور مارشل لا کو ذریعہ نجات مانا جارہا تھا۔

مارشل لا والے جن معاملات کو زیادہ اہمیت دیتے تھے انمیں ''زیادہ غلہ اگاؤ'' مہم بھی شامل تھی۔ میں پہلے ہی ضلع ڈیرہ اسمٰعیل خان میں آبپاشی کی بہت سی چھوٹی چھوٹی اسکیمیں مکمل کروا کر ہزاروں ایکٹر بنجر زمین کو زیر کاشت لاچکا تھا۔ اس زمانے میں جنرل محمد اعظم خان وفاقی وزیر خوراک و زراعت تھے انہوں نے میری اسکیم کے بارے میں سنا تو وہ خود جائزے کے لئے ڈیرہ اسمٰعیل خان آئے، ان کے ساتھ مقامی جنرل آفیسر کمانڈنگ میجر جنرل فضل مقیم بھی تھے۔ انہوں نے دیکھا کہ بل ڈوزر جھاڑیاں ہٹا رہے ہیں اور زمین کی سطح ہموار کر رہے ہیں۔ ٹیوب ویلوں سے صاف شفاف چمکتا دمکتا پانی ابل رہا ہے، وہ بہت خوش ہوئے اور بولے:

''راولپنڈی میں جو لوگ کرسیوں سے جڑے بیٹھے ہیں انہیں چاہیے کہ وہ یہاں آکر خود دیکھیں کہ زرعی ترقی کے لئے اچھا کام کیسے ہوتا ہے''۔

۱۹۵۹ء میں مجھ کو ڈپٹی کمشنر پشاور مقرر کر دیا گیا۔ اس زمانے میں پشاور کی ڈپٹی کمشنری سرکاری ملازمتوں

مصر کے صدر جمال عبدالناصر کی پاکستان سرکاری آمد کے موقع پر وزیر خارجہ ذوالفقار علی بھٹو
ان کا استقبال کر رہے ہیں۔ صدر ایوب بائیں طرف کھڑے ہیں

میں ممتاز ملازمت سمجھی جاتی تھی اور اس جگہ لگنے کے لئے بہت سے امیدوار کوشش کرتے رہتے تھے۔ میری پشاور کی ڈپٹی کمشنری کے دوران مصر کے اس وقت کے صدر جمال عبدالناصر پاکستان کے دورے پر آئے۔ جب وہ پشاور آئے تو مجھے ان سے ملاقات کا موقعہ ملا۔ وہ دوسری جنگ عظیم کے بعد ابھرنے والی انقلابی شخصیتوں میں سے ایک ایسی شخصیت تھے جنھوں نے اپنے خیالات سے اپنے ملک کے اندر اور باہر لوگوں کو متاثر کیا۔ میں نے انہیں جذبات سے عاری، سرد مہر قسم کا ایسا شخص پایا جسے اپنے مقصد کے حصول کی لگن جنون کی حد تک تھی اور جو فطرتاً مطلق العنان تھا۔

پشاور کی ڈپٹی کمشنری کے زمانے (۱۹۵۹۔۶۰) میں ذوالفقار علی بھٹو سے میری پہلی ملاقات ہوئی۔ وہ ایوب خان کی وفاقی کابینہ میں وزیر تھے اور پشاور کی دیہی ترقیاتی اکیڈیمی کی تقریب میں بطور مہمان خصوصی شریک ہونے پشاور آئے تھے۔ تقریب کے منتظمین چاہتے تھے کہ تقریب کے بعد ذوالفقار علی بھٹو، اکیڈیمی کے عشائیے میں شریک ہوں، ذوالفقار علی بھٹو بچنا چاہتے تھے۔ میں نے ان کی مدد کی اور ہم دونوں تقریب میں شرکت کے بعد پشاور کلب چلے گئے، وہاں ہم دونوں نے ساتھ کھانا کھایا اور ایک نہایت خوشگوار شام گذاری۔ مجھے پہلی ملاقات میں ہی ذوالفقار علی بھٹو بہت بھلے لگے، وہ نوجوان تھے، شگفتہ مزاج تھے، زندگی سے بھرپور تھے، اعلیٰ تعلیم یافتہ تھے، خوش پوش تھے، اور وزیروں سے زیادہ نوجوان افسروں کے قریب نظر آتے تھے۔

میں ابھی پشاور میں ڈپٹی کمشنر ہی تھا کہ ذوالفقار علی بھٹو دوسری بار پشاور آئے، اس وقت وہ قائم مقام وزیر خارجہ کا قلمدان سنبھالے ہوئے تھے۔ پشاور پہنچتے ہی انہوں نے مجھ سے بڈابیر کا ہوائی اڈہ دیکھنے کی خواہش ظاہر کی، اور پشاور سے وارسک جانے سے پہلے تاکید اً کہا کہ وہ ہوائی اڈے پر ''ہر چیز'' دیکھنا چاہتے ہیں۔ چنانچہ میں نے بڈابیر کے ہوائی اڈے کے کمانڈر سے بات کی اس نے کہا کہ ہم قائم مقام وزیر خارجہ کی تواضع کیفے ٹیریا میں چائے اور سینڈوچز سے کریں گے لیکن اڈے کے دوسرے حصے نہ دکھلا سکیں گے۔ میرے اصرار پر اس نے واشنگٹن سے رابطہ قائم کیا لیکن وہاں سے بھی جواب یہی آیا کہ وزیر موصوف کو کیفے ٹیریا کے علاوہ کوئی دوسرا حصہ نہیں دکھلایا جاسکتا۔ میں نے جب ذوالفقار علی بھٹو کو یہ بتلایا تو وہ بہت ناراض ہوئے اور پوچھا کہ کیا کمانڈر یہ نہیں جانتا کہ میں ملک کا قائم مقام وزیر خارجہ ہوں؟ میں نے جوابدیا کہ وہ اس امر سے بخوبی واقف ہے۔ یہ سن کر پھر انھوں نے کچھ نہیں کہا۔

میں ابھی پشاور میں ہی تھا کہ امریکی سراغ رساں جہاز ''یوٹو'' والا واقعہ پیش آیا، واقعہ یہ تھا کہ بڈابیر کے ہوائی اڈے سے ایک امریکی سراغ رساں جہاز 'یوٹو' اڑا تھا اور اس نے سوویٹ یونین کی فضائی حدود میں پرواز کی تھی جب خروشچیف (جو اس زمانے میں سوویٹ یونین کے سربراہ حکومت تھے) کو یہ اطلاع ملی تو اس نے نہایت ڈرامائی انداز میں اپنی ناراضگی ظاہر کرتے ہوئے دنیا کے نقشے پر 'بڈابیر' کے گرد سرخ حلقہ ڈال دیا تھا۔

۱۹۶۰ء کے وسط میں میرا تبادلہ پشاور سے حیدر آباد (سندھ) ہو گیا۔ میرا نیا عہدہ غلام محمد بیراج کے پروجیکٹ ڈائریکٹر کا تھا۔ میں اپنے طویل عرصہ ملازمت میں بہت سے عہدوں پر فائز رہا لیکن جن مناصب کو میں نے حد درجہ ولولہ انگیز اور ہمت آزما پایا، غلام محمد بیراج پروجیکٹ ڈائریکٹر ہونا، ان میں سے یقناً ایک تھا۔ مجھ کو جو فرض سونپا گیا تھا وہ مختصر الفاظ میں یہ تھا کہ غلام محمد بیراج سے جو ۲۵ لاکھ ایکڑ سرکاری زمین سیراب ہوتی ہے کاشت ہو سکتی ہے لیکن کاشت نہیں ہو رہی۔ اسے ایسے لوگوں کو الاٹ کر دوں جو اسے آباد کریں اور ان کیلئے بنیادی ضروریات (Infrastructure) کا انتظام بھی کروں۔ میں نے حیدر آباد پہنچ کر اپنا عہدہ سنبھالتے ہی پہلا دورہ جو کیا تو کیا دیکھتا ہوں کہ حیدر آباد سے بحیرہ عرب تک دریائے سندھ کے دونوں کناروں پر قابل کاشت لیکن غیر آباد زمین میلوں تک پھیلی ہوئی ہے میں وہاں تین سال (۱۹۶۰ تا ۱۹۶۳) رہا۔ ان تین سالوں میں اس علاقے کی کایا پلٹ گئی، بلڈوزروں نے ناہموار زمین کو ہموار کیا، جہاں سڑکیں نہیں تھیں وہاں سڑکیں بنائیں، جہاں پینے کا پانی نہ تھا وہاں میٹھا پانی ذخیرہ کرنے کے لئے تالاب بنائے، ملک کے ہر علاقے سے کاشتکار وہاں آئے اور اپنے اپنے چکوں میں آباد ہو گئے حتیٰ کہ مشرقی پاکستان سے بھی ۳۵۰ کنبے آئے۔ جگہ جگہ ہسپتال قائم ہوئے ڈسپنسریاں کھلیں، اسکول قائم ہوئے، ڈاک خانے بنے۔ جب اگست ۱۹۶۳ میں میں حیدر آباد سے رخصت ہوا تو میں نے دیکھا کہ وہی علاقے جہاں تین سال پہلے خاک اڑ رہی تھی وہاں میلوں تک چاول اور گنے کے ہرے بھرے کھیت لہلہا رہے تھے، آبادیاں آسودہ حال تھیں گاؤں خوش حال تھے۔ ایوب خان، صدر پاکستان، غلام محمد بیراج میں میری کارکردگی سے اتنے خوش ہوئے کہ انہوں نے بہ کمال شفقت اس علاقے کے ایک گاؤں کا نام میرے نام پر ٹنڈو روئیداد رکھ دیا۔ اور میری موجودگی میں اس وقت کے گورنر مغربی پاکستان نواب کالا باغ سے کہا کہ میں روئیداد کو ایک سول اعزاز دینا چاہتا ہوں لیکن اس کی تجویز صوبائی حکومت نہ بھیجے۔ مرکزی حکومت خود ساری کارروائی کرے گی۔ ایوب خان ہمیشہ اپنے ساتھ ایک چھوٹی سی بیاض رکھا کرتے تھے جس میں وہ ضروری ضروری باتیں نوٹ کر لیتے تھے۔ چنانچہ انہوں نے اس بات کو بھی اپنی اسی بیاض میں لکھ لیا۔ اور تھوڑے ہی عرصہ بعد مجھ کو میرا پہلا سول ایوارڈ 'تمغہ پاکستان' مل گیا۔

صدر پاکستان ایوب خان اور گورنر مغربی پاکستان امیر محمد خان نواب آف کالا باغ ہر دوسرے تیسرے مہینے غلام محمد بیراج کے علاقہ کا دورہ کیا کرتے تھے۔ علاقہ دکھلانا میرے لئے فرض بھی تھا اور وجہ اعزاز بھی، ہم سارا سارا دن علاقہ کے طول و عرض میں گھومتے پھرتے جہاں موقعہ ملتا وہاں دوپہر کا کھانا کھا لیتے۔ میں نے اپنے پورے عرصہ ملازمت میں ایسا منظر کبھی نہیں دیکھا کہ کسی سربراہ ریاست یا کسی سربراہ صوبہ نے کسی ترقیاتی منصوبے کی تعمیر و ترقی میں اتنی ذاتی، گہری اور پر خلوص دلچسپی لی ہو جتنی کہ ایوب خان اور نواب کالا باغ نے غلام محمد بیراج کے علاقے کی نشو و نما اور فروغ و ترقی میں لی۔ نہ میں نے کبھی یہ دیکھا کہ کسی صدر یا

کسی گورنر نے ملک اور صوبے کے دور افتادہ علاقوں میں کام کرنے والے سرکاری اہلکاروں اور افسروں کا ایسے دل بڑھایا ہو جیسے غلام محمد بیراج میں ایوب خان اور نواب کالاباغ، ہمارا دل بڑھایا کرتے تھے۔ محض ان دونوں کی غلام محمد بیراج کے علاقے میں موجودگی سے میرے رفقائے کار اور ہمارے کارکنوں کے حوصلے بلند ہو جاتے اور ہم سب پر کام، کام اور مزید کام کرنے کا جوش جنون کی حد تک سوار ہو جاتا۔ ہمیں ایسا لگتا جیسے کوئی اندرونی قوت ہمیں ادائے فرض پر دل و جان قربان کرنے پر اکسا رہی ہے۔ اگر آپ پوچھیں کہ ۲۵ لاکھ ایکڑ کے وسیع و عریض رقبے کو اتنے تھوڑے سے عرصے میں کس طلسماتی فارمولے کے ذریعے زیر کاشت بنادیا گیا؟ میرا جواب اتنا سیدھا سادہ ہے کہ آپ حیران رہ جائیں گے۔ یعنی یہ کہ پروجیکٹ ڈائریکٹر کو تقریباً مختار کل بنادیا گیا تھا۔ مثلاً بحیثیت پروجیکٹ ڈائریکٹر غلام محمد بیراج، میرے پاس اختیارات تھے صوبائی بورڈ آف ریونیو کے، عمارات اور سڑکوں کے چیف انجینئر کے، آبپاشی کے چیف انجینئر کے، زراعت کے ڈائریکٹر کے، انجمن ہائے امداد باہمی کے رجسٹرار کے، جنگلات کے محافظ (Conservator) کے، اور تقریبا ہر دوسرے صوبائی محکمے کے۔ آپ کو شاید مشکل سے یقین آئے لیکن حقیقت یہ ہے کہ مجھ کو یہ اختیار کلی تھا کہ میں راولپنڈی (مرکزی حکومت) یا لاہور (صوبائی حکومت) سے رجوع کئے بغیر پانچ سو ایکڑ تک زمین کسی بھی شخص کو الاٹ کر دوں بشرطیکہ اس میں زمین کو زیر کاشت لانے کا عزم مصمم ہو اور اس کی صلاحیت بدرجہ کمال ہو۔ اس کے علاوہ کوئی سوال جواب نہ تھے کوئی سرخ فیتہ نہ تھا۔ غلام محمد بیراج کی پروجیکٹ ڈائریکٹری چھوڑنے کے بیس برس بعد مجھ کو غلام محمد بیراج کا علاقہ دوبارہ دیکھنے کا اتفاق ہوا۔ اس وقت کے حیدر آباد ڈویژن کے ڈویژنل کمشنر میرے ہمراہ تھے۔ علاقہ اس قدر بدل گیا تھا کہ اب پہچاننا بھی مشکل تھا۔

میں حیدر آباد میں تھا (۱۹۶۰ تا ۱۹۶۳) جب ذوالفقار علی بھٹو سے میری تیسری ملاقات ہوئی۔ ان کے اعزاز میں اس وقت کے حیدر آباد کے ڈویژنل کمشنر نیاز احمد نے ظہرانے کا اہتمام کیا تھا میں بھی مدعو تھا، ذوالفقار علی بھٹو نے اسی ظہرانے میں میرا تعارف اپنی ہمشیرہ سے کروایا جنہیں پیار سے سب منّا کہہ کر بلاتے تھے۔ وہ اپنے شوہر نسیم الاسلام کے ساتھ حیدر آباد میں ہی رہتی تھیں۔ ذوالفقار علی بھٹو نے ظہرانے کے دوران بھانپ لیا کہ میں حیدر آباد میں تنہائی محسوس کر رہا ہوں چنانچہ انہوں نے اسی شام اپنے ساتھ بھٹ شاہ چلنے کی دعوت دی۔ میں مان گیا۔ شام کو کار بھیج کر مجھے اپنے پاس بلوالیا۔ پہلے ہم حیدر آباد سے بھٹ شاہ گئے اور پھر بھٹ شاہ سے ایک اور گاؤں گئے جہاں ہمارے میزبان، (جن سے میں پہلی مرتبہ ملا) جام صادق علی تھے جو بعد میں سندھ کے وزیراعلیٰ اور سندھ کے مرد آہن بنے، ساری جائے ضیافت بجلی کے قمقموں سے بقعہ نور بنی ہوئی تھی۔ جنگل میں منگل کا سماں تھا، ایک بہت بڑے شامیانے میں مجرا جاری تھا اور مے نوشی زوروں پر تھی۔ وہاں میں نے سندھیوں کی شاہانہ اور فراخدلانہ میزبانی و مہمان نوازی کا جلوہ پہلی مرتبہ اپنی روائتی آب و تاب کے ساتھ دیکھا۔

حیدر آباد میں قیام کے دوران (۱۹۶۰ تا ۱۹۶۳) مجھ کو منّا (ہمشیرہ ذوالفقار علی بھٹو) کو زیادہ قریب سے دیکھنے اور ان سے زیادہ ملنے جلنے کا موقعہ ملا۔ میں سمجھتا ہوں کہ سب بھٹوؤں میں ان کی شخصیت نفیس ترین تھی۔ وہ نہایت خاموش طبع، لئے دیئے رہنے والی رکھ رکھاؤ کی خاتون تھیں۔ اول تو ان کی سہیلیاں تھیں ہی بہت کم اور دوسرے جو تھیں بھی وہ بھی یار غار ہونے کا دعویٰ نہیں کر سکتی تھیں اسلئے کہ منّا اپنے دل کی بات اپنے دل میں ہی رکھتی تھیں۔ کسی اور پر ظاہر نہیں کرتی تھیں۔ وہ اپنے بھائی (ذوالفقار علی بھٹو) سے شکل صورت میں مشابہت رکھتی تھیں اور اس پر جان چھڑکتی تھیں۔ وہ اسے پیار سے 'زلفی' کہہ کر پکارتی تھیں۔ یقیناً بہن بھائی ایک دوسرے کے بے حد قریب تھے۔ زلفی اپنی بہن منّا کو ایک گھنٹہ کے نوٹس پر اپنے بیس دوستوں کے لئے ظہرانہ یا عشائیہ تیار کرنے کی فرمائش کر دیا کرتے اور منّا نہایت خوشدلی سے سارا اہتمام کر دیتیں۔ نہ صرف یہ بلکہ یہ بھی کہ وہ اپنے بھائی کی پسند ناپسند کا بھی خیال رکھتیں مثلاً ذوالفقار علی بھٹو کو دم پخت پھلیاں بہت پسند تھیں چنانچہ یہ ناممکن تھا کہ ذوالفقار علی بھٹو کا کھانا منّا کے ہاں ہو اور میز پر دم پخت پھلیاں نہ ہوں۔ ذوالفقار علی بھٹو کو اپنی 'بہن منّا' سے بے حد محبت تھی۔ رہیں منّا' وہ تو ساری عمر زندگی کے نشیب و فراز سے بے نیاز اپنے بھائی کی محبت کی دیوانی رہیں۔ بلکہ یہ کہنا بے جا نہ ہوگا کہ ذوالفقار علی بھٹو، منّا کی زندگی کا محور و مرکز تھے۔ یہ دوسری بات ہے کہ جب ذوالفقار علی بھٹو کاروبار سیاست میں مصروف سے مصروف تر ہوتے چلے گئے اور ان پر کچھ دوسرے لوگ بھی اثر انداز ہونے لگے، بہن بھائی کی ملاقاتیں کم ہوتی چلی گئیں لیکن مجھے یقین ہے کہ دونوں کے دلوں میں ایک دوسرے کے لئے جو خالص محبت تھی اس کی گہرائی میں کبھی فرق نہ آیا ہوگا۔

میرے قیام حیدر آباد (۱۹۶۰ تا ۱۹۶۳) کے دوران مجھ کو ذوالفقار علی بھٹو سے ملنے کا موقعہ اکثر ملتا رہتا اور میں ان سے جتنا زیادہ ملتا ان کا اتنا ہی زیادہ گرویدہ اور دلدادہ ہوتا چلا جاتا۔ ان کی شخصیت میں کشش سحر کی حد تک تھی، ان کی باتیں نہایت پر لطف اور دلچسپ ہوا کرتی تھیں وہ ایک اچھے نقال (mimic) بھی تھے، اسی زمانے میں انہوں نے مجھ کو اور امتیازی کو جو اس زمانے میں ضلع حیدر آباد کے ڈپٹی کمشنر تھے، لاڑکانہ آنے کی دعوت بطور ان کے ذاتی مہمان کے دی۔ ہم دونوں بوجوہ نہ جاسکے۔ پھر ہم دونوں میں سے کسی کو ان کی طرف سے ویسا دعوت نامہ موصول نہ ہوا!

جیسا کہ شاید میں نے اس سے پہلے بھی ذکر کیا ہے کہ تقریباً ۳ سال حیدر آباد میں قیام کے بعد اگست ۱۹۶۳ میں میں نے حیدر آباد کو الوداع کہا۔ میں بذریعہ ٹرین حیدر آباد سے کراچی روانہ ہو گیا جہاں مجھے کراچی ڈویژن کا ڈویژنل کمشنر مقرر کیا گیا تھا۔ چونکہ میرے درست جمشید مارکر اپنے دفتر واقع کیماڑی میں اپنے کام میں مصروف تھے ان کی اہلیہ ڈائنا نے بہ کمال مہربانی خود کراچی چھاؤنی کے ریلوے اسٹیشن پر میرا استقبال کیا۔ غلام محمد بیراج حیدر آباد کی پروجیکٹ ڈائریکٹری کے بعد کراچی ڈویژن کی کمشنری، میرے لئے ایک انقلاب

عظیم سے کم نہ تھی۔ منّا اور ان کے شوہر نسیم الاسلام ان دنوں کلفٹن کے بنگلہ نمبر 109 میں رہا کرتے تھے۔ ریت کے ٹیلے ان کے گھر کے ساتھ دور دور تک پھیلے ہوئے تھے۔ کراچی کے شمال مغرب میں ہاکس بے سے کیپ مانس تک بلکہ اس کے بعد بھی کھردری ڈھلان والی چٹانیں تھیں، تاریک غار تھے اور تنگ کھاڑیاں تھیں، ہاکس بے پر جمشید مارکر کی کٹیا (Hut) بہت پرکشش تھی۔ تھی تو ذرا خستہ سی لیکن زندگی کے ہنگاموں سے فرار کے لئے ایک نہایت عمدہ جائے امن تھی، جب بھی میرا جی گھبراتا میں وہاں چلا جایا کرتا۔

ان دنوں (۱۹۶۳ تا ۱۹۶۵) کراچی ایک خود مکتفی قسم کا پر امن شہر تھا۔ کراچی ایک طرح کا پاکستان خورد یا چھوٹا پاکستان تھا جہاں پاکستان کے ہر علاقے کے لوگ آباد تھے۔ مشرقی پاکستان کے بنگالی تھے، پنجاب کے کاروباری لوگ تھے، میمن، بوہرے، پارسی اور پٹھان تھے۔ سرحد بلوچستان کے جفاکش مزدور تھے، سندھ کے وڈیرے تھے اور لاکھوں کی تعداد میں ایسے مہاجر تھے جن کی مادری زبان اردو تھی۔ اس وقت کراچی کی آبادی بیس لاکھ کے لگ بھگ رہی ہوگی۔ وہ دور دور تک پھیلا ہوا تھا۔ اس وقت بھی اس کے مسائل گمبھیر صبر آزما اور حوصلہ شکن تھے، مثلاً کچی آبادیاں بہت سی تھیں جہاں شہری سہولتیں مفقود تھیں، باقاعدہ باضابطہ ترقیاتی منصوبے نایاب تھے، طلبہ میں بے چینی تھی اور وہ ہنگامے مظاہرے کرتے رہتے تھے۔ میرے پاس اس وقت دو فرسٹ کلاس افسر تھے مسعود نبی نور (ڈی جی کے ڈی اے) اور محمد ضیاء الدین خان (میونسپل کمشنر کراچی) ہمارا معمول تھا کہ ہم تینوں ایک ساتھ کمر بستہ ہو کر آستین چڑھا کر ہر روز دفتر سے باہر نکل پڑتے۔ کچی آبادیوں میں جاتے، جھونپڑیوں کی حالت دیکھتے، جھونپڑیوں میں رہنے والوں سے ملتے اور ان کے مسائل معلوم کرتے، ہم نے ان میں سے اکثر کو پینے کا صاف پانی، بجلی اور اسکول مہیا کروائے۔ کام بہت بڑا تھا اور بہت مشکل تھا لیکن ہم نے ہتھیار نہیں ڈالے۔ مختصر وقت اور محدود وسائل کے باوجود ہم نے کراچی شہر کے سب سے سنگین مسائل کو عملی طور پر حل کرنے کی مخلصانہ اور دیانتدارانہ کوشش کی اور الحمد اللہ اس کوشش میں محدود ہی سہی لیکن کامیابی بھی حاصل کی۔

لیکن مادر چہ خیالیم و فلک درچہ خیال۔ انسان سوچتا کچھ ہے ہوتا کچھ ہے۔ کراچی میں بہت جلد ہر شے پر سیاست کا غلبہ ہو گیا۔ ترقیاتی کاموں کو پس پشت ڈال دیا گیا اور ساری انتظامیہ جنوری ۱۹۶۵ء میں ہونے والے اس صدارتی انتخاب کی تیاری میں لگ گئی جس میں ایوب خان اور مس فاطمہ جناح کے مابین تاریخی اور تاریخ ساز مقابلہ ہونا تھا۔

انتخاب ہونے تک تو صورت حال کم و بیش پر امن رہی، انتخاب بھی امن امان کے ساتھ گذر گیا۔ کبھی کبھار مس فاطمہ جناح ٹیلی فون پر کوئی شکایت میرے علم میں لاتیں میں تحقیق کے بعد اس کا جائز تدارک کروا دیتا اور مس فاطمہ جناح مطمئن ہو جاتیں۔ میرے علم میں کبھی اس قسم کی کوئی سنگین شکایت نہیں آئی کہ کسی سرکاری اہلکار نے اپنے اختیارات کا ناجائز استعمال کر کے دونوں امیدواروں (ایوب خان اور مس فاطمہ

جناح) میں سے کسی ایک کو فائدہ یا نقصان پہنچانے کی کوشش کی ہو، خصوصاً انتخابات میں دھاندلی کی کوئی شکایات موصول نہیں ہویں بلکہ کراچی میں تو مس فاطمہ جناح کو اپنے مد مقابل اور اس وقت کے صدر ریاست (ایوب خان) کے مقابلہ میں زیادہ ووٹ ملے۔ ایوب خان کو ڈھاکہ میں بھی مس فاطمہ جناح سے کم ووٹ ملے۔ ایوب خان کہا کرتے تھے کہ کراچی اور ڈھاکہ 'بیمار' شہر ہیں۔ انتخاب ختم ہوا اور میں نے اطمینان کا سانس لیا کہ چلو بغیر کسی ناخوشگوار واقعہ کے یہ مرحلہ طے ہوا لیکن قسمت کو کچھ اور ہی منظور تھا۔ مجھ کو نہایت شدید قسم کا دھچکا لگنے والا تھا۔

انتخاب کے اگلے روز صبح کے وقت ساڑھے دس بجے میں اپنی رہائش گاہ کے بیرونی لان میں بیٹھا ہوا تھا کہ اتنے میں ٹیلی فون کی گھنٹی بجی اور کسی شخص نے (جو سرکاری اہلکار نہیں تھا) مجھ کو بتلایا کہ صدر ایوب کے بیٹے گوہر ایوب اپنے والد کی کامیابی کی خوشی میں ایک جلوس فتح (Victory Procession) نکال رہے ہیں۔ یہ جلوس جب ایک علاقے سے گذرا تو وہاں کے رہنے والوں اور جلوس میں شامل لوگوں کے مابین جھگڑا ہو گیا ہے اور جلوس پر خشت باری ہو رہی ہے۔ مجھے اس جلوس کے بارے میں قطعاً کوئی اطلاع نہ تھی۔ میں نے ضلع مجسٹریٹ سے بات کرنا چاہی نہ ہو سکی۔ پولیس چیف سے بات کرنا چاہی نہ ہو سکی۔ دونوں نہ گھر پر تھے نہ دفتر میں اور کسی کو معلوم نہ تھا کہ دونوں کہاں ہیں۔ چنانچہ مجبوراً میں نے پولیس کنٹرول کو فون کیا وہاں سے تصدیق ہوئی کہ جلوس اور مقامی باشندوں کے مابین لڑائی جھگڑے کی میری اطلاع صحیح تھی۔ پولیس کنٹرول سے پہلے تو نہیں لیکن بعد میں مجھ کو یہ اطلاعات ملنے لگیں کہ جھگڑا بڑھ رہا ہے۔ کہیں دوپہر کے قریب میرا رابطہ ڈی آئی جی پولیس کراچی سے قائم ہوا۔ وہ تمام وقت گھر پر ہی تھے۔ انہوں نے مجھ کو بتایا کہ وہ گزشتہ روز بہت تھک گئے تھے چنانچہ سونے سے پہلے انہوں نے ٹیلی فون کا پلگ (Plug) ساکٹ (Socket) سے نکال دیا تھا اور اپنے ملازموں کو سخت تنبیہ کر دی تھی کہ کچھ بھی ہو ان کی نیند میں خلل نہ ڈالا جائے۔ بہر حال، آخر کار بعد از خرابی بسیار، ہم دونوں متاثرہ علاقے میں پہنچے لیکن جب تک ہم وہاں پہنچے، پانی سر سے گذر چکا تھا، جلوس اور مقامی باشندوں کے درمیان گولیاں چل چکی تھیں، اور جان و مال کا نقصان کثیر ہو چکا تھا، متعدد مکانات اور دکانیں جل کر راکھ کا ڈھیر بن چکے تھے۔ امن امان کی بحالی کی خاطر فوج بلوانی پڑی، بعد میں ضلع مجسٹریٹ کراچی نے مجھ کو بتلایا کہ انہوں نے جلوس نکالنے کی اجازت ضرور دی تھی لیکن جلوس کو جس راستے پر چلنے کی اجازت دی گئی تھی وہ اس سے ہٹ کر دوسرے راستہ پر چل پڑا، پولیس کے کنٹرول روم میں جو ریکارڈ موجود تھا اس سے بھی اس قول کی تصدیق ہوتی تھی۔ حکومت نے تحقیق کا حکم دیا لیکن اس میں کوئی پیشرفت نہ ہو سکی اور آخر کار تحقیقات داخل دفتر ہو گئی۔ تفصیل اس اجمال کی یہ ہے کہ حکومت مغربی پاکستان کے اس وقت کے وزیر قانون غلام نبی میمن حالات کا جائزہ بذات خود لینے، لاہور سے کراچی آئے۔ وہ کراچی ریلوے سٹیشن پر اپنے ریلوے سیلون میں ٹھہرے ہوئے تھے۔ وہاں انہوں نے مجھ کو، ڈی آئی جی پولیس کو اور

ضلع مجسٹریٹ کو طلب کیا۔ عبدالقادر شیخ (اس وقت اسسٹنٹ ایڈووکیٹ جنرل بعد میں جج سپریم کورٹ) بھی سیلون میں موجود تھے۔ کسی نے تجویز کیا کہ پولیس کنٹرول روم میں جو ریکارڈ موجود ہے یا اسے بدل دیا جائے یا ضائع کر دیا جائے۔ اس تجویز پر عملدر آمد کے لئے میری تائید ضروری تھی۔ میں نے صاف انکار کر دیا اور کہہ دیا کہ اس تجویز پر عملدر آمد سے پہلے انہیں میری لاش پر سے گذرنا ہوگا۔ چنانچہ معاملہ کو وہیں ختم کر کے تحقیقات کو یہ کہہ کر داخل دفتر کر دیا گیا کہ حزب مخالف حکومت سے تعاون نہیں کر رہی۔ اس کے تھوڑے دنوں بعد مجھے کراچی سے کوئٹہ بطور ڈویژنل کمشنر بدل دیا گیا۔

قطع نظر اس کے کہ اس سارے سانحہ میں کس کس کا کیا کیا قصور تھا مجھے یہ ماننے اور کہنے میں ذرا بھی باک نہیں کہ کراچی کے ڈویژنل کمشنر کی حیثیت سے کراچی کے شہریوں کے جان ومال کی حفاظت میرا فرض تھا جس کا حق میں ادا نہ کر سکا۔ یقیناًوہ گھڑی میرے لئے ساعت مسعود نہ تھی اور اپنی اس کوتاہی اور ناکامی پر میں آج تک شرمسار ہوں۔

اس ایک سانحہ کے علاوہ کراچی میں میری کمشنری کے دوران کوئی اور ناخوشگوار واقعہ نہیں ہوا اور کراچی میں بالعموم امن امان قائم رہا۔ اس زمانے میں کوئی علاقہ نہ تھا جہاں حکومتِ وقت کی عملداری نہ رہی ہو چاہے وہ علاقہ ترقی یافتہ تھا یا پسماندہ، چاہے وہاں مہاجر بستے تھے یا بنگالی، پنجابی بستے تھے یا سندھی، گجراتی بستے تھے یا بلوچ، ہم جہاں بھی جاتے ہمارا خیر مقدم ہوتا۔ ہم حکومت وقت کے نمائندوں کی حیثیت سے شہر کے مختلف علاقوں میں جاتے تھے اور ہمارے تعلقات مقامی باشندوں سے خاصے دوستانہ تھے، مخالفانہ اور معاندانہ تو ہرگز نہ تھے۔ کبھی کبھار ایسا ضرور ہوا کہ مختلف سیاسی جماعتوں سے تعلق رکھنے والے طلبہ گلیوں کوچوں سے باہر نکلے، خشت باری، سنگ باری کی اور پھر گلیوں کوچوں میں غائب ہو گئے۔ لیکن فریقین یعنی پولیس اور طلبہ تہذیب کے دائرے سے باہر کبھی نہیں نکلتے تھے۔ ایک دفعہ یوں ہوا کہ معراج محمد خان (جو اس وقت طالبعلم لیڈر تھے اور بعد میں وزیر اعظم کے مشیر ہوئے) کے خلاف وارنٹ گرفتاری نکلا۔ معراج محمد خان روپوش ہو گئے۔ پولیس انہیں گرفتار کرنا چاہتی تھی مگر نہ کر پاتی جب کہ اخبار والوں کو معراج محمد خان سے رابطہ کرنے میں قطعاً کوئی دقت پیش نہ آتی۔ ہر روز اخبارات کے پہلے صفحوں پر معراج محمد خان کے بیانات برابر چھپتے رہتے۔ ان کی تصاویر بھی چھپتی رہتیں۔ میں نے جب آصف مجید (جو اس وقت کراچی میں پولیس کے ڈی آئی جی تھے) سے ذکر کیا تو وہ خاصے شرمندہ ہوئے اور مجھ سے کہا: بس مجھ کو اڑتالیس گھنٹے کی مہلت دیدیجئے یا اڑتالیس گھنٹوں میں معراج محمد خان کو گرفتار کر لوں گا یا اپنی ملازمت سے استعفیٰ دیدوں گا۔ لیکن کتنے ہی اڑتالیس گھنٹے آئے اور چلے گئے معراج محمد خان گرفتار نہ ہو سکے۔ جب کچھ روز بعد آصف مجید سے میری ملاقات ہوئی تو ازروئے شائستگی میں نے اس بارے میں کوئی ذکر نہ کیا اور گفتگو کو دیگر زیادہ اہم امور تک محدود رکھا!

کراچی کی کمشنری ہی کے دوران ایک دن صدر کے ملٹری سیکریٹری میجر جنرل رفیع کا فون آیا کہ ایوب خان کی بیگم کے بھانجے اشرف خان نے کراچی میں ایک قطعہ زمین کے الاٹمنٹ کیلئے درخواست دی ہوئی ہے۔ متعلقہ فائل تمہاری میز پر پڑی ہے ذرا ہمدردانہ غور کرلینا۔ چندروز بعد صدر کے پرنسپل سیکریٹری نصیر احمد فاروقی نے بھی اسی بارے میں فون کیا۔ میں نے فائل منگوائی، پڑھی لیکن کوئی کارروائی نہ کی۔ اس کے ہفتہ بھر بعد ایوب خان بحریہ کی کسی تقریب میں شامل ہونے کراچی آئے۔ میں بھی اس تقریب میں موجود تھا، ہم سب چائے پی رہے تھے کہ ایوب خان نے مجھ کو اشارہ کیا کہ میں ان سے شامیانے کے ایک گوشے میں ملوں۔ میں وہاں پہنچا تو انہوں نے اپنی بیگم کے بھانجے کو کراچی میں قطعہ زمین کے الاٹمنٹ کی بات کی۔ میں اس سے پہلے تمام کوائف معلوم کرچکا تھا۔ میں نے کہا کہ جس قطعہ زمین کے الاٹمنٹ کی درخواست ان کی بیگم کے بھانجے نے دی ہے، اسے حسین شہید سہروردی نے (جب وہ وزیر اعظم تھے) قومی تھیٹر کے لئے مختص کردیا تھا اور میں بحیثیت ڈویژنل کمشنر کراچی، کسی وزیر اعظم کے حکم کو بدلنے کا مجاز نہیں۔ میں نے یہ بھی کہا کہ مذکورہ قطعہ زمین نہایت قیمتی ہے اور اگر اسے آپ کی بیگم کے بھانجے کے نام الاٹ کیا گیا تو سارے ملک میں شور مچ جائے گا جس سے آپ کی بدنامی ہوگی۔ اس کے بعد نہ ایوب خان نے نہ ان کے عملے کے کسی فرد نے مجھ سے اس بارے میں کوئی بات کی اور اس سے بڑھ کر یہ کہ ایوب خان نے نہ برا مانا نہ مجھ سے ناراض ہوئے۔

قیام کراچی کے دوران میں ذوالفقار علی بھٹو سے اکثر ملتا رہا، مجھے کراچی کے علاقے کلفٹن کے بنگلہ نمبر ۷۰ میں ان کی مہمان نوازی سے محظوظ ہونے کا موقعہ بھی ملتا۔ ایک روز انہوں نے پاکستان کے دورے پر آئے ہوئے انڈونیشیا کے اس وقت کے وزیر خارجہ مسٹر سوباندریو کے اعزاز میں عشائیہ دیا۔ مجھے بھی بلایا، میں بھی گیا۔ میں نے دیکھا کہ مہمانوں کی تواضع خالص سندھی موسیقی اور لاہور کی حسین و جمیل رقاصہ چھم چھم کے ناچ سے کی جارہی ہے۔ میری نظروں میں وہ منظر اب تک گھوم رہا ہے کہ ذوالفقار علی بھٹو باری باری اپنے ہر مہمان کے گال سے سو سو روپے کا نوٹ چھورہے ہیں اور رقاصہ چھم چھم ناچتی ہوئی اس مہمان کے پاس آتی ہے اور ناز وادا سے وہ نوٹ اچک کرلے جاتی ہے۔ اس عمل سے اس محفل میں شامل کوئی مہمان نہیں بچا حتی کہ عزیز احمد سیکریٹری وزارتِ خارجہ بھی نہیں حالانکہ وہ زاہد خشک مشہور تھے۔

کراچی کی کمشنری کے دوران ہی مجھ کو شہنشاہ ایران کا استقبال کرنے کا موقع ملا۔ میں نے ان کا خیر مقدم کراچی کے ہوائی اڈے پر کیا۔ شہنشاہ ایران اس وقت چاق و چوبند فوجی وردی میں ملبوس تھے۔ میں نے انہیں شرمیلا کم گو نوجوان پایا۔ اس وقت ان میں شاہی طمطراق دبدبہ کا شائبہ تک نہ تھا۔ وہ تہران سے راولپنڈی جارہے تھے لیکن ان کے جہاز کو راستہ میں ایندھن ڈلوانا تھا اسلئے انہیں کراچی کے ہوائی اڈے پر اترنا پڑا۔ ہم نے ایک ساتھ چائے پی۔ انہوں نے کراچی ائیرپورٹ کے پاس واقع ہوٹل 'مڈوے ہاؤس' میں دلچسپی ظاہر کی اور

اس کے بارے میں کئی سوالات کئے اور یہ بھی پوچھا کہ فروغ سیاحت میں یہ ہوٹل کیا کردار ادا کر سکتا ہے۔ مجھے اس وقت ایسا لگا کہ جیسے وہ کسی اسکول کے طالبعلم کی طرح کم عمر ناپختہ و ناتجربہ کار ہیں۔ میں نے سوچا کہ ایران کے کروڑوں باشندوں پر فرمانروائی کا حق یہ کیسے ادا کریں گے۔ میں نے دل ہی دل میں ان کا مقابلہ ایوب خان سے کیا، ایوب خان اس وقت اپنے دور اقتدار کے نقطہ عروج پر تھے۔ اور میرے نزدیک ایوب خان، شہنشاہ ایران سے نہ صرف قد قامت میں بلکہ ہر اعتبار سے بلند و بالا تھے۔ بلکہ مجھے تو ایسا لگا کہ جیسے شہنشاہ ایران راولپنڈی جا ہی اس لئے رہے ہیں تاکہ ایوب خان سے اقوال زرین سن کر انداز جہاں بانی سیکھ سکیں!

مجھے کیا معلوم تھا کہ چند ہی سال بعد ۱۹۷۱ء میں یہ شرمیلا سا نوجوان، سائرس اعظم کے شاندار لیکن خالی مقبرے کے سامنے کھڑا ہوگا اور اپنی بے جان آواز اور اپنے سپاٹ لب و لہجے میں یہ متکبرانہ اعلان کر رہا ہوگا۔

"او سائرس اعظم! بادشاہ اعظم! بادشاہوں کے بادشاہ! میں ایران کا شہنشاہ اپنی طرف سے ایران کے عوام کی طرف سے تیرے حضور تسلیمات بجالاتا ہوں۔ ہم سب یہاں اس لئے جمع ہوئے ہیں کہ پوری ایرانی قوم کا شکریہ تجھ تک پہنچا سکیں اور تاریخ ہماری گواہ رہے۔

سائرس! تم تاریخ کے لافانی ہیرو ہو، تم دنیا کی قدیم ترین شہنشاہیت کے بانی ہو، تم لازوال نجات دہندہ ہو، تم انسانیت کے مایہ ناز سپوت ہو۔

سائرس! ہم تیری ابدی آرام گاہ کے سامنے آج اس لئے کھڑے ہیں تاکہ تو ہمارا یہ اٹوٹ عہد سن لے کہ:

'تو سوئے جا بے فکری سے اور ہمیشہ ہمیشہ۔ اس لئے کہ ہم جاگ رہے ہیں اور تیرے عظیم ورثہ کی حفاظت کے لئے پہرہ دے رہے ہیں۔"

اور ۱۹۷۱ء میں شہنشاہ ایران کو کیا معلوم تھا کہ محض آٹھ برس بعد (۱۹۷۹ء میں) بقول کسنجر، وہ در در کی ٹھوکریں کھا رہا ہوگا، زمیں اس پر تنگ ہو جائے گی۔ وہ رستہ کھوئے جہاز کی طرح اپنی منزل کی تلاش میں سرگرداں ہوگا اور اسے کوئی ملک پناہ تک دینے کے لئے تیار نہ ہوگا!

مجھے کراچی کی کمشنری کے دوران ہی ۱۹۶۴ء میں چین کے اس وقت کے وزیراعظم ژواین لائی سے بھی ملاقات کا شرف ملا۔ وہ کراچی کے ہوائی اڈے پر اپنے ہوائی جہاز سے مسکراتے ہوئے اترے۔ انہوں نے موسم گرما کے لئے موزوں ہلکے کپڑے کا بند گلے کا چست کوٹ پہنا ہوا تھا۔ کراچی کے ڈویژنل کمشنر اور حکومت کے نمائندے کی حیثیت سے میں نے آگے بڑھ کر سب سے پہلے ژواین لائی کو خوش آمدید کہا، اور وی آئی پی لاؤنج کے صوفے پر ژواین لائی کے ساتھ بیٹھا۔ وزارت خارجہ کے اس وقت کے ایڈیشنل سیکریٹری آغا شاہی بھی اس موقعہ پر موجود تھے۔ مجھے ایڈگر اسنو کے ان الفاظ سے صد فیصد اتفاق ہے کہ:

مصنف ۱۹۶۴ء میں چین کے وزیراعظم ژواین لائی کا کراچی کے ہوائی اڈے پر استقبال کر رہے ہیں

”ژواین لائی ایک ایسا نابغہ روزگار اور دانائے بے مثل تھا جس میں ایمان و علم و عمل بدرجہ اتم و کمال یکجا اور ہم آہنگ تھے“

ژواین لائی مجھ کو نہایت وجیہہ و شکیل لگا۔ اس کی آنکھیں چمکدار تھیں وہ قدرے نازک سا تھا وہ حد درجہ مہذب و شائستہ تھا، اس کے ساتھ گفتگو بہ آسانی کی جا سکتی تھی۔ ژواین لائی دنیا کے مختلف ممالک میں ہو رہی آزادی کی جدوجہد کا ذکر کرتے رہے۔ انہوں نے کہا کہ آزادی کی جنگ میں الجیریا والے چین والوں سے بازی لے گئے، لیکن ویت نام والے، چین والوں اور الجیریا والوں دونوں سے سبقت لے گئے۔ ژواین لائی نے کہا: ”ویت نام کی جنگ امریکی کبھی نہیں جیت سکتے، کیونکہ انہیں نقل و حمل کی مشکلات کا سامنا ہے انہیں رسد رسانی میں دشواریاں ہیں اور سب سے بڑھ کر یہ کہ ویت نام کے عوام ان کے مخالف و مزاحم ہیں“۔ میں نے اس نادر موقعہ سے پورا پورا فائدہ اٹھایا۔ ژواین لائی سے ملنا ایسا تھا جیسے کوئی 'تاریخ مجسم'' سے مل لے!

کراچی کی کمشنری کے دوران ہی میری ملاقات چین کے اس وقت کے وزیر خارجہ چین یی سے بھی ہوئی۔ چین یی اپنے دورِ طالب علمی میں سی چوآن کا ہٹا کٹا اور جوشیلا نوجوان مشہور تھا۔ وہ اپنی طالب علمی کے زمانے میں ہوٹلوں میں برتن دھوتا تھا، اور سین کے گھاٹ پر کشتیوں پر بار برداری کیا کرتا تھا۔ میں اس مردِ عظیم کے ساتھ بیٹھا ہوا تھا۔ اس کے مزاج میں تیکھے پن کی چاشنی تھی، ذوالفقار علی بھٹو کی طرح۔ ایک مرتبہ پاکستان مین چین کے سفارتخانے نے ایک عشائیہ دیا۔ عشائیہ میں چین یی اور ذوالفقار علی بھٹو دونوں شریک تھے، سارا وقت دونوں میں طنزیہ اور مزاحیہ لیکن دلچسپ اور خوشگوار نوک جھونک اور جملہ بازی ہوتی رہی۔ تھوڑے تھوڑے وقفہ کے بعد ذوالفقار علی بھٹو اپنا جام اٹھاتے اور بہ آوازِ بلند کہتے: ”چین یی! ماؤ تائی!“

ایک روز میں پاکستان میں امریکی سفیر کی رہائش گاہ پر عشائیہ میں شریک تھا کہ ہم نے امریکی صدر جان ایف کینڈی کے قتل کی وحشت ناک خبر سنی (نومبر ۱۹۶۳) اور ہم سب سکتے میں آگئے۔

کراچی سے میرا تبادلہ کوئٹہ ہوا اور پھر کوئٹہ سے راولپنڈی ہوگیا۔ میں مرکزی حکومت کی دو وزارتوں، سائنس اور ٹیکنالوجی کی وزارت اور ریاستوں اور سرحدی علاقوں کی وزارت کا انچارج تھا اور براہ راست صدر ایوب خان کے ماتحت تھا۔

میں ۱۹۶۶ء میں پہلی مرتبہ علاقائی تعاون برائے ترقی کے ایک اجلاس میں شرکت کے لئے تہران گیا۔ اجلاس کا مقصد علاقے میں جوہری توانائی کے فروغ کے طریقوں پر غور و خوض تھا۔ تہران میں میں ہوٹل ہلٹن میں ٹھہرا ہوا تھا۔ ذوالفقار علی بھٹو بھی ان دنوں اسی ہوٹل میں ٹھہرے ہوئے تھے۔ میں اپنی میٹنگ میں جانے سے پہلے علی الصباح ان کے کمرے میں چلا گیا۔ ہم دونوں نے ساتھ چائے پی اور اس دوران ملک کی

سیاسی صورت حال کا تفصیلی تجزیہ کیا۔جب میں ان سے رخصت ہوا تو انہوں نے مجھ سے کہا۔
'آج ذرا اپنی شام خالی رکھنا۔' میں نے ایسا ہی کیا۔وہ شام کو مجھے اپنے ساتھ ایرانی وزیر خارجہ کی رہائش گاہ لے گئے۔وہاں ایک عشائیہ تھا جس میں خاص الخاص خواص مدعو تھے۔ایک ایرانی خوبرو حسینہ مختلف زبانوں میں گانے گا رہی تھی اور اپنی مدھر آواز کا جادو جگا رہی تھی۔ میں ایک ایرانی خاتون کے ساتھ بیٹھا ہوا تھا کہ ذوالفقار علی بھٹو میرے پاس آئے اور آہستہ سے میرے کان میں سرگوشی کی کہ
"ذرا محتاط رہنا۔جس خاتون کے ساتھ بیٹھے ہو وہ ساوک چیف کی بیوی ہے!"

جب ایوب خان کی حکومت مارچ ۱۹۶۹ء میں جاتی رہی تو مجھ کو پاکستان ٹیلی وژن کارپوریشن کا مینجنگ ڈائریکٹر لگا دیا گیا۔ دو سال بعد ۱۴ مارچ ۱۹۷۱ء کو میں پاکستان ٹیلی وژن کے جنرل مینجروں کی کانفرنس میں کراچی گیا ہوا تھا۔ جہاں میں ٹھہرا ہوا تھا وہاں ایک روز ٹیلی فون کی گھنٹی بجی۔ میں نے فون اٹھایا تو معلوم ہوا کہ وقار احمد، سیکریٹری اسٹیبلشمنٹ کا فون ہے۔ انہوں نے بتایا کہ تمہیں جنرل یحییٰ خان صدر پاکستان نے مرکزی حکومت کی وزارت اطلاعات کا سیکریٹری مقرر کر دیا ہے۔جنرل یحییٰ اس وقت کراچی میں ہی ہیں تم ان سے فوراً مل لو۔' مجھے ایسا لگا کہ جیسے قسمت مجھے کسی بگولے کے بیچوں بیچ دھکیل رہی ہے جو ابھی بن رہا ہے۔وقار احمد نے مجھے پریزیڈنسی کراچی کا ایک فون نمبر بھی دیا کہ اس پر بات کر لو۔ میں نے وہ نمبر کاغذ کے ایک پرزے پر لکھ کر پرزے کو جیب میں ڈال لیا اور خود محمود ہارون اور الطاف گوہر کے ساتھ ظہرانہ پر چلا گیا۔جب ظہرانہ ختم ہوا تو میں نے انہیں بتلایا کہ مجھ پر کیا بپتا پڑی ہے تو وہ دونوں بھی فکر مند اور میرے لئے دعا گو ہوئے۔

ظہرانے کے بعد بھاگم بھاگ میں پریزیڈنسی کراچی پہنچا۔وہاں پریزیڈنٹ کے چیف آف اسٹاف جنرل ایس جی ایم ایم پیرزادہ سے ملاقات ہوئی۔انہوں نے کہا کہ پریزیڈنٹ تو کراچی سے پنڈی واپس جا چکے ہیں، تمہاری فائل انہی کی میز پر پڑی ہے۔ یاد رکھنا کہ الطاف گوہر سے تمہاری دوستی کے باوجود پریزیڈنٹ نے تمہیں اس نازک اور اہم عہدے پر لگایا ہے۔ میں اسی شام کراچی سے پنڈی چلا گیا۔ اگلی صبح میں نے اپنا نیا عہدہ سنبھال لیا۔میں وزارتِ اطلاعات کے ساتھیوں سے ملا۔ابھی مجھے تمام امور سے پوری واقفیت بھی نہ ہوئی تھی کہ دو دن بعد ہی مجھ کو حکم ملا کہ ڈھاکہ پہنچوں۔ مجھے محسوس ہو گیا تھا کہ لمحہء حق آن پہنچا ہے۔جب میں پنڈی سے ڈھاکہ گیا تو میرے ساتھ وزارتِ اطلاعات کے ایک افسر جلال بھی تھے۔ڈھاکہ کے ہوائی اڈے پر ایک فوجی افسر ہمیں لے جانے کے لئے موجود تھا، وہ ہمیں اپنی جیپ میں ڈھاکہ چھاؤنی کے ایک ریسٹ ہاؤس میں لے گیا۔جنرل یحییٰ خان سے میری پہلی ملاقات ۲۳ مارچ ۱۹۷۱ کو جنرل ٹکا خان کی رہائش گاہ پر ہوئی۔ جنرل یحییٰ بش شرٹ اور سفید پتلون پہنے ہوئے تھے۔ وہاں اور بھی بہت سے اعلیٰ فوجی افسر موجود تھے۔ مجھے کیا معلوم تھا کہ ۲۳ مارچ ۱۹۷۱، عملاً متحدہ پاکستان کا یوم آخر ثابت ہو گا۔ جنرل یحییٰ خان نے مجھ سے کہا: "دو بوڑھوں نے ایک فرسٹ کلاس فوج کے

حوصلے پست کر دیئے " انہوں نے مجھ سے کہا کہ میں ہر طرح کے عواقب کے لئے تیار رہوں۔ غرض یہ کہ انہوں نے مجھ سے جو بات بھی کی، گول مول کی صاف صاف یہ نہ کہا کہ مذاکرات ناکام ہو چکے ہیں اور طاقت کا استعمال ناگزیر ہے۔

جنرل ٹکا نے جنرل یحییٰ خان اور ان کے ساتھیوں کے لئے ظہرانے کا انتظام کیا ہوا تھا۔ جنرل یحییٰ خان نے جنرل ٹکا خان سے فرمائش کی ہوئی تھی کہ لنگر کی دال کا انتظام ہو۔ چنانچہ جنرل ٹکا خان نے جیسے تیسے لنگر کی دال کا انتظام بھی کر دیا، ظہرانہ ختم ہوا۔ جنرل یحییٰ رخصت ہوئے تو سب لوگ اپنے اپنے ٹھکانے چلے گئے۔ میں اپنے فوجی ریسٹ ہاؤس چلا گیا۔ مجھے کیا معلوم تھا کہ ارباب اختیار نے آئندہ کے لئے کیا کھچڑی پکا رکھی ہے۔ اور تقدیر میں ملک کے لئے، خصوصاً مشرقی پاکستان کے لئے، کیا مقسوم ہے۔

۲۳ مارچ ۱۹۷۱ء کو میں نے اپنے دیرینہ دوست اور رفیق کار المامون ثناء الحق کو فون کیا۔ پھر ہم دونوں ہوٹل انٹر کانٹی نینٹل میں ملے، وہاں سے وہ مجھے اپنی موٹر کار میں اپنے گھر لے گئے۔ ہم دونوں کے مابین کوئی تلخی نہ تھی حالانکہ اپنی اپنی جگہ ہم دونوں کو معلوم تھا کہ متحدہ پاکستان جسے ہم جانتے آئے تھے اب بکھرنے والا تھا۔ اس وقت ڈھاکہ میں کوئی پاکستان کا قومی جھنڈا نہیں لہرا سکتا تھا۔

انہی دنوں ۱۹ مارچ ۱۹۷۱ کو جنرل ایس جی ایم پیرزادہ نے مجھ سے کہا تھا کہ ذوالفقار علی بھٹو کو کراچی فون کرو اور ان سے کہو کہ وہ کراچی سے ڈھاکہ پہنچ جائیں۔ میں نے جب ذوالفقار علی بھٹو سے بات کی تو پہلے تو وہ آمادہ نہ ہوئے اور کہنے لگے کہ ان کے ڈھاکہ جانے کا کوئی فائدہ نہیں۔ لیکن بعد میں سوچ بچار کے بعد وہ آمادہ ہو گئے اور اپنے چیدہ چیدہ ساتھیوں کے ساتھ ڈھاکہ پہنچ گئے۔

فوجی ریسٹ ہاؤس ڈھاکہ چھاؤنی میں ہم سب سے الگ تھلگ کٹ کر رہ گئے تھے۔ چنانچہ ہم نے ڈھاکہ انٹر کانٹی نینٹل میں ایک کمرہ لے لیا تاکہ قومی المیہ میں تیزی سے رُونما ہونے والے واقعات کو قریب سے دیکھ سکیں۔ ۲۵ مارچ ۱۹۷۱ کو قیصر رشید ڈھاکہ انٹر کانٹی نینٹل میں ایک روز میرے کمرے میں آئے اور چونکہ میں فارغ تھا مجھ کو اپنے ساتھ اختر اصفہانی کے ہاں عشائیے میں لے گئے۔ قیصر رشید پاکستان کی سفارتی سروس کے رکن تھے اور ذوالفقار علی بھٹو کے ذاتی دوست تھے۔ بیرونی ممالک کے بہت سے صحافی بھی اس عشائیے میں موجود تھے، ابھی ہم کھانا کھا ہی رہے تھے کہ کسی نے ایسوسی ایٹڈ پریس کے نمائندے آرنلڈ زٹیلن کو فون پر بلایا۔ جب فون سن کر وہ واپس آیا تو اس نے ہمیں بتلایا کہ فوجی آپریشن شروع ہو چکا ہے۔ میں جلدی جلدی، راستے میں بچھی کانٹے دار تاروں کی باڑھوں کو پھلانگتا، اپنے ریسٹ ہاؤس پہنچا اور افراد متعلقہ سے رابطہ کیا۔

ڈھاکہ ریڈیو سٹیشن کام کرتا رہا اور صبح کا پروگرام حسب معمول وقت پر نشر ہوا۔ تمام بنگالی عملہ غائب ہو چکا تھا۔ ہم نے چند چیدہ چیدہ اشخاص کو ان کے گھروں سے لیا اور فوجی حفاظت میں ریڈیو سٹیشن پہنچایا، یہ لوگ یا تو مغربی پاکستانی تھے یا بہاری تھے۔ مجھے خوب یاد ہے کہ میں جب ایک فوجی جیپ میں جا رہا تھا تو ویران

سڑک پر دو ایک بھونکتے کتوں کے علاوہ کوئی اور ذی روح نہ تھا، خدا کا شکر ہے کہ وہاں مجھ کو کوئی انسانی لاش نظر نہیں آئی۔ ہر صبح ریڈیو کا پروگرام تلاوت کلام پاک سے شروع ہوتا ہے اس روز بھی ایسا ہی ہوا لیکن نقشہ یہ تھا کہ قاری کی پشت پر ایک فوجی کپتان کھڑا ہوا تھا اور تلاوت کرتے وقت قاری کی آواز کپکپا رہی تھی۔

اگلی صبح میں ٹکا خان کے دفتر کی طرف روانہ ہوا تو راستہ میں ڈھاکہ کے ہوائی اڈے پر میری ملاقات بریگیڈیر جہانزیب سے ہو گئی۔ اس نے مجھے بتایا کہ جنرل محمد یحییٰ خان تو ۲۵ مارچ ۱۹۷۱ کی رات ہی ڈھاکہ سے کراچی چلے گئے اور ذوالفقار علی بھٹو، ائیر پورٹ کے وی آئی پی لاؤنج میں ڈھاکہ سے کراچی واپس جانے کا انتظار کر رہے ہیں۔ میں وی آئی پی لاؤنج پہنچا تو میں نے ذوالفقار علی بھٹو کو اپنے ساتھی مبشر حسن، جے اے رحیم وغیرہ کے ساتھ صوفوں پر بیٹھے دیکھا۔ ذوالفقار علی بھٹو نے مجھے دیکھتے ہی پوچھا: گولی کتنے لوگوں کو ماری گئی ہے؟ میں نے کہا، میں نہ جانتا ہوں نہ جاننا چاہتا ہوں۔ اس کے بعد ذوالفقار علی بھٹو نے مجھ سے کہا کہ فوجی کارروائی کے ساتھ ساتھ سیاسی عمل کا جاری رہنا بھی ضروری ہے، محض فوجی کارروائی سے بات نہیں بنے گی۔ یہ کہتے ہی وہ اٹھ کھڑے ہوئے اور ہوائی جہاز میں سوار ہو کر ڈھاکہ سے کراچی چلے گئے۔ کراچی پہنچ کر انہوں نے وہ مشہور بیان دیا جس کا ایک جملہ تھا: ''خدا کا شکر ہے کہ پاکستان بچ گیا۔''

مجھے حکم یہ تھا کہ میں چند روز مزید ڈھاکہ میں ٹھہر کر جنرل ٹکا خان کی مدد کروں۔ چنانچہ ٹھہرنے کو میں ٹھہر تو گیا لیکن یکایک میں اپنے ہی ملک میں اپنے آپ کو تن تنہا، الگ تھلگ، سہما سہما اور غیر محفوظ محسوس کرنے لگا تھا۔ میں اسی شش و پنج میں تھا کہ اس گمبھیر صورت حال کو ملک کے اندر اور ملک کے باہر کیسے پیش کیا جائے کہ اتنے میں ایک اور افتاد یہ آن پڑی کہ مجھ کو بتائے مجھ سے پوچھے بغیر، تمام غیر ملکی نامہ نگاروں کو فوجی اہلکار ایک روز ہوائی اڈے لے گئے، وہاں ان کی جامہ تلاشی لی، جہاز میں سوار کرا لیا اور ملک بدر کر دیا۔

میں ۳۰ مارچ ۱۹۷۱ تک ڈھاکہ میں رہا۔ پھر ۳۰ مارچ ۱۹۷۱ کو ڈھاکہ سے کراچی ہوتا ہوا، راولپنڈی پہنچا۔ میں ہوائی اڈے سے اپنے گھر پہنچا تو کیا دیکھتا ہوں کہ غلام اسحٰق خان، جو اس وقت مرکزی کابینہ کے سیکریٹری تھے، میرے گھر کے لان میں بیٹھے، میرا انتظار کر رہے ہیں۔ انہوں نے مجھ کو بتایا کہ انہیں دنیا کے کونے کونے سے پاکستانی سفیروں کے خفیہ مراسلات موصول ہو رہے ہیں جن میں وہ سب یہی پوچھ رہے ہیں کہ ملک میں آخر کیا ہو رہا ہے؟ ہماری پوزیشن کیا ہے؟ اور اس پوزیشن کو دنیا کے سامنے کس طور پیش کیا جائے؟ اس کے جواب میں ہمارے پاس جنرل یحییٰ خان کی نشری تقریر کے اس اقتباس کے سوا کچھ بھی نہ تھا کہ:

''مجیب جو اعلان کرنا چاہتا تھا وہ محض ایک فریب تھا۔۔۔ دراصل مجیب اور اس کے ساتھی پاکستان کے دشمن ہیں اور مشرقی پاکستان کو مغربی پاکستان سے الگ کر کے ملک پاکستان کو دو لخت کرنا چاہتے ہیں۔ مجیب نے ملک کی سالمیت اور وحدت پر وار کیا ہے اور اس جرم کی سزا اس کو ضرور ملے گی۔''

افواج پاکستان کی ڈائریکٹریٹ تعلقات عامہ سے ہمیں کچھ مواد موصول ہوا تو ہم نے اس پر مبنی قرطاسِ ابیض تیار کروایا جس میں مشرقی پاکستان میں مسلح بغاوت کی تفاصیل دی گئی تھیں۔ ہم نے مشرقی پاکستان والوں کی مزاحمت کو بغاوت کا نام دیا لیکن ہم دنیا والوں کو متاثر نہ کر سکے کیونکہ ہمارے قرطاس ابیض میں لکھی باتوں پر کسی کو یقین نہیں آیا۔

راولپنڈی پہنچتے ہی مجھے معلوم ہوا کہ اگلی صبح جنرل محمد یحییٰ کی صدارت میں آرمی جی ایچ کیو میں ایک میٹنگ ہو گی جس میں مجھ کو بھی شریک ہونا ہے۔ اس میٹنگ میں سب فوجی ہی فوجی تھے۔ صرف وزارتِ خارجہ کے سیکریٹری سلطان محمد خان اور وزارت اطلاعات کا سیکریٹری میں، ہم دو غیر فوجی تھے۔ فوج کی طرف سے جنرل گل حسن تھے اور آئی ایس آئی کی طرف سے میجر جنرل اکبر تھے۔ میٹنگ میں بتلایا گیا کہ مشرقی پاکستان میں بغاوت، مجیب اور ہندوستانیوں کی ملی بھگت سازش کا نتیجہ تھی لیکن چونکہ مشرقی پاکستان کے عوام ہمارے ساتھ ہیں، اسلئے صورت حال بالکل فوج کے کنٹرول میں ہے۔ ان باتوں میں شاید کچھ صداقت رہی ہو لیکن یہ بھی سچ ہے کہ فوجی کارروائی کے دوران مشرقی پاکستان کے بہت سے بے گناہ لوگ، مرد، عورتیں اور بچے مارے گئے۔ فوجیوں کی طرف سے بہت سے ظلم ہوئے بہت سی زیادتیاں ہوئیں، اور آخر کار ہم مشرقی پاکستان گنوا بیٹھے۔ مجیب کی اپنی نیت کچھ بھی رہی ہو لیکن سچ تو یہی ہے کہ محض کچھ لوگ ملک توڑنے کے حق میں تھے ورنہ وہاں کی اکثریت اس کے حق میں نہ تھی۔

آرمی جی ایچ کیو کی اس قسم کی میٹنگوں میں ہمیں بتلایا جاتا تھا خصوصاً جنرل ٹکا خان یہ کہا کرتے تھے کہ ہندوستان سے مشرقی پاکستان آنے والے تمام راستوں کو بند کر کے سرحد کو مہر بند کر دیا جائے گا اور مشرقی پاکستان کے بڑے بڑے شہروں پر غالب قبضہ رکھا جائے گا۔ جنرل گل حسن خان ہمیں بتایا کرتے تھے کہ پی آئی اے مغربی پاکستان سے مشرقی پاکستان جنرل ٹکا خان کو فوجی کمک کیسے پہنچا رہا ہے۔ بعد میں ان میٹنگوں میں مرکزی حکومت کے متعلقہ سیکریٹری کو بھی بلایا جانے لگا لیکن جنرل گل حسن خان کو یہ شکایت تھی کہ چونکہ ان میٹنگوں میں صدر کے پرنسپل اسٹاف افسر شامل نہیں ہوتے اسلئے چیف مارشل لا ایڈمنسٹریٹر کے دفتر سے ربط ضبط بھی نہیں رہتا اور یہاں کئے گئے فیصلوں پر عملدرآمد بھی نہیں ہوتا۔

اب حکومت پاکستان کے سب بنگالی سیکریٹری مشتبہ ہو گئے تھے، جیسے ہی کوئی بنگالی سیکریٹری میٹنگ میں پہنچتا، گفتگو محتاط ہو جاتی اور اس میں وہ صاف گوئی اور بیباکی نہ رہتی جو اسکے آنے سے پہلے ہوتی تھی۔ بنگالی سیکریٹریوں کی پوزیشن ناقابل رشک تھی، اور مجھے ان پر اپنے بد نصیب ملک پر اپنے آپ پر ترس آتا تھا۔

جب ۱۹۷۱ میں اگست کا مہینہ آیا تو ہمیں جی ایچ کیو کی انہی میٹنگوں میں بتلایا گیا کہ بنگالی باغی ہندوستان کی طرف بھاگ رہے ہیں، پاکستانی فوجیں ان کا تعاقب کر رہی ہیں اور جنرل ٹکا خان نے مشرقی پاکستان پر مرکزی حکومت کا غلبہ اور تسلط بحال کر دیا ہے۔

مجھے جلد ہی محسوس ہو گیا کہ آرمی جی ایچ کیو کی اِن میٹنگوں کا کوئی فائدہ نہیں، نہ ان میں کوئی سنجیدہ بحث ہوتی نہ ان سے ہماری معلومات میں کوئی اضافہ ہوتا، نہ ان سے ہماری معاملہ فہمی بہتر ہوتی نہ ان میں ملک کو درپیش سنگین مسائل کا ذکر ہوتا۔ ان کا حل تلاش کرنا تو دور کی بات تھی، ہم حقیقت سے دور ہوتے جا رہے تھے۔ مشرقی پاکستان نظروں سے اوجھل ہوتا جا رہا تھا، مغربی پاکستان میں کاروبارِ حیات اپنے معمول کی ڈگر پر چل رہا تھا۔ میرا دل تو یہی چاہتا تھا کہ میں مان لوں کہ فوجیوں کو سب معلوم ہے کہ کس وقت کہاں کیا اور کیسے کرنا ہے، ملک فوجیوں کے ہاتھ میں محفوظ ہے اور پریشانی کی کوئی وجہ نہیں لیکن نہ معلوم کیوں دل میں ایک بے چینی سی رہتی۔ مجھے لگتا حالات مخدوش ہیں اور مستقبل غیر یقینی ہے۔ جب مغربی پاکستان میں یہ بے چینی یہ گھٹن زیادہ ہو جاتی تو میں ہر مہینے کم از کم ایک مرتبہ مشرقی پاکستان کا دورہ ضرور کرتا، اور مشرقی پاکستان میں بھی صرف ڈھاکے میں رہنے کے بجائے ڈھاکہ میں دو ایک روز گزار کر وہاں سے باہر نکل جاتا، سول سروس کے اپنے بنگالی ساتھیوں سے ملتا، فوجیوں سے ملتا مثلاً کھلنا میں مجھے کرنل شمس ملے۔ وہ میرے پختون بھائی تھے اور ان سے کھلنا میں اس وقت مل کر مجھ کو بے اندازہ خوشی ہوئی۔ میں ان دوروں سے حد درجہ افسردہ اور پژمردہ لوٹتا۔ حالات جو رخ اختیار کر رہے تھے وہ اطمینان بخش نہیں تھا اور میں سوچتا رہ جاتا کہ آخر اونٹ کس کروٹ بیٹھے گا اور اس سب کا انجام کیا ہو گا؟

ایک طرف تو مجھے فخر ہوتا کہ پاکستانی فوجی، ملک کی سالمیت کی خاطر بھارتی فوجوں سے لڑ رہے ہیں لیکن دوسری طرف یہ دیکھ کر میں مغموم و ملول ہو جاتا کہ افواجِ پاکستان اپنے ہی ہم وطنوں سے برسرِ پیکار ہیں۔ بہت سے بے گناہ مردوں عورتوں اور بچوں پر ظلم ہو رہا تھا اور وہ مارے جا رہے تھے۔ میں سوچتا: یا خدا! آخر ہم اس دلدل میں پھنسے تو کیسے پھنسے؟ ایک دِن ایک فوجی ٹرین گولہ بارود اور دیگر سامانِ جنگ لے کر جیسور جا رہی تھی، میں اس پر سوار تھا، میں نے دیکھا کہ ایک باریش عمر رسیدہ بنگالی تن تنہا قبلہ رو ہو کر نماز مغرب ادا کر رہا تھا۔ میں نے سوچا کہ یہ تو مجھ سے بہتر مسلمان ہے، یہ ہندوستانیوں سے مل کر میرا اور ملک کا دشمن کیسے ہو سکتا ہے؟ غرض یہ کہ اسی قسم کے سوالات میرے ذہن میں گھومتے تو رہے لیکن میرے پاس ان میں سے کسی کا جواب موجود نہ تھا۔

ان دوروں سے واپس آکر میں جی ایچ کیو کی میٹنگوں میں صدر مملکت کو اپنی رپورٹیں پیش کیا کرتا تھا لیکن مجھے محسوس ہوا کہ ایک تو جی ایچ کیو کی میٹنگیں کم ہوتی جا رہی ہیں اور دوسرے ان میٹنگوں میں صدر مملکت جنرل محمد یحییٰ خان کی دلچسپی بھی کم سے اور کم ہوتی جا رہی ہے۔ اس کے علاوہ میں نے دیکھا کہ ان کے گرد اعلیٰ فوجی افسروں کا جو حلقہ تھا اس میں بھی کشیدگی تھی۔ چیف آف آرمی سٹاف جنرل حمید اور صدر کے پرنسپل سٹاف افسر (جنرل ایس جی ایم ایم پیرزادہ) کے درمیان تعلقات ٹھیک نہ تھے۔ چیف آف آرمی سٹاف (جنرل حمید) اور چیف آف آرمی جنرل سٹاف (جنرل گل حسن) کے درمیان کشیدگی تھی، اس کے ساتھ ساتھ

جنرل گل حسن اور جنرل پیرزادہ کے مابین بھی شکر رنجی تھی۔ غرض یہ کہ سب کے سب ایک دوسرے سے برسرِ پیکار تھے۔ مشرقی پاکستان میں ۲۵ اور ۲۶ مارچ ۱۹۷۱ کی درمیانی شب جو فوجی کارروائی شروع ہوئی اس کا علم جنرل گل حسن کو پہلی مرتبہ اس وقت ہوا جب جنرل یحییٰ خان نے ڈھاکہ سے واپس آکر انہیں بتلایا، جنرل گل حسن یہ خبر سن کر ششدر رہ گئے۔ نہ انہیں یہ معلوم تھا کہ اگر مشرقی پاکستان پر بھارت نے حملہ کر دیا تو مشرقی پاکستان کا دفاع کیسے ہوگا؟ نہ انہیں یہ معلوم تھا کہ مشرقی پاکستان کے سیاسی بحران کا حل کیسے نکلے گا؟ غرض یہ کہ اس جمگھٹے میں سب ہی بے خبر تھے صرف یہ ہے کہ میری بے خبری شاید دوسروں کی بے خبری سے بھی زیادہ تھی۔

ہندوستانیوں نے ۲ نومبر ۱۹۷۱ء کو مشرقی پاکستان کی سرحدوں پر کئی جگہ سے حملہ کیا۔ ۲۲ نومبر ۱۹۷۱ء کو مجھے صدارتی رہائش گاہ میں ہونے والی ایک میٹنگ میں طلب کیا گیا، اس میٹنگ میں فیصلہ ہوا کہ اقوام متحدہ میں ہمارے مستقل نمائندے متعینہ نیویارک کو پیغام بھیجا جائے کہ وہ اقوام متحدہ کی سلامتی کونسل کو خبردار کرے کہ ہندوستان پاکستان پر حملہ آور ہوا ہے۔ یہ بات بھی پھیلائی گئی کہ چین، اپنے قومی مفاد کی خاطر، ہندوستان کو یہ اجازت نہیں دے گا کہ ہندوستان مشرقی پاکستان پر حملہ کر کے مشرقی پاکستان پر غلبہ پالے۔ وزارتِ اطلاعات اس قسم کی بے سروپا باتیں عوام کا حوصلہ بلند رکھنے کی غرض سے پھیلاتی رہی حالانکہ چینیوں نے اس قسم کا کوئی تاثر نہیں دیا تھا بلکہ بعد میں ہمیں پتہ چلا کہ چینیوں نے ہمارے ایک وفد کو جس کی قیادت ذوالفقار علی بھٹو کر رہے تھے، سمجھایا تھا کہ ہم مشرقی پاکستانیوں سے اپنے اختلافات سیاسی طریقے سے سلجھالیں۔ (اسی طرح ستمبر ۱۹۶۵ء میں جو جنگ ہندوستان اور پاکستان کے درمیان ہوئی تھی اور جس میں ہندوستان نے مشرقی پاکستان پر حملہ نہیں کیا تھا تو یہ تاثر پھیلایا گیا تھا کہ ہندوستان اگر مشرقی پاکستان پر حملہ کرے گا تو مشرقی پاکستان کا دفاع چین کرے گا۔ یہ سن کر مشرقی پاکستان والوں نے سوچا کہ اگر ان کا دفاع چین کو ہی کرنا ہے تو پھر افواج پاکستان پر اٹھنے والے بھاری اخراجات کا بار ان پر کیوں پڑے؟)

۳ دسمبر ۱۹۷۱ کو مجھ سے یہ کہا گیا کہ ۳ بجے سہ پہر جنرل گل حسن سے جی ایچ کیو میں ملو۔ میں وہاں پہنچا تو جنرل گل حسن اپنے دفتر میں نہ تھے۔ لیکن تھوڑی دیر بعد آ گئے اور آکر صوفے پر میرے پاس بیٹھ گئے وہ خاصے پریشان نظر آرہے تھے۔ وہ کہنے لگے کہ اب اس کے سوا کوئی چارہ نہیں کہ بھارت پر مغربی پاکستان کی طرف سے حملہ کیا جائے۔ انہوں نے کہا کہ حالات کا رخ ہمارے خلاف ہے، لوگ بے چین ہو رہے ہیں کہ ہندوستان نے مشرقی پاکستان پر حملہ کیا ہے تو ہم بھارت پر مغربی پاکستان کی طرف سے حملہ کیوں نہیں کر رہے؟ انہوں نے کہا کہ حالات اس قدر بگڑ گئے ہیں کہ میں اب اپنی فوجی وردی میں کہیں جا بھی نہیں سکتا۔ میں نے ان کی تائید میں کہا کہ واقعی لوگ حیران ہو رہے ہیں کہ مشرقی پاکستان پر بھارتی حملے کو پاکستان پر حملہ کیوں نہیں سمجھا جارہا؟

اس مایوسانہ گفتگو کے بعد جنرل گل حسن اور میں، ہم دونوں جی ایچ کیو کے آپریشنز روم میں گئے۔ جنرل محمد

یحییٰ خان صدر پاکستان وہاں پہلے سے موجود تھے، ائیر مارشل رحیم خان بھی وہاں موجود تھے، ہمارا ہوائی جہاز ہندوستان پر حملہ کرنے کی غرض سے ہوا میں پرواز کر چکا تھا اور جہاز کی پرواز کو بورڈ پر دکھلایا جارہا تھا۔ اس سے پہلے کہ ہندوستانیوں کی طرف سے کوئی اعلان ہوتا، ریڈیو پاکستان نے مناسب الفاظ میں پاکستان پر بھارتی حملے کا اعلان کر دیا، جنگ کا انجام جو بھی ہوا اعلانات کی جنگ کی پہلی بازی تو پاکستان نے جیت لی تھی۔ جنرل یحییٰ کے پاس ایک ٹرانزسسٹر ریڈیو سیٹ تھا جس پر وہ پاکستانی اور بھارتی اعلانات سن رہے تھے جب انہوں نے دیکھا کہ اعلان بازی میں ہم بھارتیوں سے سبقت لے گئے ہیں، تو ان کے چہرے پر اطمینان ظاہر ہوا۔

بعد میں شام کے وقت ہم سب دوبارہ صدر مملکت کی رہائش گاہ پر جمع ہوئے، ائیر مارشل رحیم خان اور جنرل حمید بھی وہاں موجود تھے۔ وہاں اس وقت میں واحد غیر فوجی تھا، ائیر مارشل رحیم خان نے رپورٹ دی کہ ہمارے سب جہاز ہندوستان پر حملوں کے بعد بخیر دعافیت واپس آگئے ہیں۔ جنرل یحییٰ نے پوچھا کہ بھارتی ہوائی اڈوں کو نقصان کیا پہنچا تو ائیر مارشل رحیم خان نے کہا کہ نقصانات کی تصاویر اتار لی گئی ہیں جو اگلی صبح ملیں گی۔ جنرل حمید نے رپورٹ دی کہ ہماری بری فوج نے بھی اکثر و بیشتر اپنے مقاصد حاصل کر لئے ہیں۔

۱۳ دسمبر ۱۹۷۱ء تک بھارتی فوج ڈھاکہ کی دہلیز پر پہنچ چکی تھی، ڈھاکہ کے دفاعی انتظامات نہایت ناقص تھے۔ ۱۶ دسمبر ۱۹۷۱ء کو ڈھاکہ بھارتی فوج کے قبضے میں چلا گیا۔ انٹر سروسز ڈائریکٹریٹ تعلقات عامہ نے اس بارے میں ہمیں جو مواد فراہم کیا اس کی بنا پر ہم نے یہ خبر نشر کی:

"ہندوستانی اور پاکستانی مقامی کمانڈروں کے باہمی سمجھوتے سے جنگ بندی ہو گئی ہے"

اگلے روز جب میں یحییٰ خان سے ملا تو میرا دل رو رہا تھا میں خود رو رہا تھا، ہمیں یہ تک معلوم نہ تھا کہ جنرل یحییٰ نے اپنے سب اختیارات مشرقی پاکستان کے اس وقت کے گورنر عبد المالک کے حوالے کر دیئے تھے اور مشرقی پاکستان کے اس وقت کے جنرل آفیسر کمانڈنگ جنرل نیازی سے کہہ دیا تھا کہ تم گورنر عبد المالک سے رابطہ رکھو اور وہ جب بھی، جیسے بھی لڑائی بند کرنا مناسب سمجھیں، لڑنا بند کر دینا۔ چنانچہ جب نیویارک میں اقوام متحدہ کے سامنے ڈھاکے کی طرف سے جنگ بندی کی درخواست پیش کی گئی اور راولپنڈی کی طرف سے اس کی تردید کی گئی، تو عجیب و غریب اور پریشان کن صورت حال پیدا ہو گئی۔ یحییٰ خان نے ایک تقریر نشر کی اور عوام کو یہ کہہ کر تسلی دینے کی کوشش کی کہ ہم محض ایک لڑائی ہارے ہیں پوری جنگ نہیں۔ مغربی پاکستان کے محاذ پر ہماری جنگ جاری رہے گی۔ وزارتِ اطلاعات کی طرف سے یحییٰ کو نشری تقریر کے لئے جو مسودہ دیا گیا تھا اس میں ونسٹن چرچل کے وہ ولولہ انگیز الفاظ ڈال دیئے گئے تھے جو چرچل نے ڈنکرک کی برطانوی شکست کے بعد برطانوی افواج سے کہے تھے: یعنی ہم لڑیں گے سمندر کے ساحلوں پر ہم لڑیں گے یہاں ہم لڑیں گے وہاں وغیرہ وغیرہ۔ لیکن اگلے روز جب تقریر نشر ہوئی تو ہم نے چرچل کے الفاظ نہ سُنے۔ سُنتے بھی کیسے، نہ ہم برطانوی تھے نہ یحییٰ چرچل تھے۔ خیر تو جب یحییٰ خان سے مِلا تو میں نے اُن سے کہا کہ قومیں جنگیں نیم دلی سے

نہیں جیتا کرتیں۔ انہوں نے جواب دیا: میں بنگالیوں کی خاطر مغربی پاکستان کو داؤ پر نہیں لگا سکتا۔

میں اپنا غم ہلکا کرنے پاکستان کے اس وقت کے نائب صدر نور الامین کے پاس چلا گیا جو ایسٹ پاکستان ہاؤس میں مقیم تھے، مسٹر محمود علی اُنکے دوست اور ہمہ وقتی رفیق، بھی وہاں موجود تھے۔ نور الامین ایک سچے پاکستانی تھے عظیم محبِ وطن تھے۔ میں نے کبھی انہیں اتنا بر ہم نہیں دیکھا تھا جتنا کہ وہ اُس وقت تھے، انہوں نے مجھ سے کہا کہ میں ملک کا نائب صدر ہوں۔ پچھلے دو دن سے میں برابر صدر سے ملنا چاہ رہا ہوں اور مل نہیں پا رہا۔ میں نے اُسی وقت ہاٹ لائن پر یحییٰ خان سے رابطہ قائم کیا اور اُسی شام یحییٰ خان اور نور الامین کے درمیان ملاقات طے کروادی۔ یحییٰ خان نے مجھ سے کہا کہ نور الامین کے ساتھ تم بھی شام کو آجانا۔ چنانچہ جب شام کے وقت نور الامین اور میں ایوانِ صدر پہنچے تو جنرل حمید بھی وہاں موجود تھے اور شراب نوشی کا دور چل رہا تھا، نور الامین یہ دیکھ کر بھڑک اُٹھے اور چلا کر بولے:

"ڈھاکہ پر بھارتیوں کا قبضہ ہو چکا ہے، مشرقی پاکستان ہاتھوں سے نکل چکا ہے اور تم لوگ شراب پی رہے ہو"۔

دم بھر کے لئے محفل پر سناٹا سا چھا گیا۔ پھر چند لمحوں کے بعد یحییٰ خان کے ہوش کچھ ٹھکانے آئے تو انہوں نے اپنی صفائی پیش کرنی چاہی اور سارا الزام مجیب پر ڈال دیا۔ پوری میٹنگ میرے لئے حد درجہ اذیت ناک تھی اتنی کہ اِس سے زیادہ اذیت ناک میٹنگ میں میں نے شاید ہی کبھی شرکت کی ہو۔

۱۹ دسمبر ۱۹۷۱ کو دو باوردی فوجی (جن میں سے ایک بریگیڈیر تھا) چکلالہ میں میرے دفتر آئے، اس وقت میرے دفتر میں وزارتِ اطلاعات کے اعلیٰ افسروں، ریڈیو اور ٹیلی ویژن کے سربراہوں کی میٹنگ ہو رہی تھی۔ فوجی افسروں کے لئے کافی منگوائی گئی، معمول کی خوش گپی کے بعد بریگیڈیر بولا: سنا ہے شام کو کوئی دستور نشر ہونے والا ہے، میں نے کہا کہ ہاں ہو رہا ہے۔ اُس پر اس نے کہا کہ ملک اس وقت جس قسم کے دردناک حالات سے دوچار ہے ان میں ایسا کرنا نامناسب ہوگا، میں نے اس کی بات سنی ان سنی کر دی اور بات بدلنی چاہی۔ لیکن بریگیڈیر مصر رہا اور نشریہ منسوخ کروانے کی خواہش کا اظہار کیا۔ اب مجھے احساس ہوا کہ معاملہ گمبھیر ہے بات صرف برائے گفتگو نہیں ہے، اور یہ کہ یہ دونوں افسر اپنی گفتگو میں حد درجہ سنجیدہ ہیں اور میرے پاس ایک خطرناک مشن پر آئے ہیں۔ میں نے کہا کہ نشریہ صدر کے حکم سے ہو رہا ہے اور صرف وہ ہی اسے منسوخ کر سکتے ہیں لیکن میرے جواب کا بریگیڈیر پر کوئی اثر نہ ہوا اور وہ برابر اصرار کرتا رہا کہ میں نشریہ منسوخ کردوں، جب اُسے یقین ہو گیا کہ میں ایسا نہیں کروں گا تو وہ اپنے ساتھی کے ساتھ چلا گیا۔ ہم سب جو وہاں موجود تھے سکتے میں آگئے۔ میں نے سوچا کہ آخر کسی کو مجھ سے صدر کی حکم عدولی چاہنے کی جرأت کیسے ہوئی؟ کیا حکومت کا تختہ الٹ چکا ہے کیا یحییٰ خان برطرف ہو چکے ہیں اچانک مجھے صورتِ حال کی سنگینی اور امکانات کی ہولناکی کا احساس ہوا۔

پھر بعد مغرب میں وزارتِ دفاع میں ہنگامی کمیٹی کی ایک میٹنگ میں شریک ہوا۔ یہ کمیٹی یحیٰی کی کابینہ یا ان کی مشاورتی کونسل کا کام دیا کرتی تھی، میں بھی اس کمیٹی کا ایک رکن تھا۔ باقی ارکان میں غلام اسحٰق خان (سیکریٹری کابینہ) قمر الاسلام (سیکریٹری پیٹرولیم وقدرتی وسائل)) اور ممتاز علوی (ایڈیشنل سیکریٹری امور خارجہ) شامل تھے۔ میٹنگ جاری تھی کہ ڈیفنس سیکریٹری کے فون کی گھنٹی بجی، ڈیفنس سیکریٹری نے ریسیور اٹھایا فون سُنا اور پھر یہ کہہ کر ریسیور مجھے دیدیا کہ فون تمہارے لئے ہے۔ میں نے فون لیا تو معلوم ہوا کہ بری فوج کے چیف آف جنرل سٹاف، جنرل گل حسن بات کر رہے ہیں۔ چونکہ جنرل گل حسن اور میں، ہم دونوں پشتون ہیں تو انہوں نے پشتو زبان میں مجھ سے کہا کہ تم شام کی نشری تقریر منسوخ کردو۔ جنرل گل حسن نے اپنی آپ بیتی میں اس گفتگو کا ذکر یوں کیا ہے:

"میں نے صدر کے پاس رکھے ہوئے فون کو اٹھایا اور سیکریٹری (اطلاعات) سے بات کی، اور (صدر کا) پیغام پہنچادیا۔ سیکریٹری (اطلاعات) نے مجھ سے پوچھا: 'آپ کس جگہ سے بول رہے ہیں'۔ چنانچہ اُس کی تسلی کی خاطر میں نے صدر سے کہا کہ 'آپ سیکریٹری (اطلاعات) سے خود بات کرلیں'۔ جنرل یحیٰی خان نے فون میرے ہاتھ سے اپنے ہاتھ میں لے لیا اور سیکریٹری (اطلاعات) سے کہا: 'میں نے گل کو بتلادیا ہے کہ فی الفور کیا اعلان نشر ہونا ہے وہ یہ اعلان تمہیں خود بتلادیں گے' پھر میں نے وہ اعلان سیکریٹری (اطلاعات) کو بتلادیا۔ ابھی ہم صدر کے پاس ہی بیٹھے تھے کہ منٹوں میں وہ اعلان نشر ہوگیا اور ہم نے سن لیا"۔

بنیادی طور پر گل حسن کا بیان درست ہے لیکن انہوں نے کچھ باتوں کو خلط ملط کردیا ہے۔ اصل واقعہ یوں ہوا تھا کہ جب گل حسن نے یہ بتلا کر کہ وہ ایوانِ صدر سے فون کررہے ہیں، فون رکھ چکے تو میں نے صدر کو خود فون کیا فون صدر کے اے ڈی سی نے اٹھایا۔ میں نے اس سے کہا کہ میں صدر سے بات کرنا چاہتا ہوں اُس نے بات کروادی۔ میں نے صدر سے کہا کہ جنرل گل حسن نے مجھ سے یہ بات کی ہے۔ جنرل یحیٰی خان نے گل حسن کی بات کی تصدیق کی اور کہا کہ شام کا نشریہ منسوخ کردو۔ میں نے حسب الحکم تعمیل کی اور تقریر کو نشر ہونے سے بروقت روک لیا۔

سقوطِ ڈھاکہ کے بعد کے حالات کا جائزہ لینے کے لئے صدر نے ایک اجلاس طلب کیا جس میں غیاث الدین احمد (سیکریٹری جنرل دفاع) غلام اسحٰق خان (سیکریٹری کابینہ) قمر الاسلام (سیکریٹری پیٹرولیم وقدرتی وسائل) سلطان خان (سیکریٹری امورِ خارجہ) شامل تھے۔ کچھ دیر بات چیت کے بعد طے ہوا کہ میں کراچی میں اور لاہور میں اخبار نویسوں اور صحافیوں کو بلالوں اور انہیں بتلاؤں کہ کن حالات میں سقوطِ ڈھاکہ کا سانحہ وقوع پذیر ہوا تھا۔ میں نے کہا کہ چونکہ مشرقی پاکستان میں ہماری 'شکستِ فاش' میں فوجی امور کا بھی دخل

ہے لہذا کوئی اعلیٰ فوجی افسر بھی میرے ساتھ رہے۔ 'شکست فاش' کا لفظ سُن کر یحیٰی خان سخت سیخ پا ہوئے اور مجھے ڈانٹا کہ تم نے 'شکستِ فاش' کا لفظ غلط استعمال کیا ہے میں سخت حیران ہوا کہ اگر 'سقوطِ ڈھاکہ' 'شکستِ فاش' نہیں تھا تو پھر کیا تھا؟ یحیٰی خان ابھی تک اپنے خیالات کی دنیا میں گم تھے۔ ان کا خیال تھا کہ ان کی شکست، شکست نہ تھی، محض لفظوں کا ہیر پھیر تھا۔ اس گفتگو کے دوران اجلاس کے دوسرے شرکاء بالکل خاموش رہے۔

جب مسز اندرا گاندھی وزیر اعظم ہند کی طرف سے یکطرفہ جنگ بندی کی پیش کش ہمیں موصول ہوئی تو اس کا جواب تیار کرنے کے لئے ہنگامی کمیٹی کا اجلاس حسب معمول وزارتِ دفاع میں منعقد ہوا، اجلاس میں ایک مسودہ منظور ہوا۔ پھر صدر سے اجازت لیکر ہم سب صدر کی رہائش گاہ پہنچے۔۔ وہ اپنے گھر کے دالان میں بیٹھے تھے اور ان کے ساتھ سلطان خان (سیکریٹری امور خارجہ)، جنرل حمید (چیف آف آرمی سٹاف)، ائیر مارشل رحیم خان (چیف آف ائیر اسٹاف) لیفٹیننٹ جنرل ایس جی ایم پیر زادہ (صدر کے پرنسپل اسٹاف افسر) وغیرہ بھی موجود تھے، اس سے پہلے کہ ہم میں سے کوئی کچھ کہتا یحیٰی خان نے از خود بولنا شروع کر دیا اور سقوطِ ڈھاکہ کی 'تباہی عظمیٰ' تک کے واقعات کو دہرایا، مجھے یاد نہیں کہ 'سقوطِ ڈھاکہ' کے لئے انہوں نے 'تباہی عظمیٰ' کا لفظ استعمال کیا تھا یا نہیں لیکن میرے نزدیک مشرقی پاکستان کا ہم سے چھننا ہماری قومی تاریخ کی ایک بہت بڑی تباہی تھا۔ اپنی بات ختم کر کے جنرل یحیٰی خان نے سلطان خان (سیکریٹری امور خارجہ) سے کہا کہ مسز اندرا گاندھی (وزیر اعظم ہند) کی جنگ بندی کی یکطرفہ پیش کش کے جواب کا مسوّدہ پڑھ کر سنائیں۔ سلطان خان نے اپنی جیب سے کاغذ کا ایک پرزہ نکالا اور پڑھنا شروع کر دیا۔ اس مسودے میں ہندوستانی پیش کش کو غیر مشروط طور پر قبول کر لیا گیا تھا، نفس مضمون پر تو کوئی کچھ نہیں بولا البتہ اس بات پر نہایت گرم گرم، دھواں دھار اور لمبی چوڑی بحث ہوئی کہ جنگ بندی کا وقت پاکستان کے معیاری وقت کے مطابق لکھا جائے یا ہندوستان کے معیاری وقت کے مطابق یا گرین وچ مین ٹائم کے مطابق؟ اس پر بھی بحث ہوئی کہ جنگ بندی کا وقت اگر پاکستانی معیاری وقت ہو تو مغربی پاکستان کا معیاری وقت ہو یا مشرقی پاکستان کا؟ جب یحیٰی خان اس طویل اور لاحاصل بحث سے اکتا گئے تو بولے: ایک ماہ پہلے کابینہ کے سامنے پاکستان کے معیاری وقت کے بارے میں ایک تجویز آئی تھی اُسے مان لیا جاتا تو آج کو یہ مسئلہ کھڑا نہ ہوتا؟ (بریں عقل و دانش بباید گریست)

ہندوستانی پیش کش کے جوابی مسوّدے پر بحث سے پہلے صدر نے سلطان خان سے کہا تھا کہ وہ صدر نکسن کی طرف سے موصول ہونے والے خط کو پڑھ کر سنائیں۔ اِس خط میں رچرڈ نکسن نے پاکستان کے دوست کی حیثیت سے پاکستان کو مشورہ دیا تھا کہ ہندوستانی پیش کش کو مان لیا جائے، اور یہ کہ جنگ میں پاکستان کو ہتھیاروں کا جو نقصان ہوا ہے وہ (نکسن) اُسے پورا کروانے میں پاکستان کی مدد کریں گے، نکسن کا خط سن کر

معاملہ طے ہوگیا اور ۱۷ دسمبر ۱۹۷۱ء کو ہندوستانی پیش کش کی پاکستان کی طرف سے منظوری کی اطلاع راولپنڈی سے نئی دہلی بھیج دی گئی۔

وہ لمحہ، میری زندگی کا سب سے کربناک لمحہ تھا، جب ۱۶ دسمبر ۱۹۷۱ء کی شام کو پاکستانی ٹیلی ویژن پر پاکستانی افواج کو ہندوستانی افواج کے سامنے ہتھیار ڈالتے ہوئے دکھلایا گیا۔ اگرچہ خبروں میں اِس واقعہ کو محض ''دو مقامی فوجی کمانڈروں کے درمیان جنگ بندی کا سمجھوتہ'' قرار دیا گیا تھا لیکن یہ تلخ حقیقت کسی سے پوشیدہ نہ تھی کہ یہ ہماری ذلت آمیز شکست فاش تھی۔ تاریخ میں بہت مرتبہ ہتھیار ڈالے گئے مثلاً دوسری جنگِ عظیم کے اختتام پر جرمنوں نے بھی اتحادیوں کے سامنے ہتھیار ڈالے تھے۔ جس کے بارے میں مؤرخ نے لکھا ہے کہ :

''۲ بج کر ۳۵ منٹ پر سٹرانگ نے اپنی حفاظت میں (جنرل) جوڈل اور اس کے دو معاونوں کو دروازے اور گیلری میں سے گذار کر خیرہ کن روشنیوں کے سامنے پہنچادیا، جوڈل اپنی نشست پر بیٹھنے سے پہلے ذرا جھکا لیکن اس کی اکڑ برقرار رہی، پھر اُس نے ہتھیار ڈالنے سے متعلق دستاویزات پر دستخط کئے۔ اور اس کے بعد کھڑا ہو گیا۔ کھڑے ہو کر اس نے مختصر سا بیان دیا ایسا بیان جس نے جرمن شکست کو بھی وقار بخش دیا۔ اُس نے کہا :

''دستاویزات پر دستخط ہو چکے۔ اب جرمن اور جرمن افواج، فاتحین کے رحم و کرم پر ہیں، فاتحین مفتوحین کے ساتھ بُرا سلوک کریں یا بھلا۔ لیکن یاد رہے کہ گذشتہ پانچ سال سے بھی زیادہ لمبی جنگ میں جتنی کامیابیاں اور جتنی صعوبتیں جرمن قوم کے حصے میں آئیں وہ دنیا کی کسی اور قوم کے حصے میں نہیں آئیں، میں تو اس وقت صرف یہ امید ہی کر سکتا ہوں کہ فاتحین ان کے ساتھ جو سلوک روا رکھیں گے وہ فراخدلانہ ہوگا۔''

جوڈل پر مقدمہ چلایا گیا اور اسے پھانسی دیدی گئی۔ بلاشبہ جرمنوں کو شکست ہوئی تھی لیکن اس شکست میں بھی ایک رکھ رکھاؤ تھا، ایک وقار تھا۔

اسی طرح پہلی جنگ عظیم کے خاتمے پر ماتھیاس ارزبرگر جرمن وفد کا لیڈر تھا۔ اُس نے ۱۱ نومبر ۱۹۱۸ء کو صبح کے وقت پانچ بج کر دس منٹ پر کمپے نی کے مقام پر شکست کے کاغذات پر دستخط کئے تھے۔ لیکن دستخط کرنے کے بعد اُس نے کہا تھا :

''سات کروڑ کی قوم مصیبت زدہ تو ہو سکتی ہے، مردہ نہیں''

اس کے مقابلے میں ہم نے ڈھاکہ میں ۱۶ دسمبر ۱۹۷۱ء کو ہندوستانیوں کے سامنے جس بھونڈے انداز

سے ہتھیار ڈالے وہ ایک ظالمانہ مذاق اور اپنے آپ کو خود ذلیل کرنے کے احمقانہ عمل سے کم نہ تھا، میں ندامت و شرمندگی کے جذبات سے کبھی اتنا مغلوب نہیں ہوا جتنا کہ ۱۶ دسمبر ۱۹۷۱ء کی شام کو افواجِ پاکستان کے ہتھیار ڈالنے کے منظر کو ٹیلی ویژن پر دیکھ کر ہوا۔ جن جرنیلوں کی بدولت ہمیں یہ ذلت اٹھانی پڑی ان کا خیال آتے ہی مجھ کو ولنگٹن کا وہ مشہور جملہ یاد آگیا جو اس نے واٹر لو کی لڑائی سے ایک دن پہلے کہا تھا۔ اس نے کہا تھا:

"سچ تو یہ ہے کہ جب میں اپنی فوج کے کچھ جرنیلوں کے کردار اور ان کی صلاحیت کو ذہن میں رکھ کر یہ سوچتا ہوں کہ یہی وہ ہیں جن کے سہارے مجھے فرانسیسی افواج کا مقابلہ کرنا ہے اور یہی ہیں وہ جن پر میری ہدایات پر عملدرآمد کی ذمہ داری ہے۔۔۔ تو میں لرزہ براندام ہو جاتا ہوں"

اسی طرح لارڈ چسٹر فیلڈ نے اپنے زمانے کے جرنیلوں کے بارے میں کہا تھا:

"خدا کرے کہ جب دشمن جرنیلوں کے ناموں کی فہرست پڑھے تو وہ بھی ویسے ہی کانپے جیسے میں کانپ رہا ہوں:"

زخموں پر نمک چھڑکنے کی خاطر ۲۰ دسمبر ۱۹۷۱ کی شام کو ذوالفقار علی بھٹو کی ہدایت پر پاکستانی افواج کو ہتھیار ڈالتے ہوئے ٹیلی ویژن پر دکھلایا گیا۔ ذوالفقار علی بھٹو نے اسی روز پاکستان کے صدر اور چیف مارشل لاء ایڈمنسٹریٹر کی حیثیت سے حلف اٹھایا تھا۔ اس منظر کو ٹیلی ویژن پر دکھلانے کے خلاف پاکستانی عوام اور پاکستانی افواج کی طرف سے ردعمل اتنا شدید ہوا کہ حکومت کو اس فلم کو ٹی وی سے واپس لینا پڑا۔

میرے نئے وزیر اطلاعات، عبدالحفیظ پیرزادہ تھے۔ مجھے وہ پہلے ہی روز سے پسند آئے لیکن ذوالفقار علی بھٹو اپنی پسند کے کسی شخص کو سیکریٹری اطلاعات لگانا چاہتے تھے چنانچہ انہوں نے مجھے سندھ کا چیف سیکریٹری مقرر کر دیا۔ جب میں نے ذوالفقار علی بھٹو کی ہمشیرہ 'منا' سے اِس تبادلہ کا ذکر کیا تو وہ فکر مند ہو گئیں اور بولیں کہ ہو سکے تو کوشش کر کے کوئی ایسا کام لے لو جو لوگوں کی نظروں میں زیادہ نہ ہو۔ وہ اپنے سگے بھائی ذوالفقار علی بھٹو کو اور اپنے ذہین و فطین عم زاد ممتاز علی بھٹو کو مجھ سے کہیں بہتر جانتی تھیں۔ سندھ ذوالفقار علی بھٹو کا آبائی صوبہ تھا، اور ممتاز علی بھٹو اُس وقت سندھ کے وزیر اعلیٰ اور صوبائی مارشل لاء ایڈمنسٹریٹر تھے۔ جانے کو میں کراچی چلا تو گیا لیکن میرا دل گواہی دے رہا تھا کہ اب پریشانی آنے ہی والی ہے اور ہوا بھی یہی۔

حکومتِ سندھ نے اپنی کم فہمی اور کوتاہ اندیشی کا مظاہرہ کیا اور غیر سندھیوں کی شدید مخالفت کے باوجود سندھی زبان کو زبردستی سرکاری زبان بنانے کی کوشش کی، نتیجہ وہی ہوا جو ہونا تھا پورا سندھ لسانی اور نسلی

جنگ وجدل میں ڈوب گیا، اردو بولنے والوں کی طرف سے مزاحمت خصوصاًزیادہ شدید تھی۔ پولیس اور عوام میں شدید جھڑپیں ہوئیں اور بلاوجہ بہت سی قیمتی جانیں ضائع ہو گئیں۔

شروع سے یہ تو معلوم ہو گیا تھا کہ پاکستان پیپلزپارٹی کی حکومت قانون کی بالادستی کو تسلیم نہیں کرتی، اگر کبھی کوئی سرکاری اہلکار پی پی کے ارباب اقتدار کو قاعدے قانون کی بات یاد دلاتا تو وہ سخت برہم ہو جاتے اور قانون قاعدہ یاد دلانے والاان کے غیظ و غضب کا شکار ہو جاتا۔ مجھے شروع سے یہ اندازہ تھا کہ میں بوجوہ سندھ کے چیف سیکریٹری کے عہدہ پر زیادہ نہ رہ سکوں گا۔

صورت حال اور پیچیدہ اُس وقت ہو گئی جب میرا بھائی خالق خان پی پی کے قومی اسمبلی کے ممبروں کے ایک چھوٹے سے باغی گروپ کا ممبر بن گیا۔ ذوالفقار علی بھٹو روز بروز زیادہ سے زیادہ مطلق العنان آمر بنتے جا رہے تھے، اور تنقید سننے اور برداشت کرنے کے لئے بالکل تیار نہ تھے۔ وفاقی بجٹ پر تقریر کرتے ہوئے خالق خان نے کھلّم کھلا ذوالفقار علی بھٹو پر تنقید کی۔ ذوالفقار علی بھٹو آگ بگولہ ہو گئے اور پاداش میں مجھ کو سندھ کے چیف سیکریٹری کے عہدے سے ہٹا کر مرکز میں وزارتِ محنت وافرادی قوت کا سیکریٹری لگا دیا۔

میں جس زمانے میں سیکریٹری وزارتِ محنت وافرادی قوت تھا تو ایک روز مجھ کو قوانین محنت کی وضاحت کے لئے وفاقی کابینہ کے سامنے پیش ہونا پڑا۔ میری وضاحت کے بعد سیکریٹری کابینہ مجھ سے اتنے خوش ہوئے کہ وہ میرے پاس آئے اور مجھے میری اعلیٰ کارکردگی پر مبارکباد دی۔ میں مطمئن ہو گیا لیکن افسوس کہ سیکریٹری وزارت محنت وافرادی قوت کا عہدہ بھی ۱۹۷۴ء میں اچانک مجھ سے چھین لیا گیا۔ اور یہ ضرب کاری مجھ پر اس وقت پڑی جب میں اپنے آپ کو خاصہ محفوظ محسوس کر رہا تھا۔ میرے وہم وگمان میں بھی نہ تھا کہ یہ ہو گا۔ لیکن میں نے اندازہ لگا لیا کہ اس حرکت کا محرک کیا تھا۔ میرا بھائی آمادۂ بغاوت تھا پریشان کر رہا تھا اور قابو میں نہیں آ رہا تھا، ذوالفقار علی بھٹو چاہتے تھے کہ مجھ کو ہراساں کر کے خالق خان کو نرم کریں۔ میں ذہنی طور پر اپنے آپ کو قبل از وقت ریٹائرمنٹ کے لئے تیار کر رہا تھا کہ پانچ ماہ بعد مجھے بلایا گیا اور سیکریٹری وزارتِ سیاحت لگا دیا گیا۔ اس عہدے میں مجھ کو بہت لطف آیا۔ مجھے ایسا لگا جیسے میں قید سے رہا ہو کر آزاد فضا میں آ گیا ہوں۔ غرض یہ کہ میں نے اپنے آپ کو بہت محفوظ اور مطمئن محسوس کیا۔

لیکن جلد ہی مجھے معلوم ہوا کہ میرا اطمینان غلط تھا، ایک روز ذوالفقار علی بھٹو وفاقی سیکریٹریوں کے اجلاس سے خطاب کر رہے تھے میں پہلی صف میں سامنے بیٹھا تھا، ان کا خطاب ختم ہوا تو وہ چبوترے سے نیچے اترے میرے پاس سے گذرتے ہوئے لمحے دو لمحے کو ٹھٹکے اور پھر ایسی آواز میں جسے میرے ساتھ بیٹھے ساتھیوں نے بھی سنا، مجھ سے کہا:

نے تمہیں ایک اور موقعہ دیا ہے لیکن برے لوگوں سے تمہارا میل جول ابھی تک جاری ہے۔ تم وہر سے بھی ملتے ہو اور پشاور بھی جاتے ہو"۔

(مطلب یہ تھا کہ میں ان کے مخالفین سے مل کر ان کے خلاف گٹھ جوڑ کر رہا تھا)۔ میں یہ سن کر سکتے میں آگیا۔

ذوالفقار علی بھٹو کی دقت یہ تھی کہ وہ بعض وقت نہایت تنگدلی اور کینہ پروری کا مظاہرہ کرتے تھے، طاف گوہر میرے پرانے دوست تھے اور پشاور میرے آبائی صوبے کا صدر مقام تھا، لیکن اس سب کے جود ذوالفقار علی بھٹو کی تعریف کئے بغیر بھی نہیں رہ سکتا، کیونکہ اسٹیبلشمنٹ سیکریٹری نے مجھے بتلایا کہ الفقار علی بھٹو نے تین مرتبہ تمہاری ریٹائرمنٹ قبل ازوقت کے احکام دیئے لیکن تینوں مرتبہ واپس لے لئے شاید پرانی دوستی کی خاطر انہوں نے ایسا کیا ہو۔

مجھے دوران ملازمت شاید ہی کسی دوسرے منصب سے اتنا لطف آیا ہو جتنا کہ وزارتِ سیاحت کی سیکریٹری پ سے آیا۔ اس نوکری میں مجھے دنیا دیکھنے اور عجیب وغریب جگہوں پر جانے کے متعدد مواقع ملے۔ مثلاً اسی وران میں مشہور زمانہ چنگیز خان کے دیس بیرونی منگولیا گیا وہاں بین نما خیمے میں آتشدان کے پاس بیٹھ کر میں نے منگولی گھوڑی کا خمیر شدہ دودھ پیا، وہیں اپنے میزبانوں کی گفتگو اور خوبرو نوجوان منگول دوشیزہ کی گھوڑے دم کے بالوں سے بنے دوتارے کی نغمہ سرائی سے محظوظ ہوا۔ وہاں میں ہر صبح اپنے بین نما خیمہ سے نکلتا اور حرائے گوبی کی لمبی سیر پر چلا جاتا۔ منگولیا بیس لاکھ کی آبادی کا ملک ہے جس کے صدر نے ایک مرتبہ کہا تھا ہ میرا اسب سے محبوب مشغلہ سوتے رہنا ہے۔ میں جس زمانے میں منگولیا گیا تھا وہ کمیونسٹوں کے کنٹرول س تھا اور میں جہاں بھی جاتا وہاں عظیم لیڈر کی بڑی بڑی تصویریں آویزاں نظر آتیں۔

میں ذوالفقار علی بھٹو کا مرہون منت ہوں کہ ان کی بدولت مجھ کو اسپین کے ساحل کوسٹہ ڈیل سول پر ورے میلی نوس کے مقام پر دو نہایت خوش گوار ہفتے گزارنے کا موقع نصیب ہوا، تقریب، عالمی سیاحتی نفرنس (World Tourism Conference) تھی۔ کام کاج تو واجبی تھا لیکن مزے بے تحاشہ تھے، جب س کانفرنس میں میری شمولیت کی تحریری تجویز ذوالفقار علی بھٹو کے پاس پہنچی تو انہوں نے لکھا:

"تجویز منظور کی جاتی ہے۔ عیش کرو!"

(دستخط) (ذوالفقار علی بھٹو)

ایک روز ذوالفقار علی بھٹو نے مجھے بلایا اور کہا کہ "میری دیرینہ آرزو ہے کہ جیسا فوارہ جنیوا کی جھیل یں لگا ہوا ہے ویسا ہی سندھ کی کنجھر جھیل میں لگواؤں۔ تم جنیوا جا کر ماہرین سے مشورہ کرو اور جلد از جلد نھر جھیل میں فوارہ لگوانے کا کام شروع کروادو، روپے پیسے کی فکر مت کرنا اس میں کوئی دقت نہیں و گی"۔ میں جنیوا اس سلسلہ میں دو مرتبہ گیا اور ماہر مشیر سے مشورہ کیا لیکن اس نے کنجھر جھیل میں جنیوا جھیل کی طرح کا فوارہ لگوانے کی مخالفت کی۔ اس نے کہا کہ اول تو جنیوا جھیل اور کنجھر جھیل کے گردوپیش

ایک دوسرے سے بالکل مختلف ہیں اور دوسرے پاکستان جیسا غریب ملک اس قسم کے فوارے کی عیاشی متحمل نہیں ہو سکتا۔ میں نے ماہر کی رائے سے اتفاق کرتے ہوئے ایک سمری ذوالفقار علی بھٹو کو بھیجی او رائے دی کہ منصوبہ ناقابل عمل اور بعید از مصلحت ہے۔ اس سمری پر ذوالفقار علی بھٹو نے بادل نخواس لکھا: ''ٹھیک ہے۔ جانے دو''

ایک روز ذوالفقار علی بھٹو نے مجھ کو بلوا بھیجا اور کافی تفصیل سے اپنے اور میرے درمیان تعلقات بگڑ کے اسباب بیان کئے۔ انہوں نے میرے کردہ اور ناکردہ کاموں پر روشنی ڈالی اور آخر میں بولے: ''اب سمجھ گئے ہوگے کہ میں نے کیوں تمہیں سیاحت کی غیر اہم وزارت میں لگا رکھا ہے۔ بہر حال جو ہوا سو ہوا اب میں ماضی کی سب رنجشوں کو بھول کر تمہیں ایک اہم ذمہ داری سونپنے کی سوچ رہا ہوں''

میں نے ذوالفقار علی بھٹو کا تو لمبا چوڑا شکریہ ادا کیا لیکن اُن سے رخصت ہوتے ہی میں نے بیگم نصرت بھٹو سے ملاقات کا وقت مانگا۔ انہوں نے بلا لیا۔ میں جب ان سے ملا تو میں نے انہیں بتلایا کہ ''وزیراعظم مجھ کو کوئی اہم ذمہ داری سونپنے کی دھمکی دے رہے ہیں، خدا کے لئے مجھے بچایئے کیونکہ میں جہاں ہوں وہاں بہت خوش ہوں'' بیگم نصرت بھٹو نے ازراہ کرم میری طرف سے سفارش کر دی۔ ان کی سفارش کا نتیجہ خاطر خواہ نکلا اور میرے سر سے ''اہم ذمہ داری'' کا خطرہ ٹل گیا۔ جب میں بیگم نصرت بھٹو سے رخصت ہونے لگا تو انہوں نے مجھ سے کہا کہ

''سب گلوں شکووں کے باوجود ذوالفقار علی بھٹو کے دل میں تمہارے لئے خاص قدر ہوگی ورنہ اگر وہ قمر الاسلام جیسے یارِ غار کو ملازمت سے نکال سکتے تھے تو انہیں تمہیں ملازمت سے نکالنے میں کیا عذر مانع ہو سکتا تھا؟''

باب۔ا

یوب

"No Constitution can be absolutely safe from Revolution or from a *coup d'etat*."
Dicey

"دنیاکا کوئی دستور مکمل طور پر نہ انقلاب کی دست برد سے محفوظ ہےاور نہ حکومت الٹنے کی فوجی سازش سے"
ڈائسی

وب نے اپنی کتاب "جس رزق سے آتی ہو پرواز میں کوتاہی" میں لکھاہے :

"۴ اکتوبر ۱۹۵۸ کو فیصلے کی گھڑی آ پہنچی تھی۔ جو فیصلہ عرصہ سے ٹل رہا تھا اب مزید نہیں ٹل سکتا تھا اب ادائے فرض میں مزید تاخیر ناممکن تھی"۔

یک طرف ایوب خان ۴ اکتوبر ۱۹۵۸ کے بارے میں یہ کہہ رہے ہیں دوسری طرف ۵ اکتوبر ۱۹۵۸ کو راچی میں وہ اسکندر مرزا (گورنر جنرل پاکستان) سے پوچھتے ہیں: "کیا آپ نے فیصلہ کر لیا ہے؟"

"ہاں" اسکندر مرزا جواب دیتے ہیں۔

"کیا آپ کے نزدیک ایسا کرنا ناگزیر ہے؟" ایوب پوچھتے ہیں۔

جی ہاں۔ "بالکل ناگزیر ہے"۔ اسکندر مرزا جواب دیتے ہیں۔

جواب سن کر ایوب خان، اسکندر مرزا سے یہ نہیں کہتے کہ :

"حضور! مجھے آپ کی رائے سے اتفاق نہیں۔ میں اس قسم کی انتہائی سخت اور شدید قسم کی کارروائی میں حصہ نہیں لوں گا"۔

فیلڈ مارشل محمد ایوب خان

بلکہ وہ جو کچھ ان کی پوری مرضی، مدد اور ملی بھگت سے عنقریب ہونے والا تھا اس کی ذمہ داری سے بچنے کی خاطر وہ اسکندر مرزا سے تحکمانہ لہجے میں کہتے ہیں :

"مجھے آپ دو باتیں لکھ کر دیں : ایک تو یہ کہ مارشل لا کو چلاؤں گا میں"

اور دوسرے یہ کہ آپ وزیر اعظم کو لکھیں کہ

- ملک کے آئین کو منسوخ آپ نے کیا ہے۔
- ملک میں مارشل لا آپ نے لگایا ہے، اور
- ملک میں مارشل لا چلانے کی ذمہ داری آپ نے مجھے سونپی ہے۔

آپ ملک کے آئینی سربراہ ہیں، اور اپنی اس حیثیت میں آپ اس نتیجے پر پہنچے ہیں کہ ملک کا نظم و نسق اب آئینی طریقے سے نہیں چل سکتا۔ کم از کم آپ نے کچھ کیا تو سہی اور میں سمجھتا ہوں کہ آپ نے جو کیا ہے وہ صحیح کیا ہے، لیکن پھر بھی میں چاہتا ہوں کہ یہ سب باتیں آپ مجھ کو لکھ کر دیں۔

"پہلے تو انہوں (اسکندر مرزا) نے بہت لیت و لعل کی لیکن دو تین دن بعد وہ مجھ کو مطلوبہ خط دینے پر آمادہ ہو گئے۔"

ایوب خان کو اچھی طرح معلوم تھا کہ آئین میں کوئی شق ایسی نہیں تھی جس کے تحت آئین کو منسوخ کیا جا سکتا۔ ایوب خان کو معلوم تھا کہ آئین میں مارشل لا لگانے اور چیف مارشل لا ایڈمنسٹریٹر مقرر کرنے کی کوئی گنجائش موجود نہ تھی۔ ایوب خان کو معلوم تھا کہ یہ سب کھلی غداری کے برابر تھا. ایوب خان کو معلوم تھا کہ جو جرم وہ کرنے جا رہے تھے اس کی ذمہ داری سے اسکندر مرزا کے دیے ہوا کاغذ کا کوئی پرزہ انہیں (ایوب خان کو) بچا نہیں سکے گا۔ بجائے اس کے کہ وہ آئین کی منسوخی اور سول حکومت کا تختہ الٹنے میں اپنا حصہ جرأت سے قبول کرتے انہوں نے اپنا پورا زور اس پر لگایا کہ کسی طرح یہ ظاہر ہو کہ آئین کی منسوخی اور حکومت کی برطرفی اسے ان کا دور پرے کا بھی تعلق نہیں۔ اور یہ کہ اس کارروائی کی تمامتر ذمہ داری اسکندر مرزا کی ہے حالانکہ انہیں (ایوب خان کو) اچھی طرح معلوم تھا کہ سازش بنانے اور اس پر عمل درآمد میں دونوں (اسکندر مرزا اور ایوب خان) برابر کے شریک تھے۔

اب چونکہ جمہوریت کو ٹھکانے لگانیکا فیصلہ کیا جا چکا تھا لہذا بظاہر ہر کام میں قاعدے قانون کی مطابقت ضروری تھی۔ ایوب خان اپنی مذکورہ کتاب میں لکھتے ہیں :

"اُس وقت کے بعد سے تمام کارروائی میں جذباتیت کی کوئی گنجائش نہ تھی، اب چونکہ کارروائی کرنی ہی تھی تو اُسے ٹھیک طریقے سے کرنا ضروری تھا، چنانچہ ایک سیدھا سادہ منصوبہ بنایا گیا اور اس کو عملی جامہ پہنا دیا گیا۔ میں نے مرزا کو مشورہ دیا : بہتر ہو گا کہ اگر آپ وزیر اعظم کو اپنے ارادوں سے آگاہ کر دیں۔ اُنہوں نے جواب دیا : ایسا کرنا قطعاً غیر ضروری ہے، کیونکہ مجھ کو صد فیصد یقین ہے کہ جو کچھ میں کرنے

صدر اسکندر مرزا

والا ہوں اس میں ذرا سا بھی آئین و قوانین سے تجاوز نہیں"۔

ایوب خان یہاں آسانی سے یہ بتلانا بھول جاتے ہیں کہ اسکندر مرزا کو مجوزہ کارروائی کے آئینی اور قانونی ہونے میں شک تھا یا نہیں لیکن خود انہیں (یعنی ایوب خان کو) اس بارے میں شک تھا یا نہیں۔ حالانکہ ہونے والی کارروائی کے مضمرات سے وہ بخوبی واقف تھے، وہ آگے چل کر خود اپنی مذکورہ کتاب میں لکھتے ہیں :

"مجھے یہ بھی فکر تھی کہ ایک مرتبہ فوج سیاست میں پھنس گئی تو پھر اس دلدل سے باہر کیسے نکلے گی۔ کیونکہ مجوزہ کارروائی سے فوج سیاست میں ملوث تو ضرور ہو جائے گی۔ بیرون ملک تو لوگ یہی سمجھیں گے کہ جیسے اور ملکوں میں فوج حکومت کا تختہ الٹ دیتی ہے پاکستان میں بھی ویسا ہی ہوا ہے، اور اس سے دنیا بھر میں پاکستان کی بدنامی ہو گی، اس کے علاوہ فوج جو منظّم ہے، تربیت یافتہ ہے، نظم و ضبط کی پابند ہے، خود یہ نہ چاہے گی کہ اُسے حصول اقتدار کا آلہ بنایا جائے لیکن مجبوری یہ تھی کہ اس وقت کے حالات میں صرف فوج ہی اپنی بات منوا سکتی تھی اور صورتحال کو معمول پر لا سکتی تھی"۔

ایوب خان کو معلوم تھا کہ جو وہ کرنے جا رہے ہیں اس سے ملک بدنام ہو گا۔ وہ اپنی مذکورہ کتاب میں ۷ اکتوبر ۱۹۵۸ء کے واقعات کا ذکر کرتے ہوئے لکھتے ہیں :

"انقلاب لانے کے لئے لمبی چوڑی صبر آزما تیاری کرنا پڑتی ہے، منصوبے کی جزئیات پر نظر رکھنا پڑتی ہے، خفیہ اجلاس کرنے پڑتے ہیں، فوجوں کو ملک کے طول و عرض میں حرکت میں لانا پڑتا ہے، اس کے مقابلے میں ہماری تیاری بہت کم تھی، ہم نے تو اس پوری کارروائی کو بس ایک فوجی آپریشن سمجھا اور صرف دو بریگیڈوں کو حرکت میں لائے"

ایوب خان کو بخوبی معلوم تھا کہ فوجی تیاریوں کی تو سرے سے ضرورت ہی نہ تھی اسلئے کہ عوام نے افواجِ پاکستان کے خلاف بغاوت نہیں کی تھی، یہ کوئی عوامی انقلاب تو تھا نہیں یہ تو نری سازش تھی جس کے تحت فوج نے حکومت وقت کا تختہ الٹ دیا تھا۔ اس گھر کو تو آگ لگائی تھی اسی گھر کے چراغ نے۔ تجربہ شاہد ہے کہ بد عنوان، نامقبول حکومت کو ہٹا کر خود اقتدار حاصل کر لینے کے لئے فوج کے سربراہ کو دو تو کیا ایک بریگیڈ بھی ادھر سے ادھر کرنے کی ضرورت نہیں۔ اگر فوج کا سپہ سالار کسی ایک میجر کو چند فوجیوں کے ساتھ جیپ میں بھیج دے تو وہی کافی ہو گا، غاصبوں کی مزاحمت نہ ہمارا کلچر ہے نہ ہماری روایت۔

"ایوب خان نے بہت سی اصلاحات کیں اور سمجھ لیا کہ جب ان اصلاحات کے فوائد عوام تک پہنچیں گے، تو وہ خود بخود ایوب خان کے نافذ کردہ طرز حکومت کے قائل ہو جائیں گے۔ کچھ اصلاحات پر تو سرے سے

عمل ہی نہیں ہوا اور کچھ پر ہوا بھی (جیسے زرعی اصلاحات پر) تو ایسی تڑی مڑی شکل میں کہ اصلاحات کا اصل مقصد ہی فوت ہو گیا۔ تاہم اصلاحات کا یہ فائدہ ضرور ہوا کہ فرسودہ از کار رفتہ طریق کار پر نئی سوچ کا ماحول پیدا ہو گیا۔ اور نئی سوچ روایتی مفادات کے لئے چیلنج بن گئی، مثلاً جب عائلی قوانین نافذ ہوئے تو علماء نے خطرہ محسوس کیا۔ ان عائلی قوانین کے تحت خاوند کے حق طلاق اور تعدد ازواج پر کچھ پابندی لگتی تھی۔ خواتین نے توان عائلی قوانین کا خیر مقدم کیا لیکن روایت پسندوں نے انہیں اسلامی طرز معاشرت پر حملہ قرار دیا۔ جب ان اصلاحات پر نکتہ چینی زیادہ بڑھی تو ایوب خان کو شک گذرا کہ کہیں وہ لوگوں کو عصر جدید میں لے جانے کے سلسلے میں ضرورت سے زیادہ عجلت تو نہیں کر رہے"۔

۱۹۶۵ء میں ایوب خان نے جب پاکستان کے جوہری توانائی کمیشن کو نیم سرکاری ادارے کی بجائے ایک نئے قانون کے تحت خود مختار ادارہ بنایا تو پاکستان کے جوہری پروگرام کو نئی تقویت ملی۔ اس سلسلے میں ایوب خان نے جو خدمات سر انجام دیں وہ ہمیشہ یاد رہیں گی۔ نئے قانون کے تحت جوہری توانائی کے کمیشن کو اپنا اندرونی نظم و نسق چلانے اور بین الاقوامی تعاون کے معاملات میں پہلے سے زیادہ آزادی اور خود مختاری حاصل ہو گئی۔

پاکستان کے جوہری توانائی پروگرام کو مزید تقویت پہنچانے کے لئے اسلام آباد کے نزدیک نیلور کے مقام پر ایک بہت بڑا ادارہ (Pakistan Institute of Nuclear Science and Technology) قائم کیا جس کا مقصد جوہری توانائی کے شعبے میں تدریس و تحقیق تھا۔ اسی کے ساتھ پانچ میگاواٹ کا ایک سوئمنگ پول ریسرچ ایٹمی ری ایکٹر۔ ایک سب کریٹیکل اسمبلی اور دوسرے آلات مثلاً نیوٹران جنریٹر اور کوبالٹ سورس بھی تھے، دسمبر ۱۹۶۵ء میں اس نے کام کرنا شروع کر دیا۔ PINSTECH میں یہ صلاحیت ہے کہ جوہری توانائی کے کمیشن کو جوہری توانائی کی ترویج و ترقی میں جو مسائل پیش آئیں، ان کے حل میں مدد مہیا کرے۔ یہ ادارہ جوہری طبیعیات (نیوکلیر فزکس) اور ریڈیائی کیمسٹری کے شعبوں میں الیکٹرونکس کی، جوہری مواد کی، ریڈیو آئی سوٹوپ بنانے اور استعمال کرنے کی بڑی بڑی تجربہ گاہیں، ری ایکٹر کے گرد قائم کر رہا ہے۔

پاکستان میں جوہری توانائی کی ترویج اور ترقی سے متعلق اسی زمانے کا ایک اور کارنامہ، کراچی سے اٹھارہ میل دور کینپ (KANUPP) کا قیام تھا۔ یہ پاکستان کا پہلا بجلی گھر تھا جو جوہری توانائی کی مدد سے ایک لاکھ ۳۷ ہزار کلوواٹ بجلی تیار کر سکتا تھا۔ آج کل یہ بجلی گھر اپنی پوری صلاحیت کے مطابق بجلی بنا رہا ہے۔ پاکستان میں توانائی کی طلب اور رسد کے درمیان روز افزوں خسارے کو جوہری توانائی بنا کر کم کرنے کی طرف یہ پہلا قدم تھا۔

PINSTECH اور KANUPP پاکستان کے پُر امن جوہری توانائی کے پروگرام کے دو اہم بنیادی اجزا ہیں۔ انجینئرنگ ریسرچ لیبارٹری (ERL) جو بعد میں عبد القدیر خان ریسرچ لیبارٹری کہلائی بہت بعد میں

یعنی ۱۹۷۶ میں بنی اُس وقت تک ایوب خان منظر عام سے اوجھل ہو چکے تھے لیکن انہوں نے پاکستان کے جوہری پروگرام کی داغ بیل ڈالنے میں جو اہم کردار ادا کیا وہ کبھی بھلایا نہیں جاسکتا۔ ذاتی طور پر میرے لئے بھی یہ تجربہ حد درجہ باعثِ مسرت تھا اسلئے کہ جوہری توانائی کے پروگرام کی تشکیل کے ابتدائی مراحل میں، میں بھی ایوب خان کے ساتھ ان کی ٹیم میں بحیثیت سکریٹری وزارتِ سائنس و ٹکنالوجی، شامل تھا۔

حصول اقتدار ۱۹۵۸ کے دس سال بعد ۱۹۶۸ میں ایوب خان بالکل ٹوٹ پھوٹ چکے تھے۔ اس وقت انہوں نے نہایت آزردہ دلی اور کبیدہ خاطری کے عالم میں اپنے سابقہ وزراء کو مخاطب کرتے ہوئے کہا:

"مجھے افسوس ہے کہ نوبت بہ اینجار سید، ہمارے ملکی نظام کا دامن کانٹوں سے پر ہے، شاید میں نے ملک کو دور جدید میں لے جانے کے سلسلے میں ضرورت سے زیادہ جلدی کی، شاید میں نے اس بارے میں ضرورت سے زیادہ سختی کی، شاید ہم ابھی تک اصلاحات کے لئے تیار ہی نہیں۔ سچ تو یہ ہے کہ میں اپنے مشن کے حصول میں ناکام ہو گیا ہوں۔ میں اپنی ہار غیر مشروط طور پر مانتا ہوں، ہماری اصلاحات شاید زیادہ مہذب و متمدن اور ترقی یافتہ معاشرے کے لئے ہی موزوں تھیں، ہمارے لئے نہیں۔"

۲۵ مارچ ۱۹۶۹ء کو اقتدار چھوڑتے وقت ایوب خان نے جو خط یحیٰی خان کو لکھا اس میں انہوں نے یہ نہیں لکھا کہ میں اپنے عہدہ صدارت سے مستعفی ہو رہا ہوں۔ انہوں نے اپنے الفاظ نہایت ہوشیاری سے چنے۔ انہوں نے صرف یہ کہا کہ وہ اقتدار چھوڑ رہے ہیں، انہوں نے آئین کو منسوخ نہیں کیا انہوں نے مارشل لا نہیں لگایا، بس صرف یہ کہا کہ آپ اپنی قانونی اور آئینی ذمہ داری نبھائیں اور ملک کو داخلی بدامنی اور انتشار سے بچائیں۔ یحیٰی خان کو یہ خط لکھتے وقت ایوب خان یہ کیسے بھول گئے کہ ان کے اپنے بنائے ہوئے آئین کے مطابق (جسے انہوں نے منسوخ نہیں کیا تھا) ان کی دست برداری کے بعد کا خلا صرف قومی اسمبلی کا اسپیکر پر کر سکتا تھا لیکن انہوں نے قومی اسمبلی کے سپیکر سے کچھ نہیں کہا بلکہ اسے بالکل نظر انداز کر دیا۔ ان کے اس عمل سے صاف ظاہر ہے کہ وہ آئین منسوخ کرنے، قومی اور صوبائی اسمبلیاں توڑنے کی ذمہ داری سے بچنا چاہتے تھے۔ حالانکہ دس ساڑھے دس سال پہلے انہوں نے اکتوبر ۱۹۵۸ء میں اسکندر مرزا سے مطالبہ کیا تھا کہ وہ (اسکندر مرزا) لکھ کر آئین منسوخ کرنے، اسمبلیاں توڑنے اور مارشل لاء لگانے کی ذمہ داری قبول کریں۔ سوال یہ پیدا ہوتا ہے کہ آخر انہوں (ایوب خان) نے استعفیٰ کیوں نہیں دیا؟ انہوں نے ہر بات کو اتنا مبہم کیوں رہنے دیا؟ کیا اس کی وجہ یہ تو نہ تھی کہ انہیں اب بھی یہ امید موہوم تھی کہ ملک میں امن وامان قائم ہو جانے کے بعد انہیں پھر اقتدار سنبھالنے کیلئے کہا جائے گا؟

اقتدار چھوڑنے سے پہلے ہی ایوب خان نے اپنے وضع کردہ آئینی ڈھانچے کو ٹوٹتا پھوٹتا دیکھ لیا تھا، انہوں نے اپنی اصلاحات کو مسترد ہوتے دیکھ لیا تھا، اپنے خلاف مزاحمت کا زور توڑنے کی خاطر آخر میں وہ اس پر بھی

صدر ایوب خان ۱۰ جنوری ۱۹۶۶ء کو تاشقند اعلانیہ پر دستخط کر رہے ہیں۔

آمادہ ہو گئے تھے کہ بنیادی جمہوریتوں کا نظام ختم ہو جائے اور اس کی جگہ بالغ رائے دہی کا معروف نظام دوبارہ رائج ہو جائے۔ لیکن اس وقت تک پانی سر سے گذر چکا تھا، دیر بہت ہو چکی تھی، بازی ہاتھ سے نکل چکی تھی۔ چند سالوں بعد شہنشاہ ایران بھی معزول ہو کر جلاوطن ہوئے، ایوب خان اور شاہ ایران کے ساتھ معزدلی کے بعد ایک ساماجرا گذرا، انہیں ہر شخص نے چھوڑ دیا، وہ تن تنہا رہ گئے اور وہ سوچتے رہ گئے کہ آخر ہمارے ساتھ یہ سب کچھ کیوں ہو رہا ہے ؟

''مِس فاطمہ جناح، جنوری ۱۹۶۵ء کا صدارتی انتخاب ہار ضرور گئی تھیں لیکن انہوں نے اپنی انتخابی مہم کے دوران لوگوں کے دلوں پر یہ نقش ثبت کر دیا تھا کہ ایوب خان غاصب ہے اور آمر ہے۔ مس فاطمہ جناح نے لوگوں کے دلوں میں یہ یقین راسخ کر دیا کہ ایوب خان اور اس کا خاندان سب بے ایمان ہیں۔ انہوں نے ایوب خان کے بیٹے گوہر ایوب خان کی شہرت کو خصوصاً بے حد داغدار کر دیا۔ گوہر ایوب خان فوج سے جب ریٹائر ہوئے وہ محض ایک کپتان تھے، لیکن ریٹائرمنٹ کے بعد انہوں نے اپنے والد کے صدر مملکت ہونے کا ناجائز فائدہ اٹھا کر جنرل موٹرز کا کاریں اسمبل کرنے کا کارخانہ خرید لیا تھا اور خریدنے کے بعد کارخانہ کا نام جنرل موٹرز سے بدل کر گندھارا موٹرز رکھ دیا تھا۔''

صدارتی انتخابی مہم کے دوران ایوب خان اور ان کا خاندان بے ایمانی، بددیانتی اور بدعنوانی کی علامت بن کر رہ گئے تھے۔

''ایوب خان کی شہرت اور ان کے وقار کو کسی اور چیز سے اتنا نقصان نہیں پہنچا جتنا کہ گندھارا سے۔ ایوب خان کی زرعی اصلاحات کے بارے میں کہا گیا کہ یہ زمینداروں اور سرکاری افسروں کو اور زیادہ طاقتور بنانے کی ایک گہری چال ہے۔ ایوب خان کی عائلی اصلاحات کے بارے میں کہا گیا کہ یہ سنت رسول سے انحراف ہے۔''

ایوب خان کی شہرت و قوت کو ستمبر ۱۹۶۵ کی پاکستان۔ ہندوستان جنگ سے بھی بہت نقصان پہنچا۔ اعلانِ تاشقند (۱۹۶۶ء) کو مغربی پاکستان میں بالعموم پسندیدگی کی نگاہ سے نہیں دیکھا گیا، پاکستانیوں بالخصوص مغربی پاکستانیوں کو ایسا لگا جیسے ان کے ساتھ دھوکا ہوا ہو ان سے جھوٹ بولا گیا ہو۔ وہ ایوب خان کو پہلے ملک کو جنگ میں دھکیلنے اور پھر جنگ ہارنے کا ذمہ دار گردانتے تھے، اعلانِ تاشقند کے بعد یہ کم و بیش واضح ہو گیا تھا کہ ایوب خان کے دن پورے ہو چکے ہیں۔ وہ آج گئے یا کل لیکن ان کا جانا برحق تھا، ذوالفقار علی بھٹو نے اس موقعہ سے پورا پورا فائدہ اٹھایا اور آخر کار ایک ضرب کاری لگا کر ایوب خان کا کام تمام کر دیا۔

در حقیقت ایوب خان نے (شاہ ایران کی طرح) آخری مراحل میں صورت حال کو سنبھالنے کے لئے جو

بھی اقدام کئے وہ بعد از وقت تھے اور ناکافی تھے۔ حقیقی انقلاب جب سر اٹھالے تو اسے کچلا نہیں جاسکتا۔ پاکستان میں بھی عوامی انقلاب زور پکڑ چکا تھا، ایوب خان اب جو چاہے سو کرتے لیکن انقلاب کو روک نہیں سکتے تھے۔ ایوب خان (شاہ ایران کی طرح) جتنی مراعات دیتے جاتے، لوگ مزید مراعات مانگتے جاتے، ایوب خان بھاگ رہے تھے، لوگ ان کے پیچھے بھاگ رہے تھے، شاہ ایران کی پریشانی سے تو امریکی وزارتِ خارجہ کچھ پریشان بھی ہوئی لیکن ایوب خان کی ہزیمت و مصیبت سے امریکی حکومت نے اپنے آپ کو بالکل لاتعلق رکھا۔ ایوب خان کے پاس کوئی امریکی ایلچی یہ پیغام نہیں لایا کہ: 'ڈٹے رہو ہم تمہارے ساتھ ہیں' نہ ایوب خان کا حوصلہ بڑھانے کے لئے امریکیوں نے کوئی کوشش کی۔ آخر وقت میں، ایوب خان کے چہرے کا رنگ بھی (شاہ ایران کی طرح) خاکستری ہو گیا تھا۔ پہلے جوان میں جسمانی پھرتی چستی، قوت طاقت نظر آیا کرتی تھی اب وہ سراسر مفقود تھی۔

الطاف گوہر اپنی کتاب:

'ایوب خان: پاکستان کا پہلا فرمانروائے عسکری، میں لکھتے ہیں: ایوب خان کو "دوسرے فرمانروایانِ عسکری پر یہ واضح سبقت حاصل تھی کہ جب انہوں نے اقتدار سنبھالا، عوام کی اکثریت نے دل سے ان کا خیر مقدم کیا اور ان کے بر سر اقتدار آنے کو گذشتہ گیارہ سالوں میں سیاسی لیڈروں نے جو سیاسی دلدل پیدا کر دی تھی، اس سے نکلنے کا واحد راستہ سمجھا۔"

ایوب خان کی ناکامی کی وجہ یہ نہیں تھی کہ وہ جمہوری اصولوں اور بنیادی انسانی حقوق کو پامال کر کے بر سر اقتدار آئے تھے۔ جب انہوں نے آئین منسوخ کیا تھا اور جمہوریت کو ختم کیا تھا تو لوگوں نے ان سے کچھ توقعات وابستہ کی تھیں۔ وہ اپنے دور اقتدار میں اپنی کارکردگی کی بنا پر ان عوامی توقعات پر پورا نہ اتر سکے، وہ یہ ثابت نہ کر سکے کہ ان کا دور ان کے پیشرو سیاستدانوں کے دور سے بہتر تھا۔ نہ وہ یہ ثابت کر سکے کہ فوجی حکومت، غیر فوجی حکومت سے بہتر ہوتی ہے، ایوب خان یقیناً ناکام ہوئے اور اس لئے ناکام ہوئے کہ انہوں نے اقتدار سنبھالتے وقت (اکتوبر ۱۹۵۸ء) لوگوں میں جو امیدیں بیدار کی تھیں ان سے جو وعدے کئے تھے، وہ سب پورے نہ کر سکے۔ ان کے سیاسی پیشروؤں کے پاس تو اقتدار کامل نہ تھا۔ ایوب خان کے پاس تو ناکامی کے لئے اقتدار کامل نہ ہونے کا عذر بھی نہ تھا پھر وہ کیوں منصفانہ، مساویانہ سماجی اور معاشی نظام ملک میں قائم نہ کر سکے؟ وہ اتنا عرصہ بر سر اقتدار رہے پھر وہ فرسودہ نظام کی تھوڑی بہت اصلاح تک کیوں نہ کر سکے؟ انہوں نے اپنے آپ کو پاکستان کے ان غریب عوام کا ساتھی کیوں نہ بنالیا جو ان کی بات سنتے تھے اور ان پر بھروسہ کرتے تھے، آخر وہ کیوں عام لوگوں کے روز مرہ کے مسائل کو حل نہ کر سکے؟ انہوں نے تو اقتدار سنبھالتے وقت لوگوں سے جنت ارضی کا وعدہ کیا تھا وہ اس وعدے کو پورا کیوں نہ کر سکے؟ اور اگر پورا نہیں

کر سکتے تھے تو وعدہ کیوں کیا تھا؟ تو پھر اب اس میں حیرت کی کیا بات ہے کہ جب وہ پریشان حال تھے تو کوئی ان کی مدد کو نہیں آیا؟ ایوب خان کا سبز انقلاب (اگر واقعی انقلاب فرض بھی کر لیا جائے) شاہ ایران کے سفید انقلاب کی طرح محض ایک سراب تھا، جو وقت آنے پر نقش بر آب ثابت ہوا۔ ایک معاملہ میں البتہ ایوب خان، شاہ ایران سے زیادہ خوش قسمت ثابت ہوئے۔ شاہ ایران کو تو اپنی قبر کے لئے اپنے ملک میں دو گز زمین بھی نصیب نہ ہوئی لیکن ایوب خان اپنے وطنِ مالوف گاؤں ریحانہ (ضلع ہزارہ : صوبہ سرحد) میں آرام سے ابدی نیند سو رہے ہیں۔

آخر کار ایوب خان ایک ایسی حکومت کا نشان بن گئے تھے جس کو سب ناپسند کرتے تھے، جس سے سب نفرت کرتے تھے، انہوں نے سب سے پہلے جمہوریت کی پیٹھ میں چھرا گھونپا تھا، انہوں نے سب سے پہلے گناہ کی ابتداء کی تھی، انہوں نے سب سے پہلی مرتبہ فوج کو سیاست میں ملوث کر کے ایک بری نظیر قائم کی۔ بعد میں جو آئے (یحییٰ خان، محمد ضیاء الحق) وہ بھی انہی (ایوب خان) کے نقشِ قدم پر چلے۔ اس طرح انہوں (ایوب خان) نے ملک کو عموماً اور افواجِ پاکستان کو خصوصاً نا قابل تلافی نقصان پہنچایا۔ وہ جانتے تھے کہ ان کی (اکتوبر ۱۹۵۸ء کی) کارروائی سے افواج پاکستان، سیاست میں ضرور ملوث ہو جائیں گی، وہ یہ بھی جانتے تھے کہ افواجِ پاکستان ایک مرتبہ سیاست میں ملوث ہو گئیں تو پھر وہ سیاست کی دلدل سے باہر نہ نکل سکیں گی۔ افسوس صد افسوس کہ ایوب خان اپنے پیچھے کیسی افراتفری اور ابتری ملک کے لئے چھوڑ گئے!

صدر ذوالفقار علی بھٹو

باب۔ ۲

بھٹو-زیرِ عتاب

مارچ ۱۹۶۶ء میں پہلے ایوب خان نے ذوالفقار علی بھٹو کو پاکستان مسلم لیگ کے سیکریٹری جنرل کے عہدے سے ہٹایا، پھر تین ماہ بعد جون ۱۹۶۶ء میں ایوب خان نے ذوالفقار علی بھٹو کو اپنی کابینہ سے بھی نکال دیا اور مشہور کر دیا کہ ذوالفقار علی بھٹو اپنے علاج کے لئے ملک سے باہر جا رہے ہیں۔

میں ایک روز الطاف گوہر (جو اس وقت وزارت اطلاعات کے سیکریٹری تھے) کے گھر شام کے کھانے میں شامل تھا کہ الطاف گوہر نے مجھے بتلایا کہ اُسی روز ایوب خان نے ذوالفقار علی بھٹو کو چلتا کر دیا ہے۔ غلام اسحٰق خان بھی اس اس کھانے میں شریک تھے۔ عشائیہ ختم ہوا تو میں نے غلام اسحٰق خان سے کہا کہ چلیں ذوالفقار علی بھٹو کی طرف چلتے ہیں۔ انہوں نے کہا: آج نہیں کل چلیں گے، میں نے کہا کہ کل گئے تو دیر ہو جائے گی۔ غلام اسحٰق خان میری بات مان گئے۔ چنانچہ ہم الطاف گوہر کے گھر سے نکل کر ذوالفقار علی بھٹو کے گھر چلے گئے۔ ان کا گھر اس زمانے میں سول لائنز راولپنڈی میں تھا، ہم گھر کے اندر داخل ہوئے تو وہاں کا ماحول سخت افسردہ و پژمردہ پایا۔ ذوالفقار علی بھٹو اپنے گھر کے لان میں تن تنہا بیٹھے ہوئے تھے، وہسکی کا جام ان کے ہاتھ میں تھا، غلام اسحٰق خان نے مصافحہ کے لئے ہاتھ بڑھایا تو ذوالفقار علی بھٹو، غلام اسحٰق خان سے لپٹ کر رونے لگے، پھر انہوں نے مجھ سے معانقہ کیا اور پھر ذرا جوش سے کہا:

''ایوب خان نے آج جو سلوک میرے ساتھ کیا ہے وہ تم اپنے اردلی کے ساتھ بھی نہیں کر سکتے''۔

غلام اسحٰق خان نے ذوالفقار علی بھٹو کو تسلی دیتے ہوئے پیش گوئی کے انداز میں کہا:

"ابھی آپ کم عمر ہیں نوجوان ہیں آپ کا مستقبل آپ کے سامنے ہے" ہم دونوں جب ان سے نہایت افسردگی کے عالم میں رخصت ہوئے تو وہسکی کا جام ابھی تک ان کے ہاتھ میں تھا۔ چند روز بعد جب میں دوبارہ ذوالفقار علی بھٹو سے ان کے گھر پر ملا تو ان کی حالت خاصی سنبھل چکی تھی، وہ اپنے گھر کے برآمدے میں بیٹھے اپنے کاغذات ترتیب دے رہے تھے۔ اتنے میں انکی کم عمر بیٹی (بے نظیر) ان کے پاس آئی اور اردو میں ان سے پوچھنے لگی: : "پاپا! کیا اب ہم بھی عوام بن گئے ہیں؟"

چند دن بعد ذوالفقار علی بھٹو راولپنڈی چھاؤنی کے ریلوے اسٹیشن سے ٹرین میں راولپنڈی سے رخصت ہو گئے۔ میں بھی انہیں الوداع کہنے ریلوے اسٹیشن پر موجود تھا، میرے علاوہ الطاف گوہر اس وقت کے سیکریٹری اطلاعات بھی وہاں موجود تھے۔ میں اپنی ذاتی حیثیت سے وہاں گیا تھا، پورا ریلوے اسٹیشن اندھیرے میں ڈوبا ہوا تھا۔ میری پہلی ملاقات ذوالفقار علی بھٹو سے کم و بیش چھ سال پہلے ۱۹۶۰ء میں پشاور میں ہوئی تھی۔ ان چھ سالوں میں، میں ان کا گرویدہ ہو گیا تھا۔ میں اگر انہیں الوداع کہنے نہ جاتا تو اس کوتاہی کے لئے اپنے آپ کو کبھی معاف نہ کر سکتا، میری نظروں کے سامنے آج بھی وہ منظر تازہ ہے کہ ریلوے اسٹیشن سے ٹرین آہستہ آہستہ سرک رہی ہے، ذوالفقار علی بھٹو اپنے ڈبے کے دروازے میں شلوار قمیض پہنے کھڑے ہیں اور ہاتھ ہلا ہلا کر ان چند سرکاری اہلکاروں کو خدا حافظ کہہ رہے ہیں جو آدھے سوئے آدھے جاگے انہیں (ذوالفقار علی بھٹو کو) رخصت کرنے آئے ہیں۔ اس وقت نہ مجھے اندازہ تھا نہ ریلوے اسٹیشن پر موجود کسی اور شخص کو کہ اگلی صبح لاہور کے ریلوے اسٹیشن پر کتنا پرجوش اور شاندار استقبال ان کا منتظر ہو گا۔

میری اگلی ملاقات اس کے بعد ذوالفقار علی بھٹو سے اس وقت ہوئی جب وہ یورپ سے پشاور ہوتے ہوئے واپس راولپنڈی پہنچے تھے۔ وہ راولپنڈی کے فلیش مین ہوٹل میں ٹھہرے ہوئے تھے، ان کی واپسی اور ان کی جائے قیام کی اطلاع مجھ کو ان کی بیگم نصرت بھٹو نے دی تھی۔ میں ہوٹل چلا گیا اور شام کا بیشتر حصہ ان کے ساتھ گذارا، میں اٹھنے لگا تو ذوالفقار علی بھٹو نے مجھ کو روک لیا اور کہا کہ کھانا کھا کر جانا، میں رک گیا، ان کے ساتھ کھانا کھایا۔ کھانے کے بعد انہوں نے مجھ سے پوچھا: کیا تم مجھے ہوائی اڈے پر چھوڑ سکتے ہو؟ کیونکہ میں رات کی پرواز سے کراچی جا رہا ہوں۔ میں نے کہا کیوں نہیں اور یہ کہہ کر اپنی محدود ڈرائیونگ قابلیت کے باوجود جیسے تیسے انہیں لیکر ہوٹل سے ائیر پورٹ کی طرف چل پڑا۔ راستہ میں ایک ریلوے کراسنگ کا پھاٹک بند تھا، اس خیال سے کہ کہیں ذوالفقار علی بھٹو کا جہاز چھٹ نہ جائے میں موٹر سے اترا اور پھاٹک کے چوکیدار سے پھاٹک کھلوایا۔ ہم ہوائی اڈے پہنچے تو معلوم ہوا کہ پرواز لیٹ ہے۔ چنانچہ ہم دوبارہ فلیش مین ہوٹل واپس چلے گئے۔ فجر سے ذرا پہلے وہ کراچی چلے گئے اور میں اپنی کار خود چلا کر اپنے گھر چلا آیا۔ میری وہ شام ذوالفقار علی بھٹو کے ساتھ نہایت خوش گوار گذری۔ اگرچہ مجھے معلوم تھا کہ خفیہ سراغ رساں ایجنسیاں ذوالفقار علی

بھٹو کا پیچھا کر رہی ہوں گی اور ان کے پاس ہر آنے جانے والے کا ریکارڈ رکھ رہی ہوں گی لیکن اس علم کے باوجود میری وہ شام نہایت خوش گوار رہی۔

میں جب کراچی جاتا تو ذوالفقار علی بھٹو سے ملنے خاص طور پر ان کے گھر ۷۰ کلفٹن ضرور جاتا کبھی وہ اپنی بہن ''منا'' کے گھر ۱۰۹۔ کلفٹن میں مل جاتے، بلکہ زیادہ تر میری ملاقات اُن سے ''منا'' کے یہاں ہی ہوتی۔ 'منا' نہایت اعلیٰ پائے کی میزبان تھیں۔ وہ جانتی تھیں کہ ان کے بھائی کو کھانے میں کیا کیا چیزیں زیادہ مرغوب ہیں۔ ذوالفقار علی بھٹو مجھ سے اسلام آباد کا حال پوچھتے، مجھے رازِ درونِ خانہ کا علم تو تھا نہیں، لہذا ہماری گفتگو زیادہ تر علمی اور معروضی رہتی۔ میں ان سے بے تکلفی سے اکثر ملتا رہتا۔ انہیں شک گذرا کہ کہیں میں ایوب خان کی طرف سے جاسوسی تو نہیں کر رہا۔ 'منا' نے ایک روز مجھے بتلایا کہ ذوالفقار علی بھٹو کہتے ہیں کہ کوئی سول سرکاری ملازم اتنی کثرت سے اور جھجک کے بغیر مجھ سے کیسے مل سکتا ہے۔ ضرور یہ ایوب خان کا جاسوس ہوگا۔

میں نے یہ سنا تو حیران پریشان رہ گیا۔ ذوالفقار علی بھٹو بے حد شکی مزاج تھے، وہ یہ نہ سمجھ پائے کہ میں نے تو ان کی چاہت میں اپنی نوکری تک کو داؤ پر لگا دیا تھا اور یہ کہ ان کی ذات میں میرے لئے کشش تھی، میں ان کی قدر کرتا تھا، اور انہیں اپنا دوست سمجھتا تھا۔ لیکن یہ سننے کے بعد کہ وہ میرے ملنے جلنے کو سراغ رسانی کی سبیل سمجھتے ہیں، ہمارے تعلقات میں سرد مہری آتی چلی گئی۔ اور ہماری ملاقاتیں کم سے کم ہوتی چلی گئیں۔

ایوب خان اچھی طرح جانتے تھے کہ میں ذوالفقار علی بھٹو سے ملتا رہتا ہوں، سرکاری خفیہ ایجنسیاں انہیں پوری طرح باخبر رکھتی تھیں۔ پھر وہ صرف صدر مملکت ہی نہ تھے بلکہ ان دو وزارتوں کے وزیر انچارج بھی تھے جن کا میں انچارج تھا یعنی ریاستوں اور سرحدی علاقوں کی وزارت اور سائنس اور ٹکنالوجی کی وزارت، مجھے اپنے کام کے سلسلے مین ایوب خان سے ہر مہینے دو تین بار ملنا پڑتا تھا۔ اس سب کے باوجود انہوں نے کبھی مجھ سے یہ نہیں پوچھا کہ ذوالفقار علی بھٹو سے کیوں ملتے ہو؟ نہ انہوں نے کبھی میری وفاداری پر شک کیا اور نہ میرے ذوالفقار علی بھٹو سے ملنے کا برا مانا۔ یقیناً ایوب خان کی انسانی شرافت عظیم تھی۔

ایک دن آغا عبدالحمید، (جو اس وقت مرکزی حکومت کے اسٹیبلشمنٹ سیکریٹری تھے) نے مجھ کو فون کر کے بلایا اور مجھ سے کہا کہ اگرچہ تم ذوالفقار علی بھٹو سے ملتے جلتے رہتے ہو، پھر بھی صدر (ایوب خان) نے فیصلہ کیا ہے کہ تمہیں سراغ رسانی کے ادارے (انٹلی جنس بیورو) کا سربراہ (ڈائریکٹر) لگا دیا جائے، یہ سن کر مجھ کو خوش گوار قسم کی حیرت ہوئی کیونکہ یہ نہایت اہم اور نازک قسم کا عہدہ تھا جس پر عموماً پولیس کے اعلیٰ ترین افسر مقرر ہوتے تھے۔ اس اطلاع سے ذوالفقار علی بھٹو کا یہ شک اور قوی ہو گیا کہ میرا ان سے ملنا جلنا، ان کے خلاف ایوب خان کی سازش کا حصہ ہے۔ یہ تو کہئے کہ میری خوش قسمتی تھی کہ اعلیٰ پولیس افسروں

کے شدید احتجاج کی وجہ سے ایوب خان نے مجھ کو اس عہدے پر لگانے کا ارادہ ترک کر دیا، اور ایک اعلیٰ پولیس افسر (نذیر احمد رضوی) کو اس جگہ لگا دیا۔ جب ایوب خان کرسی صدارت سے ہٹے تو نذیر احمد رضوی کو جیل جانا پڑا۔ اگر نذیر احمد رضوی کی جگہ میں ڈائریکٹر انٹلی جنس بیورو لگ جاتا تو زوال ایوب کے بعد مجھ کو بھی جیل جانا پڑتا۔ اللہ نے مجھ کو بچالیا۔

دسمبر ۱۹۷۰ء کے عام انتخابات کے بعد، ذوالفقار علی بھٹو، ہمارے آبائی گھر مردان آئے۔ میرا بھائی خالق خان پاکستان پیپلز پارٹی کے ٹکٹ پر قومی اسمبلی کی نشست جیت چکا تھا۔ خالق خان اور ذوالفقار علی بھٹو کے مابین پارٹی امور پر گرما گرم بحث ہوئی بلکہ تلخ کلامی تک ہوئی۔ وجہ یہ تھی کہ میرا بھائی پاکستان پیپلز پارٹی کے منشور کے مندرجات کے بارے میں ضرورت سے زیادہ سنجیدہ تھا، اسکا خیال تھا کہ پارٹی منشور کے مطابق پارٹی میں بڑے بڑے زمیندار وڈیروں وغیرہ کیلئے کوئی جگہ نہ تھی۔ ذوالفقار علی بھٹو نے کہا عملی سیاست کا تقاضہ ہے کہ اس قسم کے معاملات میں "خارجی عوامل" کو بھی مد نظر رکھا جائے۔ خالق خان یہ سن کر رنجیدہ اور برہم ہوے۔ تلخی اتنی بڑھی کہ ذوالفقار علی بھٹو غصہ کی حالت میں بغیر کھانا کھائے ہمارے گھر سے چلے گئے۔

اگلے روز مردان میں جلسہء عام ہوا۔ ذوالفقار علی بھٹو نے تقریر کی اور عام انتخابات میں میرے بھائی خالق خان کی کامیابی کا مذاق اڑایا، اور میرے بارے میں بھی بہت سی جلی کٹی باتیں کیں۔ جلسہ کے بعد مردان کے سرکٹ ہاؤس میں میرے بھائی نے پھر بات چھیڑی اور بات اتنی بڑھی کہ ہاتھاپائی ہوتے ہوتے رہ گئی، بس یہیں سے ہمارے تعلقات ذوالفقار علی بھٹو سے خراب ہونا شروع ہو گئے۔ حکومت سنبھالنے کے بعد ذوالفقار علی بھٹو نے ملکی نظم و نسق سے متعلق جتنی کمیٹیاں بنائی ان میں سے کسی ایک میں بھی خالق خان کو نہیں رکھا۔ جب ڈھاکہ میں ایرانی قونصل جنرل کی رہائش گاہ پر میں نے اس کا ذکر کیا تو ذوالفقار علی بھٹو نے مجھ سے کہا:

"تمہیں معلوم بھی ہے کہ قومی اسمبلی میں عوامی لیگ کے جو ممبر ہیں وہ مجیب الرحمٰن کی تعظیم و تکریم کیسے کرتے ہیں؟"۔

اس سے پہلے کہ میں کچھ کہتا ذوالفقار علی بھٹو خود بولے:

"وہ مجیب الرحمٰن کے کمرے میں داخل ہونے سے پہلے اپنے جوتے اتار دیتے ہیں، کمرے میں داخل ہونے کے بعد سب سے پہلے وہ مجیب الرحمٰن کے پیر چھوتے ہیں، اس کے بعد کھڑے رہتے ہیں اور اس وقت تک نہیں بیٹھتے جب تک کہ ان کا لیڈر، انہیں بیٹھنے کے لئے خود نہ کہے"۔

یہ سن کر مجھے احساس ہو گیا کہ خالق خان کے اور میرے دونوں کے برے دن قریب آگئے ہیں۔

۱۳ فروری ۱۹۷۱ کو یحییٰ خان نے اعلان کیا کہ نئی منتخب شدہ قومی اسمبلی کا پہلا اجلاس ۳ مارچ ۱۹۷۱ کو ڈھاکہ میں ہو گا، ذوالفقار علی بھٹو نے اس اعلان کے خلاف ایک نہایت سخت بیان دیا جس میں کہا کہ جب تک ان میں اور مجیب الرحمٰن میں ملک کے آئینی ڈھانچے کے بنیادی نکتوں پر سمجھوتہ نہیں ہو جاتا، وہ قومی اسمبلی کا جلاس نہیں ہونے دیں گے۔ انہی دنوں میں ذوالفقار علی بھٹو سے ایک روز ہوٹل انٹر کانٹی ننٹل راولپنڈی میں ملا۔ وہ یحییٰ خان سے سخت نالاں تھے بلکہ یہاں تک کہہ دیا کہ یحییٰ خان مجیب الرحمٰن سے نرمی برت کر پاکستان سے غداری کر رہے ہیں، میں تو مغربی پاکستان کا وقار اور اس کا مفاد بچانے کی کوشش کر رہا ہوں اور یحییٰ خان، میرے اور مجیب کے درمیان آئین کے بنیادی نکات پر سمجھوتہ ہوئے بغیر، قومی اسمبلی کا اجلاس طلب کر رہے ہیں"۔

میں نے کہا:

"اب تو یحییٰ خان قومی اسمبلی بلانے کا اعلان کر چکے ہیں، اب اس اعلان سے وہ پھر کیسے سکتے ہیں؟"

ذوالفقار علی بھٹو کا جواب میرے کانوں میں آج تک گونج رہا ہے۔ انہوں نے کہا:

"اس میں کیا مشکل ہے؟ ڈھاکہ میں بدامنی پھیلائی جا سکتی ہے، بلوے ہوں گے، اشک آور گیس پھینکی جائے گی، گولیاں چلیں گی، دو چار لاشیں گریں گی اور بس قومی اسمبلی کے اجلاس کے التوا کا جواز خود بخود پیدا ہو جائے گا"۔

میں سکتے میں آ گیا۔ میرا ذہن ایسا سوچ بھی نہ سکتا تھا۔ مجھے لگا کہ ذوالفقار علی بھٹو میکیاولی کو بھی پیچھے چھوڑ گئے ہیں۔

یحییٰ خان نے، ذوالفقار علی بھٹو کے دباؤ میں آکر، یکم مارچ ۱۹۷۱ء کو قومی اسمبلی کا پہلا اجلاس جو ۳ مارچ کو ہونے والا تھا، اس کے التوا کا اعلان کر دیا، اور ستم بالائے ستم یہ کہ ملتوی شدہ اجلاس اب آئندہ کس تاریخ کو ہو گا، اس کا اعلان نہیں کیا۔ بس پھر کیا تھا ڈھاکہ میں آگ لگ گئی بلکہ یہ کہنا بے جا نہ ہو گا کہ ۳ مارچ ۱۹۷۱ سے ۲۳ مارچ ۱۹۷۱ تک پورے مشرقی پاکستان میں حکومت پاکستان کی حکمرانی نہ تھی، اعلان التوائے اجلاس سمبلی تباہ کن ثابت ہوا۔ یحییٰ خان اور ذوالفقار علی بھٹو کی کوتاہ اندیشی نے قوم کے سیاسی حالات کو ایسی لمناک ڈگر پر ڈال دیا تھا جو صرف خانہ جنگی اور ملک ٹوٹنے کی طرف جاتی تھی۔

صدر آغا محمد یحییٰ خاں

باب۔ ۳

یحییٰ

یحییٰ خان سے میری پہلی ملاقات ۱۹۵۶ء میں ہوئی۔ اُس وقت میں ژوھب میں پولیٹکل ایجنٹ تھا، مجھے اپنا عہدہ سنبھالے ابھی چند ماہ ہی ہوئے تھے کہ بری فوج کے اس وقت کے کمانڈر انچیف جنرل ایوب خان، شکار کی غرض سے فورٹ سنڈیمن آئے۔ ان کی شکار پارٹی میں یحییٰ خان بھی تھے، یحییٰ خان کی شخصیت، ایوب خان کی شخصیت سے بالکل مختلف بلکہ متضاد تھی۔ یحییٰ خان بروں بیں تھے، یار باش تھے، زندگی سے بھرپور تھے، شوقین مزاج تھے، اگرچہ وہ میرے صوبہ سرحد کے تھے لیکن پشتو نہیں بولتے تھے بلکہ فارسی بولتے تھے، ویسے تو ایوب بھی پشتو نہیں بولتے تھے۔ اگرچہ یحییٰ خان، ایوب خان کی شکار پارٹی میں شامل تھے لیکن چونکہ وہ (یحییٰ خاں) میرے ساتھ میری سرکاری رہائش گاہ (قلعہ) میں نہیں ٹھہرے تھے بلکہ جنرل حمید وغیرہ کے ساتھ ژوھب ملیشیا کے میس (Mess) میں ٹھہرے تھے، اس لئے اس پہلی ملاقات میں مجھے اُن (یحییٰ خان) کو قریب سے دیکھنے اور انہیں اچھی طرح جاننے کا موقع نہیں ملا۔

یحییٰ خان سے میری دوسری ملاقات اس وقت ہوئی جب فورٹ سنڈیمن میں ہونے والے فرنٹیر کور کے سالانہ اجتماع میں شرکت کے لئے ہم دونوں (یحییٰ خان اور میں) نے راولپنڈی سے فورٹ سنڈیمن تک کا سفر ایک ساتھ ہیلی کاپٹر میں کیا۔ تقریب ہوئی، ہم دونوں اس میں شریک ہوئے۔ جوں جوں شام ڈھلتی گئی وہ چاندی کے ایک بڑے سے پیالے میں شراب پیتے رہے۔ شام کے کھانے کے بعد پشتونوں کا ایک روایتی ناچ ہوا جس میں ہم سب (یحییٰ خان اور مجھ سمیت) شامل ہوئے۔ اُس وقت فوج کے نوجوان افسروں میں یحییٰ خان بلاشبہ بے حد ہر دلعزیز تھے۔

مجھے یاد ہے کہ ایک نوجوان فوجی افسر نے یحییٰ خان سے کہا کہ زرمبادلہ کی کمی کی وجہ سے فوج کی ضرورت پوری نہیں ہو رہی۔ یحییٰ خان نے اپنے اردگرد نوجوان فوجی افسروں کو دیکھا اور بولے :

"زرمبادلہ ؟ ؟ تم لوگ ہو میرا زرمبادلہ !"

اگلے روز ہیلی کاپٹر میں یحییٰ خان اور میں فورٹ سنڈیمن سے راولپنڈی واپس آ گئے۔ واپسی میں سارے رستے یحییٰ خان سنجیدہ اور خاموش رہے۔

یحییٰ خان نے ۲۵ مارچ ۱۹۶۹ء کو اقتدار سنبھالا اور اس کے چند دنوں بعد ہی مجھے پاکستان ٹیلی وژن کارپوریشن کا مینجنگ ڈائریکٹر لگا دیا گیا۔ میں اپنے آپکو اس عہدے کے لئے موزوں نہیں سمجھتا تھا۔ اگر کوئی موزونیت تھی تو بس یہ تھی کہ میرے گھر میں ایک ٹیلی وژن سیٹ تھا۔ میری والدہ نے جب یہ سنا کہ مجھے اس عہدے پر لگا دیا گیا ہے تو وہ سخت ناخوش ہوئیں۔ اپنا نیا عہدہ سنبھالنے کے چند روز بعد میں اپنی والدہ محترمہ کی خدمت میں حاضر ہوا۔ جب رشتہ دار ادھر ادھر ہو گئے تو پہلے انہوں نے ان لوگوں کو برا بھلا کہا جنہوں نے مجھے ایسی ناکارہ جگہ لگایا تھا اور پھر کہا :

"کیا میرے بیٹے کے لئے ان لوگوں کے پاس گانے بجانے کا محکمہ ہی رہ گیا تھا ؟"

جب بعد میں میں نے انہیں بتلایا کہ مجھے تو اس کام میں لطف آ رہا ہے تو انہیں اپنے کانوں پر یقین نہیں آیا۔ میں اسی عہدے کی بدولت ممتاز اور نامور پروڈیوسروں، موسیقاروں، رقاصوں اور فنکاروں سے ملا جن کا تعلق مغربی پاکستان سے بھی تھا اور مشرقی پاکستان سے بھی۔ یہ وہ لوگ تھے جنہوں نے فن کی خدمت کے لئے اپنی پوری زندگی وقف کی ہوئی تھی، ٹی وی کے پروگراموں، ڈراموں وغیرہ کا معیار بلند سے بلند تر کرنے کے لئے میں جو کچھ کر سکتا تھا وہ میں نے کیا۔

یحییٰ خان ٹی وی پر قوم سے خطاب کیا کرتے تھے وہ اپنا خطاب ریکارڈ کروانے ٹی وی اسٹیشن آیا کرتے تھے جو اس زمانے میں چکلالہ میں تھا، میک اپ کرنے والوں سے ہمیشہ ان کا مسئلہ رہتا، وہ نہیں چاہتے تھے کہ ان کے چہرے کے بعض حصوں کو کوئی چھوئے۔ اگر غلطی سے بھی میک اپ کے دوران کوئی ان کے چہرے کے ایسے حصے کو چھو لیتا تو وہ جھنجھلا کر اس کو برا بھلا کہتے۔ وہ اپنی بھوؤں کے بارے میں خاص طور پر محتاط تھے، اگر کوئی غلطی سے بھی ان کی بھوؤں کو چھو لیتا تو بس اللہ ہی اس کا حافظ تھا ان کا کہنا تھا، کہ ان کی طاقت کا سرچشمہ ان کی بھویں ہیں۔ ایک مرتبہ جب ان کا میک اپ ہو رہا تھا اور میں پاس بیٹھا تھا تو انہوں نے میری طرف دیکھا اور کہا :

"تمہیں معلوم ہے تم میں اور مجھ میں کیا بات مشترک ہے ؟ تمہاری بھویں بھی گھنی ہیں اور میری بھویں بھی گھنی ہیں۔ کسی کو اپنی بھوؤں کو ہاتھ مت لگانے دینا"۔

ایوب خان نے مارچ ۱۹۶۹ء میں اپنا منصب صدارت چھوڑتے وقت یحییٰ خان کو لکھا تھا:

"ملک اس وقت ہولناک مسائل سے دوچار ہے، تمہارا قانونی اور آئینی فرض بنتا ہے کہ تم ملک کو نہ صرف خارجی خطرے سے بچاؤ بلکہ اسے داخلی انتشار اور بدامنی سے بھی بچاؤ۔ میں تمہیں دعوت دیتا ہوں کہ تم اس سلسلے میں اپنا قانونی اور آئینی فرض ادا کرو۔ مجھے یقین ہے کہ تم اپنی صلاحیت، حب الوطنی، لگن اور وسعت فکر کے بل بوتے پر اپنے مشن میں ضرور کامیاب ہوگے"

میں ایوب خان کے ان الفاظ پر یقین کرنے کو تو کرلوں اور میں یہ بھی ماننے کو تیار ہوں کہ ایوب خان کو یحییٰ خان کی شخصی کمزوریوں کا بھی علم تھا۔ مثلاً ایوب خان جانتے تھے کہ یحییٰ خان بروں ہیں اور شوقین مزاج آدمی تھے۔ لیکن ایوب خان سے جو فاش غلطی ہوئی وہ یہ تھی کہ وہ یہ نہ سمجھ سکے کہ جو کام وہ یحییٰ خان کے سپرد کررہے ہیں، یحییٰ خان اس کام کے لئے کسی طور موزوں یا مناسب نہ تھے، نہ اپنے مزاج کے اعتبار سے نہ اپنے تجربے کی بنا پر۔ ایوب خان اپنے پیچھے خود ساختہ سیاسی افراتفری یحییٰ خان کے لئے چھوڑے جارہے تھے۔ سوال یہ ہے کہ جو کام ایوب خان نہ کرسکے وہ یحییٰ خان کیسے سرانجام دے سکتے تھے؟؟ یحییٰ خان اگر کسی طرح ایوب خان سے بہتر تھے تو صرف اس اعتبار سے کہ یحییٰ خان کے ہاتھ صاف تھے اور ان کا ماضی بے داغ تھا۔ ایوب خان جانتے تھے کہ یحییٰ خان کا واسطہ ایسے سیاستدانوں سے پڑے گا جو حد درجہ شاطر اور بالکل بے اصولے ہیں۔ اور یہ کہ یحییٰ خان کسی طور پر ان کا پاسنگ بھی نہیں۔ ایوب خان نے ساڑھے دس سال تک (اکتوبر ۱۹۵۸ء تا مارچ ۱۹۶۹ء) ملک پر مطلق العنان آمر کی حیثیت سے حکمرانی کی تھی۔ اب یحییٰ خان کے لئے وہ ایسا ملک چھوڑے جارہے تھے جو تباہی کے دہانے پر کھڑا تھا، اگرچہ وہ کہہ تو یہ رہے تھے کہ "میں ملک کے مستقبل کو تباہ ہوتے نہیں دیکھ سکتا تھا، اس لئے دست بردار ہورہا ہوں"، لیکن دراصل وہ اپنے فرض سے بھاگ رہے تھے، مختصر یہ کہ ایوب خان نے اپنی طرف سے ملک بچانے کا کام آسانی سے یحییٰ خان کے سپرد کردیا یہ جانتے بوجھتے کہ یحییٰ خان اس کام کے اہل نہیں۔

یحییٰ خان نے اپنے دور کا آغاز خاصہ اچھا کیا، جیسے ہی انہوں نے حکومت سنبھالی ملک میں دنگے فساد جھگڑے بلوے بند ہوگئے، امن امان آسانی سے قائم ہوگیا، پورا ملک ان کے گرد جمع ہوگیا اور سب نے ان کے ساتھ تعاون کیا۔

شروع شروع میں انہوں نے جو کام کئے وہ عوام میں بہت مقبول ہوئے مثلاً انہوں نے مغربی پاکستان کی اس وحدت کو توڑ ڈالا جو پندرہ سال پہلے مغربی پاکستانیوں پر زبردستی مسلط کردی گئی تھی، اس طرح انہوں نے کم از کم تین اقلیتی صوبوں (سندھ، سرحد، اور بلوچستان) کے دل جیت لئے، انہوں نے انتہائی بددیانت فسروں کو ملازمت سے نکال دیا، انہوں نے پاکستان کی تاریخ میں سب سے پہلے اور سب سے زیادہ آزادانہ، منصفانہ اور غیر جانبدارانہ عام انتخابات کروائے۔ انہوں نے ریڈیو اور ٹیلی وژن جیسے سرکاری ذرائع ابلاغ کو

کھلی چھٹی دیدی کہ وہ جیسے چاہیں بغیر کسی سرکاری مداخلت کے، عام انتخاب کی اطلاعات کو عوام تک پہنچائیں۔

اقتدار سنبھالتے ہی چوبیس گھنٹے کے اندر یحییٰ خان نے ۲۵ مارچ ۱۹۶۹ء کو ہی اعلان کردیا کہ وہ عام انتخابات براہ راست بالغ رائے دہی (ایک آدمی۔ ایک ووٹ) کی بنیاد پر کروائیں گے جنہیں عوام چنیں گے، اقتدار ان کے حوالے کردیں گے، جن کا فرض ہوگا کہ وہ ملک کے لئے قابلِ عمل آئین تیار کریں۔ پاکستان کی سیاسی تاریخ میں اس کو ایک انقلابی اقدام کہا جاسکتا ہے۔

جب یحییٰ خان نے ۲۵ مارچ ۱۹۶۹ کو مارشل لا لگایا تو انہوں نے سیاسی پارٹیوں پر پابندی نہیں لگائی، انہوں نے ۱۹۷۰ میں اپنی ایک تقریر میں اس کا ذکر بھی کیا۔ انہوں نے کہا:

"(سیاسی پارٹیوں پر پابندی نہ لگنے سے)) لوگوں کو تعجب بھی ہوا اور اطمینان بھی۔ عموماً مارشل لا لگتے ہی سیاسی پارٹیوں پر بھی پابندی لگ جاتی ہے۔ مارشل لا بھی ہو اور سیاسی پارٹیاں بھی کام کرتی رہیں، یہ یقیناً ایک نہایت غیر معمولی بات ہے"۔

یہ ٹھیک ہے کہ مارشل لا ریگولیشن نمبر ۶۰ میں سیاسی سرگرمیاں جاری رکھنے کے رہنما اصول بتادیئے گئے تھے لیکن حقیقت یہ ہے کہ ان رہنما اصولوں پر عملدرآمد کم ہی ہوا۔ زیادہ تر انہیں نظر انداز ہی کیا گیا۔

"حکومت نے فیصلہ کیا کہ مختلف سیاسی پارٹیوں کے لیڈر صاحبان کو ریڈیو اور ٹیلی وژن پر آکر اپنی اپنی پارٹی کے سیاسی منشور اور اس کی پالیسیاں عوام تک پہنچانے کا موقعہ دیا جائے۔ یہ پہلا موقعہ تھا کہ سیاستدانوں کو سرکاری ذرائع ابلاغ ریڈیو اور ٹیلی وژن کے ذریعے اپنی اپنی پارٹیوں کی سرگرمیوں کو فروغ دینے کا موقعہ دیا گیا تھا"۔

سیاسی نشریات کا سلسلہ ۲۸ اکتوبر ۱۹۷۰ کو شروع ہو کر ۱۹ نومبر ۱۹۷۰ تک جاری رہا۔ پہلی تقریر شیخ مجیب الرحمٰن کی نشر ہوئی اور آخری، جی ایم سید کی۔ صرف بھاشانی نے اردو اور بنگلہ دونوں زبانوں میں تقریر کی، بنگلہ میں ڈھاکہ سے، اردو میں مغربی پاکستان سے بھاشانی نہ بنگالی کی حیثیت سے بولے نہ مغربی پاکستان کی حیثیت سے، وہ ایک سچے پاکستانی کی حیثیت سے بولے۔ بھاشانی کی تقریر کیا تھی خطابت کا ایک شاہکار تھی، ان کی تقریر کا اثر ویسے تو پورے ملک میں بہت اچھا ہوا لیکن مغربی پاکستان میں مشرقی پاکستان سے بھی بہتر ہوا، مجیب کی تقریر میں زور علاقائی عصبیت پر تھا۔ ذوالفقار علی بھٹو کی تقریر میں زیادہ زور اسلامی سوشلزم اور ہندوستان سے مقابلہ وغیرہ پر تھا۔

مجھے تقاریر کے سلسلے میں تمام ممتاز سیاسی رہنماؤں سے ملنے اور ان کی تقاریر کے متن پر سیر حاصل تبادلہ خیال کرنے کا موقع ملا۔ شیخ مجیب الرحمٰن ان دنوں دھان منڈی ڈھاکہ میں واقع اپنی رہائش گاہ میں اقامت پذیر تھے، میں ان سے وہیں ملا۔ ان سے یہ میری پہلی ملاقات تھی، ان سے مل کر مجھے ایسا لگا جیسے وہ ایسے

نوجوان ہیں جو غصے میں بھی ہیں اور عجلت میں بھی، ان کی تقریر کے مسودے میں 'بنگلہ دیش' کا ذکر تھا۔ میں نے دبے لفظوں میں کہا کہ جو حصے رہنما اصولوں اور قانونی ڈھانچے کے حکمنامے کے خلاف ہیں انہیں حذف کر دینا چاہیے۔ مجیب نہ مانے، میں نے کہا: چلئے، بنگلہ دیش کی جگہ مشرقی بنگال کر دیجئے وہ پھر بھی نہ مانے، آخر کار راولپنڈی سے ہدایت آئی کہ 'مجیب جیسا چاہتے ہیں انہیں کرنے دو'۔ وجہ یہ تھی کہ مجیب نے دھمکی دی تھی کہ اگر ان کی تقریر سے بنگلہ دیش کا لفظ نکالا گیا تو وہ نہ ریڈیو سے تقریر کریں گے نہ ٹیلی وژن پر۔

ویسے شیخ مجیب الرحمٰن کا سلوک میرے ساتھ نہایت مہذب اور شائستہ تھا۔ انہوں نے چائے پلائی بنگالی مٹھائی کھلائی اور اسطرح خاطر تواضع کر کے حق مہمان نوازی ادا کیا۔ جب مجیب کے اور میرے درمیان ذرا فضا ہموار ہوئی اور کشیدگی کم ہوئی تو میں نے ان سے کہا:

"آپ قومی لیڈر ہیں۔ آپ کو مغربی پاکستان آکر چاروں صوبوں (پنجاب، سندھ، سرحد، بلوچستان) کا دورہ بھی کرنا چاہیے۔ وہاں کے لوگوں سے ملنا چاہیے۔ میں آپ کو یقین دلاتا ہوں کہ وہ سب آپ کا استقبال شایان شان طریقے سے کریں گے"۔

مجیب نے جواب دیا: "مغربی پاکستان یہاں سے بہت دُور ہے اور پھر وہاں جانے آنے میں خرچہ بھی تو بہت ہے"۔

میں مجیب کا یہ جواب سن کر حیران پریشان رہ گیا۔ مجھے وہ مغربی پاکستان سے لاتعلق نظر آئے مجھے ایسا لگا جیسے وہ متحدہ پاکستان کے تصور سے مایوس ہو چکے تھے۔

مجیب کے بعد مجھے "سرخ مولانا" یا مولانا بھاشانی سے ملنا تھا، میں ان سے ان کے گاؤں میں ملا۔ میں پہنچا تو وہ کھاٹ پر لیٹے ہوئے تھے مجھے دیکھا تو اٹھ بیٹھے، مجھ سے مصافحہ کیا اور نہایت دھیمی آواز میں بولنا شروع کیا۔ بعض وقت ان کی آواز اتنی دھیمی ہوتی تھی کہ بات سمجھنے میں دقت ہوتی، میں سمجھا شاید وہ بیمار ہیں، اور شاید ہماری بات چیت زیادہ دیر تک جاری نہ رہ سکے لیکن جلد ہی وہ گرما گئے اور نہایت شستہ اردو میں حالات حاضرہ پر تبصرہ کیا۔ اپنے تبصرے میں انہوں نے بار بار آیات قرآنی اور اشعارِ اقبال کو استعمال کیا، ان کا تبصرہ تقریباً گھنٹہ بھر جاری رہا۔ مجھ پر ان کی گفتگو کا نہایت گہرا اور خوشگوار اثر ہوا، انہوں نے باتوں باتوں میں مجھے یہ بھی بتلایا کہ ایک مرتبہ سرراہے شیخ مجیب الرحمٰن مل گئے تھے۔ میں نے مجیب سے کہا تھا کہ تمہارے جلسوں میں لوگ تو بہت آرہے ہیں لیکن چونکہ تم مغربی پاکستان کے خلاف زہر اگل رہے ہو، یہی لوگ تمہیں سولی پر لٹکا دیں گے اور تمہاری لاش کو ڈھاکہ کی گلیوں میں گھسیٹتے پھریں گے"۔ مولانا بھاشانی کی پیش گوئی کم و بیش درست نکلی۔ اگرچہ مجیب کا انجام بالکل ویسا تو نہیں ہوا جیسا کہ انہوں نے کہا تھا لیکن اس سے ملتا جلتا ضرور ہوا۔ ابھی بات چیت جاری تھی کہ مولانا نے اپنے پاس کھڑے ایک خادم سے کہا: 'جاؤ ذرا تالاب سے مچھلی پکڑ لاؤ' وہ پکڑ لایا۔ مولانا اور میں نے مزے لے لے مچھلی کھائی۔ مجھے اس غیر رسمی بے تکلفانہ ظہرانے

میں بہت لطف آیا۔ ظہرانے کے بعد میں نے مولانا سے رخصت کی اجازت چاہی اور چلا آیا۔

جب میں نے دیکھا کہ مارشل لا کے باوجود سیاسی لیڈر باری باری ریڈیو اور ٹی وی پر آکر بغیر کسی روک ٹوک کے اپنا اپنا منشور اور اپنا اپنا نقطہ نظر عوام تک پہنچا رہے ہیں تو مجھے بے حد خوشی ہوئی، ان کی تقریروں میں حکومت کی طرف سے کسی قسم کی کاٹ پیٹ نہیں ہوتی تھی۔ میں نے ہی حکومت کو یہ مشورہ دیا تھا کہ ایسا کیا جائے اور مجھے فخر ہے کہ حکومت نے میرا مشورہ منظور کر لیا۔ یحییٰ خان نے مجھ کو اجازت دیدی تھی کہ انتخابی عمل اور انتخابی نتائج کی خبریں صحیح صحیح نشر ہوں، بلا روک ٹوک نشر ہوں اور معروضی انداز میں نشر ہوں۔ نہ ان کو سنسر کیا جائے نہ ان میں دخل دیا جائے۔

ہم نے جب اپنے اس ارادے کا اعلان کیا کہ عام انتخابات کے نتائج کو فی الفور مسلسل اور بلا مداخلت چٹاگانگ سے کراچی۔ پشاور تک پہنچایا جائے گا تو لوگوں کو ہماری بات کا یقین نہ آیا۔ ان دنوں سیاسی فضا کشیدہ تھی، جوں جوں وقت گذر رہا تھا انتخابی مہم میں شدت زیادہ ہوتی جا رہی تھی اور لوگ یہ سب ٹی وی دیکھ کر خود محسوس کر سکتے تھے۔ بی بی سی نے ہماری کارروائی دیکھنے اپنی ایک خاص ٹیم ہمارے پاس بھیجی۔ عام انتخابات (دسمبر ۱۹۷۰ء) کے جو نتائج نکلے وہ ان کی اور ہماری توقعات سے کہیں مختلف تھے۔ لوگ چوبیس گھنٹوں سے بھی زیادہ اپنے اپنے ٹی وی سیٹوں سے چمٹے ٹی وی دیکھتے رہے، نشریات دن رات مسلسل جاری رہیں اور لوگ ساری رات جاگتے رہے اور ٹکٹکی باندھ کر ٹی وی دیکھتے رہے، ہمارے انجینئروں نے کل پرزوں کو درست رکھا اور ٹی وی برابر چلتا رہا۔ اخبار لندن ٹائمز نے ایک سرخی دی : ''پاکستان ٹیلی وژن بالغ ہو گیا''

یقیناً پاکستان ٹیلی وژن کے لئے وہ فخر کی گھڑی بھی تھی اور ساعتِ مسعود بھی۔

پاکستان ٹیلی وژن کے حیرت انگیز کارنامے سے مارشل لا کے ارباب اختیار اتنے حیرت زدہ ہوئے کہ کئی روز تک ہمیں ان کی طرف سے کوئی پیام توصیف و ستائش بھی موصول نہ ہوا! میرے وزیر میجر جنرل ریٹائیرڈ شیر علی تھے۔ وہ اسلام پسند جماعتوں کی حمایت میں پیش پیش تھے۔ اس زمانے میں دائیں بازو کی جماعتوں کو اسلام پسند کہا جاتا تھا۔ عام انتخابات کے اعلانات کے بعد جب میں جنرل شیر علی سے ملا وہ سخت برافروختہ تھے، انہوں نے پیشین گوئی کے انداز میں کہا : ''ان نتائج سے ملک ٹوٹ جائے گا۔ ان کو کالعدم قرار دیدینا چاہیے''۔

بد قسمتی سے ان کی پیشین گوئی درست نکلی، لیکن سوال یہ ہے کہ عام انتخابات کے جن نتائج کو ہر شخص نے آزادانہ، منصفانہ اور غیر جانبدارانہ مان لیا تھا، انہیں بہ یک جنبش قلم، کالعدم کیسے قرار دیا جا سکتا تھا؟

میں نے عام انتخابات کے نتائج کو چکلالہ کے ٹی وی اسٹوڈیوز میں سنا۔ اگلی صبح میں پنڈی سے کراچی چلا گیا تاکہ دیکھوں تو سہی کہ وہاں کا کیا رنگ ڈھنگ ہے؟ کراچی پہنچا تو خبر ملی کہ میرا بھائی سخت مقابلہ کے باوجود پی پی پی کے ٹکٹ پر قومی اسمبلی کی نشست جیت گیا ہے، اس کے مدمقابل ایک تو ہوتی کے نواب کرنل امیر

خان تھے اور دوسرے سرخپوش لیڈر، مہر دل خان تھے۔ اکثر و بیشتر پاکستانیوں کی طرح پچھلے چوبیس گھنٹوں میں میری پلک تک نہ جھپکی تھی لیکن اس دن میں بے حد خوش تھا، مجھے اپنے زندہ ہونے سے خوشی تھی اور مجھے اپنے پاکستانی ہونے پر فخر تھا۔

قومی اسمبلی کے لئے صوبہ سرحد سے پی پی پی نے جتنے امیدوار کھڑے کئے تھے وہ سب ناکام ہو گئے تھے سوائے میرے بھائی عبدالخالق خان کے۔ میرا خیال تھا کہ ذوالفقار علی بھٹو خوش ہوں گے کہ صوبہ سرحد سے قومی اسمبلی میں ان کی پارٹی کو کم از کم ایک سیٹ تو ملی۔ ایک روز کراچی جاتے ہوئے ہوائی سفر میں میرا اور ذوالفقار علی بھٹو کا ساتھ ہو گیا۔ وہ اور میں دونوں ساتھ ساتھ بیٹھے تھے، انہوں نے میرے بھائی کی کامیابی کے بارے میں ایک لفظ بھی نہیں کہا۔ جب جہاز کراچی اترنے لگا تو میں نے خود بات چھیڑی، ذوالفقار علی بھٹو بولے خالق خان کامیاب اس لئے ہو گئے کہ ان کے مدمقابل امیدوار بودے تھے کمزور تھے۔ مجھے یہ سن کر سخت صدمہ ہوا، اب مجھے احساس ہوا کہ وہ نہایت تنگدل انسان تھے اور اپنی ہی پارٹی کے کارکنوں کی جائز تعریف کرنے کے لئے بھی تیار نہ تھے۔

یحیٰ خان نے وعدہ کیا تھا کہ وہ براہ راست بالغ رائے دہی کی بنیاد پر عام انتخابات کروائیں گے۔ انہوں نے اپنا وعدہ پورا کر دکھایا تھا، قومی اسمبلی میں مشرقی پاکستان کی ۱۶۲ نشستیں تھیں مجیب کی عوامی لیگ نے ان میں سے ۱۶۰ نشستیں جیت لی تھیں۔ عوامی لیگ کو مغربی پاکستان سے کوئی سیٹ نہ ملی اور پی پی پی نے مشرقی پاکستان میں اپنا کوئی امیدوار ہی کھڑا نہیں کیا۔ یحیٰ خان میں نہ وہ سیاسی دوراندیشی اور بصیرت تھی اور نہ ان میں یہ قابلیت تھی کہ وہ عام انتخابات سے ابھرنے والے دو نہایت شاطر سیاست دانوں، شیخ مجیب الرحمٰن اور ذوالفقار علی بھٹو کو (جن کا نہ کوئی دین ایمان تھا، نہ جن میں سیاسی دیانت تھی، نہ دوراندیشی تھی نہ قائدانہ صلاحیت تھی) قابو میں رکھ سکتے۔ وہ چاہتے تھے کہ عام انتخاب کے بعد، اقتدار، عوام کے منتخب نمائندوں کے سپرد کر دیں گے، لیکن ان کا یہ منصوبہ دھرا کا دھرا رہ گیا۔ ملک میں خانہ جنگی ہوئی اور ملک دولخت ہو گیا۔ مجھے اس بارے میں کوئی شک یا شبہ نہیں کہ متحدہ اور غیر منقسم پاکستان کے حدود اربعہ میں رہ کر یحیٰ خان اقتدار عوامی نمائندوں کے سپرد کرنے کے معاملے میں مخلص تھے۔ انصاف کا تقاضہ ہے کہ یہاں یہ بات واضح کر دی جائے کہ ایوب خان سے جو پاکستان یحیٰ خان کو ورثہ میں ملا تھا اس میں مشرقی پاکستان میں بسنے والے بنگالی حد درجہ نامطمئن، مایوس اور مضطرب تھے، صورت حال مارچ ۱۹۶۹ء میں ہی سخت سنگین تھی۔ یحیٰ خان کے بعد کے کسی قول و فعل سے اُس صورت حال میں سنگینی پیدا نہیں ہوئی تھی، سنگینی انہیں ایوب خان سے ورثہ میں ملی تھی۔

مشرقی پاکستان کے بحران کا حل مشرقی پاکستان کے عوام کی آرزوؤں، خواہشوں اور امنگوں کے مطابق نکالنے کے لئے جس سیاسی فہم و فراست، سوجھ بوجھ اور عظیم قائدانہ صلاحیت کی ضرورت تھی وہ بدقسمتی

سے نہ ایوب خان میں تھیں نہ یحییٰ خان میں۔ برطانوی رسالے ''اکانومسٹ''میں ایک مرتبہ صدر ایوب خان کے بارے میں ایک مضمون چھپا تھا جس کا عنوان تھا: ''مسلم ڈیگال''، اس میں لکھا تھا:

''صدر پاکستان، پاکستان کے لئے وہی کرنا چاہتے ہیں جو ان کے فوجی بھائی (جنرل ڈیگال) فرانس کے لئے کرنا چاہتے تھے، ایوب خان کو پاکستان میں اور ڈیگال کو فرانس میں جن حالات کا سامنا تھا، وہ کم و بیش ملتے جلتے تھے، ڈیگال نے محسوس کر لیا تھا کہ ان کے اپنے ذہن میں عظمتِ فرانس کے چاہے کتنے ہی سہانے سپنے کیوں نہ ہوں وہ سپنے اس وقت تک شرمندہ تعبیر نہ ہو سکیں گے جب تک فرانسیسی قوم الجیریا کے بحران میں الجھی اور پھنسی رہے گی۔

''ڈیگال کے نزدیک الجیریا کے بحران نے فرانسیسی قوم کو بانٹ دیا تھا، اور یہ بحران قومی وسائل کو نگلے جا رہا تھا۔ چنانچہ ایک الہامی لمحے وہ ہوائی جہاز میں بیٹھا اور الجیریا پہنچ گیا، اس کا مقصد یہ تھا کہ وہ براہ راست الجیریا کے عوام سے بات چیت کر کے الجیریا کی سیاسی گتھی سلجھانے کی کوشش کرے۔ تیسرے پہر تک کھلے چوک میں سرکاری عام عمارت کے سامنے تقریباً بیس ہزار آدمی جمع ہو چکے تھے جن میں زیادہ تر یورپین تھے۔ ڈیگال جب عوام کو جوش دلانا چاہتے تھے تو وہ بازو پھیلا لیتے اور مٹھیاں بھینچ لیتے، اس مخصوص انداز میں جب ڈیگال جھروکے میں آئے تو لوگوں نے گونجدار اونچی آواز سے ان کا خیر مقدم کیا۔ ڈیگال نے کہا: 'میں آپ کا مطلب سمجھ گیا ہوں'۔ ان کا معروف ترین اور مبہم ترین مقولہ ہے۔ ڈیگال پیرس واپس پہنچے۔ فرانسیسی جنگجو جرنیلوں جو انتہا پسند کہلاتے تھے ان کی شدید مخالفت کے باوجود ڈیگال نے الجیریا میں الجیریا کے سیاسی مستقبل کے بارے میں استصواب رائے کروا دیا، یہ استصواب رائے جون ۱۹۶۳ء میں ہوا، ۹۹٫۷ فیصد الجیریا کے باشندوں نے رائے آزادی کے حق میں دی، ۳ جولائی ۱۹۶۳ کو الجیریا دنیا کے نقشے پر ایک آزاد ملک کی حیثیت سے نمودار ہوا۔ اگر ڈیگال الجیریا کا بحران حل نہ کر پاتے تو ان کا مقدر سوائے ناکامی کے اور کچھ نہ تھا''۔

ڈیگال نے فرانس کے لئے اور جو کچھ بھی کیا ہو لیکن ان کا سب سے بڑا کارنامہ ان کا الجیریا کی سیاسی گتھی کو سلجھانا تھا، یہی مسئلہ ان کے لئے سب سے زیادہ گمبھیر مسئلہ تھا اور اس کا حل ہی ان کی سیاسی زندگی کا سب سے فیصلہ کن مرحلہ تھا۔ اگر ڈیگال الجیریا کا مسئلہ حل نہ کر پاتے تو تاریخ مختلف ہوتی اور ڈیگال کا سیاسی قد قامت پست رہ جاتا۔

ایوب کو 'مسلم ڈیگال' کہا جاتا تھا۔ اور ان کے جانشین عیش و عشرت کے دلدادہ یحییٰ خان اپنے آپ کو جز وقتی صدر کہا کرتے تھے۔ دونوں ابھرتی ہوئی بنگالی قومیت کے جذبے کی شدت کا صحیح اندازہ لگانے میں ناکام رہے، بنگالی قوم پرستی سے پیدا شدہ چیلنج کا مقابلہ وہ حقیقت پسندانہ اور مصالحت آمیز انداز میں کرنے میں

ناکام رہے۔ ان کی ناکامی سے جناح کا بنایا پاکستان تباہ ہو گیا۔ میری رائے میں ایوب خان اور یحییٰ خان دونوں پاکستان کے دولخت ہونے کے ذمہ دار ہیں۔

یحییٰ خان ہنے بنائے لذت پسند تھے، عیش و عشرت کے دلدادہ تھے، وہ زندگی کے ہر لمحے سے زیادہ سے زیادہ لطف اندوز اور محظوظ ہونا چاہتے تھے۔ جو لوگ یحییٰ خان کے مخالف ہیں، نکتہ چین ہیں، دشمن ہیں وہ کہتے ہیں کہ یحییٰ خان چوبیس گھنٹے شراب کے نشے میں چور رہتا تھا اور وہ خوش خوری کو زندگی کے ہر عیش و نشاط کا سرچشمہ سمجھتا تھا، میرے نزدیک یہ تاثر نہ جائز ہے نہ انصاف پر مبنی۔ بہت سے ایسے واقعات ہیں جب یحییٰ خان نے بے مثل انسان دوستی، نرم دلی اور مہر و کرم کا ثبوت دیا۔ وہ اپنے کنبے سے محبت کرتے تھے، وہ فراخدل تھے، سخی تھے، وہ اپنے ماتحتوں اپنے ملازمین سے بہت نرمی سے پیش آتے، وہ دوستوں کے دوست تھے سچے، پکے اور مخلص، ان کی زندگی میں نہ تصنع تھا نہ تکلف، وہ اچھی دوستیوں اور اچھے انسانی تعلقات سے بہت خوش ہوتے تھے، ان کا فلسفہ حیات جو بھی رہا ہو تھا وہ دیانتدارانہ۔ ان کی بعض لازوال دوستیاں ضرب المثل تھیں۔

یحییٰ خاں ۲۰ دسمبر ۱۹۷۰ء کو ایوان صدر راولپنڈی میں بھٹو کو بحیثیت صدر

باب۔ ۴

بھٹو۔ عروج و زوال

دسمبر ۱۹۷۱ء میں ہم نے جب ڈھاکہ میں ہتھیار ڈالدیئے، جنگ بندی کو بغیر کسی شرط کے قبول کرلیا تو مشرقی پاکستان تو ہم سے الگ ہو ہی گیا۔ اب حکمران ٹولے کو مغربی پاکستان پر اپنی من مانی چلانے کی سوجھی، ذوالفقار علی بھٹو اس وقت نائب وزیر اعظم بھی تھے اور پاکستان کے وزیر خارجہ بھی تھے۔ وہ اقوام متحدہ کی سلامتی کونسل کے سامنے پاکستان کا موقف پیش کرنے گئے تھے، وہ پاکستانی وفد کے قائد تھے، انہوں نے اقوام متحدہ کی سلامتی کونسل کے سامنے ایک تقریر نہایت ڈرامائی انداز میں کی تھی، تقریر کرتے کرتے وہ آبدیدہ ہوگئے تھے، نیویارک سے واپسی پر وہ راستہ میں روم میں رک گئے، اور غلام مصطفےٰ کھر کے پیام کا انتظار کرنے لگے۔ کیونکہ انہیں ملکی حالات کے بارے میں تشویش تھی۔ اسی دوران حکمران ٹولے نے اقتدار ذوالفقار علی بھٹو کو سونپنے کا فیصلہ کرلیا اور ذوالفقار علی بھٹو کو روم سے پاکستان لانے کے لئے پی آئی اے کا ایک خصوصی طیارہ روم بھیجا۔ جب شکست خوردہ اور ذلت زدہ یحییٰ خان نے اقتدار ذوالفقار علی بھٹو کے حوالے کیا اس وقت میں اس موقعہ پر موجود تھا اور وہ سارا منظر میں نے اپنی آنکھوں سے خود دیکھا۔ بظاہر ذوالفقار علی بھٹو اس وقت کا مرد آہن تھا، بظاہر ان میں قیادت کی بے پناہ صلاحیت تھی، ان میں آگے بڑھنے اور کچھ کر گزرنے کا عزم تھا، ان میں قوت و توانائی تھی، ان کا زورِ خطابت بے مثل تھا، ان میں تاریخ کا شعور بہت گہرا تھا۔ اب ان کا وقت آچکا تھا، گویا آخر کار مسیحائے دوراں نمودار ہوچکا تھا، وہ پاکستان کے صدر اور چیف مارشل لاء ایڈمنسٹریٹر بننے والے تھے۔ انہیں وہ اختیارات ملنے والے تھے جو ان سے پہلے کسی عسکری یا غیر عسکری فرمانروا کو پاکستان میں حاصل نہ رہے تھے، انہیں وہ اختیارات ملنے والے تھے جن کے بل بوتے پر وہ جو فیصلہ

چاہتے نافذ کرتے اور ملک کے عوام اس فیصلے کی تعمیل کرتے، اس وقت لوگ یہ بھول گئے کہ ان کا ماضی متنازعہ فیہ رہا ہے۔ وہ یہ بھول گئے سقوطِ مشرقی پاکستان میں ان کا بھی ہاتھ تھا، اس وقت کسی نے انہیں برا بھلا نہیں کہا۔ اقتدار کیا ملا ذوالفقار علی بھٹو یہ سمجھ بیٹھے کہ تقدیر ان کے ہاتھ آگئی ہے۔ وہ یہ بھی سمجھ بیٹھے کہ جیسے ونسٹن چرچل کو ۱۹۳۹ء میں برطانوی وزارتِ عظمیٰ سنبھالتے وقت یہ محسوس ہوا تھا کہ ان کی اس سے پہلے کی ساری عمر اسی ساعت کی تیاری میں گذری تھی، اس طرح ان (ذوالفقار علی بھٹو) کی دسمبر ۱۹۷۱ سے پہلے کی ساری عمر بھی اس گھڑی کی تیاری میں گذری تھی۔

بحیثیت مرکزی حکومت وزارت اطلاعات کے سیکریٹری کے مجھے یہ فرض ملا کہ میں یحییٰ خان کی جگہ ذوالفقار علی بھٹو کے صدر پاکستان اور چیف مارشل لاء ایڈمنسٹریٹر بننے کی تقریب حلف برداری کو بیک وقت ریڈیو اور ٹیلی وژن سے نشر کروانے کا انتظام کروں۔ میں جب پریزیڈنسی پہنچا تو اس وقت کے سیکریٹری کابینہ غلام اسحٰق خان وہاں پہلے سے موجود تھے، انہوں نے انتقالِ اقتدار کی اس تقریب کے سلسلے میں تمام انتظامات قاعدے قانون اور رواج کے مطابق تیار کر لئے تھے۔ ہم دونوں اندر بلائے جانے کے انتظار میں پریزیڈنسی کے لان پر ٹہلتے رہے، جب ہمیں بلایا گیا تو ہم عمارت کے اندر گئے، ہم نے دیکھا کہ برآمدے میں یحییٰ خان اور ذوالفقار علی بھٹو بیٹھے ہیں۔ ان کے ساتھ جنرل حمید، ائیر مارشل رحیم خان، جنرل ایس جی ایم ایم پیرزادہ، جے اے رحیم اور ممتاز بھٹو بھی بیٹھے تھے، اس وقت وہاں کی فضا کشیدہ تھی۔ ہم آدھا ملک کھو چکے تھے اور نوے ہزار سے زائد پاکستانی فوجی ہندوستانیوں کی قید میں تھے، میرے اپنے تعلقات ذوالفقار علی بھٹو سے کشیدہ تھے، اور ہم دونوں میں بات چیت تک تقریباً بند تھی۔ جب انتقال اقتدار اور حلف برداری کی تقریب ختم ہوگئی تو میں نے یحییٰ خان کو الوداع کہا اور رخصت ہونے کی اجازت چاہی جب میں وہاں سے چلنے لگا تو ذوالفقار علی بھٹو نے مجھ سے مخاطب ہو کر کہا: "تمہیں عنقریب میرا ایک پیغام ملے گا"۔ میں اس وقت حد درجہ آزردہ، مایوس، شکست خوردہ محسوس کر رہا تھا، ہم جنگ ہار چکے تھے، آدھا ملک کھو چکے تھے، جس صدر کے ساتھ میں نے کام کیا تھا وہ ذلیل و خوار ہو کر تاریخ کی ردّی کی ٹوکری میں پھینکا جا چکا تھا، مجھ کو مستقبل مشتبہ، تشویشناک اور مخدوش نظر آرہا تھا۔ اسی ذہنی کیفیت میں، میں نے اپنے آپ سے پوچھا: تم ذوالفقار علی بھٹو کے ساتھ بھلا کیسے کام کر سکو گے؟

میں اسی قسم کے خیالات میں گم اپنے دفتر چلا گیا اور نئے صدر کی طرف سے بلائے جانے کا انتظار کرنے لگا، ۳ بجے سبز ٹیلی فون (ہاٹ لائن) کی گھنٹی بجی، اور دوسری طرف سے آواز آئی:

"روئیداد! میں ذوالفقار بھٹو بول رہا ہوں۔ میں شام کو قوم سے خطاب کرنا چاہتا ہوں تم اس سلسلہ میں ضروری انتظامات کر لو، میں پانچ بجے شام پنجاب ہاؤس راولپنڈی میں تمام وفاقی سیکریٹریوں کو خطاب کرنے جا رہا ہوں تم بھی وہاں آجانا"۔

۲۴ دسمبر ۱۹۷۱ء کو صبح سویرے صدر ذوالفقار علی بھٹو اپنی کابینہ کے چند وزرا کے ساتھ

میں نے حسب الحکم شام کو ہونے والے صدراتی خطاب کے سلسلے میں ضروری انتظامات کئے اور پھر اپنے دفتر سے پنجاب ہاؤس راولپنڈی چلا گیا۔ وہاں دیکھا کہ پنجاب ہاؤس کے باہر بہت سے لوگ جمع ہیں۔ میں اندر پہنچا تو وہاں سب سے پہلے مجھے مصطفےٰ جتوئی نظر آئے۔ پھر مجھے پنجاب ہاؤس کی بالائی منزل پر لے جایا گیا۔ وہاں میں نے دیکھا کہ ذوالفقار علی بھٹو تن تنہا بیٹھے ہیں، پھر حفیظ پیرزادہ آگئے تو ذوالفقار علی بھٹو نے ان سے میرا تعارف یہ کہہ کر کروایا:

ان سے ملو، یہ ہیں حفیظ پیرزادہ، نئے وزیر اطلاعات۔ ذوالفقار علی بھٹو مجھ سے نہایت شائستگی اور خوش خلقی سے ملے۔ ان کے لب و لہجے سے ناراضگی یا کینہ پروری ظاہر نہ ہوتی تھی۔ بلکہ انہوں نے مجھ سے کہا کہ میرے دل میں تمہارے خلاف کوئی ناراضگی یا ملال نہیں، لیکن کچھ تبادلے کرنا ضروری ہیں اسلئے تمہیں شاید کسی اور جگہ جانا پڑے۔

ذوالفقار علی بھٹو کے اقتدار کا آغاز خاصا خوش آئند تھا، دسمبر ۱۹۷۱ میں راولپنڈی میں سردی شباب پر تھی، اُس شام پنجاب ہاؤس پنڈی میں انہوں نے وفاقی سیکریٹریوں سے جو خطاب کیا، اس کا تأثر بھی اچھا رہا۔ ہم نے خدا کا شکر ادا کیا کہ اس نے پاکستان کو قومی تاریخ کی تاریک ترین گھڑی میں ذوالفقار علی بھٹو جیسا اعلیٰ قائد عطا فرمایا۔ اسی شام ذوالفقار علی بھٹو نے غیر ملکی نامہ نگاروں سے بھی بات چیت کی، وہ نہایت خلوص اور اعتماد سے بولے، میرا حوصلہ کچھ بلند ہوا اور مجھے ذوالفقار علی بھٹو کی صدارت و قیادت پر فخر محسوس ہوا، مجھے آرنلڈ ٹوائین بی کی وہ بات یاد آئی جو اس نے اپنی شہرہ آفاق تصنیف "مطالعہء تاریخ" میں کہی ہے۔ اس نے کہا ہے کہ تاریخ میں عظیم قائد ہمیشہ کے لئے معدوم نہیں ہوتے، وہ وقتی طور پر نظروں سے اوجھل ہو کر تاریخ کے کسی دوسری صفحے پر پھر نمودار ہو جاتے ہیں۔ مجھے غلام اسحٰق خان کے وہ الفاظ بھی یاد آئے جو انہوں نے جون ۱۹۶۶ میں ذوالفقار علی بھٹو سے اس وقت کہے تھے جب وہ ایوب خان کی کابینہ سے نکالے جانے کے بعد افسردہ و تنہا اپنے گھر میں بیٹھے وسکی سے اپنا غم ہلکا کر رہے تھے، غلام اسحٰق خان نے کہا تھا: "آپ مایوس کیوں ہوتے ہیں؟ آپ نوجوان ہیں کم عمر ہیں، ابھی آپ کا مستقبل آپ کے سامنے آپ کا منتظر ہے" غلام اسحٰق خان کی پیش گوئی کسقدر درست ثابت ہوئی تھی، پانچ سال سے زرا زائد صحرانوردی کے بعد ذوالفقار علی بھٹو اب ایوان اقتدار و صدارت مین داخل ہو چکے تھے، فوج نے انہیں خاص طور پر روم سے بلوایا تھا کہ وہ پاکستان ٹوٹنے کے بعد اس کی کرچیں جوڑ کر نیا پاکستان بنائیں اور نازک موڑ پر اس کی قیادت کریں۔ ذوالفقار علی بھٹو نے وفاقی سیکریٹریوں سے اپنے ایڈریس میں کہا تھا: میں ہر سیاسی لیڈر کی طرف دست تعاون بڑھاؤں گا۔ غلام اسحٰق خان نے ذوالفقار علی بھٹو کو مشورہ دیا کہ وہ ولی خان سے بات کریں۔ ذوالفقار علی بھٹو نے جواب دیا کہ وہ ولی خان کو اپنے پاس آنے کی دعوت ضرور دیں گے، اور تعمیر ملک کے کام میں تعاون کی درخواست کریں گے۔ جب اس شام پنجاب ہاؤس راولپنڈی سے رخصت ہوئے تو ہم نئے پاکستان کے

ستقبل کے بارے میں زیادہ پرامید محسوس کررہے تھے ہم نے سوچا کہ آغاز تواچھاہے خوش آئند ہے۔
۱۹۷۳ کا آئین (جس کو پاکستان کی تمام سیاسی جماعتوں کی تائید حاصل تھی) یقیناً ذوالفقار علی بھٹو کا سب سے بڑا کارنامہ تھا۔ یہ ان کی اور ملک کی بد قسمتی تھی کہ انہوں نے اسی آئین میں جسے انہوں نے خود منظور کروایا تھا، شدید مخالفت کے باوجود کئی ترامیم یکطرفہ کیں اور اس طرح اپنے ہی بنوائے ہوئے آئین کے تقدس اور اس کی حرمت کو پامال کیا۔
پاکستان میں جوہری توانائی کی داغ بیل تو ۱۹۶۰ء کے عشرے میں ایوب خان کے دور میں پڑی تھی لیکن ۱۹۷۰ کے عشرے میں پاکستان میں جوہری توانائی کے مزید فروغ کا سہرا ذوالفقار علی بھٹو کے سر ہے۔ جب مئی ۱۹۷۴ء میں ہندوستان نے زیرِ زمین جوہری دھماکہ کیا تو اس کے کچھ عرصے بعد ہی ذوالفقار علی بھٹو نے گرج کر کہا کہ غریب پاکستانیوں کو چاہے گھاس کھانا پڑے لیکن وہ جوہری توانائی حاصل کر کے رہیں گے۔ اس کے بعد ۱۹۷۶ میں انہوں نے خود اپنے ہاتھوں سے کہوٹہ ریسرچ لیبارٹریز (موجودہ خان ریسرچ لیبارٹریز) کا سنگ بنیاد رکھا۔ یہی وہ ادارہ ہے جس کی بدولت پاکستان دنیا کے ان چند ممالک کی صف میں شامل ہے جن کے پاس جوہری توانائی کی ٹکنالوجی ہے۔
دسمبر ۱۹۷۰ء کے عام انتخابات میں پاکستان پیپلز پارٹی کو قومی اسمبلی میں پنجاب کی کل ۸۲ نشستوں میں سے ۶۲ نشستیں اور سندھ کی کل ۲۳ نشستوں میں سے اٹھارہ نشستیں مل گئی تھیں۔ صوبہ سرحد سے البتہ ایک ہی نشست ملی تھی اور بلوچستان سے کوئی نشست بھی نہ ملی تھی۔ صوبہ سرحد والی نشست میرے بھائی خالق خان نے جیتی تھی، گویا صوبجات سرحد و بلوچستان میں پی پی پی کا وجود یا بالکل نہیں تھا یا نہ ہونے کے برابر تھا، اور اسی وجہ سے ذوالفقار علی بھٹو اپنے پورے دورِ اقتدار میں خاصے پریشان رہے۔
فروری ۱۹۷۳ میں ذوالفقار علی بھٹو نے بلوچستان میں عوامی نیشنل پارٹی کی حکومت برطرف کردی، گورنر غوث بخش بزنجو کو گورنری سے ہٹادیا، اور صوبے میں صدارتی راج نافذ کردیا۔ صوبہ سرحد میں بھی عوامی نیشنل پارٹی کی حکومت تھی، وہ بھی احتجاجاً مستعفی ہو گئی۔ ذوالفقار علی بھٹو اب محاذ آرائی اور جنگ وجدل کے راستے پر چل کھڑے ہوئے تھے، صوبہ بلوچستان میں عوامی نیشنل پارٹی کی حکومت کی برطرفی کے بعد پاکستانی فوج اور بلوچ مری قبائل کے درمیان مسلح جنگ شروع ہو گئی۔ ذوالفقار علی بھٹو کا مسئلہ یہ تھا کہ وہ مخالفت برداشت کرنے کا حوصلہ نہ رکھتے تھے، وہ اقتدار بلا شرکت غیرے چاہتے تھے، یہی صفت ان کی بیٹی بے نظیر کو ورثہ میں ملی ہے۔ آخر وقت تک وہ بلوچستان کے مسئلہ کا حل نہ ڈھونڈ پائے، عوامی نیشنل پارٹی کو صفحہء ہستی سے مٹانے کی خاطر انہوں نے پارٹی کو غیر قانونی قرار دے دیا، اس کے چوٹی کے لیڈروں کو گرفتار کرلیا، ان پر سازش اور غداری کے مقدمے بنائے جو حیدر آباد کی جیل میں خصوصی عدالت کے سامنے چلے۔ ذوالفقار علی بھٹو کی یہ پالیسی ان کی سب سے بڑی سیاسی غلطی تھی، ایسی غلطی جس پر انہیں بہت جلد

بہت زیادہ پچھتانا پڑا۔

ذوالفقار علی بھٹو کی ایک اور تباہ کن کارروائی ان کی سول سروس کے معاملات میں غیر ضروری اور بلا جواز مداخلت تھی۔ انہوں نے سرکاری عمال کے آئینی تحفظ کو ختم کر کے تقریباً چودہ سو سرکاری اہلکاروں کو بلا تحقیق و تفتیش ملازمت سے نکال دیا۔ اس کے علاوہ انہوں نے ۱۹۷۳ میں وفاقی سلامتی فورس قائم کی۔ یہ ایک فسطائی تنظیم تھی جو سلطنت روما کے بادشاہوں کے محافظ دستوں کی اس تنظیم سے ملتی جلتی تھی جسے زائد از ضرورت اختیارات حاصل ہوا کرتے تھے۔ وفاقی سلامتی فورس قائم کرنے سے ذوالفقار علی بھٹو کا مقصد فوجی اعانت کے بغیر سیاسی مخالفین کو کچلنا تھا، سول ہنگاموں کو دبانا تھا، اور مزدوروں کے احتجاجات کو ختم کرنا تھا۔

۱۹۷۷ء کی ابتداء میں ذوالفقار علی بھٹو نے محسوس کیا کہ اب انہیں اقتدار میں آئے پانچ سال ہو چکے ہیں اسلیئے عوامی مینڈیٹ کی تجدید کی ضرورت ہے۔ ان کا اندازہ تھا کہ وہ عوامی اعتماد دوبارہ بہ آسانی حاصل کر لیں گے۔ چنانچہ انہوں نے اعلان کیا کہ قومی اور صوبائی اسمبلیوں کے عام انتخابات مارچ ۱۹۷۷ء کے شروع میں ہوں گے، انتخابات بروقت ہوئے، پاکستان پیپلز پارٹی کو ان انتخابات میں زبردست کامیابی حاصل ہوئی اتنی زبردست کہ سب مخالف پارٹیوں نے مل کر احتجاجی نعرہ لگایا کہ انتخابات میں دھاندلی ہوئی ہے، انتخابات دوبارہ کرواؤ۔ متحدہ مخالف محاذ نے سارے ملک میں احتجاجی مظاہرے شروع کر دیئے۔ لاہور میں اور بعض دوسرے مقامات پر بلوے ہوئے، اس احتجاج میں مذہبی عناصر بھی سیاسی جماعتوں سے مل گئے، عام بے چینی کی لہر روکنے اور مذہبی عناصر کی خوشنودی کی خاطر ذوالفقار علی بھٹو نے بہت سے اقدامات کئے مثلاً شراب نوشی، قمار بازی وغیرہ کو قانوناً ممنوع قرار دیدیا، احمدیوں کو غیر مسلم اقلیت قرار دیدیا، وغیرہ وغیرہ۔ وہ رعایت پر رعایت دیتے گئے لیکن عوام کی بے چینی گھٹنے کی بجائے بڑھتی گئی اور کوئی تدبیر کام نہ آسکی۔

۴ جولائی ۱۹۷۷ء کو اسلام آباد میں امریکی سفیر کی رہائش گاہ پر امریکی یوم آزادی کی خوشی میں ایک استقبالیہ تھا۔ میں بھی اس استقبالیہ میں مدعو اور شامل تھا۔ وہاں میں نے ذوالفقار علی بھٹو کو دیکھا وہ سگار پی رہے تھے اور پاکستان میں افغانستان کے سفیر سے گھل مل کر سرگوشی کے انداز میں آہستہ آہستہ باتیں کر رہے تھے۔ میں جنرل محمد ضیاء الحق (اس وقت کے بری فوج کے سپہ سالار اعلیٰ) اور غلام اسحٰق خان (اس وقت کے سیکریٹری جنرل دفاع) کے پاس کھڑا تھا (یہ دونوں بعد یکے بعد دیگرے پاکستان کے صدر بنے) حفیظ پیرزادہ (اس وقت کے وزیر خزانہ) اور آفتاب احمد خان (اس وقت کے سیکریٹری خزانہ) بھی وہیں کھڑے تھے۔ اتنے میں حفیظ پیرزادہ نے آفتاب احمد خان (جو میرے نہایت قریبی اور عزیز دوست بھی ہیں) سے کہا کہ بھئی میں مشرقِ وسطیٰ کے ممالک کے دورے پر جانا چاہتا ہوں مہربانی سے میرے دورے کا دس روزہ پروگرام مرتب کر دیجئے، اس شام پاکستان میں چین کے سفیر نے مجھ کو میرے دوست وسیم جعفری کو اور ہم دونوں کے افرادِ

خانہ کہ اپنے ہاں کھانے پر بلایا ہوا تھا۔ ہم سب وہاں گئے اور بے تکلفی سے گپ شپ کر کے وقت گذارا۔ شام بہت خوشگوار گذری اور ہم سب خوب محظوظ ہوئے۔ ہمیں کیا خبر تھی کہ پاکستانی سیاست کس قیامت خیز آندھی کی زد میں آنے والی ہے۔

(ذوالفقار علی بھٹو نے) جنرل محمد ضیاء الحق کو ان سے کئی سینیر فوجی افسروں کو نظر انداز کر کے چیف آف آرمی اسٹاف بنادیا تھا۔ ۴ اور ۵ جولائی ۱۹۷۷ء کی درمیانی شب میں انہی جنرل ضیاء الحق نے شب خون مارا، حکومتِ وقت کا تختہ الٹ دیا، اور فوج کی مدد سے اقتدار سنبھال لیا۔ ذوالفقار علی بھٹو اور حکومت میں ان کے ساتھیوں کو گرفتار کر لیا، ملک بھر میں مارشل لاء لگا دیا، قومی اور صوبائی اسمبلیوں کو توڑ دیا اور وفاقی اور صوبائی حکومتوں کو برطرف کر دیا۔

ذوالفقار علی بھٹو پہلے بھی اقتدار سے محرومی کے صحرا کی خاک چھان چکے تھے لیکن اس کے بعد دوبارہ ایوان اقتدار میں واپس آگئے تھے۔ اس مرتبہ بازی جیتنا مشکل لگ رہا تھا اسلئے کہ ان کے پاس پتے کمزور تھے اور وہ بولی زیادہ اونچی لگا گئے تھے۔ فوج ان کے خلاف حرکت میں آگئی تھی اسلئے ان کا دوبارہ برسر اقتدار آنا بعید از قیاس نظر آرہا تھا۔

ذوالفقار علی بھٹو پر مقدمہ

"تف! اُس انقلاب پر جو دورِ ماضی کا نشان مٹا نہ سکے!"

(مرات)

۳ ستمبر ۱۹۷۷ کو ذوالفقار علی بھٹو کو احمد رضا قصوری کے والد نواب محمد احمد خان قصوری کے قتل کے الزام میں گرفتار کیا گیا۔ ان کی گرفتاری مسعود محمود (سابقہ ڈائریکٹر جنرل وفاقی سلامتی فورس) کے اقبال جرم کے بیان کی بنا پر کی گئی۔ ۱۰ اکتوبر ۱۹۷۷ کو جنرل محمد ضیاء الحق، اس وقت کے چیف مارشل لا ایڈمنسٹریٹر نے ریڈیو اور ٹیلی وژن پر قوم سے خطاب کیا اور اپنے خطاب میں کہا:

"میں نے بہت سوچا ہے اور بہت غور و خوض کے بعد اس نتیجہ پر پہنچا ہوں کہ ۱۸ اکتوبر ۱۹۷۷ء کو عام انتخابات کروانا، بحران کو دعوت دینا ہوگا"

۱۳ ستمبر ۱۹۷۷ کو لاہور ہائی کورٹ کے جج جسٹس خواجہ محمد احمد صمدانی نے ذوالفقار علی بھٹو کو ضمانت پر رہا کر دیا۔ جب اس کی اطلاع ملی میں اس وقت جی ایچ کیو میں جنرل محمد ضیاء الحق کے ساتھ ایک میٹنگ میں

تھا، ۳روز بعد ۱۶ستمبر ۱۹۷۷کو ذوالفقار علی بھٹو کو دوبارہ گرفتار کر لیا گیا، اس مرتبہ گرفتاری مارشل لاء کے ایک فرمان کے تحت عمل میں آئی۔

ذوالفقار علی بھٹو کی گرفتاری میں وزارتِ داخلہ کا مشورہ شامل نہیں تھا، میں اس وقت وزارت داخلہ کا سیکریٹری تھا۔ذوالفقار علی بھٹو کی گرفتاری کا فیصلہ ایک نہایت اہم فیصلہ تھا جس کے عواقب و نتائج دوررس اور فیصلہ کن ہو سکتے تھے۔غالبًا یہ فیصلہ مارشل لاء ایڈ منسٹریٹروں کی کانفرنس میں ہوا ہوگا، اس کانفرنس کے بارے میں جنرل ریٹائرڈ خالد محمود عارف اپنی کتاب "Working With Zia" میں لکھتے ہیں :

”یہ ایک مستقل پالیسی ساز ادارہ تھا جو تمام اہم فیصلے کیا کرتا تھا، اس کے اجلاس چار سے چھ ہفتوں کے وقفے سے ہوا کرتے تھے اور یہ اجلاس عموماً وفاقی کابینہ کے اجلاس سے ایک روز پہلے ہوتے تھے۔ اگر کوئی بہت ضروری معاملہ اچانک پیش آجاتا تو اجلاس جلد بھی ہو جاتا تھا۔ ۱۹۸۴ء کے آخر میں، خصوصاً دسمبر ۱۹۸۴ میں ہونے والے ریفرینڈم کے بعد سے اس کانفرنس کے اجلاس کم سے کم ہوتے چلے گئے۔ صدر متعلقہ گورنروں سے فرداً فرداً بات کرنے کو پوری کانفرنس میں ان کی رائے معلوم کرنے پر ترجیح دینے لگے تھے“۔

جنرل ریٹائرڈ خالد محمود عارف کے مطابق،

”غلام اسحٰق خان اس وقت کے سیکریٹری جنرل اِن چیف تھے۔ وہ ملٹری کونسل کی تمام میٹنگوں میں تو شرکت کرتے تھے لیکن مارشل لاء ایڈ منسٹریٹروں کی کانفرنس میں شریک نہ ہوتے تھے، ذوالفقار علی بھٹو کی گرفتاری کا فیصلہ شاید ملٹری کونسل نے کیا ہو“۔

ملٹری کونسل رفتہ رفتہ غیر فعال ادارہ بنتی گئی حتیٰ کہ ختم ہو گئی۔

ایف آئی اے نے ذوالفقار علی بھٹو پر قتل کے الزام کی تحقیق دوبارہ شروع کی، بقول جنرل ریٹائرڈ خالد محمود عارف، ذوالفقار علی بھٹو اور وفاقی سلامتی فورس کے تین افسروں کے خلاف ایسا کافی مواد جمع کر لیا گیا جس سے قتل کے الزام کو تقویت ملتی تھی۔ وزارت داخلہ کو جس طرح ذوالفقار علی بھٹو کی گرفتاری کا علم پہلے سے نہیں تھا اسی طرح بعد کی تفتیشی پیش رفت کی بھی کچھ خبر نہ تھی۔ قاعدے ضابطے کے مطابق تو ایف آئی اے، وزارتِ داخلہ کے ماتحت تھا لیکن اس معاملے میں وہ ادارہ مارشل لا حکام سے براہ راست رابطہ رکھتا تھا۔ اس وقت کے وزیر داخلہ تک اس وقت کی کابینہ کے خاص اندرونی حلقے (کچن کینٹ) کے رکن نہ تھے اور میرے علم میں نہیں کہ انہیں ذوالفقار علی بھٹو کی گرفتاری اور بعد میں ان پر چلنے والے مقدمے پر اظہارِ رائے کے لئے کبھی کانفرنس میں بلایا گیا ہو۔ سیکریٹری وزارتِ داخلہ کی حیثیت سے میں وفاقی کابینہ کی میٹنگوں میں تو موجود رہتا تھا لیکن ملٹری کونسل کی میٹنگوں میں نہیں۔

اس زمانے میں ایک جوائنٹ سکیورٹی کمیٹی بنائی گئی تھی۔ تمام صوبائی ہوم سیکریٹری تمام صوبائی اسپیشل
رانچوں کے کے سربراہ، ڈائریکٹر جنرل، انٹر سروسز انٹیلی جنس، اور ڈائریکٹر انٹیلی جنس بیورو اس کمیٹی کے
مبر تھے۔ میں بلحاظ عہدہ اس کمیٹی کا سربراہ تھا۔ اس کمیٹی کا کام یہ تھا کہ وہ امن عامہ کی صورتحال پر ہمہ وقت
ظر رکھے اور یہ اندازہ لگائے کہ اگر ذوالفقار علی بھٹو کو سزا دی گئی یا بری کیا گیا تو ہر دو صورتوں میں عدالتی
یصلے کے عواقب و نتائج کیا ہوں گے۔

لاہور ہائی کورٹ کی فل بنچ نے جسٹس مشتاق حسین کی سربراہی میں ذوالفقار علی بھٹو پر مقدمہ قتل کی
ماعت کی، بنچ نے اتفاق رائے سے ذوالفقار علی بھٹو کو مجرم قرار دیا اور سزائے موت سنائی، لاہور ہائی کورٹ
کے اس فیصلے کے خلاف سپریم کورٹ میں اپیل ہوئی۔ اپیل سپریم کورٹ کے نو ججوں کی فل بنچ نے سنی، اس
قت سپریم کورٹ کے چیف جسٹس شیخ انوار الحق تھے۔ سپریم کورٹ نے لاہور ہائی کورٹ کا فیصلہ بحال رکھا
ر اس فیصلے کے خلاف اپیل مسترد کر دی۔ اپیل مسترد کرنے کے حق میں سپریم کورٹ کے چار جج تھے،
پیل منظور کرنے کے حق میں تین جج تھے۔ سپریم کورٹ کے جج قیصر خان ۳۰ جون ۱۹۷۸ کو ریٹائر ہونے
الے تھے۔ چونکہ انہیں معلوم تھا کہ اس تاریخ سے پہلے ذوالفقار علی بھٹو پر مقدمہ قتل کا فیصلہ نہ ہو سکے گا
ذا وہ مقدمہ سننے والی بنچ میں شامل نہیں ہونا چاہتے تھے۔ لیکن انہیں یقین دلایا گیا کہ مقدمہ قتل کے فیصلے
ک انہیں ریٹائر نہیں ہونے دیا جائے گا۔ چنانچہ وہ بنچ میں شامل ہو گئے۔ بعد میں وعدوں کو بالائے طاق رکھ
رجب ۳۰ جون ۱۹۷۸ کی تاریخ آئی تو انہیں ریٹائر ہونے دیا گیا۔ جسٹس قیصر خان میرے دوست بھی تھے
ور دیرینہ رفیق کار بھی تھے اور عزیز بھی تھے۔ جسٹس قیصر خان کی ریٹائرمنٹ کے بعد ذوالفقار علی بھٹو کی
قدیر پر مہر لگ چکی تھی۔ قرینِ قیاس یہی ہے کہ قیصر خان صرف مسعود محمود جیسے غیر معتبر سلطانی گواہ کی
غیر مصدقہ شہادت کی بناء پر شاید ہی ذوالفقار علی بھٹو کو قتل کا مجرم گردان کر سزائے موت دیتے۔ لیکن اب
س بارے میں صرف قیاس ہی کیا جاسکتا ہے۔ مرحوم چیف جسٹس انوار الحق یقیناً تعظیم کے مستحق ہیں لیکن
ہت سے لوگ اُن کی اس رائے سے متفق نہیں کہ :

"میرے ذہن میں اب اس بارے میں کوئی شک نہیں کہ استغاثہ اپنا مقدمہ ثابت کرنے میں پوری
طرح کامیاب ہو گیا ہے۔ یہ کہنا کہ اس مقدمے کے محرکات سیاسی تھے ایک ایسا دعویٰ ہے جس کی تائید
میں کوئی دلیل اور جس کی تصدیق میں کوئی شہادت موجود نہیں"

وزارتِ داخلہ کا واسطہ اس مقدمے سے اس وقت پڑا جب ذوالفقار علی بھٹو کے لئے رحم کی بہت سی
رخواستیں ہمارے پاس آنا شروع ہو گئیں۔ ایک دن گیارہ بجے صبح ہمیں مقدمے سے متعلق کاغذات لاہور
سے ملے۔ ہم نے کاغذات ملتے ہی سمری بنانا شروع کر دی، اس سمری میں ہم نے سپریم کورٹ کی اس رائے

کا ذکر بھی کیا جو سپریم کورٹ نے ریویو کی درخواست پر فیصلہ کرتے ہوئے ظاہر کی تھی۔ وہ رائے یہ تھی :

"ہم نے ریویو کی درخواست کے حق میں یحییٰ بختیار صاحب کے دلائل سنے۔ اگرچہ ہم ان دلائل کی ب سزائے موت کا حکم بدلنے سے قاصر ہیں لیکن حکومت کے پاس رحم کا اختیار خصوصی ہے۔ وہ اپ خاص اختیار استعمال کرتے وقت، ان دلائل پر غور کر سکتی ہے۔"

وزارت داخلہ نے اپنی سمری میں کہا کہ اگرچہ سپریم کورٹ کی ہر سفارش کو ماننا اور اس پر عمل کرنا ہم ضروری نہیں تاہم اس پر غور و فکر کرنا ضروری ہے۔ سزائے موت پر عمل درآمد کے سیاسی عواقب کا تج کرتے وقت ہم نے اپنی سمری میں لکھا :

"یہ ایک ایسا مقدمہ ہے جس کی ماضی میں نظیر نہیں، ملک میں شدید اضطراب ہے اور ملک سے ب اسمیں کافی دلچسپی ہے، سزائے موت پر عملدرآمد کو بیرونِ ملک خصوصاً امریکہ اور مغربی یورپ ن ناپسندیدگی کی نظر سے دیکھا جائے گا، جس سے پاکستان کی شہرت کو بے حد دھچکا لگے گا"۔ "ا مقدمات جن کے مضمرات خصوصی یا سیاسی ہوں ان کے بارے میں رہنما اصول یہ ہے کہ انہیں ان ک اپنے مخصوص حالات کی روشنی میں نمٹانا چاہیے، بعض اوقات سزائے موت کو عمر قید میں بدلنا ز قرین مصلحت ہوتا ہے کیونکہ یہ بھی تو ہو سکتا ہے کہ سزائے موت پر عملدرآمد سے رائے عامہ بجا مقتول کے حق میں رہنے کے، قاتل کے حق میں ہو جائے"۔

ہم نے اپنی سمری میں یہ بھی صاف صاف لکھ دیا تھا کہ صدر کے لئے رحم کے اختیار خصوصی کے استع پر کسی قسم کی کوئی قدغن نہیں۔ وہ چاہیں تو سزائے موت کو عمر قید میں بدل سکتے ہیں اور اگر وہ ایسا کرنا چاہیں لاہور ہائی کورٹ کا فیصلہ یا سپریم کورٹ کا فیصلہ کوئی ان کی راہ میں حائل نہیں ہو سکتا۔

ادھر ہم اپنی سمری کی نوک پلک درست کر رہے تھے ادھر چیف مارشل لا ایڈ منسٹریٹر کے سیکریٹریٹ ۔ ہمارے پاس فون پر فون آرہے تھے کہ سمری جلدی بھیجو سمری جلدی بھیجو۔ چنانچہ یکم اپریل ۱۹۷۹ء کی ش کو ہماری سمری لیکر وزارتِ قانون کے اس وقت کے جوائنٹ سیکریٹری ارشاد خان پہلے جنرل خالد محم عارف کے گھر گئے اور پھر وہاں سے دونوں ایک ساتھ آرمی ہاؤس گئے جہاں ہماری سمری کی تقدیر کا فیصلہ ہ تھا۔ (خلاصہ کی نقل ملاحظہ ہو بطور ضمیمہ ۱) ارشاد خان نے مجھے بعد میں بتلایا کہ جب وہ جنرل خالد محم عارف کے ساتھ جنرل عارف کے گھر سے آرمی ہاؤس جا رہے تھے تو موٹر کے ڈرائیور نے غلطی سے کار غ طرف موڑ دی۔ بس پھر کیا تھا جنرل عارف ڈرائیور پر جھپٹ پڑے اور اسے اس وقت تک نہ چھوڑا جب تک اس نے اپنی غلطی کا ازالہ نہ کر لیا۔ میں نے اس قصہ کی تصدیق جنرل عارف سے تو نہیں کی لیکن ان دنو

اعصابی تناؤ اور اضطراب چاروں طرف ایسا طاری تھا کہ میرا خیال یہی ہے کہ ارشاد خان کا بتلایا ہوا قصہ درست ہے۔

ارشاد خان نے مجھ کو یہ بھی بتلایا کہ جب وہ جنرل عارف کے ساتھ ہماری سمری لیکر صدر کے پاس پہنچے تو صدر نے رحم کی عرضداشت کو پڑھا تک نہیں اور بغیر پڑھے مسترد کر دیا۔ جنرل ریٹائرڈ خالد محمود عارف کا بیان اس بارے میں مختلف ہے وہ اپنی کتاب Working With Zia میں عریضہ ء رحم کی نامنظوری کا ذکر کرتے ہوئے لکھتے ہیں :

"صدر نے عرضداشت کو غور سے پڑھا تھا"

خیر صدر نے عرضداشت رحم کو پڑھا یا نہیں پڑھا، غور سے پڑھا یا سرسری پڑھا، جب فائل میرے پاس واپس آئی تو اس پر یہ فیصلہ کن الفاظ لکھے تھے : "عرضداشت نامنظور کی جاتی ہے"۔

میری یہ رائے ہے اور یہ میری سوچی سمجھی رائے ہے کہ جب ذوالفقار علی بھٹو کے سیاسی مخالفین کو بخوبی اندازہ ہو گیا کہ ذوالفقار علی بھٹو وزارت عظمیٰ سے ہٹائے جانے کے باوجود عوام میں حد درجہ ہر دلعزیز ہیں اور یہ کہ اگر جنرل محمد ضیاء الحق کے اعلان شدہ پروگرام کے مطابق ۵ جولائی ۱۹۷۷ء کے نوے دن کے اندر اندر منصفانہ اور غیر جانبدارانہ عام انتخابات دوبارہ ہوئے تو ذوالفقار علی بھٹو پھر برسر اقتدار آجائیں گے، اور انہیں کوئی روک نہیں سکے گا تو وہ (یعنی ذوالفقار علی بھٹو) اس وقت ایک زخمی جانور کی طرح تھے اور ان کے سیاسی مخالف ان سے بے انتہا خائف تھے۔ بھٹو کی واپسی ان کے لئے ایک دہشت تھی اور اس لئے وہ انصاف، کے نام پر ذوالفقار علی بھٹو کی موت کا مطالبہ کرنے لگے۔

جب وزارتِ داخلہ میں ذوالفقار علی بھٹو کی طرف سے دی گئی عرضداشت رحم موصول ہوئی تو ہم نے اس عرضداشت کو قاعدے کے مطابق وزارتِ قانون بھیجا تاکہ وہ بھی اس بارے میں اپنی ماہرانہ رائے سے آگاہ کر سکیں۔ جب ہمیں وزارت قانون کی رائے (جسے اس وقت کے وزیر قانون اے کے بروہی کی تائید حاصل تھی) موصول ہوئی تو ہم نے دیکھا کہ وہ رائے سرخ حروف میں لکھی ہوئی ہے۔ وہ رائے یہ تھی :

"قانون میں رحم دلی کا مطلب ہے کہ قاتل کو قتل کر دیا جائے، خصوصاً ایسی صورت میں جب کہ قاتل کا جرم قتل ملک کی اعلیٰ ترین عدالت کے سامنے ثابت ہو چکا ہو۔ سچ تو یہ ہے، سزائے موت میں تخفیف یا تبدیلی کا خصوصی اختیار، مقتول اس کے ورثاء اور اس کے اقرباء کے ساتھ بے رحمی ہے، رحم کے نام پر سزائے موت میں تخفیف یا تبدیلی، انصاف کے تقاضوں سے ناانصافی ہے۔ "قاتل تو محض قانونی موشگافیوں کی بدولت زندہ ہے لیکن ہمیں انصاف تو اس شخص کے ساتھ کرنا ہے جو اب زندہ نہیں، لیکن جس کی روح اب بھی انصاف، انصاف پکار رہی ہے اور کہہ رہی ہے کہ اس کی موت کا بدلہ لیا جائے، موت کے بدلہ موت دی جائے اور سچ تو یہ ہے کہ موت کے بدلے موت' رحمدلی کا تقاضہ بھی ہے"۔

پاکستان پیپلز پارٹی کی اس وقت کی قیادت نے جو جان لیوا غلطی کی وہ یہ تھی کہ انہوں نے ذوالفقار علی بھٹو کی جان بچانے کی تمام تر کوششوں کو عدالت کے کمرہ تک محدود رکھا وہ یہ سمجھتی رہی کہ عام قسم کے مقدمات قتل کی طرح، اس مقدمہ قتل کا فیصلہ بھی صرف حقائق و کوائف و شواہد و دلائل کی بنا پر کیا جائے گا۔ ایسا سمجھنا سادہ لوحی تھا، پی پی پی کی قیادت یہ بھول گئی کہ ذوالفقار علی بھٹو کی زندگی اور موت کا فیصلہ عدالت کے کمروں میں نہیں بلکہ پاکستان کی گلی کوچوں میں ہوگا۔ پی پی پی کی قیادت کے سامنے شیخ مجیب الرحمٰن کی مثال تھی جس پر اگرتلہ سازش کا مقدمہ دائر ہوا تھا۔ پھر وہ مقدمہ واپس لے لیا گیا تھا۔ کیوں؟ اس لئے نہیں کہ استغاثہ کمزور تھا بلکہ اس لئے اس کو واپس لینا پڑا تھا کہ عوام جوق در جوق ڈھاکے کی سڑکوں پر نکل آئے تھے، بہت سے سرکاری دفتر اور گھر نذر آتش ہو رہے تھے (ان گھروں میں خواجہ شہاب الدین کا گھر بھی شامل تھا) ڈھاکہ میں کرفیو لگا ہوا تھا۔ اس کے باوجود کرفیو کی کھلم کھلا خلاف ورزی ہو رہی تھی۔ جب ڈھاکہ کی صورت حال قابو سے قطعاً باہر ہوگئی تو ایوب خان کو مجبوراً شیخ مجیب الرحمٰن کے خلاف مقدمہ واپس لینا پڑا تھا۔ اس کے بعد کے واقعات کو دیکھیے۔ ۲۵ مارچ ۱۹۷۱ کو فوجی کارروائی کے بعد شیخ مجیب الرحمٰن کو ڈھاکے سے گرفتار کیا جاتا ہے، بظاہر صورت حال قابو میں آجاتی ہے لیکن بات وہاں ختم تو نہیں ہوتی۔ بنگالی اپنی جدوجہد جاری رکھتے ہیں۔ مکتی باہنی (لشکر نجات) بناتے ہیں، اپنی جدوجہد کو جنگ آزادی میں بدل دیتے ہیں، اپنی جدوجہد کو بین الاقوامی جہت دیکر باہر کے ملکوں سے مدد مانگتے ہیں، حتیٰ کہ خود مختاری کا اعلان کر دیتے ہیں۔ میں مانتا ہوں کہ شیخ مجیب الرحمٰن کی پوزیشن ۱۹۷۱ میں اور ذوالفقار علی بھٹو کی پوزیشن ۱۹۷۷ میں ان دونوں پوزیشنوں میں بہت فرق تھا۔ ۱۹۷۱ میں شیخ مجیب کے ہاتھ صاف تھے، ان کا ماضی بے داغ تھا اور عوام کی حمایت کی قوت ان کے ساتھ تھی، اس کے مقابلے میں ذوالفقار علی بھٹو اپنے پانچ سالہ دور اقتدار میں اقتدار کے نشہ میں بہک کر عوام کا اعتماد کھو چکے تھے اور ۱۹۷۷ میں ان کی پوزیشن شیخ مجیب الرحمٰن کی ۱۹۷۱ والی پوزیشن سے کہیں زیادہ کمزور تھی۔

پاکستان پیپلز پارٹی نے اپنا سارا زور عدالتوں میں مقدمے لڑنے اور فیصلے کے بعد غیر ملکی سربراہان حکومت سے رحم کی اپیلیں جمع کرنے پر لگا دیا۔ حالانکہ انہیں معلوم ہونا چاہیے تھا کہ ایسی اپیلوں سے جنرل محمد ضیاء الحق کے کان پر جوں تک نہیں رینگے گی۔

جب جنرل محمد ضیاء الحق نے ذوالفقار علی بھٹو کی طرف سے دی گئی عرضداشت رحم کو نامنظور کر دیا تو مجھے ذرا بھی حیرت نہ ہوئی کیونکہ ایک مرتبہ جنرل صاحب مجھ سے کہہ چکے تھے:

"روائیداد صاحب اب تو صورت یہ ہے کہ یا اس کی گردن تہ تیغ ہوگی یا میری!"

مرات نے کہا تھا:

"تف ہے اس انقلاب پر جو عہد رفتہ کے نشان کا سر قلم نہ کر سکے" جنرل محمد ضیاء الحق کو اس مقولہ کی

صداقت کا علم بھی تھا اور اس پر یقین بھی۔ وہ اپنی جان کے لئے کسی قسم کا کوئی خطرہ مول لینے کے لئے تیار نہ تھے۔ صرف اور صرف جنرل محمد ضیاء الحق میں اتنی سکت تھی کہ وہ ذوالفقار علی بھٹو کو تختہ دار تک لے جاتے۔ جیسے سیزر کے لئے بروٹس تھا، چارلس اول کے لئے کرامویل تھا، ذوالفقار بھٹو کے لئے ضیاء الحق تھا۔

بعض لوگ کہتے ہیں کہ ذوالفقار علی بھٹو کو پھانسی دے کر جنرل محمد ضیاء الحق صرف اور صرف انصاف کے تقاضے پورے کر رہے تھے۔ بعض لوگ یہ بھی کہتے ہیں کہ جنرل محمد ضیاء الحق اعلیٰ عدالتوں کی طرف سے دی گئی موت کی سزاؤں میں اصولاً کبھی تبدیلی یا تخفیف نہیں کرتے تھے تو پھر ذوالفقار علی بھٹو کے معاملے میں ایسا کیوں کرتے؟ لیکن میں اپنے ذاتی علم کی بنا پر اس قسم کے خیالات کی تردید کرتا ہوں۔ ذوالفقار علی بھٹو کی پھانسی سے پہلے اور اسکے بعد، بہت سے معاملات میں اعلیٰ عدالتوں کے طرف سے سنائی موت کی سزاؤں میں جنرل ضیاء الحق نے تخفیف بھی کی اور تبدیلی بھی۔ اور ایسا کرتے وقت انہوں نے نہ اعلیٰ عدالتوں کے فیصلوں کی پرواہ کی اور نہ وزارتِ داخلہ کے مشوروں کی۔

۲ اپریل ۱۹۷۹ کو میں اپنی سرکاری گاڑی میں گھر سے پنڈی کلب گیا، وہاں ذوالفقار علی بھٹو کی واحد زندہ بہن ''منا'' اور ان کے شوہر نسیم الاسلام ٹھہرے ہوئے تھے۔ میں ان سے ملا، وہ دونوں میرے اچھے برے ہر طرح کے وقت کے ساتھی تھے۔ حتیٰ کہ میری خاطر انہوں نے ذوالفقار علی بھٹو سے اپنے تعلقات بگاڑ لئے تھے۔ پنڈی کلب کے گرد خفیہ سراغ رساں ایجنسیوں (مثلاً انٹر سروسز انٹلی جنس، ملٹری انٹیلی جنس، انٹیلی جنس بیورو سپیشل برانچ) کا پہرہ تھا، لیکن میں اس محاصرہ کی پرواہ کئے بغیر ان دونوں کو اپنے ساتھ اپنے گھر لے گیا تاکہ ہم سب مل کر شام کا کھانا ایک ساتھ کھائیں۔ خفیہ ایجنسیوں کی گاڑیاں ہمارا تعاقب کرتی رہیں میں چاہتا تھا کہ 'منا' کو بتلادوں کہ ذوالفقار علی بھٹو تختہ دار پر چڑھنے والے ہیں کیونکہ یہ میرے علم میں تھا کہ وہ کس دن کس تاریخ کس وقت تختہ دار پر چڑھنے والے ہیں۔ میں ابھی اسی کشمکش میں تھا کہ یہ منحوس خبر 'منا' کو سناؤں تو کیسے سناؤں کہ 'منا' نے اپنی مخصوص چھٹی نسوانی حس سے محسوس کر لیا کہ معاملہ کچھ گڑ بڑ ہے۔ اس کی ہمت جواب دے گئی اور وہ رونے لگی۔ اس نے مجھ سے پوچھا 'کیا میں صرف ایکبار اور اپنے بھائی کا آخری دیدار کر سکتی ہوں؟' مجھے معلوم تھا کہ وقت گذر چکا ہے لیکن پھر بھی اس کی تسلی کی خاطر میں نے کوشش کا وعدہ کر لیا۔ 'منا' نے یہ بھی کہا کہ وہ جلد از جلد پنڈی سے کراچی اور کراچی سے لاڑکانہ پہنچنا چاہتی ہے تاکہ جب اس کے بھائی ذوالفقار علی بھٹو کی لاش لاڑکانہ پہنچے تو وہ وہاں موجود ہو۔ ہم تینوں کی بھوک مر چکی تھی۔ رات کا کھانا ہم تینوں میں سے کسی نے نہیں کھایا، اور ہم پی آئی اے کے پنڈی دفتر میں چلے گئے میں نے منا اور ان کے شوہر نسیم الاسلام کو پنڈی سے کراچی اور کراچی سے لاڑکانہ کی نشستیں ہوائی جہاز میں ترجیحی بنیادوں پر دلوادیں اور پھر میں ان دونوں کو پنڈی کلب چھوڑ آیا۔ اگلے روز یعنی ۳ اپریل ۱۹۷۹ کو میں

پھر ان دونوں سے ملا اور انہیں بتلادیا کہ جیسا کہ مجھے خدشہ تھا 'منا' کی درخواست اپنے بھائی سے ملنے کی نامنظور ہو گئی ہے۔ انہوں نے کہا اب ہمارا پنڈی میں رہنا بے کار ہے۔ چنانچہ میں نے انہیں پنڈی ایئر پورٹ پر چھوڑ دیا تاکہ وہ اسی شام کی پرواز سے کراچی چلے جائیں، میں نے انہیں رخصت کیا اور نہایت آزردہ خاطر اور افسردہ دل اپنے گھر لوٹا۔

اسی اثناء میں راولپنڈی جیل کا عملہ ، مارشل لا حکام کی زیر نگرانی، ذوالفقار علی بھٹو کو پھانسی دینے کے انتظامات مکمل کر رہا تھا۔ خدا کا شکر ہے کہ ان انتظامات سے میرا کوئی تعلق نہیں تھا اور میں اس المیہ ڈرامے کے آخری ایکٹ میں شامل ہونے سے بچ گیا۔ تاہم جیسے جیسے سولی کا وقت قریب آرہا تھا پیشرفت کی اطلاعات مجھ کو مل رہی تھیں۔ وہ رات مجھ کو معمول کی رات سے زیادہ لمبی لگی۔ میں تمام رات جاگتا رہا اور سوچتا رہا کہ تختہ دار پر چڑھنے سے پہلے ذوالفقار علی بھٹو اپنی زندگی کے آخری لمحات میں کیا سوچ رہے ہوں گے کیا کر رہے ہوں گے ؟ جب اعصابی تناؤ بہت بڑھا تو میں نے ویلیم کی دو گولیاں کھائیں لیکن ان سے بھی میرا اعصابی تناؤ کم نہیں ہوا۔ میں تمام رات کمرے میں ادھر سے ادھر ٹہلتا رہا اور سقراط کے وہ آخری الفاظ یاد کرتا رہا کہ جنہیں افلاطون نے اپنی کتاب 'معذرت' (Apology) میں یوں درج کیا ہے :

"افلاطون ! اب جانے کا وقت آچکا ہے۔ ہم دونوں کو جانا ہے مجھے مرنے کے لئے تمہیں جینے کے لئے۔ کونسا راستہ بہتر ہے۔ میرا یا تمہارا۔ خدا ہی جانے"

پو پھٹنے سے ذرا پہلے میں چیف مارشل لا ایڈمنسٹریٹر کے دفتر جانے کی تیاری کر رہا تھا تاکہ وہاں جاکر دیکھوں تو سہی کہ بھٹو کی پھانسی کے بعد وہاں کا کیا رنگ ڈھنگ ہے، کہ اتنے میں مجھے اطلاع ملی کہ ذوالفقار علی بھٹو کے عم زاد اور صوبہ سندھ کے سابق وزیر اعلیٰ مجھ سے ملنے کے لئے نیچے ڈرائنگ روم میں میرے منتظر ہیں۔ میں نیچے اترا، ان سے ملا۔ انہوں نے چھٹتے ہی مجھ سے پہلا سوال یہ کیا : "کیا ذوالفقار علی بھٹو زندہ ہیں ؟" میں نے جواب دیا : "ذوالفقار علی بھٹو کو گذشتہ رات ۲ بج کر ۴ منٹ پر پھانسی دیدی گئی"۔ کہنے کو تو میں نے یہ کہہ دیا لیکن یہ کہتے کہتے میرا پیمانہ صبر چھلک پڑا اور میں رو دیا۔ ممتاز بھٹو نے مجھے تسلی دینے کی خاطر اپنا ہاتھ میرے گھٹنے پر رکھ دیا۔ وہ پر سکون تھے ان کے جذبات ان کے قابو میں تھے یقیناً ان کے اعصاب مجھ سے کہیں زیادہ مضبوط تھے۔

اس کے بعد چیف مارشل لاء ایڈمنسٹریٹر کے دفتر پہنچا تو وہاں تقریبا تمام فوجی افسروں کی آنکھوں کو سرخ پایا۔ تھوڑی سی بات چیت کے بعد ایک پریس نوٹ کا مسودہ تیار کیا گیا اور اسے جاری کر دیا گیا۔ اس کا مضمون یہ تھا :

"مسٹر ذوالفقار علی بھٹو کو آج رات دو بجے راولپنڈی جیل میں پھانسی دیدی گئی، ۴ اپریل ۱۹۷۹ کی صبح کو

ان کی لاش کو ایک خصوصی طیارے میں پنڈی سے لاڑکانہ پہنچا کر وہاں ان کے خاندان کے بزرگوں کے حوالے کر دیا گیا۔ ان بزرگوں نے لاش کو کنبے کی خواہش کے مطابق لاڑکانہ میں، نوڈیرو کے قریب گڑھی خدا بخش کے آبائی قبرستان میں صبح ساڑھے دس بجے دفن کر دیا۔ جنازے میں ان کے اعزہ یعنی دو چچا، نبی بخش بھٹو اور پیر بخش بھٹو، ان کی پہلی بیوی شیریں امیر بیگم کے علاوہ ان کے دوست احباب اور علاقے کے دوسرے باشندے شامل تھے"

اگرچہ ۵ جولائی ۱۹۷۷ کو مارشل لا لگانے کا جواز یہ دیا گیا تھا کہ اس سے پہلے حالات اتنے خراب ہو چکے تھے کہ مارشل لاء لگائے بغیر چارہ نہ تھا۔ مجھے اس رائے سے اتفاق نہیں۔ میں نہیں سمجھتا کہ ۵ جولائی ۱۹۷۷ سے پہلے ملک کے حالات کسی ایسی جگہ پر پہنچ چکے تھے کہ مارشل لگائے بغیر چارہ نہ تھا۔ میرے نزدیک ذوالفقار علی بھٹو پر مقدمہ قتل کی از سر نو تفتیش، ان کی گرفتاری پھر ان پر مقدمہ قتل، ان سب کارروائیوں کے پیچھے محرکات سیاسی تھے۔ ذوالفقار علی بھٹو پر جس انداز میں مقدمہ چلا اس کا فیصلہ ہوا، فیصلہ پر عمل ہوا، میرے نزدیک ان سب مراحل پر ذوالفقار علی بھٹو کے ساتھ انصاف نہیں کیا گیا۔ میری اپنی رائے یہ ہے کہ جس لمحہ فوج نے ذوالفقار علی بھٹو کی حکومت کا تختہ الٹنے کا فیصلہ کیا تھا، ان کی موت اسی لمحے ان کا مقدر بن چکی تھی۔

جنرل محمد ضیاء الحق نے پاکستان پیپلز پارٹی پر پابندی لگانے کی، سر توڑ کوشش کی انہوں نے ایک اعلیٰ فوجی افسر کو خاص طور پر اس لئے وزارتِ داخلہ بھیجا تاکہ وہ افسر ایسا مواد جمع کر لے جس کی بنا پر پاکستان پیپلز پارٹی پر پابندی لگائی جا سکے۔ لیکن وزارت داخلہ اور وزارت قانون دونوں نے اس کوشش کی بھرپور مزاحمت کی جس کا نتیجہ یہ ہوا کہ پی پی پی پر پابندی نہ لگ سکی۔ جنرل محمد ضیاء الحق نے اپنے دورِ اقتدار میں ایڑی چوٹی کا زور پی پی پی کو نیست و نابود کرنے پر لگا لیا لیکن وہ کامیاب نہ ہو سکے بلکہ وہ خود ختم ہو گئے اور ان کے صفحہ ہستی سے مٹتے ہی پی پی پی پھر بر سر اقتدار آ گئی۔

لے کامٹے الیکس ڈی ٹاکول (۱۸۰۵ تا ۱۸۵۸) فرانس میں ایک سیاسی مفکر گذرا ہے اس نے ایک کتاب لکھی ہے جس کا نام ہے: "The Ancient Regime and the French Revolution" اس نے اپنی اس کتاب میں ایک بات ایسی لکھی ہے جو ہمارے ماضی اور حال کی تمام حکومتوں پر صادق آتی ہے۔ خصوصاً ایوب خان اور ذوالفقار علی بھٹو کے زوال پر تو بہت ہی زیادہ صادق آتی ہے۔ وہ کہتا ہے:

"تجربہ شاہد ہے کہ بری حکومت کے لئے سب سے زیادہ خطرناک لمحہ وہ ہے جب وہ اپنے عمل اور طرز عمل کی اصلاح کا ارادہ کر لے۔ اگر کوئی حکمران اپنے طویل عہد ظلم و استبداد کے بعد عوامی فلاح و بہبود کا کام شروع کرنا چاہے تو صرف اعلیٰ درجہ کا سیاسی تدبر ہی اس کا تخت بچا سکتا ہے کیونکہ عوام کو جب یہ محسوس ہوتا ہے کہ حاکم کا وہ جبر و استبداد جسے وہ نا قابل علاج سمجھتے تھے، وہ تو قابل علاج ہے (تو پھر وہ

حاکم کے خلاف اٹھ کھڑے ہوتے ہیں)'' ہماری تاریخ شاہد ہے کہ ایوب خان اور ذوالفقار علی بھٹو کے پاس وہ سیاسی تدبر اور زیرک ہوش مندی نہ تھی جس کا ٹاکول نے مندرجہ بالا الفاظ میں ذکر کیا ہے اس کا نتیجہ وہی ہوا جو ہونا تھا، دونوں اقتدار سے ہاتھ دھو بیٹھے بلکہ ان میں سے ایک یعنی ذوالفقار علی بھٹو تو اپنی جان سے بھی ہاتھ دھو بیٹھے۔

اپنے اقتدار کو سیاسی بحران سے نکالنے کے لئے آخری دنوں میں ذوالفقار علی بھٹو نے سر توڑ اور بھرپور کوشش کی۔ ملاؤں کو خوش کرنے کے ئے انہوں نے شراب نوشی ممنوع قرار دیدی، انہوں نے قمار بازی بند کردی، انہوں نے نائٹ کلبوں، شراب نوشی کے اڈوں سینما گھروں اور تمام 'غیر اسلامی' حرکتوں کو ممنوع قرار دینے اور چھ ماہ کے اندر تمام ملکی قوانین کو قرآن وسنت کے مطابق لے آنے کا وعدہ کیا۔ لیکن سب بیکار۔ ولپرٹ اپنی کتاب :''زلفی بھٹو آف پاکستان'' میں لکھتا ہے :

''اس وقت تک (ذوالفقار علی بھٹو) کو احساس ہوگیا تھا کہ اس کے سب سے کٹر مخالف وہ کروڑوں راسخ العقیدہ مسلمان تھے جو فوج کے اندر اور فوج کے باہر ہر جگہ موجود تھے اور جن کا ایمان تھا کہ خدائی قانون، ملکی قانون سے کہیں زیادہ ارفع، اعلیٰ اور طاقتور ہے۔ ایسے لوگوں کی قیادت کررہے تھے ملا۔ چنانچہ انہوں نے سوچا کہ اگر وہ شراب نوشی بند کر کے اقتدار میں رہ سکتے ہیں تو وہ شراب نوشی بند کردیں گے۔ ایسے ہی لوگوں کی خوشنودی حاصل کرنے کی خاطر انہوں نے کراچی کے ساحل پر زیر تعمیر ایک بہت بڑے قمار خانے کی تعمیر رکوادی، اس قمار خانے کا وہیل نما نامکمل ڈھانچہ آج تک ذوالفقار علی بھٹو کے خواب پریشاں کے ویراں نشاں کے طور پر موجود ہے، وہ مے نوشی چھوڑنے کو تیار تھے کیونکہ ان کے نزدیک رقص اقتدار کی لذت، مے نوشی سے کہیں زیادہ لذیذ تھی، ان کے نزدیک اقتدار میں رہنا سب سے زیادہ اہم چیز تھا، ان کا خیال تھا کہ وہ شراب نوشی بند کر کے ملاؤں کے دل جیت لیں گے، اور ملا انھیں بر سر اقتدار رہنے دیں گے بالکل ویسے ہی جیسے سیہون شریف میں سخی شہباز قلندر کی درگاہ پر سنہری دروازہ چڑھا کر ان کا خیال تھا کہ ان کے گناہ دھل جائیں گے۔''

قدامت پرست مسلمانوں کے دباؤ میں آکر ذوالفقار علی بھٹو نے قادیانیوں کو قومی اسمبلی کے توسط سے غیر مسلم قرار دے دیا۔ لیکن ان کا یہ عمل بھی انہیں تختہ دار سے نہ بچاسکا۔

ایوب خان کے ساتھ بھی اس سے ملتا جلتا ماجرا پیش آیا، بجائے اس کے کہ وہ اپنے بنائے ہوئے آئین اور اپنے بنائے ہوئے اداروں کی حفاظت کرتے، انہوں نے خود اپنے ہاتھوں سے آہستہ آہستہ بالواسطہ انتخابات کے جامع نظام کو منہدم کردیا۔ اور یہ سب انہوں نے اس امید پر کیا کہ شاید لوگ مطمئن ہوجائیں اور ان کا

اقتدار بچ جائے لیکن ایسا نہ ہونا تھا، نہ ہوا۔ اگر میں سرونسٹن چرچل کے الفاظ مستعار لیکر ذوالفقار علی بھٹو کا ذکر کروں تو میں کہوں گا کہ

''ذوالفقار علی بھٹو چیستاں کے اندر لپٹی پہیلی میں چھپا معمہ تھے''

وہ مجسم برقی قوت تھا، وہ ایک بگولہ تھا، گھڑی میں تولہ گھڑی میں ماشہ، گھڑی میں دیو قامت، عظیم المرتبت، اور ولولہ انگیز اور گھڑی میں پستہ قد، گھٹیا اور تنگدل۔ رابرٹ ڈیلک نے امریکی صدر لنڈن جانسن کے بارے میں کہا ہے:

''وہ ظالم، جابر، کندہ ناتراش، بے حس، جنونی اور گھٹیا تھا لیکن اس کے ساتھ ساتھ وہ مہربان تھا، شائستہ تھا اور اپنے مزاح سے لوگوں کو ہنسا ہنسا کر لوٹ پوٹ کر سکتا تھا''

میرے نزدیک بالکل یہی حال ذوالفقار علی بھٹو کا بھی تھا۔

نیویارک ٹائمز کے کالم نگار رسل بیکر نے ایک مرتبہ لنڈن بی جانسن کے بارے میں ایک کالم لکھا تھا اور اس کالم کو ختم یوں کیا تھا:

''جانسن، روسی ناول کے کردار کی طرح تھا، ایک پیچیدہ کردار جیسے دوستوفسکی کے تخیل میں بسے رہتے تھے، جو ایک دوسرے سے ہمہ وقت برسرپیکار رہتے جن میں انسانی جذبات کا تلاطم خیز طوفان ٹھاٹھیں مارتا رہتا، جو بہ یک وقت عاصی بھی تھے صوفی منش بھی تھے مسخرے بھی تھے اور مدبر بھی، جذباتی بھی تھے اور نک چڑھے بھی، جو بیک وقت لافانی بھی بننا چاہتے تھے اور ہر وقت خود کو تباہ کرنے پر بھی آمادہ رہتے تھے۔''

میں حیران ہوں ذوالفقار علی بھٹو، لنڈن بی جانسن سے کسی قدر مشابہ تھے: لنڈن بی جانسن کے بارے میں رابرٹ ڈیلک لکھتا ہے.

''جانسن سے لوگوں کی محبت بھی شدید تھی اور نفرت بھی، یہ نہیں تھا کہ اسے کچھ لوگ پسند کرتے تھے اور کچھ ناپسند۔ بلکہ حقیقت یہ تھی کہ کچھ لوگ تو اس کی پرستش کرتے تھے اور کچھ اسے گردن زدنی سمجھتے تھے، کچھ لوگ اس کے بارے میں کہتے ہیں کہ وہ مہربان، فراخدل، ہمدرد، دوسروں کا خیال رکھنے والا، ایک نفیس انسان تھا جو مفلس اور غریب لوگوں کی فلاح و بہبود کے کاموں میں منہمک رہتا تھا۔ دوسرے لوگ اس کے بارے میں کہتے ہیں کہ وہ ظالم تھا، آمر تھا، ظاہری دبدبہ اور طنطنہ کا گرویدہ تھا بلکہ نہایت خبیث انسان تھا''

برائس ہارلو نے ایک عرصہ تک امریکہ کے ایوان نمائندگان اور سینٹ کے عملے میں کام کیا، بعد میں وہ امریکی صدر آئزن ہاور کے دور صدارت (۱۹۵۳ تا ۱۹۶۱) میں وہائیٹ ہاؤس میں قونصل مقرر ہوا۔ وہ لنڈن بی جانسن کو ان الفاظ میں یاد کرتا ہے :

"وہ ہمہ وقت سب کی آنکھ کا تارا سب کا مرکز کشش بنا رہنا چاہتا تھا، اسے یہ گوارا نہ تھا کہ دوسرا اس بارے میں اس کا شریک ہو، اسے ہمیشہ دوسروں پر فوقیت چاہیے تھی، سبقت چاہیے تھی، وہ چاہتا تھا کہ ہر وقت دوسرے اس کی بات مانیں اور وہ عام طور پر اپنی بات منوا بھی لیتا تھا، اگر میں آپ سے پوچھوں کہ آپ ایسے کتنے اور آدمیوں کو جانتے ہیں؟ تو یقیناً آپ کہیں گے کہ ایک بھی نہیں۔ آپ اس قسم کے لوگوں سے اس لئے واقف نہیں کہ اول تو ایسے لوگ پیدا نہیں ہوتے اور اگر ہوتے ہیں تو ہزار سال میں ایک، بس وہی لنڈن بی جانسن تھا۔"

میں اس طرح کے کم از کم ایک اور شخص سے واقف تھا اور وہ تھا : ذوالفقار علی بھٹو۔

رابرٹ ڈیلیک نے لنڈن بی جانسن کے بارے میں لکھا ہے :

'وہ احساس محرومی میں مبتلا تھا وہ اکیلا نہیں رہ سکتا تھا۔ اسے مسلسل رفاقت، مسلسل توجہ، مسلسل محبت اور مسلسل پسند کئے جانے کی شدید احتیاج تھی۔ اس کی اشتہا نا قابل تسکین تھی چاہے وہ اشتہا کام کی ہو، عورتوں کی ہو، شراب کی ہو، خوش گپی کی ہو، یا مال و دولت کی ہو"۔

میں سمجھتا ہوں کہ ذوالفقار علی بھٹو بھی مذکورہ صفات کا حامل تھا۔

شروع شروع میں خصوصاً اس کے اقتدار سے محرومی کے دور میں پاکستانی قوم ذوالفقار علی بھٹو کو اپنے رومانوی خوابوں، اپنی رومانوی آرزوں خواہشوں تمناؤں کا مظہر سمجھتی تھی اور اس معاملے میں وہ یعنی ذوالفقار علی بھٹو پاکستان کے ہر دوسرے لیڈر کے مقابلے، میں جان ایف کینڈی سے سب سے زیادہ مماثل و مشابہ تھا۔

پاکستان کی تاریخ میں ذوالفقار علی بھٹو کا کیا مقام ہے اس بارے میں مختلف آراء ہو سکتی ہیں لیکن اس بارے میں کوئی اختلاف رائے نہیں ہو سکتا کہ پاکستانی منظر نامے پر جتنا ذوالفقار علی بھٹو چھایا ہوا ہے اتنا دوسرا کوئی شخص نہیں چھایا ہوا۔ جب وہ ایوان اقتدار سے باہر تھا تب بھی پاکستانی قوم کی توجہ کا مرکز تھا اور اب جب کہ وہ ایوان حیات سے بھی باہر ہے، اپنی قبر سے پاکستانی حالات و واقعات پر برابر اثر انداز ہو رہا ہے، اکثر و بیشتر پاکستانیوں کے لئے اس کی ذات مرکزی اور کلیدی نکتہ حوالہ ہے چاہے وہ پاکستانی اس کے پرستار اور عاشق ہوں یا چاہے وہ پاکستانی اس کے ناقد و نکتہ چین ہوں۔ وہ متلون مزاج تھا، مغرور تھا، وہ اپنے مقاصد کے حصول میں ذرائع میں جائز و ناجائز کی تفریق سے بے نیاز تھا، لیکن ان تمام خامیوں کے باوجود اس میں خوبیاں بھی بے پناہ تھیں۔ وہ عوام خصوصاً مفلس، محتاج اور پامال طبقوں کے جذبات اور احساسات کو سمجھنے اور محسوس کرنے

کی صلاحیت بیکراں رکھتا تھا ایسی کہ دیکھیں تو یقین نہ آئے، چاہے اس کا زور خطابت مصنوعی تھا یا اصلی، چاہے اس نے عوام سے کئے وعدے پورے کئے یا نہیں، سچ تو یہ ہے کہ وہ عوام کے دلوں کی دھڑکن تھا، وہ ان کی آنکھوں کا تارا تھا وہ ان کا محبوب قائد تھا اور عوام نے آخر دم تک اس پر اعتماد کرنا اس پر بھروسہ کرنا اس سے اپنی امیدیں اور امنگیں وابستہ کرنا نہیں چھوڑا۔ پاکستان کی تاریخ میں ذوالفقار علی بھٹو نے ایک ایسا کارنامہ بھی سرانجام دیا جو سوائے محمد علی جناح کے اور کوئی سرانجام نہیں دے سکا۔ یعنی وہ پاکستانی عوام کو حرکت میں لایا۔ ۱۹۶۶ تا ۱۹۷۱ کا عرصہ ذوالفقار علی بھٹو کی سیاسی زندگی میں پاکستانی عوام کے ساتھ اس کے معاشقہ عظیم کا دور تھا، ان پانچ سالوں میں تو بس یوں لگتا تھا کہ جیسے ذوالفقار علی بھٹو پاکستانی عوام کے لئے بنے ہیں اور پاکستانی عوام ذوالفقار علی بھٹو کے لئے!

پھر ان سب خوبیوں اور اچھائیوں کے باوجود ان کا انجام اتنا دردناک اور المناک کیوں ہوا؟ میرے نزدیک ان کے المیہ کی سب سے بڑی وجہ ان کی خود پسندی تھی، خود پسندی نے ان کی آنکھوں پر پردہ سا ڈال دیا تھا، ان کی خودسری خطرناک تھی اور ان کا غرور مضحکہ خیز تھا، ان کا وہی حال تھا جو روبس پیر کا تھا جس کے بارے میں میرابیو نے کہا تھا کہ: "یہ شخص بہت اونچا جائے گا کیونکہ وہ جو کہتا ہے اس پر ایمان رکھتا ہے قطع نظر اس کے کہ آیا ذوالفقار علی بھٹو جو کہتے تھے اس پر یقین رکھتے تھے یا نہیں، حقیقت یہ ہے کہ وہ اپنی خودسری اور خودستائی میں بہت دور چلے گئے تھے۔ وہ بہت جلد چلے گئے وہ اوپر تو چڑھے لیکن تختہ دار پر۔ ان کا حشر بھی وہی ہوا جو روبس پیر کا ہوا تھا اگرچہ دونوں کے اپنے اپنے انجام کے اسباب مختلف تھے۔

ذوالفقار علی بھٹو سیاست میں ایسے غرق ہوئے کہ ان کے پاس دوستوں کے لئے بھی کوئی وقت نہ رہا۔ دوستی کا مطلب ہوتا ہے کہ کچھ دو۔ کچھ لو۔ دوستی میں بڑے چھوٹے کا فرق نہیں ہوتا سب برابر ہوتے ہیں۔ لیکن ذوالفقار علی بھٹو کسی کو اپنا ہمسر ماننے کے لئے تیار نہ تھے چاہے وہ دوست ہی کیوں نہ ہو۔ نپولین کو ذوالفقار علی بھٹو بہت پسند کرتے تھے اور نپولین کی طرح وہ کسی سے دلی محبت نہیں کرتے تھے وہ دوستی کو برائے نام چیز سمجھتے تھے، نپولین ہی کی طرح ان کے سینے میں بھی ایک آگ بھڑک رہی تھی جس نے آخر کار انہیں کو جلا کر خاک کر دیا۔ ان میں توانائی لامحدود تھی۔ آگے بڑھنے اور کچھ کر گزرنے کا عزم جنون کی حد تک تھا۔ لیکن اس کے ساتھ ساتھ وہ بے اصولے تھے، غیر محتاط تھے، عاقبت نااندیش تھے، مغرور و متکبر تھے، شکی مزاج تھے، وہ تنہا تھے۔ وہ یہ تو شدت سے چاہتے تھے کہ ان کو چاہا جائے ان سے محبت کی جائے لیکن وہ محبوب بھی اپنی شرائط پر بننا چاہتے تھے وہ اختلاف رائے برداشت کرنے کو ذرا بھی تیار نہ تھے ایسا لگتا تھا جیسے ان کے اندر کوئی جن بھوت بند ہے جو انہیں ان کے دیرینہ دوستوں سے یکے بعد دیگرے محروم کرتا چلا جاتا ہے۔ وہ بسا اوقات بلاوجہ اور بلاجواز اپنے دوستوں کی تحقیر و تذلیل کرتے، بسا اوقات وہ حد درجہ پن، بغض اور کینہ پروری کا مظاہرہ کرتے۔ اختلاف رائے وہ نہ تو اپنی پارٹی کے اندر برداشت کرتے

تھے نہ پارٹی کے باہر۔ ان پر تنقید یا نکتہ چینی کی سزا ان کے ہاں نہایت بے رحمانہ تھی۔

اپنے اسی حلقہ انتخاب کو جسے انہوں نے خود بنایا تھا، انہوں نے خود تباہ کر دیا، اور اس کے بعد وہ خود بھی جلد ہی ختم ہو گئے۔ خود گئے تو گئے انہوں نے اپنے ساتھ ترقی پسند قوتوں کو بھی ایسا ماؤف اور مفلوج کر دیا کہ وہ آج تک اس فالج کے اثر سے باہر نہیں نکل سکیں۔

کچھ لوگ اپنے آپ کو اخلاقیات کے اصولوں کے اطلاق سے بالاتر سمجھتے ہیں۔ ایسے لوگوں پر بعض ناقد اعتراض کرتے ہیں۔ ایسے معترضین کے اعتراضات کے جواب میں ہیگل نے لکھا تھا:

"علم الاخلاق کا تعلق افراد کے شخصی کردار اور ان کے ضمیر سے ہوتا ہے لیکن تاریخ عالم اخلاقیات سے بالاتر ہوتی ہے، غیر متعلقہ اخلاقی تقاضوں کو عالمگیر تاریخی کارناموں کی تکمیل کی راہ میں رکاوٹ نہیں بننے دینا چاہیے۔ انکساری، خاکساری، سخاوت، تحمل، بردباری جیسی شخصی نیکیوں کا درس عالمی قدو قامت کے تاریخ ساز قائدین کے لئے نہیں ہے۔ ایسے زبردست عظیم المرتبت لوگوں کو اپنی عظمت کے حصول میں بہت سے پھولوں کو پامال کرنا ہوتا ہے، ان کے راستے میں جو بھی آئے، اسے ریزہ ریزہ کرنا ہوتا ہے"۔

ذوالفقار علی بھٹو کا بھی شعوری یا غیر شعوری عقیدہ یہی تھا۔ انہیں یقین تھا کہ تقدیر نے انہیں تاریخ عالم میں کوئی بہت بڑا کام سرانجام دینے کے لئے چنا ہے اس لئے وہ ان قواعد و ضوابط کے اطلاق سے مستثنیٰ ہیں جن سے عام لوگوں کے عمل کو جانچا اور پرکھا جاتا ہے۔

ذوالفقار علی بھٹو کی عادت تھی کہ اگر کوئی ان سے بحث کرتا یا ان کے آڑے آتا یا انہیں غصہ دلاتا یا انہیں مشتعل کرتا تو وہ ان کا اعتماد کھو دیتا۔ وہ ایسے شخص کو گرفتار کرنے اسے جیل میں ڈالنے سے بھی نہیں ہچکچاتے تھے۔ ان کی ایک اور عجیب عادت یہ تھی کہ جو شخص بھی ان سے زیادہ تعلیم یافتہ، زیادہ مہذب و شائستہ، حتیٰ کہ زیادہ خوش پوش بھی نظر آتا، وہ اسے پسند نہ کرتے، وہ شدید قسم کے احساسِ کمتری میں مبتلا تھے افسوس کہ وہ آخر وقت تک اس احساس سے نجات نہ پا سکے۔ انہوں نے اپنے ذہن میں اپنی ایک تصویر بنا رکھی تھی، اگر اس تصویر کو ان کے نزدیک کہیں سے بھی حقیقی یا وہمی خطرہ محسوس ہوتا تو وہ اس خطرے کو دور کرنے کے لئے کچھ بھی کر گزرنے کو تیار رہتے۔ وہ مکاری کے بادشاہ تھے وہ میکیاولین سیاست کا ایک ایسا فقید المثال نمونہ تھے جس میں میکیاولی کی بیان کردہ ہر مکاری ہر چالبازی موجود تھی، اس میں شک نہیں کہ ان میں قائدانہ صلاحیتیں عظیم و اعلیٰ پیمانے کی تھیں لیکن ان صلاحیتوں کو ان کے کردار اور ان کے مزاج کی خامیوں نے گھن کی طرح چاٹ لیا تھا ان کی شخصیت عظیم اور اولوالعزم قائد کے سانچے میں ڈھلی شخصیت تھی! اسی قسم کے لوگوں کے بارے میں نطشے نے کہا تھا:

''اس قسم کے لوگوں کے بارے میں پیشن گوئی نہیں کی جاسکتی۔ وہ یکایک بغیر کسی علت اور سبب کے، بغیر کسی لحاظ و جواز کے، مقدر کی طرح نمودار ہو جاتے ہیں، آسمانی بجلی کی طرح وہ اچانک چمکتے ہیں وہ ہیبت ناک بھی ہوتے ہیں اور جابر بھی لیکن ان کی عظمت اتنی خیرہ کن ہوتی ہے کہ کوئی ان سے نفرت بھی کرنا چاہے تو نفرت بھی نہ کر سکے۔ انہیں جو قوت متحرک اور فعال رکھتی ہے وہ ان کی شدید خودستائی ہوتی ہے ویسی ہی خودستائی جیسی ایک فنکار کوئی لازوال فن پارہ تخلیق کر کے محسوس کرتا ہے یا کوئی ماں اپنا بچہ جن کر محسوس کرتی ہے''۔

ذوالفقار علی بھٹو، پاکستان کے صدر تھے، چیف مارشل لاء ایڈ منسٹریٹر تھے، قائد عوام تھے، اس کے باوجود وہ نکتہ چینی کا، اختلاف رائے کا حتیٰ کہ بری خبر تک کا برا مانتے تھے۔ بعض لوگوں کو اپنے بڑے پن کا خبط اور جنون ہو جاتا ہے، ان میں بھی ایسے ہی جنون کی علامات ظاہر ہونے لگی تھیں۔ مثلاً ہر وقت اپنے میں گم رہنا، ہر ایک پر شک وشبہ کرنا، ہر ایک سے حسد میں جلنا، ہر ایک کی بات کا جلدی سے برامان جانا، اور اپنے آپ کو عام آدمیوں سے مختلف اور بہت بڑا محسوس کرنا۔ وہ اوروں کے اغراض اور رویوں پر تو نکتہ چینی کرتے لیکن نہیں وہی اغراض اور وہی رویے اپنے اندر نظر نہ آتے، وہ بڑی آسانی سے اپنے کسی دوست یا ساتھی کو دھوکہ دیدیتے اور پھر کہتے کہ وہ دوست یا ساتھی دراصل انہیں دھوکہ دینے والا تھا، حالانکہ فریب ودغا اور غداری کی نیت ان کی اپنی ہوتی، وہ اپنی عظمت کی خود فریبی میں سدا ابتلا رہتے۔ اس کے ساتھ ساتھ ان کے ذہن میں یہ وہم بھی گھر کر گیا تھا کہ دنیا کا ہر شخص انہیں ایذا پہنچانے پر کمربستہ ہے۔ اسٹالین کی طرح، ذوالفقار علی بھٹو کو بھی اپنے چاروں طرف دشمن ہی دشمن نظر آتے، حتیٰ کہ وہ اپنے قریبی سے قریبی دوستوں اور رفقائے کار کو بھی شک شبہ سے نہ بخشتے۔

اسٹالین کے بارے میں اس کی بیٹی سویتلانا لکھتی ہے :

''جب (اپنی دانست میں) حقائق کی بنا پر میرے والد کو یقین ہو جاتا کہ کوئی شخص جسے وہ اپنا اچھا واقف سمجھتے تھے ان کی توقعات پر پورا نہیں اتر رہا تو ان کی نفسیاتی کیفیت یکسر بدل جاتی۔ ان کی اصلی فطرت اپنے ظالمانہ، سنگدلانہ رنگ روپ کے ساتھ سامنے آجاتی، وہ ماضی کو بالکل فراموش کر دیتے، سالہا سال کی دوستی، مشترک مقصد کے لئے شانہ بہ شانہ رفاقت سب کالعدم ہو جاتی، وہ لمحہ بھر میں ہر بات کو اپنے ذہن سے محو کر دیتے اور وہ شخص گردن زدنی ہو جاتا، ایسا لگتا جیسے کوئی شیطان کوئی ابلیس کوئی عفریت سرگوشی کرتا : اچھا تو تم نے مجھ سے دغا کی ہے۔ اب میرا تمہارا کوئی واسطہ نہیں اب میں تمہیں جانتا تک نہیں''۔

اگرچہ مندرجہ بالا الفاظ تو اسٹالین کی بیٹی نے اسٹالین کے بارے میں لکھے ہیں لیکن ان الفاظ سے ذوالفقار علی بھٹو کی شخصیت کی ان کے کردار کی بھی پوری پوری عکاسی ہوتی ہے۔

رچرڈ نکسن کی طرح، ذوالفقار علی بھٹو بھی "پیچ دار تھے، جوڑ توڑ کے آدمی تھے، ایک ان دیکھی ان جانی قوت انہیں دھکیلتی رہتی تھی، وہ الزام تراشی میں گرما کی آندھی کی طرح تند و تیز تھے اپنی نفرتوں میں وہ شدید تھے۔وہ اپنی ذات میں گم، کاذب اور شکی مزاج تھے۔ ایک طرف تو وہ یہ سب کچھ تھے لیکن اس کے ساتھ ساتھ وہ دوسروں کا دل موہ لینے کی صلاحیت بھی بے پناہ رکھتے تھے، جب چاہتے تو وہ دوسروں کا لحاظ کرتے ان کے کام آتے، وہ یقیناً غیر معمولی صلاحیتوں کے حامل تھے وہ اعلیٰ درجے کا غیر معمولی ذہن رکھتے تھے، ان کا حافظہ بلا کا تھا، ان میں یہ صلاحیت بھی غیر معمولی تھی کہ وہ کسی معاملہ کو اپنی فہم و فراست کی گرفت میں لیتے وقت اس کے اجزاء میں کھو جانے کے بجائے کل کا احاطہ کر سکتے تھے خصوصاً اگر ایسا کوئی معاملہ عالمی نوعیت کا ہوتا۔ اگر داخلی معاملات میں وہ بے اصولے تھے تو خارجی امور میں وہ بے مثل وزیر خارجہ بھی تھے، آخر ان میں یہ تضادات کیوں تھے بلا شبہ ان کی شخصیت میں بڑے پیچ و خم تھے۔

الغرض، رچرڈ نکسن کی طرح، ذوالفقار علی بھٹو بھی

"عظیم تھے اتنے عظیم جتنا کوئی بھی بلا نیکی، بلا اصول ہو سکتا ہے، وہ زیرک تھے اتنے زیرک جتنا کوئی بھی بلا عجز و انکسار، بلا تحمل و برداشت بلا لحاظ و مروت، زیرک ہو سکتا ہے"

پاکستان میں ذوالفقار علی بھٹو جیسا پہلودار شخص عرصہ دراز تک نظر نہیں آئے گا، یقیناً ذوالفقار علی بھٹو ہونا بھی کس قدر صبر آزما رہا ہوگا۔

میں پہلے ذکر کر چکا ہوں کہ جون ۱۹۶۶ میں جس روز ایوب خان نے ذوالفقار علی بھٹو کو اپنی کابینہ سے نکال دیا تھا اور میں اور غلام اسحٰق خان، ذوالفقار علی بھٹو سے ان کی سول لائنز راولپنڈی والی رہائش گاہ میں ملے تھے تو اس وقت کیا دوست کیا دشمن بہت سے لوگوں کا خیال تھا کہ ذوالفقار علی بھٹو کی سیاسی زندگی ختم ہو گئی، بہت سے لوگوں کا خیال تھا کہ اب وہ محض شراب پی کر دل بہلائیں گے یا اس قسم کی کوئی اور راہ فرار اختیار کر کے اپنا غم غلط کریں گے، کچھ لوگوں نے تو ان کی سیاسی موت پر مرثیہ بھی لکھ ڈالا تھا، لیکن ذوالفقار علی بھٹو شراب میں ڈوب کر اپنے تاریخی کردار سے دست بردار ہونے کو ہرگز تیار نہ تھے، انہوں نے اسی وقت سے اپنے مستقبل کا تانا بانا بننا شروع کر دیا تھا۔ سیاسی اعتبار سے ان کی دوسری زندگی ان کی نئی زندگی کوئی معجزہ نہ تھی، قدرت نے انہیں جن بے پناہ اور غیر معمولی صلاحیتوں سے نوازا تھا انہوں نے اپنی ان صلاحیتوں کو نہایت ذہانت و لیاقت سے استعمال کیا، انہوں نے انتھک محنت کی، انہوں نے غیر معمولی ہمت و جرأت دکھائی، انہوں نے ایوب خان کو نہایت بے رحمی سے ہدف تنقید بنایا اور اس طرح وہ اقتدار کھونے کے بعد دوبارہ اقتدار حاصل کرنے کے اپنے مقصد میں کامیاب ہو گئے۔

سوال یہ پیدا ہوتا ہے کہ باایں ہمہ، ذوالفقار علی بھٹو سے کیا غلطی ہوئی؟ کہاں ہوئی؟ ذوالفقار علی بھٹو کا جو انجام ہوا کیا وہ ناگزیر تھا؟ کیا انکا انجام اٹل تھا؟ ڈیگال کو جب فرانس میں اقتدار اعلیٰ ملا تھا تو اس نے اپنے اقتدار کو مستحکم کیا تھا، ذوالفقار علی بھٹو پاکستان میں اپنے اقتدار کو استحکام نہ بخش سکے، اپنے اقتدار کے نقطہء عروج پر پہنچ کر وہ اتنے مغرور اتنے متکبر ہو گئے تھے کہ پہچانے نہ جاتے تھے۔ وہ، وہ ذوالفقار علی بھٹو نہ رہے تھے جن سے میں پہلی بار پشاور میں ۱۹۵۹ میں ملا تھا۔ وہ اب جابر بن چکے تھے، اب وہ اختلاف رائے ذرا بھی برداشت نہ کر سکتے تھے۔ کوئی ان سے ملنے جاتا تو ڈرتے ڈرتے جاتا کہ ان سے ملنے کے بعد اس کی عزت نفس بچ بھی سکے گی یا نہیں۔ اختیار بگاڑتا ہے مکمل اختیار مکمل بگاڑتا ہے۔ لیکن بعضوں کا مکمل بگاڑ بھی دوسروں کے مکمل بگاڑ سے کہیں زیادہ کامل ہوتا ہے۔ پاکستان کے عوام نے ذوالفقار علی بھٹو کو اپنا ہیرو اپنا مرد غازی مانا تھا۔ ان کا ایمان تھا کہ وہ ان کے آدرشوں ان کے خوابوں میں برابر کا شریک ہے۔ انہی عوام کو ذوالفقار علی بھٹو نے مایوس کیا تھا۔ کسی زمانے میں یہی عوام اس کے اقتدار کی اساس تھے، جیسے ہی وہ اساس نہ رہی، ذوالفقار علی بھٹو سب سے الگ تھلگ، تن تنہا، اور فوجیوں کے رحم و کرم پر رہ گئے۔

دوسری جنگ عظیم کے دوران (۱۹۳۹ تا ۱۹۴۵) سر ونسٹن چرچل برطانیہ کے وزیراعظم تھے انہوں نے برطانیہ کے دشمنوں کو شکست اور برطانیہ کو فتح و نصرت سے ہم کنار کرانے کے لئے اپنی وزارتِ عظمیٰ کے اختیارات کو بھرپور طریقے سے استعمال کیا۔ ان کا کہنا ہے:

"اختیارات کو اگر اپنے ہم جنسوں پر حکم چلانے یا اپنا ذاتی طمطراق بڑھانے کے لئے استعمال کیا جائے تو ایسا کرنا یقیناً ایک لعنت ہے۔ لیکن انہی اختیارات کو قومی مفادات کے فروغ کیلئے صائب احکام جاری کرنے کے لئے استعمال کیا جائے تو ایسا کرنا یقیناً ایک رحمت ہے"

سر ونسٹن چرچل سوا پانچ سال برسر اقتدار رہے۔ جب انہوں نے اقتدار چھوڑا انھیں یہ اطمینان تو تھا کہ برطانیہ کے دشمن غیر مشروط طور پر ہتھیار ڈال چکے ہیں۔ ان کے برعکس ذوالفقار علی بھٹو نے جب اقتدار چھوڑا، ان کی جان پر بنی ہوئی تھی، وہ اپنے سیاسی مخالفوں سے برسرپیکار تھے اور اس محاذ آرائی میں ان کے سیاسی مخالف، عوام کو ان کے خلاف سڑکوں پر لے آئے تھے۔ ذوالفقار علی بھٹو کے سارے خواب چکنا چور ہو چکے تھے، ان پر الزام لگ رہے تھے کہ انہوں نے مارچ ۱۹۷۷ میں ہونے والے عام انتخابات میں دھاندلی کروائی تھی، اقتدار ان کے ہاتھوں سے نکلا جارہا تھا لیکن وہ اقتدار سے چمٹے ہوئے تھے، دوسری جنگ عظیم کے دوران سر ونسٹن چرچل کی وزارتِ عظمیٰ کے جلیل القدر اور عظیم الشان کارناموں کے باوجود، جنگ کے بعد ہونے والے برطانوی انتخابات میں برطانوی ووٹروں نے سر ونسٹن چرچل سے اقتدار واپس لے لیا لیکن صرف اس حد تک کہ انہیں ملک کا نظم و نسق چلانے کے عمل سے خارج کر دیا۔ اس کے برعکس ذوالفقار علی بھٹو کے پاس تو سر ونسٹن چرچل کے سے کارہائے نمایاں بھی نہ تھے، ان کا حشر عبرتناک ہوا۔ انہیں حکومت

سے برطرف کیا گیا، انہیں گرفتار کیا گیا، انہیں قید تنہائی میں ڈالا گیا، ان پر قتل کا مقدمہ چلایا گیا اور انہیں اسٹریچر پر ڈال کر زبردستی تختہ دار تک پہنچایا گیا۔

فوج کو ذوالفقار علی بھٹو کو اقتدار سے الگ کرنے کے لئے لمبے چوڑے انتظامات کی ضرورت نہ تھی، فرانس کے ۱۹۶۸ کے اور پاکستان کے ۱۹۷۷ کے واقعات سے ظاہر ہوتا ہے کہ ریاست جدید کے حفاظتی انتظامات (مثلاً فوج) کو عوامی احتجاجات سے شکست نہیں دی جاسکتی خواہ ایسے احتجاجات کتنے ہی شدید اور کتنے ہی طویل کیوں نہ ہوں۔ پاکستان قومی اتحاد پی این اے اکیلا چاہے کتنا ہی زور لگالیتا، ذوالفقار علی بھٹو کی حکومت کا تختہ نہیں الٹ سکتا تھا، لیکن جب پی این اے کے علاوہ مسلح افواج، حفاظتی ایجنسیاں، بیوروکریسی، پولیس اور حتی کہ ان کی اپنی پارٹی، یہ سب بھی ان کے خلاف ہو گئے تو ان کا بچنا محال تھا۔ سچ پوچھیے تو ذوالفقار علی بھٹو کی پھانسی کے بعد کی ممکنہ صورتِ حال سے نمٹنے کے لئے ہم نے لمبے چوڑے جو انتظامات کئے تھے وہ یکسر غیر ضروری تھے۔

باب۔ ۵

محمد ضیاء الحق

جب فرینکلن ڈی روزویلٹ امریکی صدر کا انتقال ہوا تو نیویارک ٹائمز نے اپنے تعزیتی ادارے میں لکھا :

"(فرنیکلین ڈی روزویلٹ) غریبوں، عاجزوں اور خاک نشینوں کی پریشانیوں اور کامیابیوں، ان کی مایوسیوں اور امیدوں میں جو برجستہ اور بے ساختہ دلچسپی لیا کرتا تھا وہ ایسی فطری تھی جیسے کوئی ذی روح سانس لے، افسوس کہ آج وہ بے ساختگی وہ بے تکلفی ہم سے رخصت ہوگئی"

دورِ حاضر کے تمام لیڈروں میں، بالخصوص ان چھ صدورِ پاکستان میں جن کا میں نے اس کتاب میں ذکر کیا ہے صرف محمد ضیاء الحق ہی مندرجہ بالا قسم کے خراجِ تحسین کے میرے نزدیک مستحق ہوں گے۔

محمد ضیاء الحق کا انتقال ۱۷ اگست ۱۹۸۸ کو C-130 جہاز کے حادثہ میں ہوا، اسلام آباد میں انہیں دفنایا گیا۔ ان کے جنازے میں جذباتِ رنج والم کا جیسا بھرپور اور بے ساختہ مظاہرہ دیکھنے میں آیا ویسا پاکستان کی تاریخ میں مسٹر جناح کے کراچی میں جنازے (۱۲ ستمبر ۱۹۴۸) کے بعد گذشتہ چالیس سال میں دیکھنے میں نہیں آیا تھا۔ انہیں اسلام آباد کی فیصل مسجد کے نزدیک دفنایا جانا تھا، اس روز میں نے فیصل مسجد اسلام آباد کے چاروں طرف انسانوں کا ٹھاٹھیں مارتا ہوا سمندر دیکھا۔ جنرل محمد ضیاء الحق کو الوداع کہنے ہزاروں کی تعداد میں لوگ جمع ہوگئے، وہ آئے تھے کھیتوں سے کھلیانوں سے، اسلام آباد سے راولپنڈی سے، ان میں پاکستان کی سرحد سے اس پار کے پشتون بھی تھے ازبک بھی تھے، تاجک بھی تھے مجاہدین بھی تھے یعنی وہ لوگ جن کے ملکوں سے روس کو نکالنے میں جنرل محمد ضیاء الحق نے مدد دی تھی، وہ ہزاروں کی تعداد میں اپنے محسن کو آخری نذرانہ عقیدت پیش کرنے جمع ہوگئے تھے۔

فرنیکلین ڈی روزویلٹ کی طرح جنرل محمد ضیاء الحق بھی اپنے ملنے والوں کی ضرورتوں کو ہمدردی سے

صدر محمد ضیاء الحق

محسوس کر لیا کرتے تھے۔ جنرل ضیاء الحق سے ملنے والے محسوس کرتے کہ جنرل ضیاء ان کے اور ان کے اہل و عیال کے دکھ درد میں مخلصانہ دلچسپی رکھتے ہیں، جنرل محمد ضیاء الحق اپنا دکھ درد بلا جھجک دل کھول کر بیان کرنے کے معاملہ میں اپنے سے ملنے والوں کی حوصلہ افزائی کرتے، وہ اپنے سے ملنے والوں کی باتیں نہایت توجہ نہایت غور سے سنتے اور انہیں احساس دلاتے کہ وہ (جنرل ضیاء) ان کے دکھ درد کو سمجھتے ہیں اور یہ کہ وہ، ان کا دکھ درد مٹانے، انہیں مشکلات سے نکالنے ان کے مسائل حل کرنے کے سلسلے میں ہر ممکن کوشش کریں گے۔

جنرل محمد ضیاء الحق سب کی باتیں نہایت تحمل سے سنتے۔ وہ بات کرنے والے کو احساس دلاتے جیسے وہ انہیں کوئی بہت اہم اور مفید بات بتلا رہا ہے۔ پھر وہ اس سے کہتے: کیوں نہ آپ اپنی بات کو قلم بند کر کے نوٹ کی شکل میں مجھ کو بھجوا دیں۔ جب وہ نوٹ ان تک پہنچ جاتا تو اس کے پڑھنے کی نوبت تو شاید ہی کبھی آتی ہو لیکن نوٹ بھیجنے والے کا دل ہلکا ہو جاتا اسے تسلی سی ہو جاتی کہ اس کی بات سربراہ مملکت تک پہنچ گئی ہے۔
جنرل محمد ضیاء الحق مختلف معاملات میں آپ سے صلاح مشورہ کرتے، آپ کا مشورہ غور سے سنتے اور جب آپ ان سے مل کر ان سے رخصت ہوتے تو آپ محسوس کرتے جیسے آپ کوئی بڑا کارنامہ سر انجام دیکر رخصت ہو رہے ہیں، اگر آپ جنرل محمد ضیاء الحق کو وہ بات نہ بتلاتے جو وہ سننا چاہتے تھے بلکہ وہ بات بتلاتے جو انہیں سننا چاہیے تھی تو وہ کبھی اس کا برا نہ مانتے، کبھی ناگواری کا اظہار نہ کرتے۔

جنرل محمد ضیاء الحق خود زیادہ باتیں نہیں کرتے تھے لیکن کابینہ کی میٹنگوں میں پیچیدہ مسائل پر طویل بحث مباحثہ سننے میں انہیں بہت لطف آتا تھا۔ مختلف آراء کے ٹکراؤ، متضاد نقطہ ہائے نظر کے تصادم سے بھی وہ بہت محظوظ ہوتے، وہ ہر ایک کو بولنے کا موقع دیتے، ہر ایک کی بات سنتے، جب وہ اکتا جاتے یا محسوس کرتے کہ بحث مباحثہ ضرورت سے زیادہ طویل ہو گیا ہے تو وہ بحث مباحثہ کا سلسلہ توڑنے کی بجائے اونگھ جاتے۔

کابینہ کی میٹنگوں کے دوران ایک اردلی نہایت باقاعدگی سے وقت مقررہ پر کمرے میں آتا انہیں یاد دلاتا کہ ظہر کی نماز کا وقت ہو گیا ہے، وہ میٹنگ سے اٹھتے اور دو ایک آدمیوں کے ساتھ پریزیڈنسی کی مسجد کی طرف چل پڑتے، نماز کے دوران بہت سے بے نمازی ادھر ادھر لان میں ٹہلتے رہتے جنرل ضیاء ان بے نمازیوں کو دیکھتے لیکن نہ انہیں نماز پڑھنے پر مجبور کرتے نہ ان کے نماز نہ پڑھنے کا برا مانتے۔

روس کے اسٹالین اور جرمنی کے ہٹلر کی طرح پاکستان کے جنرل محمد ضیاء الحق بھی رت جگے کے شوقین تھے، ہٹلر کی طرح وہ بھی شاید ہی کبھی دوپہر سے پہلے دفتر آئے ہوں وہ رات کو دیر تک کام کرتے حتی کہ فجر کا وقت ہو جاتا۔ پھر وہ فجر کی نماز پڑھتے اور سو جاتے۔ اکثر ایسا ہوتا کہ آدھی رات کا وقت ہے، آپ گہری نیند سو رہے ہیں، اتنے میں سبز ٹیلی فون (ہاٹ لائن) کی گھنٹی بجتی ہے، آپ ریسیور اٹھاتے ہیں۔ دوسری طرف سے ٹیلی فون آپریٹر کی آواز آتی ہے: صدر آپ سے بات کرنا چاہتے ہیں۔ اس کے بعد جنرل ضیاء لائن پر آتے

ہیں اور کہتے ہیں : معاف کیجئے گا میں نے آپ کو اس وقت تکلیف دی، آپ سو تو نہیں رہے تھے ؟ پھر وہ کوئی معمولی سی چھوٹی موٹی غیر اہم بات کر کے رخصت ہو جاتے۔

نجی معاملات میں جنرل محمد ضیاء الحق نہایت نرم دل اور ہمدرد قسم کے انسان تھے، اگر آپ اپنا کوئی ذاتی مسئلہ ان کے علم میں لے آتے تو وہ قاعدہ ضابطہ موڑ کر اور اگر ضرورت ہو تو توڑ کر بھی آپ کا مسئلہ حل کر دیتے، لوگ ان سے ڈرتے کم اور محبت زیادہ کرتے تھے۔ انہیں اپنے رفقائے کار میں جذبہ وفاداری جگانے کا ہنر خوب آتا تھا۔

الطاف گوہر کو البتہ میری مندرجہ بالا رائے سے شدید اختلاف ہے، وہ جنرل محمد ضیاء الحق کے شدید نکتہ چینوں میں سے ایک ہیں۔ وہ جنرل ضیاء کے بارے میں لکھتے ہیں :

”خاک و خاکستر سے اٹھا ایک منافق اعظم، نام اس کا تھا جنرل محمد ضیاء الحق، اس نے نوے دنوں میں عام انتخابات کروانے کا وعدہ کیا اور پھر مکر گیا : اس نے ملک میں نظام اسلام قائم کرنے کا وعدہ کیا اور گیارہ سال تک ملک کو قدامت پرستی اور فرقہ پرستی کی خار دار جھاڑیوں میں الجھائے رکھا : وہ جمہوری عمل کو بگاڑنے میں پیش رو سیاستدانوں سے بھی آگے نکل گیا، اس نے سیاستدانوں کو اس نے ملاؤں کو کبھی چالاکی سے کبھی مصنوعی عاجزی سے کبھی ریاکارانہ پاک بازی سے، اپنی مقصد براری کے لئے استعمال کیا، اس کی مسکراہٹ ظاہری تھی اس کی رعونت اور سنگدلی باطنی تھی، اس کا انجام بھی دردناک ہوا لیکن اپنے انجام تک پہنچتے پہنچتے اس نے ہر ملکی ادارے کا چہرہ مسخ کر دیا، حلیہ بگاڑ دیا۔ اور اپنی بدنیتی کے باعث، ملک کے سیاسی عمل کو اسلامی خطوط پر منظم کرنے کے سنہری موقع کو ضائع کر دیا“۔

۱۹۷۶ میں اس وقت کے وزیر اعظم ذوالفقار علی بھٹو نے لیفٹیننٹ جنرل محمد ضیاء الحق کو ان سے سینئر کئی اعلیٰ فوجی افسروں کو نظر انداز کر کے، انہیں پاکستان کی بری فوج کا سربراہ مقرر کرنے کا تاریخی فیصلہ کیا۔ میں نے جنرل محمد ضیاء الحق کی پہلی جھلک ۱۹۷۶ میں اسلام آباد کلب میں دیکھی۔ غلام اسحٰق خان کی صاحبزادی کے عقد مسنونہ کی تقریب تھی۔ غلام اسحٰق خان اس وقت وزارتِ دفاع کے سیکریٹری جنرل تھے۔ اس تقریب میں منجملہ دیگر مہمانوں کے میں اور جنرل ضیاء دونوں مدعو تھے۔ میں غلام اسحٰق خان کے خسر سرور جان کے پاس کھڑا تھا، کہ سرور جان نے جنرل ضیاء کی طرف حقارت سے اشارہ کرتے ہوئے کہا : ”وہ کھڑے ہیں ہمارے نئے کمانڈر انچیف !“ وہ مجھ کو کم از کم جسمانی ڈیل ڈول میں نہایت معمولی سی شخصیت کے آدمی لگے، خصوصاً اپنے دو پیشروؤں، ایوب خان اور یحییٰ خان، کے مقابلے میں وہ خاصے کمتر نظر آئے۔

غلام اسحٰق خان ان دنوں اسلام آباد میں مسجد روڈ کے نزدیک رہا کرتے تھے۔ میں تقریباً ہر روز ان کے ہاں جایا کرتا تھا، غلام اسحٰق خان طبعاً کم آمیز ہیں، ان کے دوست بھی کم ہیں اور وہ بن بلائے مہمانوں کی حوصلہ افزائی بھی نہیں کرتے۔ اکثر و بیشتر ہماری گفتگو کا موضوع ملک کی بگڑتی ہوئی سیاسی صورت حال ہوتا، ۲۸ اپریل ۱۹۷۷ کو میرے اور ان کے درمیان خوب گرما گرم بحث ہوئی، کیونکہ ایک روز پہلے ہی بری، بحری اور فضائی افواج کے سربراہوں اور تینوں افواج کی جوائنٹ کمیٹی کے چئیر مین کی طرف سے ایک مشترک بیان جاری ہوا تھا جس کا مضمون کچھ یوں تھا :

"پاکستان کی بری بحری اور فضائی افواج، ضابطہ عسکری کے تحت سیاست میں دلچسپی نہیں لے سکتیں، تاہم یہ افواج قوم کی ہیں، اور قومی سالمیت کی خاطر ہر خطرے سے چوکنا رہنا، ان افواج کا فرض ہے خواہ وہ خطرہ بیرونی حملے کا ہو یا داخلی انتشار کا۔ ہم یہ اعلان واشگاف الفاظ میں کرتے ہیں کہ ہماری نظر میں موجودہ حکومت پاکستان کے آئین و قوانین کے مطابق قائم ہے اور ہم اس معاملہ میں صد فیصد متحد ہیں"

اس اعلان کا مفہوم اور مدعا میرے نزدیک صریحاً یہ تھا کہ عساکر پاکستان نے ذوالفقار علی بھٹو کو گرنے سے بچانے کا فیصلہ کر لیا تھا، آٹھ سال پہلے (مارچ ۱۹۶۹ میں) ایوب خان نے یحییٰ خان سے کہا تھا کہ 'آؤ اقتدار سنبھالو، اپنی آئینی اور قانونی ذمہ داری نبھاؤ، میری حکومت بچانے کے لئے نہیں بلکہ ملک بچانے کے لئے۔'

لیکن اب (اپریل ۱۹۷۷ء میں) ایسا لگ رہا تھا جیسے عساکر پاکستان نے ایک ایسی حکومت کو بچانے کا فیصلہ کر لیا تھا جو گھیرے میں محصور تھی اور عوام کا اعتماد کھو چکی تھی۔ میں نے غلام اسحٰق خان سے کہا کہ افواج پاکستان کے سربراہوں کا مذکورہ بالا اعلان ایک ایسا اعلان ہے جس کی ہماری تاریخ میں کوئی نظیر نہیں۔ غلام اسحٰق خان نے میری بات کو سنا تو سہی لیکن وہ حسب عادت کچھ بولے نہیں خاموش رہے۔

مجھے صبح سویرے جلد اٹھنے کی عادت ہے۔ ۵ جولائی ۱۹۷۷ء کو بھی میں علی الصبح اٹھا اور ریڈیو پر ۶ بجے صبح کی خبریں سننے لگا، کیا سنتا ہوں کہ :

"عساکر پاکستان نے ملک کا نظم و نسق سنبھال لیا ہے، ایک فوجی ترجمان نے بتلایا ہے کہ ذوالفقار علی بھٹو سمیت پاکستان پیپلز پارٹی کے اور پاکستان نیشنل الائنس (پاکستان قومی اتحاد) کے چوٹی لیڈروں کو حفاظتی حراست میں لے لیا گیا ہے"۔

میں یہ خبر سن کر ہکا بکا رہ گیا، اس خبر میں یہ نہیں بتلایا گیا تھا کہ حکومت کا تختہ کس نے الٹا؟ اور کیوں الٹا؟ اس اعتبار سے جولائی ۱۹۷۷ کا یہ اعلان اکتوبر ۱۹۵۸ء اور مارچ ۱۹۶۹ء کے دونوں اعلانوں سے مختلف

تھا، اور یہ اختلاف میرے نزدیک قابل غور تھا۔ میں سوچنے لگا کہ اگر حکومت کا تختہ چیف آف آرمی اسٹاف (بری فوج کے سربراہ) نے الٹا ہے تو وہ کھل کر سامنے کیوں نہیں آرہے ؟ میں نے یہ بھی سوچا کہ کہیں عساکر پاکستان میں اقتدار کے لئے اندرونی رسہ کشی تو نہیں ہو رہی ؟ اسی قسم کے سوالات اسی قسم کے خدشات مجھ کو خائف و مضطرب کررہے تھے کہ جنرل محمد ضیاء الحق نے قوم سے ریڈیو اور ٹیلی وژن پر خطاب کر کے صورتِ حال کو واضح کر دیا : انہوں نے کہا :

"میں بلا کم و کاست اور برملا یہ بتلا دینا چاہتا ہوں کہ میرے کوئی سیاسی عزائم نہیں، فوج بھی اپنی توجہ اپنی پیشہ ورانہ ذمہ داریوں سے ہٹانا نہیں چاہتی۔ میرا واحد مقصد اکتوبر (۱۹۷۷ء) میں آزادانہ اور منصفانہ عام انتخابات کروانا ہے اور بس ! عام انتخابات کے فوراً بعد اقتدار، قوم کے منتخب نمائندوں کے حوالے کر دیا جائے گا۔ میں صدقِ دل سے آپ کو یقین دلاتا ہوں کہ میں اس پروگرام میں کسی قسم کی کوئی رد و بدل نہیں کروں گا۔"

۵ جولائی ۱۹۷۷ء کو ہی جنرل ضیاء الحق نے غلام اسحاق خان کو ترقی دیکر سیکریٹری جنرل سے سیکریٹری جنرل انچیف بنادیا اور ان کا عہدہ وفاقی کابینہ کے وزیر کے برابر کر دیا اور انہیں وفاقی اور صوبائی حکومتوں کو چلانے کے لئے مناسب کل پرزے چننے کی ذمہ داری بھی سونپ دی۔

۶ جولائی ۱۹۷۷ء کی صبح جنرل محمد ضیاء الحق نے پاکستان کی منصوبہ بندی کمیشن کے آڈیٹوریم، اسلام آباد میں وفاقی سیکریٹریوں سے خطاب کیا، اس وقت غلام اسحاق خان ان کے ساتھ تھے۔ یہ وہ ضیاء الحق نہ تھے جنہیں میں نے سال بھر پہلے ۱۹۷۶ء میں غلام اسحٰق خان کی صاحبزادی کی شادی کے استقبالیہ میں اسلام آباد کلب میں دیکھا تھا۔ اب تو وہ رسالہ کی بھڑکیلی فوجی وردی پہنے چاق و چوبند لگ رہے تھے۔ ان کے سر کے بال، ان کی بھوئیں اور انکی مونچھیں سیاہ تھیں، ان کی آنکھوں میں فولاد کی سی کیفیت تھی اور وہ قوت و خود اعتمادی کے پیکر لگ رہے تھے، انہیں دیکھ کر لگتا تھا کہ وہ اپنے گرد و پیش پر پوری طرح حاوی و غالب ہیں۔ ان کے رویہ میں نرمی تھی، ان کے لہجے میں انکساری تھی اور انکی اسی بات نے اس وقت مجھ کو سب سے زیادہ متاثر کیا۔ انہوں نے وفاقی سیکریٹریوں سے اپنے اس خطاب میں سرکاری طریق کار میں خامیوں کا ذکر کیا۔ وزارت مذہبی امور خصوصاً حج کے انتظامات کو انہوں نے اپنی تنقید کا نشانہ بنایا۔ ان کے اس خطاب سے کچھ کچھ اندازہ ہوتا تھا کہ ان کا ایجنڈا کیا ہوگا اور اس ایجنڈے میں ترجیحات کی ترتیب کیا ہوگی۔

اگلے روز یعنی ۷ جولائی ۱۹۷۷ء کو غلام اسحاق خان نے مجھے وزارت دفاع میں بلایا۔ جیسے ہی میں ان کے کمرے میں داخل ہوا انہوں نے چھٹتے ہی مجھ سے کہا۔ "چیف چاہتے ہیں کہ تم سیکریٹری وزارت داخلہ کا منصب سنبھال لو۔ ایک لمحے کے لئے میں ایکاپلکو، نورے ملیناس، کرسٹاڈی سول جیسے مقامات کے تصور

بن کھو گیا۔ میں جس منصب پر بھی تھا جو کام بھی کر رہا تھا وہ مجھے پسند تھا، مجھے معلوم تھا کہ عام حالات میں بھی وزارت داخلہ کوئی پھولوں کی سیج نہیں، اور اب جبکہ منتخب حکومتوں کو بر طرف کیا جا چکا تھا، قومی اور صوبائی اسمبلیاں توڑی جا چکی تھیں، وزیر اعظم سمیت چوٹی کے سب سیاسی لیڈروں کو حفاظتی حراست میں یا جا چکا تھا، تو وزارت داخلہ کا کام کتنا جان جوکھوں کا کام ہو گا۔ میں پہلے بھی ایسے مناصب پر فائز رہ چکا تھا جو لوگوں کی نظروں میں چبھتے ہیں۔ یحییٰ کے زمانے میں سقوط مشرقی پاکستان کے وقت دسمبر ۱۹۷۱ء میں میں سیکریٹری وزارت اطلاعات تھا۔ میرا وہ تجربہ حد درجہ دردناک رہا تھا۔ میں جانتا تھا کہ اس قسم کے اہم اور نازک عہدوں پر فائز افسروں کے اعصاب پر کتنا شدید اعصابی تناؤ رہتا ہے اور ان کے پاس اپنے لئے، دوست احباب کے لئے، اپنے اہل وعیال کے لئے کتنا کم وقت ہوتا ہے اور کتنی کم توانائی رہ جاتی ہے۔ ان تمام باتوں کے باوجود میں یہ بھی جانتا تھا کہ میں سیاستدان نہیں، سرکاری ملازم ہوں اور سرکاری ملازم کو اپنی ملازمت خود چننے کی آزادی نہیں ہوتی۔ چنانچہ میں نے غلام اسحٰق خان سے کہا "میں حاضر ہوں۔"

چند روز بعد مجھے جنرل ہیڈ کوارٹرز (بری فوج کے صدر دفتر) میں چیف آف آرمی اسٹاف اور چیف مارشل لاء ایڈمنسٹریٹر سے ملنے کے لئے بلایا گیا، میرے پیشرو سیکریٹری وزارت داخلہ (محمود علی خان چودھری) وہاں پہلے سے موجود تھے۔ ایک بلند قامت باوردی جواں سال شخص نے اپنے آپ کو "عارف" کہہ کر متعارف کرایا، پھر ہم تینوں یعنی خالد محمود عارف، محمود علی خان چودھری اور میں اندر گئے، جنرل محمد ضیاء الحق نے کھڑے ہو کر ہم تینوں سے مصافحہ کیا پھر ہم سب بیٹھ گئے۔ محمود علی خان چودھری نے جنرل محمد ضیاء الحق کو بتلایا کہ انہیں (یعنی محمود علی خان چودھری کو) جو کام سپرد کئے گئے تھے ان پر کیا کیا کارروائی کی جا چکی ہے۔ اب مجھے اندازہ ہوا کہ یہ محض تعارفی علیک سلیک نہیں یہ تو سنجیدہ کاروبار ہے، چنانچہ میں نے اپنی جیب سے اپنی بیاض نکالی اور اس میں جو جو ہدایات جنرل محمد ضیاء الحق دے رہے تھے وہ درج کر لیں۔ میں نے ایوب خان کے ساتھ بھی کام کیا تھا اور یحییٰ خان کے ساتھ بھی، لیکن جنرل ضیاء الحق کا کام کرنے کا انداز ہ ان دونوں کے کام کرنے کے انداز سے بالکل مختلف تھا۔ ان سے مل کر مجھ کو ایسا لگا کہ وہ عملی قسم کے اپنے کام سے کام رکھنے والے حقیقت پسند انسان ہیں، ان کے پاس ان کا اپنا ایجنڈا ہے اور اس ایجنڈے میں ان کی ترجیحات کی ترتیب کیا ہے وہ انہیں معلوم تھی، اپنے ایجنڈے پر وہ عمل درآمد کیسے کروائیں گے یہ بھی انہیں معلوم تھا۔

جب کچھ عرصہ بعد آرمی جی ایچ کیو راولپنڈی میں میری ملاقات دوبارہ جنرل محمد ضیاء الحق کے ساتھ ہوئی تو اسوقت غلام اسحٰق خان بھی وہاں موجود تھے۔ اس ملاقات میں منجملہ دوسری باتوں کے حیدر آباد جیل میں چلنے والے مقدمہ سازش کا ذکر بھی ہوا۔ یاد رہے کہ ذوالفقار علی بھٹو نے اپنے دور حکومت میں نیشنل عوامی پارٹی پر پابندی لگا دی تھی، اس پارٹی کے اعلیٰ پٹھان اور بلوچ عہدیداروں کو گرفتار کر کے حیدر آباد جیل

مصنف، صدر ضیاء الحق کے ساتھ

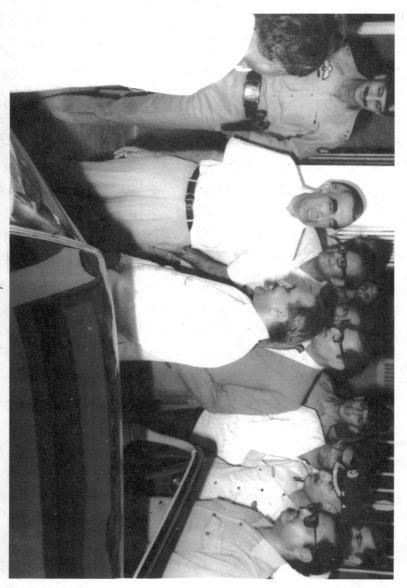

میں ڈال دیا تھا اور ان پر خصوصی عدالتوں کے تعزیراتی قانون مجریہ ۱۹۷۶ء کے تحت مقدمہ چلوادیا تھا، ذوالفقار علی بھٹو کی حکومت اور بلوچستان کے عوام کے درمیان مسلح جنگ جاری تھی، فوج بغاوت کچلنے پر مامور تھی، اور دونوں طرف کے بہت سے لوگ مارے جاچکے تھے۔ غلام اسحٰق خان نے اور میں نے جنرل محمد ضیاء الحق کو بتلایا کہ بلوچستان کے عوام بنیادی طور پر محبّ وطن ہیں۔ ذوالفقار علی بھٹو نے بلوچستان میں فوجی کارروائی اس لئے نہیں کی تھی کہ وہاں واقعی کوئی بغاوت اٹھ کھڑی ہوئی تھی بلکہ وہ فوج کے ذریعہ بلوچستان کے لوگوں کو پیپلز پارٹی کے امیدوار منتخب نہ کرنے اور پیپلز پارٹی کی صوبائی حکومت نہ بنوانے کی سزا دینا چاہتے تھے۔ چنانچہ انہوں نے بلاوجہ وجواز بلوچستان کی عوامی نیشنل پارٹی کی حکومت صرف اس لئے برطرف کردی کہ وہ پی پی پی کی نہیں تھی اور وہ کسی صوبے میں کوئی غیر پی پی حکومت برداشت نہیں کرسکتے تھے۔ پھر انہوں نے بلوچستان والوں کے خلاف فوجی کارروائی کا حکم دیدیا تھا، ہم نے جنرل ضیاء الحق کو مشورہ دیا کہ اگر آپ ذوالفقار علی بھٹو کی بلوچستان پالیسی کو ترک کردیں، حیدرآباد جیل میں بلوچ اور پٹھان لیڈروں کے خلاف چلنے والے مقدمہ سازش کو واپس لے لیں، گرفتار شدہ بلوچ اور پٹھان لیڈروں کو رہا کردیں تو صورت حال معمول پر آجائے گی۔ ہم نے انہیں یقین دلایا کہ اگر آپ ہمارے مشورے پر عمل کریں گے تو آپ کو اس پر کبھی افسوس نہیں کرنا پڑے گا۔ جنرل محمد ضیاء الحق نے جواب دیا کہ مجھے آپ کے مشورے سے اتفاق ہے لیکن مجھے اپنے فوجی ساتھیوں سے صلاح مشورہ کرنا ہوگا، بعد میں میں اور غلام اسحاق خان جب دوبارہ جنرل محمد ضیاء الحق سے ملے تو انہوں نے ہم سے کہا کہ بھئی! میرے فوجی ساتھی آپ کی بات نہیں مانتے۔ ہم نے جنرل ضیاء پر دوبارہ زور دیا کہ آپ اپنے فوجی ساتھیوں کو اپنا ہم خیال بنانے کی ایک اور کوشش کیجئے۔ اس کے بعد جب پھر جنرل ضیاء ہم سے ملے تو انہوں نے بتلایا کہ میرے فوجی ساتھی آپ کی بات مان گئے ہیں۔ چنانچہ جنرل ضیاء حیدرآباد (سندھ) گئے، وہاں سب بلوچ اور پٹھان گرفتار لیڈروں سے جیل میں ملے ان کے ساتھ دوپہر کا کھانا کھایا۔ بعد ازاں جنرل ضیاء نے حیدرآباد جیل میں چلنے والا سازش کا مقدمہ واپس لے لیا۔ مزید یہ کہ عطاء اللہ مینگل کو عارضہ قلب کے علاج کے لئے سرکاری خرچ پر بیرون ملک بھجوادیا۔ اس کا اثر ڈرامائی ہوا، حالات فوراً معمول پر آگئے، بلوچستان میں فوجی کارروائی بند کردی گئی، بلوچستان سے فوجیوں کو واپس بلالیا گیا۔ جنہوں نے حکومت کے خلاف ہتھیار اٹھائے تھے ان کے لئے عام معافی کا اعلان کردیا گیا۔ تمام سزائیں معاف کردی گئیں۔ جو جو جائیدادیں ضبط کرلی گئیں تھیں وہ ان کے سابقہ مالکوں کو واپس کردی گئیں۔ بلوچستان نے پھر کبھی جنرل ضیاء الحق کو پریشان نہیں کیا۔ جب تک ان کی حکومت رہی، بلوچستان میں امن وامان کا دور دورہ رہا۔ اگر جنرل ضیاء، ذوالفقار علی بھٹو والی بلوچستان پالیسی پر عمل پیرا رہتے تو اس کے نتائج نہایت خطرناک اور تباہ کن ہوسکتے تھے، لیکن اس کی بجائے جنرل ضیاء نے بلوچستان میں وہی کیا جو ڈیگال نے الجیریا میں کیا تھا اور بہ یک جنبش قلم مخاصمت کو مفاہمت میں بدل کر بلوچستان کے

باشندوں کے دل جیت لئے، اور اس طرح دشمنان پاکستان کے مذموم عزائم خاک میں ملا دیئے۔ انہیں اپنے اس جرات مندانہ فیصلہ پر کبھی افسوس نہیں کرنا پڑا۔ جنرل ضیاء نے اپنے دور اقتدار میں جتنے فیصلے کئے ان میں بلوچستان میں امن وامان کی بحالی کا فیصلہ ان کا سب سے زیادہ کار آمد اور مثبت فیصلہ تھا بلکہ اگر یہ کہا جائے کہ یہ فیصلہ اقتدار کے زیرک اور ہوش مند استعمال کا شاہکار تھا، تو بے جا نہ ہوگا۔

البتہ اپریل ۱۹۷۹ء میں ذوالفقار علی بھٹو کو تختہ دار پر بھیجنے کا فیصلہ ان کا اپنا سوچا سمجھا فیصلہ تھا جس کے عواقب و نتائج کو انہوں نے اپنے نقطہ نگاہ سے مد نظر رکھا ہو تو رکھا ہو لیکن میرے نزدیک یہ فیصلہ کرتے وقت اس پہلو کو بالکل نظر انداز کر دیا گیا تھا کہ اس فیصلہ پر عمل درآمد سے درون ملک اور بیرون ملک رد عمل کیا ہوگا اور پاکستان کی کس قدر بدنامی ہوگی۔ درون ملک تو انہون نے خبردار کر دیا تھا کہ جو بھی آڑے آیا، یا ہٹا دیا جائے گا یا کچل دیا جائے گا۔ مجھے یاد ہے کہ ذوالفقار علی بھٹو کی پھانسی کے بعد جب جنرل محمد ضیاء الحق پہلی مرتبہ کیبنٹ روم میں وفاقی کابینہ کے اجلاس کی صدارت کرنے آئے تھے تو وہ کمرے میں اکڑ کر داخل ہوئے تھے، ان کے سر کے بال معمول سے زیادہ سیاہ لگ رہے تھے، ان کی آنکھوں سے فولادی قوت اور خود اعتمادی پھوٹی پڑ رہی تھی، ایسی کہ اس سے پہلے میں نے ان میں کبھی نہیں دیکھی تھی۔ اس روز ہمیں اندازہ ہو گیا کہ اب تو ان کے اقتدار کو للکارنے والا کوئی باقی نہیں رہا لہذا اب ان کا سایہ ہمارے سروں پر تادیر رہے گا۔

پی پی پی کے بارے میں خوب سوچ سمجھ کر یہ پالیسی بنائی گئی کہ اس پارٹی کے لیڈروں اور کارکنوں کا چن چن کر پیچھا کیا جائے، انہیں ہراساں کیا جائے کسی سے کوئی رعایت نہ برتی جائے۔ اس پالیسی پر سختی سے عمل بھی کیا گیا، بس اس دن سے جنرل ضیاء اور پی پی پی میں بغیر اعلان کے جنگ چھڑ گئی۔ جنرل ضیا نے اپنے دل میں فیصلہ کر لیا تھا کہ چاہے کچھ ہو وہ پی پی پی کو تو کسی طرح اقتدار میں نہ آنے دیں گے۔ ان میں اتنی سوجھ بوجھ تو تھی کہ اگر ان کے جیتے جی پی پی پی برسر اقتدار آ گئی تو ان کا کیا حشر کرے گی، ان کا ایمان تھا کہ پی پی پی سے خطرہ صرف ان کی ذات کو نہیں پورے پاکستان کو ہے، انہیں یقین کامل تھا کہ پاکستان اور پی پی پی ایک دوسرے کی ضد ہیں اور ایک ساتھ زندہ نہیں رہ سکتے۔ انہیں یہ بھی یقین تھا کہ ذوالفقار علی بھٹو کو تختہ دار پر چڑھا کر انہوں نے ایک بہت بڑی قومی خدمت سرانجام دی ہے۔ ان کے اس یقین کو ذوالفقار علی بھٹو کے سیاسی دشمنوں اور نام نہاد جمہوریت پسندوں نے اور تقویت پہنچائی، خوشامدی چاپلوس لوگوں نے جنرل ضیاء کے گرد گھیرا ڈال لیا تھا اور ان کے کانوں میں وہی باتیں ڈالتے تھے جو جنرل ضیاء سننا چاہتے تھے۔ مثلاً یہ لوگ کہتے تھے۔ ”حضور! پاکستان کے مسئلہ کا حل، عام انتخابات تو نہیں۔ حضور! انتخاب سے پہلے پی پی پی کا احتساب ضروری ہے۔ (انہوں نے کبھی یہ نہیں کہا کہ حضور! ہمارا احتساب بھی ہونا چاہئے) یہ بھی عجیب بات ہے کہ ۱۹ سال بعد جب ۴ نومبر ۱۹۹۶ء کو بے نظیر بھٹو کی حکومت برطرف ہوئی اور سوال اٹھا کہ

انتخاب پہلے ہوں یا احتساب، تو ان لوگوں نے اپنی پوزیشن بالکل بدل دی اور کہنا شروع کر دیا، پہلے انتخاب پھر احتساب!

کچھ لوگوں نے جنرل ضیاء الحق کو مشورہ دیا۔

- حضور! ویسٹ منسٹر ایبے کی قسم کے مغربی جمہوری طرز حکومت کو ختم کر دیں۔
- حضور! پاکستان کے آئین میں اسلامی خطوط پر بنیادی تبدیلیاں کر کے خود امیر المومنین بن جائیں۔
- حضور! پاکستان کو آپ سے بہتر حکمران کہاں مل سکتا ہے۔ ملک میں انتخابات کوئی نہیں چاہتا۔
- حضور! انتخاب اور انتقال اقتدار کا مطالبہ صرف گنتی کے چند اعلیٰ افسروں کا مطالبہ ہے، عوامی مطالبہ نہیں ہے۔

جنرل محمد ضیاء الحق کے کانوں کو اس قسم کی باتیں سہانے راگ کی طرح نہایت میٹھی اور دل آویز لگتیں۔ سچ تو یہ ہے کہ جنرل ضیاء کے دل میں آئین اور جمہوریت کے لئے سوائے تحقیر و تضحیک کے اور کچھ نہ تھا۔ اس کا ثبوت انہوں نے تہران میں ایک اخباری کانفرنس میں دیا۔ انہوں نے کہا۔

"آئین۔ آئین۔ آئین ہے کیا؟ دس بارہ صفحوں کا کاغذی پرزہ جسے میں جب چاہوں پھاڑ کر پھینک دوں۔ اگر میں آج اعلان کر دوں کہ کل سے ہم کسی مختلف نظام کے تحت زندگی بسر کریں گے تو مجھ کو کون روک سکتا ہے؟ میں جس طرف چاہوں سب اسی طرف چلیں گے۔ ذوالفقار علی بھٹو کسی زمانے میں بڑے تیس مار خان سورما ہوا کرتے تھے وہ بھی اور باقی سب سیاستدان بھی دم ہلاتے میرے پیچھے پیچھے چلیں گے۔"

تقریباً دو سو سال پہلے بھی تاریخ عالم میں ایک طالع آزما نمودار ہوا تھا۔ اس نے دنیا کے امن کو پارہ پارہ اور یورپ کو تباہ و برباد کر دیا تھا۔ اس کا نام نپولین بوناپارٹ تھا۔ اس سے پہلے موریوڈی لیون نے پوچھا تھا: "پھر آئین کا کیا ہو گا۔؟ نپولین نے غصہ سے جواب دیا تھا۔ آئین۔ آئین ہے کیا؟ ملبے کا ڈھیر! کیا اسے مختلف پارٹیوں نے کھیل تماشہ نہیں بنا دیا؟ جب سے یہ بنا ہے اس کے نام پر پے در پے مظالم نہیں ڈھائے گئے؟ اور کیا مظالم انہوں نے ہی نہیں ڈھائے جو ایک طرف اس سے وفاداری کا دم بھرتے ہیں اور دوسری طرف مفاہمت حقارت اور غیض و غضب سے عوام کے حقوق کو پامال کرتے ہیں۔ میں ایک فوجی ہوں اور فوجی کی طرح صاف گوئی سے کام لے رہا ہوں۔"

ذوالفقار علی بھٹو کی پھانسی کے بعد سیاسی سرگرمیاں ماند پڑ گئیں، پی پی پی کے سب ممتاز لیڈر منظر عام سے غائب ہو گئے، کچھ روپوش ہو گئے، کچھ نے نئے حالات سے سمجھوتہ کر لیا۔ ذوالفقار علی بھٹو اپنی قبر میں ابدی نیند سو رہے تھے، ان کی بیگم نصرت بھٹو اور ان کی بیٹی بے نظیر بھٹو جیل میں اپنی زندگی کے دن گزار رہی تھیں، ان تینوں کی عدم موجودگی میں پی پی پی کے کسی قابل ذکر لیڈر کو نہ یہ توفیق ہوئی نہ ہمت کہ وہ عوام کو

منظم کرتا، انہیں گلی کوچوں میں لاتا انہیں سڑکوں پر لاتا، مارشل لاء کا سامنا کرتا مارشل لاء کا مقابلہ کرتا۔ بلکہ ہم نے ایسی ممکنہ صورت حال سے نمٹنے کے لئے جو لمبے چوڑے انتظامات کئے تھے وہ تو سب بیکار گئے انہیں آزمانے کا موقع ہی نہ آیا۔ میں سمجھتا ہوں کہ کہ ذوالفقار علی بھٹو کو سب سے زیادہ دھچکا، صدمہ اور رنج جس بات سے ہوا ہوگا وہ یہ رہی ہوگی کہ ان کی اشد ضرورت کے وقت ان کی پارٹی انہیں دغا دے گئی۔ لیکن اس کے ذمہ دار بھی وہ خود ہی تھے۔ اپنے پانچ سالہ دور اقتدار میں انہوں نے لوگوں کے دل نہیں جیتے تھے ان کی پارٹی اب وہ پارٹی نہیں رہی تھی جو کبھی عوام کی پارٹی کہلاتی تھی۔ صرف چند لوگ ان کے ارد گرد رہ گئے تھے وہ بھی دل ہی دل میں اس فکر میں رہتے کہ کب ذوالفقار علی بھٹو راستے سے ہٹیں اور وہ ان کی جگہ لیں۔ جب اصل آزمائش کی گھڑی آئی تو سب ان کا ساتھ چھوڑ گئے۔ سوائے ان کے اپنے خاندان کے گنے چنے افراد کے، ملک میں نہ کہیں جلوس نکلے نہ احتجاجی مظاہرے ہوئے، ہم لوگوں کو امن عامہ پر نظر رکھنے کی ذمہ داری سونپی گئی تھی، جب کچھ بھی نہ ہوا تو ہم سب حیران رہ گئے۔ کاش پی پی پی والوں کو معلوم ہوتا کہ ہم کتنے فکر مند تھے اور دعائیں مانگ رہے تھے کہ ملک میں خصوصاً بڑے بڑے شہروں میں عوام اور سکیورٹی ایجنسیوں کے درمیان کوئی سنگین جھڑپ نہ ہو، اگر مزاحمت سنگین ہو جاتی، اگر مڈ بھیڑ اور مقابلے میں خون بہہ جاتا تو شاید پاکستان کی تاریخ مختلف ہوتی۔

۱۹۸۱ء میں جب سیاستدانوں کے ہوش کچھ ٹھکانے آئے تو انہیں اندازہ ہوا کہ جنرل ضیاء تو انتقال اقتدار کا کوئی ارادہ نہیں رکھتے۔ ان کا تو اپنا الگ سیاسی ایجنڈا ہے جس میں انتقال اقتدار کا ذکر نہیں۔ چنانچہ فروری ۱۹۸۱ء میں بارہ سیاسی پارٹیوں نے تحریک برائے بحالی جمہوریت کی بنیاد ڈالی۔ ان بارہ پارٹیوں میں ہر عقیدے کی سیاسی پارٹی شامل تھی، حتی کہ پی پی پی بھی تھی۔ ان بارہ پارٹیوں میں قدر مشترک حکومت کی مخالفت اور بحالی جمہوریت تھی۔ اس تحریک کی طرف سے اعلان ہوا کہ ۱۴ اگست ۱۹۸۳ء سے ملک بھر میں احتجاجی اجتماعات منعقد کئے جائیں گے۔

میری تجویز پر حکومت نے ایک جوائنٹ سکیورٹی کمیٹی قائم کر دی۔ میں اس کمیٹی کا چیئرمین تھا اور دوسرے ممبر تھے، تمام صوبائی ہوم سکریٹری صاحبان، تمام صوبائی اسپیشل (خفیہ) برانچوں کے سربراہ صاحبان، انٹیلی جنس بیورو کے ڈائریکٹر اور انٹر سروسز انٹیلی جنس کے ڈائریکٹر جنرل۔ اس کمیٹی کے فرائض تھے۔

- ہمہ وقت امن و امان کی صورت حال پر نظر رکھنا،
- آنے والے ممکنہ حالات کا اندازہ لگانا، خفیہ پیشن گوئیاں کرنا اور احتیاطی تدابیر اختیار کرنا،
- صدر کو اور وفاقی کابینہ کو ہمہ وقت حالات سے باخبر رکھنا۔

تحریک برائے بحالی جمہوریت نے احتجاجی اجتماعات اور مظاہروں کے لئے لوگوں کو جو دعوت دی تھی

اس سے پیدا ہونے والے ممکنہ نقضِ امن سے نمٹنے کے لئے مذکورہ کمیٹی کے کئی اجلاس ہوئے، حکومت سندھ کا موقف تھا کہ انہیں کسی سنگین نقض امن کا خطرہ نہیں۔ باقی تینوں حکومتیں۔ پنجاب، سرحد اور بلوچستان زیادہ محتاط تھیں۔ اور انہوں نے ممکنہ گڑبڑ سے نمٹنے کے لئے انتظامات بھی پورے کر لئے تھے۔

تحریک برائے بحالی جمہوریت نے احتجاجی اجتماعات اور مظاہروں کے پروگرام کا آغاز ۱۴ اگست ۱۹۸۳ء کو مقرر کیا تھا۔ اس تاریخ سے ایک ہفتہ پہلے وفاقی کابینہ میں اس بارے میں سیر حاصل بحث ہوئی، صوبائی حکومتوں کے نمائندوں اور خفیہ ایجنسیوں کے سربراہوں نے اپنی اپنی رپورٹیں دیں اور صوبائی گورنروں نے جو صوبائی مارشل لاء ایڈمنسٹریٹر بھی تھے ان پارٹیوں سے اتفاق کیا، خصوصاً سندھ کے اس وقت کے صوبائی گورنر اور مارشل لاء ایڈمنسٹریٹر لیفٹیننٹ جنرل محمد صادق عباسی نے ہمیں اطمینان دلایا کہ سندھ میں گڑبڑ نہیں ہوگی اور امن وامان قائم رہے گا۔ لیکن ہمیں اس وقت شدید دھچکا لگا جب سندھ میں اس زور و شور سے ہنگامے شروع ہوئے جیسے کوئی کوہ آتش فشاں پھٹ پڑا ہے، شہری علاقے تو عام طور پر پرامن رہے لیکن اندرون سندھ، دیہاتی علاقوں میں سندھی کاشتکار احتجاجی جلوسوں میں شامل ہو کر دیدہ دلیری سے احکام امتناعی کی خلاف ورزی کھلم کھلا کر رہے تھے، اور نہایت نڈر ہو کر بے باکی سے فرنٹیئر کانسٹیبلری، فرنٹیئر کور اور دیگر سکیورٹی ایجنسیوں کا سامنا کر رہے تھے، ان کی مزاحمت کر رہے تھے۔ ایسا تو پہلے نہ کبھی سننے میں آیا تھا نہ دیکھنے میں، یقین نہیں آتا تھا کہ ایسا بھی ہو سکتا ہے۔ ایک اور دلچسپ بات یہ تھی کہ اس تحریک میں اخلاقی اعتبار سے، سیاسی اعتبار سے اور مادی اعتبار سے سندھی کاشتکاروں کے ساتھ ساتھ سندھی وڈیرے بھی تحریک کا ساتھ دے رہے تھے۔ پہلے تو سندھی وڈیرے ہمیشہ حکومت وقت کا ساتھ دیا کرتے تھے اور احتجاجی جلسوں جلوسوں مظاہروں ہنگاموں سے اپنے آپ کو دور رکھا کرتے تھے۔ ہمارے سب مفروضے غلط ثابت ہوئے۔ ہماری سب پیش گوئیاں غلط ثابت ہوئیں۔ ذوالفقار علی بھٹو کی بدولت اب سندھ پہلے والا سندھ نہ رہا تھا۔ اب وہ بدل چکا تھا، اب وہاں سیاست کا غلبہ تھا، اب اس کا شعور پہلے سے زیادہ بلند ہو چکا تھا اور ہم سب اس سے بے خبر تھے، لاعلم تھے۔

ملک کے دوسرے حصوں مثلاً پنجاب، سرحد اور بلوچستان کو البتہ تحریک برائے بحالی جمہوریت زیادہ متاثر نہ کر سکی۔ ہوا یہ کہ چونکہ تحریک کی سب سے زیادہ شدت اندرون سندھ میں تھی تو باقی تینوں صوبوں، خصوصاً پنجاب کے کان کھڑے ہوئے۔ انہیں ایسا لگا جیسے یہ تو سندھ کے احساس محرومی کی شکایت کے ازالے کے لئے کوئی سندھی تحریک ہے، اس طرح اس تحریک کی اپیل قومی سطح پر ختم ہو گئی اور یہ محض ایک سندھی تحریک بن کر رہ گئی۔

تمام عسکری فرماں رواؤں کا بنیادی مسئلہ یہ رہا ہے کہ وہ اپنے غصب اقتدار کو قانوناً جائز کیسے منوائیں۔ جنرل محمد ضیاء الحق کا بھی یہی مسئلہ تھا۔ جنرل ضیاء کو احساس تھا کہ ان کے اقتدار کا سرچشمہ تائید عوام نہیں

بلکہ توپ کا دہانہ تھا۔ وہ برابر اس فکر میں تھے کہ کسی نہ کسی طرح وہ اپنے اقتدار کے لئے تائید عوام حاصل کر لیں تا کہ وہ اس پر مزے سے قابض رہ سکیں۔ چنانچہ ۱۹ دسمبر ۱۹۸۴ء کو انہوں نے ملک میں ریفرنڈم کرادیا جس میں ووٹروں سے سوال کیا :

"صدر پاکستان، جنرل محمد ضیاء الحق نے پاکستانی قوانین کو قرآن و سنت کے مطابق ڈھالنے اور پاکستانی نظریئے کو بقاو تحفظ بخشنے کے لئے جو عمل شروع کیا ہے کیا آپ اس کی تائید کرتے ہیں ؟

کیا آپ اس عمل کے جاری رہنے اور اس کے مزید مستحکم بنائے جانے کی حمایت کرتے ہیں ؟

کیا آپ اقتدار عوام کے منتخب نمائندوں کو پر سکون اور منظم طریقے سے منتقل کئے جانے کی حمایت کرتے ہیں ؟

ہر ووٹر کو جواب صرف "ہاں" یا "نہ" میں دینا تھا۔ اس سے پہلے یکم دسمبر ۱۹۸۴ء کو جنرل ضیاء کہہ چکے تھے۔ "ووٹروں کی اکثریت نے اگر "ہاں" میں جواب دیا تو اس کا مطلب یہ لیا جائے گا کہ پاکستان کے عوام نے

- موجودہ حکومت پر اعتماد ظاہر کیا ہے۔
- موجودہ حکومت کی پالیسیوں کی توثیق کر دی ہے۔
- جنرل محمد ضیاء الحق کو اگلے پانچ سالوں کے لئے پاکستان کا صدر منتخب کر لیا ہے۔"

۱۹ دسمبر ۱۹۸۴ء کو حسب اعلان کہنے کو تو ریفرنڈم ہوا لیکن اس میں حصہ اتنے کم لوگوں نے لیا کہ ہمیں شرم آنے لگی۔ ریفرنڈم والے دن میں نے اس وقت کے ڈائریکٹر انٹیلی جنس بیورو کے ساتھ اسلام آباد، راولپنڈی اور اس کے مضافات میں واقع کچھ پولنگ اسٹیشنوں کا دورہ کیا وہ سب سنسان ویران پڑے ہوئے تھے۔ میں راولپنڈی کی لالہ زار کالونی میں ایک ایسے پولنگ اسٹیشن پر گیا، جو خواتین کے لئے مخصوص تھا میں نے دیکھا کارندے موجود ہیں، ووٹر ندارد۔ میں نے کارندوں کو مبارکباد دی کہ آپ نے نہایت مستعدی سے اتنا بڑا کام اتنی جلدی نمٹادیا۔ اس پر وہاں کی پولنگ افسر اور ان کا سارا عملہ ایک ساتھ بہ آواز بلند بولا۔ "ہمیں تو صبح سے ایک ووٹر کی شکل تک نظر نہیں آئی، ابھی تک تو کوئی آیا ہی نہیں ہم تو بیکار بیٹھے مکھیاں مار رہے ہیں۔"

ایوب خان کو بھی اسی طرح اپنے اقتدار کے لئے قانونی جواز تلاش کرنے کا مسئلہ در پیش آیا تھا انہوں نے بھی ایک صدارتی بیلٹ کروایا تھا جس میں انتخاب کنندگان سے پوچھا گیا تھا۔

"کیا آپ کو صدر پاکستان، فیلڈ مارشل محمد ایوب خان، ہلال پاکستان، ہلال جرات پر اعتماد ہے۔"

ان دونوں موقعوں پر (یعنی ۱۵ فروری ۱۹۶۰ اور ۱۹ دسمبر ۱۹۸۴ء) پاکستان کے عوام کو دھوکہ دینے کی جو کوشش کی گئی وہ ناکام رہی بلکہ ان سے بجائے فائدے کے نقصان ہوا۔ اگر جنرل محمد ضیاء الحق کا خیال تھا کہ وہ ۱۹ دسمبر ۱۹۸۴ء والے ریفرنڈم کے بل بوتے پر اگلے پانچ سال تک صدر پاکستان رہ لیں گے تو یہ ان کی غلط فہمی تھی۔

اب جنرل محمد ضیاء الحق پر اپنے فوجی اور غیر فوجی دونوں قسم کے ساتھیوں کی طرف سے دباؤ بڑھ رہا تھا کہ وہ اقتدار لوگوں کے منتخب نمائندوں کو منتقل کرنے کے عمل کی ابتدا کریں۔ اس ریفرنڈم (دسمبر ۱۹۸۴ء) سے بہت پہلے ۱۹۸۰ء میں ہم میں سے کچھ نے عوام کو انتقال اقتدار کے سلسلے میں ایک اسکیم بنا کر جنرل ضیاء کو پیش کردی تھی، لیکن چونکہ وہ انتقال اقتدار کا عمل شروع ہی نہیں کرنا چاہتے تھے انہوں نے ہماری اسکیم نامنظور کردی تھی۔ انہیں یہ احساس تو تھا کہ حکومت چلانے کے لئے عوامی تائید ضروری ہوگی لیکن وہ دل سے اقتدار چھوڑنے اور اسے واقعی عوام کو سونپنے کے لئے قائل اور مائل نہ تھے۔

۱۲ جنوری ۱۹۸۵ء کو جنرل ضیاء نے اعلان کیا کہ ۲۵ فروری ۱۹۸۵ء کو قومی اور صوبائی اسمبلیوں کے ممبروں کو چننے کے لئے عام انتخابات ہوں گے لیکن ان عام انتخابات میں سیاسی پارٹیاں حصہ نہیں لے سکیں گی، امیدوار صرف انفرادی بنیاد پر انتخاب لڑ سکیں گے۔ تحریک برائے بحالی جمہوریت میں شامل سب سیاسی پارٹیوں نے ان انتخابات سے بائیکاٹ یا قطع تعلق کا اعلان کر دیا کیونکہ جنرل ضیاء نے ان کا یہ مطالبہ نامنظور کر دیا تھا کہ "۱۹۷۳ء کا آئین بحال کیا جائے۔" چنانچہ انتخابات تو ہوئے اور انفرادی بنیادوں پر ہوئے لیکن چونکہ جنرل ضیاء انتخابات کے بعد بھی بااختیار صدر رہنا چاہتے تھے، علامتی نہیں، انہوں نے آئین میں آٹھویں ترمیم منظور کروائی جس کی رو سے وہ اپنی صوابدید پر قومی اسمبلی توڑ سکتے تھے، حکومت برطرف کر سکتے تھے، افواج پاکستان کے سربراہوں کو مقرر کر سکتے تھے۔ آٹھویں ترمیم آئین میں ایک ایسی بنیادی تبدیلی تھی جس سے صدر اور وزیراعظم کے درمیان اقتدار و اختیار کا توازن بالکل بدل گیا۔ جب آئین میں آٹھویں ترمیم کی تجویز وفاقی کابینہ کے سامنے آئی تو ترمیم کے مجوزہ مسودے کو پہلے سے کابینہ کے اراکین میں تقسیم نہیں کیا گیا تھا حالانکہ قاعدے، ضابطے اور رواج کے مطابق ایسا ہونا ضروری تھا۔ اس وقت کے وزیر قانون (شریف الدین پیرزادہ) نے صرف ترمیم کے مندرجات کو پڑھ کر سنا دیا تھا اور چیدہ چیدہ پہلوؤں پر کچھ روشنی بھی ڈال دی تھی۔

میں نے شریف الدین پیرزادہ سے پوچھا تھا۔ "ترمیم شدہ آئین کے تحت ملک کی انتظامیہ کا سربراہ کون ہوگا؟"

شریف الدین پیرزادہ نے جواب دیا تھا۔ "وزیراعظم"

اس پر میں نے کہا تھا۔ "پھر آپ سب یہ اچھی طرح سمجھ لیں کہ وفاقی حکومت کے سیکریٹری اپنے سب معاملات برائے احکام، وزیراعظم کو بھیجا کریں گے، صدر کو نہیں۔"

اس پر جنرل ضیاء نے کہا تھا۔ "وزیراعظم انتظامیہ کے سربراہ ہوں گے اور میں سپر سربراہ ہوں گا۔"

میں جانتا تھا کہ یہ دو عملی نہ چل سکے گی۔ فرانس کی مثال ہمارے سامنے ہے۔ وہاں صدر بالواسطہ چنا جاتا ہے اور وزیراعظم بلاواسطہ۔ اگر دونوں کا تعلق دو مختلف سیاسی پارٹیوں سے ہو، تو کاروبار مملکت میں خلل پڑتا

ہے۔(٦ نومبر ١٩٩٦ء کو پاکستان میں یہ بھی ثابت ہو گیا کہ صدر اور وزیر اعظم دونوں کا تعلق اگر ایک ہی سیاسی پارٹی سے ہو تب بھی دونوں کا ساتھ چلنا دشوار ہوتا ہے۔) جنرل ضیاء مصر اور بضد تھے کہ پارلیمنٹ اور وزیر اعظم کے اختیارات محدود ہونے چاہئیں۔ وہ کئی بار اپنی یہ رائے علانیہ ظاہر کر چکے تھے کہ ایک بااختیار امیر ہونا چاہئے جو اپنے مشیر خود نامزد کرے اور پھر ان کی مدد سے کاروبار مملکت چلائے، جنرل ضیاء پارلیمانی طرز حکومت کے سخت خلاف تھے۔

مجھے اس موقعہ پر جنرل ڈیگال کی ایک تقریر یاد آگئی۔ یہ تقریر انہوں نے ١٦ جون ١٩٤٦ء کو بے او کے مقام پر کی تھی۔ یہ وہی جگہ تھی جہاں دو سال پہلے (اتحادیوں کی فتح کے بعد پہلی مرتبہ) انہوں نے فرانسیسی قوم کو فرانس کی سرزمین پر خطاب کیا تھا، انہوں نے اپنی اس تقریر میں فرانس کے آئینی مسئلہ کا ذکر کرتے ہوئے کہا تھا۔

"فرانس اس وقت مسائل و خطرات سے دوچار ہے۔ ایک خطرہ آمریت کا ہے۔ ان مسائل کے حل اور ان خطرات سے بچاؤ کی واحد شکل ایک بااختیار صدر ہے۔ ذرا سوچئے پہلی، دوسری اور تیسری فرانسیسی ری پبلکوں کا کیا انجام ہوا؟ ویمار (جرمن) ری پبلک کا کیا انجام ہوا؟ اطالوی جمہوری تجربات کا کیا انجام ہوا؟ سپانوی ری پبلک کا کیا انجام ہوا؟ ری پبلکوں کا انجام آمریت کی شکل میں ہوا۔ کیوں؟ اس لئے کہ ان سب کی بنیاد پارلیمانی نظام پر تھی۔ پارلیمانی نظام اتنا کمزور ہے کہ وہ موثر حکومت کی بنیاد اور آمریت کے مسئلہ کا تدارک فراہم نہ کر سکا۔"

آخر کار جب ڈیگال کو اقتدار ملا اور اس نے پانچویں فرانسیسی ری پبلک قائم کی تو اس نے فرانسیسی آئین کو انہی خطوط پر ترتیب دلوایا جن کا ذکر اس نے اپنی بے او والی مذکورہ تقریر میں کیا تھا۔ اس آئین کے تحت ری پبلک کے صدر کو انتخاب کنندگان کی بڑی کونسل چنتی۔ صدر کو وزیر اعظم مقرر کرنے کا اختیار تھا، صدر کو حکومت پر صدارت کا اختیار تھا، صدر کو پارلیمنٹ توڑنے کا اختیار تھا۔ صدر کو قومی افواج کے سربراہوں کے تقرر کا اختیار تھا۔ پارلیمنٹ کا دائرہ کار قانون سازی تک محدود تھا۔ صدر کو اختیار تھا کہ وہ چاہے تو قومی اہمیت کے کسی معاملے پر عوام کی رائے براہ راست ریفرنڈم کے ذریعے معلوم کرلے۔ جنرل محمد ضیاء الحق (اسلامی ڈیگال) بھی اپنے لئے آئین پاکستان میں اسی قسم کے اختیارات کے خواہاں تھے، جن کے بغیر وہ اقتدار عوامی نمائندوں کے حوالے کرنے پر آمادہ نہ تھے۔

جب تک نئی پارلیمنٹ نے جنرل ضیاء کو وہ آئینی اختیارات نہیں دیدیئے جو اپنے لئے چاہتے تھے، جب تک نئی پارلیمنٹ نے ایک قانون کے ذریعے ان کو اور ان کی حکومت کو ۵ جولائی ١٩٧٧ء سے لیکر تا حال کے تمام اقدامات کو قانونی ذمہ داری سے بالا اور بری قرار نہیں دیدیا، انہوں نے ملک سے مارشل لاء نہیں اٹھایا۔ انہوں نے مارشل لاء یکم جنوری ١٩٨٦ء کو اٹھایا۔ ادھر مارشل لاء ہٹا اور ادھر اپریل ١٩٨٦ء میں

بینظیر بیرون ملک سے وطن واپس آئیں۔ مارشل لاء ہٹنے اور بے نظیر کے وطن پلٹنے سے سیاسی سرگرمیاں تیز ہو گئیں۔ لوگ زیادہ کھل کر بات کرنے لگے، جنرل ضیاء پر نکتہ چینی کرنے لگے۔ انہی دنوں میں جنرل ضیاء سے ملنے ان کے نئے دفتر واقع ایوان صدر اسلام آباد گیا۔ وہاں مجھے عجیب منظر نظر آیا چاروں طرف سناٹا تھا، پہلے جو لوگوں کی گہما گہمی اور رونق ہوا کرتی تھی وہ یکسر مفقود تھی۔ گنے چنے چند لوگ ادھر ادھر نظر آرہے تھے۔ اگرچہ جنرل ضیاء الحق نے ویسی ہی فوجی وردی پہنی ہوئی تھی جیسی انہوں نے اقتدار سنبھالتے ہی حکومت کے سیکریٹریوں سے خطاب کے وقت جولائی ۱۹۷۷ء میں پہن رکھی تھی۔ اگرچہ ظاہری شان و شوکت، ٹھاٹھ باٹھ وہی تھا جیسے پہلے تھا پھر بھی "ہر شئے میں کسی شئے کی کمی" ضرور تھی۔ اب ان میں وہ قوت، وہ توانائی، وہ خود اعتمادی نہیں تھی جو ان میں پہلے ہوا کرتی تھی ان کے سامنے میز خالی پڑی تھی اور مجھ کو وہ بلاشبہ "بے کار" نظر آئے۔

محمد خان جونیجو اور جنرل ضیاء میں اہم قومی معاملات پر اختلاف رائے تو خیر قابل فہم ہے لیکن بعض وقت محمد خان جونیجو، ایوان صدارت کے عملے کے چھوٹے چھوٹے معاملات میں اپنا اختیار جتاتے، جنرل ضیاء کی بات نہ مان کر انہیں زچ کرتے اور اس طرح تلخی بڑھتی گئی۔ حتیٰ کہ ۲۹ مئی ۱۹۸۸ء کو جنرل ضیاء کا پیمانہ صبر لبریز ہو گیا اور انہوں نے محمد خان جونیجو کی حکومت کو نااہلی اور نفاذ اسلام میں عدم دلچسپی کے الزامات لگا کر برطرف کر دیا۔ لیکن دراصل حقیقت یہ تھی کہ وہ اپنے جمہوری تجربے سے مایوس ہو چکے تھے۔ جو وہ چاہتے تھے وہ نہیں ہوا، جو وہ نہیں چاہتے تھے، وہ ہو گیا۔ اور یہ دونوں باتیں انہیں سخت ناپسند تھیں۔

جنرل ضیاء اور محمد خان جونیجو کی جوڑی بھی خوب تھی، وقتی مصلحت اور مطلب برآری کی خاطر دونوں کا ساتھ تو ہو گیا تھا لیکن دونوں کا سیاسی ایجنڈا الگ الگ تھا۔ دونوں کا مزاج بھی الگ الگ تھا۔ ان دونوں میں طبیعت کے اعتبار سے بھی کوئی ہم آہنگی نہ تھی۔ جنرل ضیاء کو جلد احساس ہو گیا کہ وزیراعظم چننے میں ان سے غلطی ہوئی ہے۔ ہنڈن برگ نے ۱۹۳۳ء میں ہٹلر کو بلا کر اسے برسر اقتدار کر دیا تھا، جنرل ضیاء ہنڈن برگ نہیں بننا چاہتے تھے وہ حقیقی اقتدار سے کنارہ کشی کے حق میں بالکل نہ تھے چنانچہ انہوں نے بہ یک جنبش قلم محمد خان جونیجو (وزیراعظم) کو برطرف کر دیا، قومی اور صوبائی اسمبلیوں کو توڑ دیا، وفاقی اور صوبائی حکومتوں کو برخاست کر دیا۔ اگلے عام انتخابات تک امور مملکت چلانے کے لئے ایک نگران حکومت بنا دی لیکن اس حکومت میں کسی کو وزیراعظم نامزد نہیں کیا۔

محمد خان جونیجو نے وزارت عظمیٰ سے اپنی برطرفی کو چیلنج نہیں کیا، نہ سیاست میں نہ عدالت میں، سچ تو یہ ہے کہ پاکستان میں کوئی ایسے صدر کو چیلنج ہی نہیں کرتا جو ساتھ ساتھ چیف آف آرمی اسٹاف بھی ہو، عدالتیں بھی اسے جیتے جی غاصب اقتدار نہیں قرار دیتیں۔ ایک زندہ اور باوردی چیف آف آرمی اسٹاف جو چاہے وہ کر لے (مثلاً آئین منسوخ کر دے، قومی اور صوبائی اسمبلیاں توڑ دے، منتخب حکومتیں برطرف

کر دے) کوئی اس کا کچھ بگاڑ نہیں سکتا۔

میرے اس دعوے کا ایک ثبوت یہ ہے کہ جنرل ضیاء نے قومی اسمبلی اور صوبائی اسمبلیوں کو توڑا تو ۲۹ مئی ۱۹۸۸ء کو تھا لیکن اس توڑنے کے خلاف لاہور ہائی کورٹ کا عدالتی فیصلہ ان کے انتقال (۱۷ اگست ۱۹۸۸ء) کے پورے ایک ماہ بعد ۱۷ ستمبر ۱۹۸۸ء کو آیا۔ اس فیصلہ میں کہا گیا تھا:

"قومی اسمبلی اور پنجاب کی صوبائی اسمبلی توڑنے کے احکام کے حق میں دلائل اتنے مبہم، خام اور معدوم ہیں کہ ان احکام کو کسی طور قانوناً جائز نہیں مانا جا سکتا۔"

اس فیصلے میں یہ بھی کہا گیا تھا کہ چونکہ ٹوٹی اسمبلیاں بحال تو نہیں ہو سکتیں، اس لئے عام انتخابات حسب اعلان نومبر ۱۹۸۸ء میں ضرور ہونے چاہئیں۔ لاہور ہائی کورٹ کے فیصلے کے خلاف سپریم کورٹ میں اپیل دائر ہوئی اس پر غور بھی ہوا لیکن ہائی کورٹ کا فیصلہ بحال رہا۔ اس کے برعکس جب اپریل ۱۹۹۳ء میں صدر غلام اسحٰق خان نے وہی کیا جو جنرل ضیاء الحق نے مئی ۱۹۸۸ء میں پانچ سال پہلے کیا تھا یعنی حکومت برخاست کر دی اور اسمبلیاں توڑ دیں تو سپریم کورٹ نے انہیں بحال کر دیا۔ لوگ حیران پریشان رہ گئے کہ ایک ہی طرح کے دو مقدموں میں دو مختلف پیمانے کیوں استعمال ہوئے؟ دو مختلف فیصلے کیوں ہوئے؟

میرے نزدیک جنرل ضیاء کی حکومت کو راہ راست پر رکھنے اور اسے طول بخشنے کا سہرا دو افراد کے سر ہے، ایک غلام اسحاق خان اور دوسرے جنرل خالد محمود عارف۔ غلام اسحاق خان کی مالی اور معاشی پالیسیاں قدامت پسندانہ لیکن صائب ہوتی تھیں۔ اہم قومی امور پر ان کی رائے بے لاگ اور دوٹوک ہوتی تھی، وہ اس ڈر سے کہ کہیں ان کے اظہار رائے سے فوجی ناراض نہ ہو جائیں، کبھی اپنی دیانت دارانہ اظہار رائے سے نہیں جھجکتے تھے۔ جنرل خالد محمود عارف نے جنرل ضیاء کے چیف آف اسٹاف کی حیثیت سے حکومت کے فوجی اور غیر فوجی بازوؤں کے درمیان پل کا کام کیا، مجھے بہت سے چیف آف اسٹاف کے ساتھ مختلف اوقات میں کام کرنے کا موقعہ ملا لیکن میرے نزدیک جنرل خالد محمود عارف ان سب میں افضل و ممتاز تھے۔

پاکستان میں تین فوجی فرماں رواں گزرے ہیں۔ فیلڈ مارشل ایوب خان (۱۹۵۸ء تا ۱۹۶۹ء) جنرل یحیٰی خان (۱۹۶۹ء تا ۱۹۷۱ء) اور جنرل محمد ضیاء الحق (۱۹۷۷ء تا ۱۹۸۸ء) لیکن

"ان تینوں میں جنرل ضیاء نے پہلی مرتبہ اعلان کیا کہ قیام پاکستان کا واحد جواز، اس کے حق میں واحد دلیل عقلی، اسلامی شریعت کا نفاذ تھا۔ لہذا پاکستان کا وجود، پاکستان کی بقا، اسلام کے بغیر ممکن ہی نہیں۔"

فوجی حکومتیں تو پہلے بھی آئی تھیں اور چلی گئی تھیں (۱۹۵۸ء تا ۱۹۷۱ء) لیکن ان میں سے کسی نے نفاذ اسلام کا نعرہ نہیں لگایا تھا۔ جنرل ضیاء پہلے فوجی حکمران تھے جو صدر مملکت بھی تھے، سربراہ حکومت بھی تھے، سپہ سالار فوج بھی تھے۔ غرض یہ کہ ان کے پاس ارتکاز اختیار اور اقتدار خطرناک حد تک تھا۔ اس کے ساتھ ساتھ وہ مولوی قسم کے راسخ العقیدہ مسلمان بھی تھے اور اپنے اس ایمان و عزم میں حد درجہ سنجیدہ لگتے

تھے کہ پاکستان میں بھی قرون اولیٰ کا اسلامی قانون اور اسلامی معاشرتی نظام کو نافذ ورائج کریں۔

جنرل ضیاء کے برعکس ایک اور مسلمان فوجی جنرل مصطفیٰ کمال ۱۹۲۳ء میں ترکی کا حکمران بنا تھا تو اس نے قدامت پرست مذہبی اداروں کو علانیہ زیر کیا تھا، اس نے دین وسیاست کو ایک دوسرے سے الگ کر دیا تھا۔ اس نے خلافت کو (جسے وہ قرون وسطی کا ناسور کہتا تھا) ختم کر دیا تھا، اس نے وزارت مذہبی امور کو توڑ دیا تھا، تمام دینی مدارس کو سیکولر شعبے کے تحت کر دیا تھا، دینی شرعی عدالتوں کو (جو شادی بیاہ طلاق وراثت جیسے معاملات کے فیصلے کیا کرتی تھیں) بند کر دیا تھا، اور سوئٹزر لینڈ کے سول کوڈ سے ملتا جلتا سول کوڈ ترکی میں نافذ کر دیا تھا۔ سلطنت عثمانیہ کے کھنڈروں پر کمال اتاترک نے سیکولر ترکی کی نئی عمارت تعمیر کی تھی۔ آیا مصطفیٰ کمال کا ماڈل ترکی کے لئے یا کسی اور ملک کے لئے موزوں اور قابل تقلید ہے یا نہیں یہ تو وقت ہی بتلائے گا لیکن یہ بھی حق ہے کہ کمال اتاترک نے ترکی کو قرون وسطیٰ سے نکال کر عہد جدید کی چوکھٹ تک پہنچا دیا تھا۔

کمال اتاترک کے مقابلہ میں جنرل ضیاء کا کارنامہ کیا ہے؟ انہوں نے اپنے گیارہ سالہ دور اقتدار کے بعد ملک کے لئے ورثہ میں کیا چھوڑا؟ پاکستان کو اسلامی سانچے میں ڈھالنے کا ان کا خواب تو شروع ہی سے ناقابل عمل تھا۔ انہوں نے اپنے بعد کوئی پائیدار قومی ادارہ نہیں چھوڑا۔ جو جو انہوں نے نافذ بھی کیا وہ بھی مستقل ادارے کی شکل میں آج موجود نہیں۔ ان کا بس چلتا تو وہ پاکستان کو قرون وسطیٰ میں دھکیل کر ہی دم لیتے۔ ان کے ذہن میں قانون کا، آئین کا، عصر جدید میں جہانبانی کے تقاضوں کا کوئی تصور نہیں تھا۔ انہوں نے دیوانی اور فوجداری قوانین کو اسلامی رنگ دینا چاہا، اس سے ایسا عدالتی خلفشار اور انتشار پیدا ہوا کہ اب اکثر و بیشتر لوگوں کو پتہ ہی نہیں چلتا کہ کس مقدمہ میں کس قانون کا اطلاق ہوگا۔ اس غیر واضح اور مبہم صورت حال کا پولیس نے پورا پورا فائدہ اٹھایا اور اپنی اس صوابدید کو کہ وہ کس قانون کے تحت کون سا مقدمہ چلائیں، اپنے لئے وسیلہ رشوت بنا لیا۔ ملک کو اسلامی سانچے میں ڈالنے کا جنرل ضیاء کا عمل حد درجہ سطحی تھا، جو اقدام بھی انہوں نے کئے ان کی اہمیت علامتی اور حیثیت ثانوی تھی۔ ان کا کوئی نمایاں یا قابل ذکر اثر معاشرہ پر مرتب نہیں ہوا۔ جنرل ضیاء کو خود بھی یہ احساس ہو گیا تھا کہ ملک کو اسلامی سانچے میں ڈھالنے کا ان کا خواب پریشان ہو چکا ہے، ان کا منصوبہ ناکام ہو چکا ہے بلکہ بجائے اصلاح کے مسائل پیدا کر رہا ہے۔ چنانچہ اس سلسلے میں ان کی طرف سے ساری کوششیں نقش برآب کی طرح مٹ گئیں۔

میرا اپنا خیال ہے کہ محمد خان جونیجو کی حکومت کو برطرف کرنے اور اسمبلیوں کو توڑنے کے بعد جنرل ضیاء اگر زیادہ عرصہ زندہ رہ جاتے تو وہ اپنے تصور و تخیل کی اسلامی ریاست قائم کرنے کی پہلے سے زیادہ سنجیدہ اور موثر کوشش کرتے، ان کی اسلامی ریاست میں حکومت ان کے اپنے خیالات کے نظام مصطفیٰ کے مطابق ہوتی، اس کا سربراہ ایک امیر ہوتا جسے صرف پابند شریعت لوگ چنتے۔ امیر کی اعانت کے لئے دیندار

افراد پر مشتمل مجلس شوریٰ ہوتی، دیندار افراد کو امیر خود چنتا، امیر مجلس شوریٰ کے مشورے کا پابند نہ ہوتا۔ ان کے جمہوری تجربے کے نتائج نے انہیں مایوس کر دیا تھا۔

جنرل ضیاء الحق نے تمام مسلم ریاستوں خصوصاً مشرق وسطیٰ کی مسلم ریاستوں کے ساتھ پاکستان کے برادرانہ روابط کو استحکام و فروغ بخشنے کی پوری پوری کوشش کی۔ جنرل ضیاء جتنا زیادہ زور اسلام میں قدامت پرستی پر دیتے، مسلم آمروں حکمرانوں میں وہ اتنے ہی زیادہ مقبول ہوتے جاتے۔ وجہ یہ تھی کہ ذوالفقار علی بھٹو کی اصلی یا نقلی انقلابی تقریروں سے انہیں خطرہ محسوس ہوتا تھا، اس کے مقابلے میں جنرل ضیاء کی قدامت پسندی ان کے لئے زیادہ باعث اطمینان و تسلی تھی۔

جنرل ضیاء کے دور میں پاکستان، بھارت تعلقات بھی نمایاں حد تک بہتر ہوئے، جب بھی ہوتا وہ ہاٹ لائن پر اندرا گاندھی سے فون پر بات کرتے اور اس سے مشترک دلچسپی کے امور پر مشورہ لیتے۔ اس ٹیلی فونی ڈپلومیسی سے وہ خوب محظوظ ہوتے جبکہ سنا ہے کہ اندرا گاندھی کو ایسی ڈپلومیسی زیادہ پسند نہ تھی۔ وہ بھارتی دانشوروں، ججوں، صحافیوں وغیرہ سے راہ و رسم میل جول بڑھانے کی خاص کوشش کرتے۔ بھارتی جج، دانشور صحافی اور اسی قبیل کے لوگ آرمی ہاؤس راولپنڈی میں جنرل ضیاء کی میزبانی سے لطف اندوز ہوتے۔ یہ لوگ جنرل ضیاء کے سیدھے، سادے طور طریق، دوستانہ انداز اور بے تکلفی اور انکساری کے رویئے سے بہت متاثر ہوتے۔ بھارت سے بلکہ دنیا بھر سے سکھ اپنے مقدس مقامات کی زیارت کے لئے سال بھر وقتاً فوقتاً پاکستان آتے رہتے ہیں۔ اس زمانے میں بھی آتے تھے، ان سے مل کر جنرل ضیاء بہت خوش ہوا کرتے تھے۔ وزارت داخلہ کے مشورے کے برخلاف انہوں نے سکھ یاتریوں کو پاکستان میں ہر جگہ بلا روک ٹوک جانے کی اجازت دے رکھی تھی۔ ایک مرتبہ میری موجودگی میں سکھ یاتریوں نے جنرل ضیاء کو امرتسر آنے کی دعوت دی اور کہا کہ آپ امرتسر آئیں تو سہی، سکھ جوق در جوق ہزاروں کی تعداد میں آپ کا سواگت کریں گے آپ کو جی آیانوں کہیں گے۔ جنرل ضیاء مسکرائے، شکریہ ادا کیا اور کہا کہ میں امرتسر چلا تو آؤں لیکن اس میں کچھ قباحتیں تکنیکی نوعیت کی حائل ہیں۔ سکھوں نے کہا حضور آپ ان کی چنتا نہ کریں ہم ان سب کو آسانی سے ہٹوا دیں گے۔

بد قسمتی سے ۱۹۷۹ء کے آخر میں خانہ کعبہ کی بے حرمتی کا سانحہ پیش آیا اور یہ افواہ پھیل گئی کہ اس سانحہ میں ریاستہائے متحدہ امریکہ کا ہاتھ ہے۔ یہ سننا تھا کہ پاکستانیوں نے ۲۱ نومبر ۱۹۷۹ء کو اسلام آباد میں امریکی سفارت خانے کو آگ لگا دی۔ اس واقعہ سے پاکستان اور امریکہ کے تعلقات کچھ کشیدہ ہو گئے۔ بسمارک کہا کرتا تھا کہ ایک زیرک سیاسی مدبر قائد کا اصل کام یہ ہے کہ

"وہ اپنے کان کھلے رکھے اور جیسے ہی اسے لبادہ خداوندی کی سرسراہٹ سنائی دے وہ لپک کر اس لبادے کا دامن تھام لے۔"

جنرل محمد ضیاء الحق بھی ہمہ تن گوش تھے۔ دسمبر ۱۹۷۹ء میں سوویت یونین نے افغانستان پر حملہ کر دیا، بس پھر کیا تھا، الوہی لبادے کی سرسراہٹ جنرل محمد ضیاء الحق کے کان میں پڑ گئی، وہ لپکے اور لپک کر لبادے کا دامن تھام لیا۔ راتوں رات وہ مغرب (خصوصاً امریکہ) کے لاڈلے چہیتے بن گئے۔ افغانستان پر سوویت یونین کے اس حملے سے پاکستان، امریکہ تعلقات میں ایک ڈرامائی تبدیلی رونما ہو گئی، نہ صرف یہ بلکہ راتوں رات ایک مطلق العنان فوجی آمر کی بجائے وہ مغرب کی نگاہوں میں خاص طور پر امریکہ کی ایک بہادر اور نڈر لیڈر اور ایک جراتمند سورما سپاہی بن گئے۔ پہلے وہ مغرب کی نظر میں بھوت پریت تھے اب وہ داؤد بن گئے۔ اب وہ آزاد دنیا کے چیمپئن بن گئے۔ افغانستان پر سوویت حملے نے سب کو چونکا دیا حتیٰ کہ جنرل ضیاء کو بھی۔ لیکن انہوں نے ہوشیاری اور ثابت قدمی سے اس حملے سے پیدا شدہ صورت حال کو اپنے حق میں کر کے اس سے بھرپور فائدہ اٹھایا۔ دریائے ایموں سطح مرتفع پامیر سے نکل کر وسط ایشیا سے گزرتا ہوا تقریباً سولہ سو میل کا سفر طے کر کے بحیرہ ارال میں جا گرتا ہے۔ سب یہی سمجھتے تھے کہ سوویت یونین کبھی دریائے ایموں پار کر کے افغانستان میں داخل نہیں ہو گا۔ جنرل محمد ضیاء الحق نے نہایت جرات کا مظاہرہ کیا اور افغانستان میں سوویت مداخلت کو اٹل، ناقابل تسخیر حقیقت تسلیم کرنے سے انکار کر دیا۔ انہوں نے مطالبہ کیا کہ افغانستان سے سوویت یونین اپنی فوجی واپس بلوائے، اسی سلسلہ میں اسلامی ممالک کی تنظیم کا خصوصی اجلاس بھی ہوا، جس میں چالیس ممبر ملکوں میں سے ۳۶ ممالک شریک ہوئے، اور اجلاس نے متفقہ طور پر پاکستانی مطالبہ کی پرزور تائید کی۔ اقوام متحدہ میں غیر وابستہ ملکوں نے بھی افغانستان میں سوویت مداخلت کی زبردست ملامت کی۔ اس مذمتی قرارداد کے منظور کروانے میں پاکستان نے نمایاں اور کلیدی کردار ادا کیا۔ امریکہ اور مغربی یورپ کو اب افغان مزاحمت کی مدد کے لئے امداد پہنچانا ضروری تھا اور اس کے لئے افغانستان تک پہنچنے کے لئے راستہ چاہئے تھا کیونکہ افغانستان سمندر سے دور خشکی سے محصور ملک ہے۔ پاکستان روز افزوں امداد کے لئے راستہ فراہم کرنے پر آمادہ ہو گیا بشرطیکہ امریکہ پاکستان کو ڈیڑھ ارب ڈالر کی فوجی امداد مہیا کرنے کا وعدہ کرے۔ پاکستان یہ بھی مان گیا کہ وسط ایشیا میں سوویت یونین کے میزائل ٹیسٹ کرنے اور اینٹی سیٹلائٹ لانچ کرنے کے جو اڈے ہیں انکی الیکٹرونک مانیٹرنگ کے لئے امریکہ پاکستان کے شمالی علاقوں میں متعلقہ ساز و سامان نصب کر لے۔ ان سہولتوں کی فراہمی سے امریکہ کے نزدیک پاکستان کی قدر و قیمت اور افادیت بہت بڑھ گئی، اور پاکستان امریکی پالیسیوں پر مثبت انداز میں اثر انداز ہونے کے قابل بھی ہو گیا۔ پہلے کسی زمانے میں سوویت دفاعی تنصیبات کو مانیٹر کرنے کی مطلوبہ سہولتیں امریکہ کو ایران میں حاصل تھیں لیکن جب جنوری ۱۹۷۹ء میں انقلاب ایران رونما ہوا اور شاہ ایران کو جلاوطن ہونا پڑا تو امریکہ ایران میں یہ سہولتیں کھو بیٹھا۔ اس سے امریکی خفیہ ایجنسیوں کو خاصی دشواری تھی، وہ ایران کے متبادل کی تلاش میں تھیں، قدرتی امر تھا کہ انکی نظر اس سلسلہ میں ایران کے ہمسایہ ملک پاکستان پر پڑتیں۔

افغانستان میں سوویت حملے کے بعد بڑی تعداد میں افغان باشندے پناہ لینے ایران گئے، اور بہت سے افغانوں نے افغانستان چھوڑ کر پاکستان میں بھی پناہ لینا شروع کر دی۔ بڑی تعداد میں افغانستان سے صوبہ سرحد اور بلوچستان میں پناہ گزینوں کی آمد سے ان دونوں صوبوں کی معیشت پر ناقابل برداشت بوجھ پڑنا شروع ہو گیا۔

اس سے پہلے ۱۹۷۳ء میں حکومت پاکستان کی وزارت خارجہ میں ایک افغان سیل قائم ہوا تھا لیکن بعد میں وہ سیل تعطل اور جمود کا شکار ہو گیا تھا۔ ۱۹۷۸ء میں اسے دوبارہ فعال اور متحرک بنایا گیا۔ سیکریٹری وزارت داخلہ کی حیثیت سے میں بھی افغان سیل کا ایک رکن تھا۔ شروع شروع میں تو افغان سیل میں گفتگو اور بحث و تمحیص صاف گوئی کے انداز میں بلا جھجک ہوا کرتی تھی، لیکن تھوڑے ہی دنوں میں ہمیں محسوس ہونے لگا کہ افغان سیل میں زیادہ تر غیر اہم امور پر گفتگو ہوتی ہے۔ اہم موضوعات پر تبادلہ خیال مخصوص و محدود اجلاسوں میں ہوتا تھا۔ کبھی کبھی افغان سیل میں اس موضوع پر بحث ہوتی کہ افغانستان پر سوویت حملے کے اثر مستقبل قریب اور مستقبل بعید میں کیا ہوں گے۔ افغان سیل کے اکثر ممبروں کا خیال تھا کہ سوویت یونین بحیرہ عرب کے گرم پانی تک رسائی چاہتا ہے۔ افغانستان کے بعد پاکستان کی باری ہے کوئی وقت جاتا ہے کہ پاکستان پر روسی حملہ ہوا تو ہوا۔ جنرل محمد ضیاء الحق کا بھی یہی خیال تھا کہ افغانستان میں مزاحمت کچلنے کے بعد سوویت یونین پاکستان کی خبر لے گا۔ ان کا یہ بھی خیال تھا کہ سوویت یونین کو افغان مزاحمت کچلنے میں تقریباً دو سال کا عرصہ لگے گا، اس کے بعد وہ بحیرہ عرب کی طرف اپنی پیش قدمی شروع کرے گا۔ ان کا کہنا تھا کہ ہمیں (یعنی پاکستانیوں کو) چاہئے کہ سوویت یونین کو دو سال تک افغانستان میں الجھائے رکھیں اور اس اثناء میں اپنے آپ کو ناگزیر سوویت حملے کے لئے تیار کر لیں۔ لیکن پاکستان میں متعین سوویت سفیر اس رائے سے بالکل متفق نہیں تھا۔ ایک مرتبہ اس موضوع پر میری اس سے غیر رسمی گفتگو ہوئی تو اس نے نہایت صاف صاف کہا کہ "یہ کہنا بالکل غلط ہے کہ سوویت یونین بحیرہ عرب کے گرم پانی تک رسائی چاہتا ہے، ہمارے پاس گرم پانی کے وافر ذخائر موجود ہیں کہ ہمیں کہیں اور ادھر ادھر جانے کی نہ خواہش ہے نہ ضرورت۔"

افغان المیہ کی تباہ کاریوں سے میرا پہلا روبرو سامنا ۲۰ جنوری ۱۹۸۸ء کو ہوا، اس وقت تک سوویت فوجیں افغانستان سے واپس جا چکی تھیں۔ پرانے سرخپوش لیڈر اور جنگ آزادی کے جری سپاہی خان عبدالغفار خان کا انتقال طویل علالت کے بعد ہو گیا۔ ان کی وصیت کے مطابق ان کی نعش کو جلال آباد میں دفنایا جانا تھا، ان کے بہت سے دوسرے چاہنے والوں کی طرح پشاور سے میں بھی ان کے جنازے میں شامل ہو گیا۔ تورخم کے مقام پر پاک افغان سرحد پار کرتے وقت ہمارے پاس پاسپورٹ ویزا وغیرہ قسم کی کوئی دستاویز نہ تھی۔ لیکن ان کاغذات کے نہ ہونے کے باوجود ہمیں کوئی دقت پیش نہ آئی اور ہم بہ آسانی جلال آباد

پہنچ گئے اور قبرستان کے قریب پارکنگ لاٹ میں گاڑیاں کھڑی کر دیں کہ اتنے میں پے در پے دھماکے ہوئے اور پارکنگ لاٹ میں قیامت کا سماں بندھ گیا۔ دھماکے اتنے شدید تھے کہ میں اپنا جسمانی توازن برقرار نہ رکھ سکا اور زمین پر گر پڑا۔ یہ تو اچھا ہوا کہ مجھ کو کوئی جسمانی چوٹ نہ آئی۔ جب میرے ہوش ٹھکانے آئے تو میں نے ادھر ادھر نظر دوڑائی، مجھے چاروں طرف کھیتوں میں انسانی لاشوں کے ٹکڑے نظر آئے، درجنوں کی تعداد میں زخمیوں کے جسموں سے خون بہہ رہا تھا، ان میں سے بہت سوں کے اعضاء ان کے بدن سے الگ ہو چکے تھے، اور وہ مدد کے لئے دیوانہ وار پکار رہے تھے۔ میں حیران پریشان افتاں و خیزاں پارکنگ لاٹ سے بھاگ کر کھیتوں میں سے گزر کر قبرستان پہنچا، اس وقت افغانستان کے صدر ڈاکٹر نجیب اللہ، خان عبد الغفار خان مرحوم کو خراج عقیدت پیش کر رہے تھے۔ میں نے افغان حکام سے رابطہ کر کے انہیں پارکنگ لاٹ میں ہونے والے دھماکوں اور مردوں اور زخمیوں کی کیفیت سے آگاہ کیا۔ میں ابھی طبّی امداد کا انتظام کروا ہی رہا تھا کہ مجھے پتہ چلا کہ میرے ہم وطن ہم سفر قافلے والے مجھ کو مردوں اور زخمیوں کے ساتھ چھوڑ کر خود پشاور واپس روانہ ہو چکے ہیں۔ اتنے میں جلال آباد اسپتال کے نزدیک مجھ کو پاکستان نیشنل عوامی پارٹی کے دو عہدیدار حاجی غلام احمد بلور اور محمد افضل خان نظر آئے۔ انہیں دیکھ کر مجھ کو ذرا اطمینان ہوا۔ ہم نے وہ رات حکومت افغانستان کا مہمان بن کر جلال آباد کے ایک ہوٹل میں گزاری۔ اور جیسے ہی صبح ہوئی ہم مردوں اور زخمیوں کو لے کر کاروں کے کارواں کی شکل میں جلال آباد سے پشاور روانہ ہو گئے۔ جب ہم افغان پاک سرحد پہنچے تو تورخم کی پاکستانی چوکی پر مجھ کو پاکستان کا سبز ہلالی پرچم لہراتا نظر آیا۔ اس روز اس وقت اپنے قومی پرچم کو فضا میں لہراتا دیکھ کر میرے دل کو جو تقویت و مسرت ملی وہ ناقابل بیان ہے۔ جلال آباد میں، میں نے زندگی میں موت کو اتنے قریب سے آنکھوں میں آنکھیں ڈال کر دیکھا تھا۔ اور یہی افغان ٹریجڈی کا میرا قریب ترین مشاہدہ تھا۔

جنرل محمد ضیاء الحق اپنے اندازوں میں گم تھے اور اس سوویت فیصلے سے بے خبر تھے کہ سوویت یونین دو ایک سال میں یکطرفہ طور پر افغانستان سے اپنی فوجیں واپس بلالے گا۔ گورباشوف (صدر سوویت یونین) نے ڈاکٹر نجیب اللہ (صدر افغانستان) سے صاف صاف کہہ دیا تھا:

"آپ کو جو تیاری کرنی ہے، کرلیں، کیونکہ ہم تو بارہ مہینوں میں یہاں سے چلے جائیں گے چاہے آپ اس وقت تک تیار ہوں یا نہ ہوں۔"

جنرل محمد ضیاء الحق کو سوویت یونین کے مذکورہ فیصلے کا علم ۱۹۸۷ء کے موسم خزاں میں ہوا۔ وہ اس فیصلے کے نتائج و عواقب کے لئے بالکل تیار نہ تھے۔ تیزی سے بدلتی ہوئی صورت حال سے نمٹنے کے لئے انکے پاس کوئی ہنگامی (Contingency) پلان نہ تھا، جنرل ضیاء اور ان کے مشیروں کا کہنا تھا کہ سوویت یونین نے

دوسری جنگ عظیم کے بعد سے جس ملک میں بھی فوجی مداخلت کی ہے اس ملک سے وہ واپس کبھی نہیں گیا، اس لئے افغانستان سے بھی ہرگز نہ جائے گا، اور اگر کبھی گیا بھی تو اپنی شرطیں منوا کر جائے گا۔ یہ لوگ ایک چینی کہاوت کا حوالہ بھی دیا کرتے تھے کہ جس کے مطابق "ریچھ جو نگلتا ہے اسے اگلتا نہیں۔" ہمارے سارے منصوبے اسی غلط مفروضے پر مبنی تھے۔

افغانستان میں سوویت فوجوں کی واپسی کے بعد کیا صورت حال رونما ہوگی اس کا اندازہ لگاتے وقت جنرل ضیاء ایک اور غلط مفروضہ کا شکار ہوئے، ان کا خیال تھا کہ افغانستان سے سوویت فوجوں کی واپسی کے بعد ڈاکٹر نجیب اللہ بھی برسر اقتدار نہ رہیں گے۔ باقی سب بھی جنرل ضیاء کے ہم خیال تھے، وہ کہتے تھے کہ ادھر سوویت فوجوں کی واپسی افغانستان سے شروع ہوئی اور ادھر جنرل نجیب اللہ پہلے ملنے والے ہیلی کاپٹر میں بیٹھ کر فرار ہو جائیں گے۔ انہیں پھر جلد ایک دھچکا لگنے والا تھا کیونکہ بعد کے واقعات نے ثابت کر دیا کہ نجیب کو سمجھنے اور مجاہدین کی طاقت کا اندازہ لگانے میں ہم نے سخت غلطی کی تھی (یاد رہے کہ مغرب والے مجاہدین کو حقارت سے "مج" کہا کرتے تھے) لیکن سب سے بڑی غلطی جو جنرل ضیاء اور ان کے سب مشیروں سے سرزد ہوئی وہ یہ تھی کہ وہ افغان کشمکش کو قومی جدوجہد کی بجائے سوویت یونین کی بحیرہ عرب کے گرم پانی تک رسائی کی ہوس کا شاخسانہ سمجھتے رہے اور یہ کہتے رہے کہ سوویت یونین جنوبی ایشیاء پر اپنا تسلط جمانا چاہتا ہے۔ لیکن میں بھی یہ سب اس لئے کہہ رہا ہوں کہ اب یہ سب قصہ ماضی ہے اور ماضی کو ہم مستقبل کی نسبت ذرا زیادہ صاف دیکھ پاتے ہیں۔

ہم نے سوویت یونین کے اغراض و مقاصد کے بارے میں جو بھی اندازے لگائے وہ سب غلط نکلے، ہم کو تو یہ تک معلوم نہ تھا کہ افغانستان پر سوویت حملے کے بارے میں خود سوویت قیادت کے اندر شدید اختلاف رائے تھا اور یہ کہ پوری سوویت قیادت ایک رائے ہو کر افغانستان پر حملے کے حق میں نہیں تھی۔ اس سے بھی بڑی غلطی ہم سے یہ ہوئی کہ ہم تمام افغان لیڈروں کو سوویت یونین کا حاشیہ بردار سمجھتے رہے۔ ہمارے نزدیک وہ کمیونسٹ پہلے اور افغان نیشنلسٹ بعد میں تھے، ہم یہ بھی نہ سمجھ پائے کہ افغان افغان ہیں، اول بھی اور آخر بھی، ہم نے داؤد کو غلط سمجھا، ہم نے حفیظ اللہ امین کو غلط سمجھا ہم نے ترکئی کو غلط سمجھا اور پھر ڈاکٹر نجیب اللہ کو بھی غلط سمجھا۔ ہم یا تو یہ جانتے نہ تھے یا یہ جاننا چاہتے نہ تھے کہ افغان تو سر دھڑ کی بازی لگا کر روسی ریچھ کی گرفت سے آزاد ہونا چاہتے تھے، ہمیں تو یہ تک معلوم نہ تھا کہ ۱۹۷۷ء میں جب داؤد ماسکو گئے ہوئے تھے تو ۱۲ اپریل کو ایک میٹنگ میں داؤد اور بریژنیف کے درمیان دوبدو تلخ کلامی تک نوبت پہنچ گئی تھی جس کا انجام بعد میں داؤد کے بے رحمانہ اور دردناک قتل کی شکل میں نکلا۔ عبدالصمد غوث اس زمانے میں افغان نائب وزیر خارجہ تھے اور داؤد کے خاص معتمدین میں سے تھے۔ انہوں نے اس تلخ کلامی کی روداد قلم بند کی ہے۔ وہ لکھتے ہیں:

"سوویت لیڈر (بریژنیف) نے اعتراض کیا کہ شمالی اوقیانوسی ممالک سے تعلق رکھنے والے ماہروں کی تعداد افغانستان میں کچھ زیادہ ہی لگتی ہے۔ بریژنیف نے یہ بھی کہا کہ پہلے افغان حکومت اس قسم کے ماہروں کو اپنے شمالی علاقوں (یعنی روس کے متصل) میں تعینات نہیں کیا کرتی تھی لیکن اب کر رہی ہے۔ بریژنیف نے سوویت یونین کی طرف سے ان باتوں پر ناخوشی کا اظہار کیا اور کہا کہ افغان حکومت کو چاہئے کہ وہ ان ماہروں سے جلد از جلد چھٹکارا حاصل کرے کیونکہ یہ ماہر، ماہر تو برائے نام ہیں، دراصل یہ جاسوس ہیں۔ کمرے میں سناٹا چھا گیا، بعض روسی جو وہاں موجود تھے وہ بریژنیف کی ان باتوں سے خاصے شرمندہ شرمندہ نظر آئے۔"

داؤد نے نہایت متانت اور غیر جذباتی لہجے میں بریژنیف سے کہا کہ جو کچھ آپ نے کہا ہے وہ افغانوں کو ہرگز اور کسی صورت قابل قبول نہیں۔ بلکہ ہم آپ کی ان باتوں کو افغانستان کے داخلی امور میں اعلانیہ ناجائز مداخلت تصور کرتے ہیں۔ داؤد کے یہ الفاظ تو مجھے بہت ہی اچھی طرح یاد ہیں کہ ہم آپ کو اپنے اوپر حکم چلانے کی اجازت ہرگز ہرگز نہ دیں گے۔ نہ ہم آپ کو اس بات کی اجازت دیں گے کہ آپ ہمیں یہ بتلائیں کہ ہم اپنے قومی امور کیسے چلائیں، کس کو اپنے ملک میں ملازم رکھیں اور کس کو نہ رکھیں، ہم کن غیر ملکی ماہروں کو بلاتے ہیں اور کن کو نہیں اور جنہیں بلاتے ہیں انہیں کہاں لگاتے ہیں اور کہاں نہیں یہ فیصلے صرف افغان حکومت کے دائرہ اختیار میں رہے ہیں اور رہیں گے۔ اگر ضرورت پڑی تو ہم افغان روکھی سوکھی کھالیں گے لیکن اپنے کاموں اور فیصلوں میں اپنی آزادی اور خود مختاری کا سودا نہیں کریں گے۔

داؤد نے یہ کہا اور اٹھ کھڑے ہوئے اور کمرے سے باہر جانے لگے۔ ان کے ساتھ دوسرے افغان بھی جو وہاں موجود تھے اٹھ کھڑے ہوئے اور باہر جانے لگے۔ یہ دیکھ کر بریژنیف مشکل سے لیکن تیزی سے اپنی کرسی سے اٹھے اور داؤد کی طرف لپکے اور داؤد کو یاد دلایا کہ میں نے تو آپ سے پہلے ہی ایک پرائیویٹ ملاقات کے لئے کہا ہوا ہے، آپ جہاں چاہیں وہیں آپ سے ملنے کو تیار ہوں۔ اس پر داؤد نے بلند آواز اور واضح انداز میں یوں جواب دیا کہ سب سن لیں۔ "عزت مآب! میں آپ کو مطلع کرنا چاہتا ہوں کہ اب اس پرائیویٹ ملاقات کی کوئی ضرورت باقی نہیں رہی۔"

اس واقعہ نے داؤد کی قسمت پر مہر لگادی تھی لیکن ہم اس واقعہ سے نہ صرف بے خبر رہے بلکہ داؤد کی نہ کوئی مدد کرسکے نہ مدد کرنے کی کوشش کرسکے۔ حفیظ اللہ امین نے بھی افغان عزو وقار بچانے کی خاطر سوویت یونین کی آنکھوں میں آنکھیں ڈال کر دیکھا اور اس کوشش میں جان دیدی لیکن ہم نے کبھی انہیں بھی درخور اعتنا نہ سمجھا۔

قیام پاکستان (۱۴اگست ۱۹۴۷ء) کے بعد سے ہی ہم ہندوستانیوں کے جھانسے میں آگئے اور افغانوں کو اپنا دشمن اور روسی یا ہندوستانی پٹھو سمجھنے لگے۔ ہم نے اپنے مفروضوں کا تنقیدی جائزہ نہیں لیا، چنانچہ افغان پالیسی کے بارے میں فیصلوں کی بنیاد ہی غلط ہوگئی۔ کیا اسے مقام حیرت کہا جائے یا مقام حسرت کہ افغانستان میں کشت وخون کا بازار گرم ہے۔ وہ شدید قسم کے انتشار و خلفشار کا شکار ہے اور ہمارے پاس کوئی کام کی، قابل ذکر افغان پالیسی تک نہیں ؟

باب ۔٦

غلام اسحٰق خان

غلام اسحاق خان، گاؤں اسماعیل خیل، ضلع بنوں، صوبہ سرحد میں جنوری ۱۹۱۵ء میں پیدا ہوئے۔ وہ ۱۹۳۰ء میں اسلامیہ کالج پشاور میں داخل ہوئے، ۱۹۴۰ء میں صوبائی سول سروس (ایگزیکٹو برانچ) میں مقابلہ کا امتحان پاس کر کے شامل ہوئے۔ کچھ عرصہ تک وہ اسسٹنٹ کمشنر نوشہرہ رہے جو اس زمانے میں نہایت معزز عہدہ سمجھا جاتا تھا۔ ان کے انگریز افسر شروع سے انکی فرض شناسی، کام سے لگن، محنت اور مالی واخلاقی دیانت سے بے حد متاثر تھے۔ وہ ہر معاملہ کا تجزیہ ذہانت سے اور پھر اس تجزیہ کا بیان وضاحت و صراحت سے کرنے کی غیر معمولی صلاحیت رکھتے تھے اور قاعدے ضابطے کا ہمیشہ احترام کرتے۔ ان کی دیانتداری ضرب المثل تھی۔ آزادی کے بعد وہ نوزائیدہ سول سروس آف پاکستان (سی ایس پی) میں شامل کر لئے گئے۔ بین الصوبائی میٹنگوں، کانفرنسوں میں ان کی کارکردگی آئی سی ایس افسروں کی کارکردگی سے بھی کہیں زیادہ نمایاں اور ممتاز رہتی۔ انہی اجلاسوں میں ارباب اختیار واقتدار کی نظر ان پر پڑی اور وہیں سے ان کا سفر اعزاز وامتیاز شروع ہوا۔ وہ شہاب ثاقب کی سی تیزی سے ترقی کی منزلیں طے کرتے ہوئے بام عروج کی طرف رواں دواں ہو گئے، پاکستان کی ہر حکومت نے خواہ وہ فوجی تھی یا غیر فوجی، ان کی غیر معمولی قابلیت و صلاحیت اور ان کی شخصی خوبیوں کو تسلیم کیا، وہ واپڈا (ادارہ آب و برق) کے چیئرمین رہے، وفاقی سیکریٹری خزانہ رہے، گورنر اسٹیٹ بینک آف پاکستان رہے، دفاع کے سیکریٹری جنرل رہے، وفاقی وزیر خزانہ رہے، سینٹ کے چیئرمین رہے۔ انہوں نے پاکستان کے چند نہایت اہم اور معروف اداروں پر اپنی ممتاز شخصیت اور اپنی غیر معمولی بے پناہ قابلیت کا گہرا نقش چھوڑا۔ بین الاقوامی کانفرنسوں

صدر غلام اسحٰق خان

بس بھی جہاں انکا سامنا دنیا کے ذہین اور قابل ترین لوگوں سے ہوتا تھا، ان کی ذہانت اور لیاقت کی چمک کم ماند نہیں پڑتی تھی۔

غلام اسحاق خان سے شرف شناسائی مجھ کو اپنے والد سے ورثہ میں ملی، میں غلام اسحٰق خان کو نصف صدی سے بھی زیادہ عرصے سے جانتا ہوں۔ میں ان سے پہلی مرتبہ ۱۹۴۱ء میں بنوں میں ملا تھا، میں اپنے والد کے ساتھ تھا۔ غلام اسحٰق خان ان دنوں بنوں میں افسر خزانہ کے طور پر تعینات تھے۔ میں اس وقت کم عمر تھا اور میں نے انہیں زندگی میں پہلی بار دیکھا تھا لیکن اس کے باوجود ان کی دو باتوں نے مجھ کو بے حد متاثر کیا تھا ایک تو یہ کہ وہ غیر معمولی حد تک شکیل و وجیہ تھے اور دوسرے یہ کہ ان کا لباس جو مغربی طرز کا تھا (کوٹ پتلون ٹائی وغیرہ) حد درجہ صاف ستھرا اور بے عیب تھا۔

تین سال بعد ۱۹۴۴ء میں ان سے دوبارہ ملا، وہ اس زمانے میں سب ڈویژن ہری پور (ضلع ہزارہ) کے ایکسٹرا اسسٹنٹ کمشنر تھے۔ مجھ کو گورنمنٹ کالج ایبٹ آباد میں زندگی کی پہلی ملازمت بطور لیکچرر (تاریخ) ملی تھی اور میں براستہ ہری پور ایبٹ آباد اپنی ملازمت پر جارہا تھا۔ غلام اسحٰق خان کی سرکاری رہائش گاہ ہری پور۔ ایبٹ آباد روڈ پر واقع تھی میں وہیں بطور ان کے مہمان کے ٹھہرا اور دو روز تک ان کی مہمان نوازی کا لطف اٹھایا۔ اب بھی جب کبھی اس رہائش گاہ کے سامنے سے میں گزرتا ہوں تو میرے تصور میں ان خوشگوار دنوں کی سہانی یادیں تازہ ہو جاتی ہیں۔

بعد میں صوبہ سرحد کے اس وقت کے گورنر سر جارج کننگھم کو ایک ایسے افسر کی ضرورت پڑی جو اسلامیہ کالج پشاور کے مالی معاملات درست کر دے۔ گورنر کی نظر غلام اسحاق خان پر پڑی اور اس نے غلام اسحٰق خان کو اسلامیہ کالج پشاور کا خزانچی مقرر کر دیا۔ میں ان دنوں جب بھی پشاور جاتا غلام اسحٰق کے پاس ہی ٹھہرتا۔ مجھے یاد ہے کہ ایک مرتبہ سردیوں کے موسم میں، میں ان کے ہاں ٹھہرا ہوا تھا، صبح کا وقت تھا، سردی سخت تھی، آتشدان میں لکڑیاں کڑکڑ کرتی دہک رہی تھیں، غلام اسحٰق خان آتشدان کے سامنے صوفے پر بیٹھے اسلامیہ کالج پشاور کے مالی امور کے بارے میں لمبی لمبی رپورٹیں لکھوا رہے تھے۔ میں سن تو رہا تھا لیکن مجھ کو مالیات سے زیادہ شد بد نہیں اس لئے میری سمجھ میں خاک بھی نہیں آرہا تھا۔ میں غلام اسحٰق خان کی مہارت و قابلیت سے بے حد متاثر ہوا۔

۱۴ اگست ۱۹۴۷ء کو پاکستان میں آزادی کا سورج طلوع ہوا تو غلام اسحٰق خان اور میں ہم دونوں سری نگر (کشمیر) میں تھے، اس وقت تک باضابطہ یہ فیصلہ نہیں ہوا تھا کہ کشمیر کا کیا بنے گا۔ مجھے یاد ہے کہ غلام اسحٰق خان جب بھی سری نگر کی سڑکوں پر اپنی کار میں گزرتے تو وقفہ وقفہ سے کار رکواتے اور جو بھی کشمیری نزدیک نظر آتا اس سے کہتے "کہو پاکستان زندہ باد!" جب وہ کہتا "پاکستان زندہ باد" تو پھر غلام اسحاق خان اپنی جیب سے ان کو ایک روپیہ دے دیتے۔ جب ہم کشمیر سے مانسہرہ پہنچے تو ایک سرکاری پیغام ان کا منتظر تھا۔

انھیں ہدایت کی گئی تھی کہ وہ صوبہ سرحد کے وزیراعلیٰ (خان عبدالقیوم خان) کے سیکریٹری کا منصب فوراً سنبھال لیں۔

۱۰ ستمبر ۱۹۴۸ء کو میں پشاور گیا تاکہ جنوری ۱۹۴۹ء میں اعلیٰ مرکزی ملازمتوں میں بھرتی کے لئے مقابلہ کا جو امتحان ہونے والا تھا اور جس میں میں بیٹھنا چاہتا تھا اس کی تیاری کے لئے کچھ کتابیں لے آؤں۔ ان دنوں غلام اسحٰق خان کی سرکاری رہائش گاہ پشاور میں نارتھ سرکلر روڈ پر واقع تھی۔ میں ان کے پاس وہیں ٹھہرا ہوا تھا کہ ۱۲ر ستمبر ۱۹۴۸ء کو صبح ہی صبح ہم دونوں نے قائداعظم محمد علی جناح کی وفات کی جانکاہ خبر سنی۔ غلام اسحٰق خان تو وزیراعلیٰ سرحد (خان عبدالقیوم خان) کے ساتھ قائداعظم محمد علی جناح کے جنازہ میں شرکت کرنے پشاور سے کراچی چلے گئے اور میں غمزدہ اور افسردہ پشاور سے مردان چلا گیا۔ وہاں سے مجھے صوابی جانا تھا جہاں میں ان دنوں بطور سب جج تعینات تھا۔

۱۹۵۳ء میں، میں پشاور میں صوبہ سرحد کا رجسٹرار انجمن ہائے امداد باہمی تھا۔ غلام اسحٰق خان میرے سیکریٹری (یعنی افسر بالا) تھے۔ میری معلومات امداد باہمی کی انجمنوں اور بینکوں کے بارے میں واجبی تھیں، لیکن غلام اسحٰق خان کی حوصلہ افزائی، رہنمائی اور رہبری میں میں نے بہت کچھ سیکھا۔ انکی زیرہدایت میں نے ضلع پشاور کے طول و عرض میں گنے کی فروخت و فراہمی کی انجمن ہائے امداد باہمی کا جال بچھوادیا۔ پاکستان کی تاریخ امداد باہمی میں اپنی نوعیت کا یہ پہلا تجربہ تھا۔ افسوس کہ ۱۴ اکتوبر ۱۹۵۵ء کو جب مغربی پاکستان ایک یونٹ ہو گیا اور صوبہ سرحد، صوبہ مغربی پاکستان میں ضم ہو گیا تو ہمارے اس تجربے کو خیرباد کہہ دیا گیا۔ غلام اسحٰق خان پشاور سے لاہور چلے گئے وہاں انہیں حکومت مغربی پاکستان نے سیکریٹری آب پاشی و ترقی مقرر کیا تھا اور میں پشاور سے کوہاٹ چلا گیا جہاں مجھے ڈپٹی کمشنر مقرر کیا گیا تھا۔ یہ ڈپٹی کمشنری کا میرا پہلا تجربہ تھا۔

۱۹۶۶ء کے بعد کے زمانے میں غلام اسحٰق خان اور میں ہم دونوں مرکزی حکومت میں کام کر رہے تھے، ہم دونوں ہفتہ میں دو تین بار ایک دوسرے سے ضرور ملتے، یہ ملاقاتیں عموماً اسلام آباد میں غلام اسحٰق خان کے گھر پر ہوتیں، ہم چائے پیتے رہتے اور گھنٹوں بحث و مباحثہ کرتے رہتے۔ اس دور سے میری بہت سی سہانی یادیں وابستہ ہیں۔ ہم دونوں نے وہیں پہلے ایوب خان کا عروج و زوال دیکھا پھر یحییٰ خان کا عروج و زوال دیکھا اور پھر ذوالفقار علی بھٹو کا دردناک انجام بھی دیکھا۔ ہمارے گردوپیش جو حالات ہوتے ہم ان کے مرکزی کرداروں کا تجزیہ کرتے کبھی ہم، ہم رائے ہوتے اور کبھی ہم رائے نہ ہوتے لیکن ہم دونوں کی جو بھی رائے ہوتی وہ اپنی اپنی جگہ صاف شفاف، دیانتدارانہ، بے لاگ اور دوٹوک ہوتی۔

غلام اسحٰق خان جانتے تھے کہ میں ان سے بے غرضی سے ملتا ہوں اور یہ کہ ان سے میری وفاداری شک و شبہ سے بالا ہے، چنانچہ جب وہ مجھ سے ملتے تو انہیں احتیاط اور تکلف کا لبادہ اوڑھے رہنے کی ضرورت نہ

ہتی۔ ہم دونوں گھنٹوں باتیں کرتے رہتے۔ کبھی ایک دوسرے کو قصے سناتے، کبھی گزرے زمانے کی بسری تیں یاد کرتے اور کبھی ویسے ہی ادھر ادھر کی گپ شب کرتے رہتے۔ غرض یہ کہ دنیا بھر کی ہر قسم کی باتیں م کرتے رہتے۔

میں پہلے بھی کہہ چکا ہوں کہ غلام اسحٰق خان نے اپنی پیشہ ورانہ زندگی میں ترقی کے مدراج شہاب ثاقب ی تیز رفتار سے طے کئے اور دیکھتے دیکھتے وہ ایسے اعلیٰ سے اعلیٰ رتبوں پر فائز ہوئے جن کی اکثر سرکاری لازم آرزو ہی کرتے رہ جاتے ہیں۔ جب جنرل ضیاء الحقؒ کی کابینہ میں وہ وفاقی وزیر خزانہ تھے (۱۹۷۸ء تا ۱۹۸۵ء) تو ان کی رائے ہر اس معاملے میں جس کا کوئی پہلو بھی مالیاتی ہوتا حتمی اور قطعی ہوتی تھی۔ بعض قت دیکھنے میں آتا کہ جنرل محمد ضیاء الحق کی رائے اور غلام اسحٰق خان کی رائے میں اختلاف ہوتا حالانکہ جنرل ضیاء چاہتے تو غلام اسحٰق خان کی رائے کو رد کر کے اپنی رائے مسلط کر سکتے تھے، کیونکہ جنرل ضیاء صدر پاکستان تھے، چیف مارشل لاء ایڈ منسٹریٹر تھے اور مختار کل تھے۔ غلام اسحٰق خان محض ان کے وزیر خزانہ تھے۔ لیکن جنرل ضیاء، غلام اسحٰق خان کی رائے کو کبھی رد نہ کرتے۔ کیونکہ جنرل ضیاء کی نظر میں غلام اسحاق خان کی قابلیت صلاحیت، دیانت، ذہانت کی بے حد قدر و منزلت تھی۔ بلکہ یہ کہا جاسکتا ہے کہ مالیاتی معاملات میں غلام اسحٰق خان کو جنرل ضیاء کے مقابلے میں حق تنسیخ (ویٹو پاور) حاصل تھا۔

ایک دفعہ امریکی صدر، رونلڈ ریگن نے کہا تھا:

"اگر آپ کبھی کہیں جاتے ہوئے دفعتاً غیر ارادی طور پر ایسی طرف مڑ جائیں جس طرف جانے کا آپ کا ارادہ نہ تھا تو آپ یہ دیکھ کر حیران رہ جائیں گے کہ آپ کہاں سے کہاں پہنچ گئے۔"

غلام اسحٰق خان کی زندگی میں یہ غیر متوقع موڑ مئی ۱۹۸۵ء میں آیا۔ وہ اپنے دفتر میں بیٹھے تھے میں ان کے پاس بیٹھا تھا اتنے میں ان کے سبز فون (ہاٹ لائن) کی گھنٹی بجی۔ غلام اسحٰق خان نے سبز فون (ہاٹ لائن) کا رسیور اٹھایا۔ ان کے لب و لہجہ کے تغیر، ان کے جوابات سے میں نے اندازہ لگایا کہ دوسری طرف لائن پر جنرل ضیاء صدر پاکستان ہیں اور غلام اسحاق خان کو وزیر خزانہ کا عہدہ چھوڑ کر سینٹ کا چیئر مین بن جانے کی پیشکش کر رہے ہیں۔ حفظ مراتب میں چیئر مین سینٹ کا رتبہ صدر مملکت کے فوراً بعد تھا۔ لیکن غلام اسحٰق خان کو اس پیش کش سے خوشی نہیں ہوئی، بلکہ انہیں حیرت اور آزردگی ہوئی۔ اس وقت نہ انہیں معلوم تھا نہ مجھے کہ ان کی زندگی کے اس غیر متوقع موڑ سے انکی زندگی اور ملک کے مستقبل پر کتنے دور رس اثرات تر تیب پائیں گے۔

میں اگست ۱۹۸۵ء میں باسٹھ سال کی عمر کو پہنچ کر سرکاری ملازمت سے ریٹائر ہوا۔ بہت سے سرکاری ملازموں کو معلوم نہیں ہوتا کہ ریٹائر منٹ کے بعد زندگی کیسے گزاری جائے، مجھے بھی معلوم نہ تھا۔ میرا

خیال تھا اور اب بھی ہے کہ انسانی عمر کا پیمانہ ماہ و سال نہیں بلکہ ان ماہ و سال میں حاصل کردہ تجربات کی گہرائی اور مشاہدات کی گیرائی میں ہوتا ہے۔ دوران ملازمت میرا تعلق اہم ملکی امور سے رہا تھا، میری زندگی مشاہدات و تجربات سے معمور رہی تھی، میں نے ہمیشہ اپنی تندرستی پر خاص توجہ دی تھی، میں نے ہمیشہ سرگرم عمل رہنے اور عالمی واقعات اور حالات سے باخبر رہنے کی کوشش کی تھی۔ چنانچہ جب میں ریٹائر ہوا تو میرے لبوں پر حفیظ جالندھری کا یہی مصرعہ تھا "ابھی تو میں جوان ہوں" اور آج بھی میں یہی مصرعہ گنگناتا رہتا ہوں۔ مجھے یہ معلوم نہیں کہ میرے اس لازوال احساس میں جوانی کا سرچشمہ کہاں ہے لیکن مجھے یہ ضرور معلوم ہے کہ اس احساس کا سرچشمہ اقتدار و اختیار کا نشہ کبھی نہیں رہا۔

ایک مرتبہ سرونسٹن چرچل نے مارشل ٹیٹو سے پوچھا تھا کہ "آپ کی جوانی کا راز کیا ہے؟" مارشل ٹیٹو نے جواب دیا تھا۔ "اقتدار۔ اقتدار ہی انسان کو جوان رکھتا ہے۔"

مجھے مارشل ٹیٹو کے جواب پر حیرت ہے کیونکہ ریٹائرمنٹ کے بعد مجھے اقتدار و اختیار کی کمی کبھی محسوس نہیں ہوئی اور نہ انکے بغیر مجھے احساس جوانی برقرار رکھنے میں کوئی دشواری پیش آئی، ریٹائرمنٹ کے بعد نہ مجھے دفتر یاد آیا، نہ لمبی لمبی لاتعداد میٹنگیں یاد آئیں اور نہ دفتری فائلیں یاد آئیں۔ ریٹائرمنٹ کے بعد زندگی اور اس کے پوشیدہ امکانات میں میری دلچسپی نہ ختم ہوئی نہ کم، بلکہ حیرت کی بات تو یہ ہے کہ ریٹائرمنٹ سے مجھ کو ایک طرح کا احساس رہائی ہوا۔ دوران ملازمت بھی مارگلہ کی پہاڑیوں میں صبح صبح سیر کرنے سے مجھے سرور و سکون اور آسودگی ملتی تھی اور یہیں اپنے آپ کو فطرت کے قریب پاکر محظوظ ہوا کرتا تھا۔ ریٹائرمنٹ کے بعد میری یہ سیریں طویل سے طویل تر ہو گئیں اور ان کا لطف و سرور بھی بڑھ گیا۔

ہر روز پو پھٹتے ہی جب پورا اسلام آباد محو خواب ہوتا، میں ولیم ورڈز ورتھ (۱۷۷۰ء۔ ۱۸۵۰ء) کے سے جوش و خروش کے ساتھ مارگلہ کی پہاڑیوں میں گھومتا پھرتا، اور فطرت کے بے اندازہ حسن اور اس کی بے پناہ زرخیزی سے لطف اندوز ہوتا، تکان، دل شکستگی اور افسردگی کے احساسات دل سے یکسر غائب ہو جاتے۔ انسانی خود غرضی سے دور، فطری مناظر کی تنہائی میں، فطرت سے میری سرگوشیاں ہونے لگیں اور میں فطرت میں ایسا کنج تنہائی ڈھونڈنے لگا جہاں میں اپنے آپ کو گم کردوں۔ چاروں طرف فضا معطر و مفرح ہوتی، دور بہت دور سفید برف پوش پہاڑیوں کا دلفریب منظر روح کو یوں تروتازگی بخشتا جیسے کوئی آب حیات پی لے۔

اسلام آباد شہر کے پس منظر میں مارگلہ کی پہاڑیاں دور دور تک پھیلی ہوئی ہیں۔ ان پہاڑیوں میں جنگلات ہیں جن میں دو قسم کے درخت ہیں۔ ایک جنگل میں زیادہ تر منطقہ حارہ کے خنک سدا بہار نیم سبز درخت ہیں، دوسرے جنگل میں صنوبر کے درخت ہیں۔ سترہ سو اقسام کے پھولدار پودے اور ۵۳ اقسام کے روئیں دار پودے ان جنگلوں میں مختلف جگہوں پر ملتے ہیں۔ موسم بہار میں مارگلہ کی پہاڑیوں کا دلفریب منظر دیدنی

ہوتا ہے، جب ان پھولوں کا خوبصورت قالین سا بچھ جاتا ہے۔ ان پھولوں میں گل لالہ، کگر دندے، چکنے زرد پھول، پوست، کیلچی کم، اور پودینہ خاص طور پر قابل ذکر ہیں۔

ایک دفعہ جو مارگلہ پہاڑیوں کے آغوش میں چلا جائے تو وہ پہاڑیوں کے فطری حسن سے ایسا مسحور ہوتا ہے کہ اس کے ذہن سے سب پریشان کن غمناک یادیں محو ہو جاتی ہیں۔ تجارت سیاست، حکومت سے متعلق سب خیالات و تفکرات دل سے دور ہو جاتے ہیں۔ مرگلہ کی پہاڑیوں میں داخل ہوتے ہی ایسا محسوس ہوتا ہے جیسے آپ کا رشتہ اسلام آباد شہر سے منقطع ہو گیا، جیسے آپ طلسم کے زیر اثر شہر کی الجھنوں اور پریشانیوں سے دور بیورو کریسی کی دسترس اور دست برد سے باہر، ہوا میں معلق ہیں۔ آپ یہ بھی کہہ سکتے ہیں کہ لوگ مرگلہ کی پہاڑیوں میں سرکاری اہلکاروں سے پناہ ڈھونڈنے جاتے ہیں۔

حالانکہ ۱۹۸۰ء میں پورے علاقے کو وفاقی حکومت نے محفوظ قومی پارک قرار دے دیا تھا لیکن اس اعلان کے باوجود اس علاقے میں ایسی کارروائیاں ہوتی رہتی ہیں جن سے پورے علاقہ کا وجود خطرہ میں پڑ جاتا ہے۔ یہ کارروائیاں تحفظ ماحول کے مسلمہ اصولوں کی خلاف ورزی کرتی ہیں اور اس علاقے کو قومی پارک بنائے جانے کے مقصد سے سراسر انحراف کرتی ہیں۔ زیادہ افسوسناک بات یہ ہے کہ ایسی کارروائیاں حکومت کے علم و ایماء سے ہوتی ہیں۔ مثلاً ایک علاقہ جسے صرف سبزہ زار رہنا تھا وہاں ۱۹۸۴ء میں سیمنٹ بنانے کا ایک کارخانہ لگانے کی اجازت دیدی گئی۔ چونکہ سیمنٹ بنانے میں چونا خام مال کے طور پر استعمال ہوتا ہے لہذا قومی پارک والے علاقے سے لوگ دھڑادھڑ پہاڑ کھود کھود کر چونا نکالتے رہتے ہیں اور اس طرح قومی پارک کے بنیادی خدوخال مثلاً اسکے پتھریلے حصے، اس کے زمینی حصے، اس میں بسنے والے جانور، اس میں اگنے اور کھلنے والے پودے، درخت، پھل پھول وغیرہ کو تباہ کرتے رہتے ہیں، اور اس پر مستزاد یہ کہ سیمنٹ سازی کا کارخانہ فضا میں نہایت خطرناک قسم کی آلودگی بھی پھیلاتا ہے۔

قومی پارک کی حدود میں سیکڑوں مشینیں پتھر توڑنے میں مصروف ہیں، کیونکہ حکومت نے کم فہمی سے اس علاقے میں کان کنی کی اجازت دے رکھی ہے۔ نتیجہ اس کا یہ ہے کہ اس پورے علاقے میں فطری مناظر کا حسن، قدرت کی عطا کردہ ارضیاتی ترتیب، آثار قدیمہ کے خدوخال اور قسم قسم کے خودرو پودے، سب تباہ و برباد ہو رہے ہیں۔ موٹروں اور مشینوں کے شور، ڈائنامائٹ کے دھماکوں، بھاری ٹرکوں اور مزدوروں کے کیمپوں، اور کثافت آلودہ چشموں سے، ایک خالصتاً قدرتی حسین ماحول میں صنعتی فضا پیدا ہو گئی ہے۔ راول جھیل قومی پارک کی حدود میں واقع ہے، اسی جھیل سے اسلام آباد راولپنڈی کو پینے کا پانی فراہم ہوتا ہے لیکن اب اس جھیل کے گرد چاروں طرف بلا اجازت ناجائز آبادیاں نمودار ہو گئی ہیں جن کی وجہ سے خطرہ ہے کہ جھیل کا پانی پینے کے قابل ہی نہ رہے۔

میرا ایمان ہے کہ مارگلہ کے فطری وسائل کو محفوظ رکھنا ہمارا قومی اور اخلاقی فرض ہے۔ اس کے حق میں

بہت سے عقلی اور عملی دلائل موجود ہیں۔ یہ ہمارا قومی اثاثہ ہے اس کو محفوظ رکھنا نہ صرف موجودہ نسل کے لئے بلکہ آئندہ نسلوں کے لئے بھی ضروری ہے تاکہ ہم آج اور ہمارے بچے کل اس سے فیض یاب ہو سکیں۔ اس سلسلہ میں بلا تاخیر فوری کارروائی کی ضرورت ہے۔

میں مارگلہ ہلز سوسائٹی (انجمن برائے تحفظ مارگلہ) اسلام آباد کا ۱۹۸۹ء سے صدر ہوں، یہ سوسائٹی طاقتور سیاسی عناصر اور دیگر مفاد پرستوں کی شدید مزاحمت کے باوجود جان بوجھ کر ماحول کو تباہ کرنے کی کارروائیوں کے خلاف برابر مہم چلارہی ہے۔ مشکلات بے حد ہیں پھر بھی ہمیں کچھ نہ کچھ کامیابی تو ہوئی ہے اگرچہ بہت کچھ ہونا ابھی باقی ہے۔ اس مہم میں میں نے بہت سے پرانے دوست کھودیئے بہت سے نئے دشمن بنالئے۔ قومی پارک کو (بلکہ کسی چیز کو) کیسے بچایا جاسکتا ہے جب اس کا رکھوالا خود اس کی تباہی پر کمر باندھ لے۔

اگست ۱۹۸۵ء میں سرکاری ملازمت سے ریٹائر منٹ کے بعد میں زیادہ وقت کتابیں جرائد و رسائل پڑھنے اور مغربی کلاسیکی موسیقی سننے کو دینے لگا۔ ملازمت کے زمانے میں مجھے اپنے ان محبوب مشاغل کے لئے بہت کم وقت ملا کرتا تھا، مجھے یہ بھی احساس ہوا کہ دوران ملازمت میں اپنے بچوں کو مطلوبہ توجہ اور وقت نہیں دے سکا تھا جس سے ان میں اور مجھ میں قدرے فاصلہ سا پیدا ہو گیا تھا۔ ایک مرتبہ بلغاریہ کے ایک سابق کمیونسٹ ڈکٹیٹر ٹوڈوو زرخوف نے رچرڈ نکسن سے پوچھا تھا "آپ کے پوتے پوتیاں نواسے نواسیاں کتنے ہیں؟"

رچرڈ نکسن نے جواب دیا تھا۔ "تین۔" اس پر زرخوف نے کہا تھا "آپ بڑے صاحب ثروت ہیں۔ کیونکہ پوتوں پوتیوں، نواسوں اور نواسیوں سے بڑی دولت دنیا میں اور کوئی نہیں۔" مجھے زرخوف کی رائے سے پورا پورا اتفاق ہے۔ میں تو اس مقابلے میں رچرڈ نکسن سے کہیں زیادہ خوش قسمت ہوں۔ اس کے تو تین ہی تھے میرے تو تیرہ پوتے پوتیاں نواسے نواسیاں ہیں، جن کو بڑا ہوتے دیکھنا میرے لئے خوشی اور مسرت کی بات ہے۔

غرض یہ کہ میں سرکاری ملازمت سے ریٹائر منٹ کے بعد کی زندگی کی بے فکری اور آزادی کے مزے لے رہا تھا کہ ایک روز جون ۱۹۹۰ء میں ایک لمبی اور خوشگوار سیر کے بعد میں مارگلہ کی پہاڑیوں سے گھر واپس پہنچا ہی تھا کہ صدر کے ملٹری سیکریٹری کا فون آیا۔ انہوں نے مجھ سے کہا کہ آپ کو آج ہی گیارہ بجے قبل دوپہر صدر غلام اسحٰق خان سے ملنا ہے۔ آپ تشریف لے آئیں۔ مجھ کو یہ پیغام پاکر ذرا حیرت سی ہوئی کیونکہ میں ارباب اقتدار سے ذرا دور ہی رہتا ہوں۔ خصوصاً اگر وہ میرے دوست بھی ہوں۔ میں تقریباً دو سال سے صدر (غلام اسحٰق خان) سے نہیں ملا تھا، کیونکہ اگست ۱۹۸۵ء میں میرے سرکاری ملازمت سے ریٹائر

ونے کے بعد سے میرے اور غلام اسحٰق خان کے تعلقات میں قدرے کھنچاؤ آگیا تھا۔ خیر تو میں حسب رایت اس روز گیارہ بجے قبل دوپہر صدر (غلام اسحٰق خان) کی خدمت میں حاضر ہو گیا۔ ان سے میری یہ اقات خاصی جذباتی رہی۔ یہ کہنا غیر ضروری ہے کہ میں اپنے پرانے دوست کو مملکت کے اعلیٰ ترین منصب فائز دیکھ کر کتنا خوش ہوا۔ ان کی میز کے دونوں طرف مختلف رنگوں کے جھنڈے رکھے ہوئے تھے جو ان کے مختلف فوجی اور غیر فوجی اختیارات کا نشان تھے۔ انہوں نے نہایت تپاک اور گرم جوشی سے مجھے گلے لگایا پھر ہم دیر تک پرانی بھولی بسری باتیں یاد کرتے رہے، پھر انہوں نے حالات حاضرہ کا ذکر شروع کر دیا مجھے یسا لگا کہ جیسے وہ کسی بحران میں ہیں اور جلدی میں ہیں اور چاہتے ہیں میں فوری طور پر ان کے ساتھ کام روں۔ مجھے اندازہ ہوا کہ صدر (غلام اسحٰق خان) اور وزیر اعظم (بے نظیر) کے باہمی تعلقات اتنے بگڑ چکے یں کہ بے نظیر کو ہٹانے اور قومی اسمبلی توڑنے کا فیصلہ کیا جا چکا ہے۔ مجھے یہ جان کر دکھ ہوا۔ مجھے اس بات سے بھی دکھ ہوا کہ ماضی میں میں نے مستقبل کے بارے میں جو اندازے لگائے تھے وہ کس قدر غلط ثابت ہو رہے تھے۔ لیکن میرا ذہن اچانک ۱۹۸۸ء کی طرف پلٹ گیا۔

نومبر ۱۹۸۸ء والے عام انتخابات سے ذرا پہلے میں بے نظیر کی خواہش پر ان سے کراچی میں ان کی پھوپھی (منا) کے گھر ملا تھا۔ میں ان دنوں کراچی میں اپنے دوست جمشید مارکر کے گھر ٹھہرا ہوا تھا کہ ایک وز صبح ہی صبح بے نظیر کا پھوپھی زاد بھائی طارق اسلام (جس سے میں ایک روز پہلے اس کے والدین کے ہاں ل چکا تھا) مجھ سے ملنے آیا اور کہا کہ بے نظیر آپ سے ملنا چاہتی ہیں۔ آپ کو کوئی اعتراض تو نہیں؟ میں نے ہا نہیں بلکہ مجھے تو ان سے ملنے کا اشتیاق ہے، اور ان سے مل کر خوشی ہو گی۔" طارق اسلام پھر یہ کہہ کر چلے گئے کہ وہ دوبارہ واپس آئیں گے۔ جب وہ دوبارہ واپس آئے تو انہوں نے مجھ سے کہا آپ کو بے نظیر کے گھر ۷۰ کلفٹن کراچی میں بے نظیر سے ملنے پر کوئی اعتراض تو نہیں اور آیا آپ بے نظیر سے علانیہ ملیں گے یا خفیہ؟ میں نے کہا مجھ کو بے نظیر سے ان کے گھر ۷۰ کلفٹن کراچی میں ملنے پر کوئی اعتراض نہیں اور میں ان سے علانیہ ملوں گا ویسے ہی جیسے میں ان کے والد سے اس وقت علانیہ ملا کرتا تھا جب وہ ایوب خان کے عتاب کا شکار تھے۔ میں زندگی میں کسی سے خفیہ نہیں ملا اور نہ میں خفیہ ملاقاتوں کا قائل ہوں۔ یہ سن کر طارق سلام چلے گئے، اور پھر واپس آئے اور مجھ سے کہا کہ "اگر آپ کی ملاقات آج شام ساڑھے چھ بجے ہمارے ہاں (یعنی ۱۸۔ ڈی کلفٹن) میں ہو جائے تو آپ کو کوئی اعتراض تو نہیں؟ میں نے کہا نہیں۔

چنانچہ میں اسی روز شام کو ساڑھے چھ بجے سے ذرا پہلے مسٹر اور بیگم نسیم الاسلام کے گھر ۱۸۔ ڈی کلفٹن پہنچ گیا، بے نظیر کی پھوپھی بیگم نسیم الاسلام (منا) سات آدمیوں کے لئے شام کا کھانا تیار کروانے میں مصروف تھیں۔ وہ سات آدمی یہ تھے۔ بے نظیر اور ان کے شوہر آصف علی زرداری، میزبان نسیم الاسلام اور ان کی بیگم، میزبان کے صاحبزادے طارق اسلام اور ان کی بیگم یاسمین، اور ساتواں میں۔ میں تذبذب میں تھا

کہ میری ملاقات بے نظیر سے کیسی رہے گی ؟

ساڑھے چھ بجے کے ذرا بعد بے نظیر اپنے شوہر آصف علی زرداری کے ساتھ وہاں پہنچ گئیں۔ میں آصف علی زرداری سے اس سے پہلے کبھی نہیں ملا تھا۔ بے نظیر نے اپنے شوہر کا تعارف مجھ سے کروایا، اور مجھ سے کہا کہ آپ کو یاد ہے میری آپ سے ملاقات اس سے قبل بارہ سال پہلے ہوئی تھی۔ میں نے کہا آپ کا حافظہ غضب کا ہے۔

بے نظیر نے اپنے والد کے عروج کا زمانہ بھی دیکھا تھا جب وہ (۱۹۷۲ء تا ۱۹۷۷ء) ملک کے صدر اور چیف مارشل لاء ایڈمنسٹریٹر اور وزیر اعظم تھے۔ ان کے زوال کا زمانہ بھی دیکھا تھا جب وہ (۱۹۷۷ء تا ۱۹۷۹ء) جیل میں رہے تھے، پہلے قتل کے مقدمے میں ماخوذ کی حیثیت سے پھر سزا یافتہ مجرم کی حیثیت سے اور پھر وہیں سے جنرل محمد ضیاء الحق کے دور میں تختہ دار پر چڑھ گئے تھے۔ اس تمام اثناء میں زیادہ تر میں سیکریٹری وزارت داخلہ تھا (۱۹۷۷ء تا ۱۹۸۵ء) اور داخلی سلامتی اور امن وامان سے متعلق امور میرے احاطہ فرائض میں تھے۔ ۱۷ اگست ۱۹۸۸ء کو جب بہاولپور کے نزدیک سی ۱۳۰ فوجی ہوائی جہاز کے حادثے میں جنرل ضیاء فوت ہو گئے تھے اور غلام اسحاق خان جو اس وقت سینٹ کے چیئرمین تھے، آئین کی رو سے صدر بن گئے تھے، بے نظیر نے غلام اسحٰق خان کے بارے میں بہت سے متجسانہ سوالات کئے اور حالات حاضرہ پر میری رائے چاہی۔ مجھے محسوس ہوا کہ وہ غلام اسحٰق خان سے قدرے خائف ہیں۔ انہوں نے اس کا اظہار برملا تو نہیں کیا لیکن ان کی گفتگو سے خدشات اور شبہات مترشح تھے۔ میں نے بے نظیر سے کہا آپ کو آئندہ عام انتخابات میں شاندار کامیابی حاصل ہو گی، آپ کو اقتدار میں آنے سے کوئی نہیں روک سکتا۔ بے نظیر کو معلوم تھا کہ غلام اسحٰق خان، ایوب خان اور جنرل ضیاء کے دور حکومت میں ان دونوں کے قریب رہے تھے۔ اور عام لوگوں کی طرح بے نظیر کا تاثر بھی یہی تھا کہ ایوب خان اور جنرل ضیاء کے ادوار کے اہم فیصلوں میں غلام اسحٰق خان کا ہاتھ ہوا کرتا تھا۔ یہ سب جانتے ہوئے بھی میں نے بے نظیر سے کہا کہ آپ بڑی خوش قسمت ہیں کہ اس وقت غلام اسحٰق خان جیسا قابل، محنتی، محبّ وطن اور دیانتدار شخص صدر پاکستان ہے، مجھے یقین ہے کہ وہ آپ کے لئے ایک اچھے دوست، اچھے دانشور اور اچھے رہبر ثابت ہوں گے۔ اگر آپ غلام اسحاق خان کے مشورے مانیں گی تو کبھی (خصوصاً امور حکومت میں) غلطی نہیں کریں گی، کبھی نہیں پچھتائیں گی۔

بے نظیر نے جواب دیا "افتخار گیلانی بھی یہی کہتے ہیں۔" (یاد رہے کہ افتخار گیلانی کی غلام اسحٰق خان سے دور پرے کی قرابت داری بھی ہے)

کھانا لگ گیا تو ہم سب کھانے کے کمرے میں چلے گئے۔ "منا" نے حسب معمول مجھ کو میز کی صدارتی کرسی پر بٹھایا۔ بے نظیر میرے دائیں جانب بیٹھی تھیں پھر وہ میرے بائیں جانب یہ کہہ کر آبیٹھیں کہ

نہیں بائیں کان سے سننے میں ذرا دقت ہوتی ہے۔ کھانے کے دوران بے نظیر مجھ سے اسلام آباد کے بارے میں، طریق حکومت کے بارے میں کرید کرید کر پوچھتی رہیں۔ بے نظیر نے کہا" میرے والد تو اکثر اعلیٰ فوجی اور سول افسران کو ذاتی طور پر جانتے تھے، میں تو کسی کو بھی نہیں جانتی۔" میں نے کہا خوش قسمتی سے غلام اسحٰق خان ایوان صدر میں موجود ہیں اسلئے آپ کو حکومت چلانے یا بیوروکریسی سے نمٹنے میں کوئی دقت پیش نہیں آئے گی۔

اب رات کے دس یا اس سے بھی زیادہ کا وقت ہو چکا تھا، ساری ملاقات ساڑھے تین گھنٹے تک جاری رہی تھی۔ بے نظیر کے گھر جانے کا وقت آگیا تھا، رخصت ہوتے وقت بے نظیر نے مجھ سے خوش طبعی کے انداز میں کہا امید ہے کہ ہم دوبارہ ملیں گے اور اس مرتبہ وقفہ اتنا لمبا نہیں ہوگا جتنا اس مرتبہ ہوا ہے۔

بے نظیر کی اس ملاقات میں، میں ان کی دو باتوں سے بہت متاثر ہوا، ایک تو یہ کہ میں نے دیکھا کہ وہ اب نہایت پرکشش، دراز قد، نوجوان خاتون بن چکی تھیں، دوسرے یہ کہ والد کے المیہ کے باوجود ان میں تلخی نہیں تھی۔ دوسری بات نے مجھ کو پہلی بات سے بھی زیادہ متاثر کیا۔ مجھے ایسا لگا کہ جیسے وہ ماضی کی تلخیاں بھول کر مستقبل پر زیادہ توجہ دینا چاہتی ہیں۔ ملکی صورت حال بدلنے اور اس سلسلے میں اپنی ذمہ داریاں نبھانے پر زیادہ زور دینا چاہتی ہیں۔ ساری شام بے نظیر کے شوہر آصف علی زرداری کچھ نہیں بولے، وہ خاموشی سے ہماری باتیں سنتے رہے۔

۱۹۹۰ء میں ملازمت سے ریٹائر ہوئے تقریباً پانچ سال ہو چکے تھے۔ میں ریٹائرمنٹ کے بعد اپنی زندگی سے بالکل مطمئن تھا۔ مجھے تجربہ سے یہ بھی معلوم تھا کہ قرب صدر کا مطلب کیا ہوتا ہے۔ آپ کی ذاتی زندگی بھی ذاتی نہیں رہتی۔ آپ کے اعصاب ہر وقت تناؤ دباؤ کا شکار رہتے ہیں۔ ہر وقت آپ سرکاری کاموں میں الجھے رہتے ہیں اور اپنے لئے اپنے دوستوں اور بچوں کے لئے آپ کے پاس فرصت نہیں رہتی۔ مجھے نظر آرہا تھا کہ ملکی سیاست میں بگولہ سا اٹھ رہا ہے اور اگر میں صدارتی ٹیم میں شامل ہوا تو میں بگولہ کے بیچوں بیچ گھر جاؤں گا۔ میرا کام نہایت دشوار، نہایت صبر آزما ہوگا لیکن ساتھ ہی ساتھ مسرت افزا بھی ہوگا، میرے تمام سابقہ مناصب سے زیادہ مسرت افزا۔ غلام اسحٰق خان کے ساتھ براہ راست اور اتنے قریب سے کام کرنا بجائے خود ایک اعزاز تھا اور میں اس اعزاز کو کھونا نہیں چاہتا تھا۔ چنانچہ پانچ سال تک کاروبار سے الگ تھلگ رہنے کے بعد میں دوبارہ اسی کاروبار میں آگیا تھا۔ مجھے جنرل میک آرتھر کے وہ مشہور الفاظ یاد آئے جو اس نے ۱۹۵۱ء میں امریکی کانگریس سے اپنے الوداعی خطبہ میں کہے تھے۔ اس نے کہا تھا:

"پرانے سیاستدان کبھی کبھی مر تو جاتے ہیں لیکن مرجھاتے نہیں۔"

پاکستان میں یہ مقولہ سیاستدانوں کے علاوہ دوسروں پر بھی صادق آتا ہے۔

میری زندگی میں یہ ایک نئے دور کی ابتدا تھی۔ ایوان صدر میں، میں نے کام شروع کیا تو مجھے لگا کہ وہاں

کچھ لوگوں کو جو صدر کے نزدیک تھے میرا وہاں آنا اچھا نہیں لگا۔ مجھے محسوس ہوا کہ وہ صدر کے لئے تو کام کر رہے ہیں، غلام اسحاق خان کے لئے نہیں۔ ان کے نزدیک غلام اسحٰق خان سے وفاداری کی زیادہ اہمیت نہ تھی حالانکہ عملے کے لئے :وفاداری، بشرط استواری، اصل ایمان ہے۔

میرا معاملہ مختلف تھا۔ میرے لئے غلام اسحٰق خان پہلے آتے تھے، صدر بعد میں۔ جولائی ۱۹۹۰ء کے آخر تک صاف لگ رہا تھا کہ قومی اسمبلی توڑنے اور بے نظیر اور اس کی کابینہ کو ہٹانے کے اہم فیصلے ہو چکے تھے۔ چیف آف آرمی اسٹاف (مرزا اسلم بیگ) سے مشورہ ہو چکا تھا اور وہ رضا مند تھے، ان کی نمائندگی اس وقت کے ڈائریکٹر ملٹری انٹیلی جنس (میجر جنرل اسد درانی) کیا کرتے تھے۔ ان کے ساتھ بہت سی میٹنگیں ہوئیں جن میں مذکورہ فیصلے سے پیدا ہونے والے ممکنہ حالات سے نمٹنے کے لئے ضروری عملی انتظامات کی جزئیات طے کر لی گئی تھیں، فرمانِ تحلیل کا مسودہ صدر نے اپنے قانونی مشیروں شریف الدین پیرزادہ، عزیز منشی، رفیع رضا، بریگیڈیر ذوالفقار کے مشورے سے تیار کر لیا تھا۔

ادھر ایوان صدر میں صدر مملکت کے مشیر دن رات ایک کر رہے تھے اور ادھر بے نظیر اس سب سے بے خبر اپنے روزمرہ کے کاموں میں حسب معمول مصروف تھیں، جیسے کچھ ہو ہی نہیں رہا۔ انہیں کیا معلوم تھا کہ چند دنوں میں ان کی حکومت کا تختہ الٹنے والا ہے۔ دوسری جنگ عظیم کے دوران جب سوویت یونین پر جرمنی کے حملے کی اطلاعات اسٹالین تک پہنچی تھیں تو اسٹالین نے ان پر یہ کہہ کر یقین کرنے سے انکار کر دیا تھا کہ یہ سب بے بنیاد افواہیں ہیں۔ اسی طرح بے نظیر کو جب یہ خبریں ملتیں کہ اسمبلی ٹوٹنے والی ہے، حکومت جانے والی ہے تو وہ بھی ان خبروں پر یہ کہہ کر یقین کرنے سے انکار کر دیتیں کہ یہ سب میرے مخالفوں کا بھونڈا پروپیگنڈا ہے۔ پھر بھی اپنے اطمینان کے لئے اپنے خصوصی معاون پپی مینوالا کو یہ معلوم کرنے کہ ان افواہوں میں کچھ صداقت ہے یا نہیں اور اگر صدارت اور وزارت عظمیٰ کے درمیان کوئی غلط فہمی ہے تو کیوں، ایوان صدر بھیجا۔ صدر نے پپی مینوالا سے کہا کہ : میں آئین کے خلاف کسی کارروائی کا کوئی ارادہ نہیں رکھتا (ان کا یہ کہنا اس لئے صحیح تھا کہ مجوزہ کارروائی آئین کی دفعہ ۵۸ کی شق (۲) کی ذیلی شق (ب) کے مطابق تھی)۔ اسی روز بعد میں بے نظیر خود غلام اسحٰق خان کے پاس پوچھنے آئیں۔ غلام اسحٰق خان نے تصدیق کی کہ وہ آئین کی دفعہ ۵۸ کی شق (۲) کی ذیلی شق (ب) کے تحت کارروائی کا ارادہ رکھتے ہیں۔ جب بے نظیر نے وجوہات پوچھیں تو غلام اسحٰق خان نے کہا، 'آپ آج شام چھ بجے ریڈیو ٹیلی وژن پر قوم سے میرا خطاب سن لیجئے گا'۔ اس پر مجھے مالوٹوف کے وہ یادگار الفاظ یاد آ گئے جو اس نے سوویٹ یونین پر جرمنی کے حملے سے ایک روز پہلے ۲۲ جون ۱۹۴۱ کو اس وقت کہے تھے جب جرمن سفیر متعینہ ماسکو نے سوویت یونین پر اگلے روز ہونے والے جرمن حملے کے بارے میں ایک اعلان پڑھ کر سنایا تھا۔ مالوٹوف نے جرمن سفیر سے پوچھا تھا :

''کیا آپ سمجھتے ہیں کہ ہم اس کے مستحق تھے ؟''

ظاہر ہے، اسٹالن کی طرح بے نظیر بھی غفلت میں ماری گئی تھیں، ان کی خفیہ ایجنسیوں نے انہیں حالات واقعات سے پوری طرح باخبر نہیں رکھا تھا۔

۶ اگست ۱۹۹۰ کو صدر غلام اسحٰق خان نے آئین کی دفعہ ۵۸ کی شق (۲) کی ذیلی شق (ب) کے تحت قومی اسمبلی توڑ دی، بے نظیر اور ان کی کابینہ برطرف ہوگئی، آپریشن کو خفیہ رکھ کر دھوکہ دینے کی کوئی کوشش نہیں کی گئی۔ ہمیں خدشہ تھا کہ یکم اگست اور ۶ اگست ۱۹۹۰ء کے درمیان بے نظیر کی جوابی کارروائی سے ہمارے ارادے ناکام نہ ہو جائیں۔ جب فیصلے کی گھڑی قریب سے قریب تر آتی چلی گئی تو ہم انجانے وہموں اور وسوسوں میں پھنس کر سوچنے لگے آخر وزیر اعظم کی طرف سے کوئی پیش قدمی کیوں نہیں ہو رہی۔ کیا وہ ہم سب کو ششدر کرنے والی ہیں؟ کیا وہ ریڈیو / ٹیلی وژن پر قوم سے خطاب کر کے لوگوں کو ہمارے ارادوں سے آگاہ کر دیں گی؟ ایسی صورت میں عوامی رد عمل کیا ہوگا؟ غرض یہ کہ اسی قسم کے شکوک شبہات، وسوسے اور سوالات ہمیں پریشان کر رہے تھے۔ انہی کے پیش نظر ہم نے صدر کو مشورہ دیا کہ آپ اعلان اور کارروائی بجائے ۶ اگست ۱۹۹۰ کے دو دن پہلے ۴ اگست ۱۹۹۰ کو کر دیں، مگر صدر نے ہمارا مشورہ قبول نہیں کیا۔ بعد کے واقعات نے ثابت کر دیا کہ ہمارے سب خدشات بے بنیاد تھے، بے نظیر نے چونکہ اپنے ہٹائے جانے اور قومی اسمبلی ٹوٹنے کی خبروں پر یقین نہیں کیا تھا اس لئے انہوں نے ایسی صورت حال سے نمٹنے کے لئے کوئی ہنگامی عملی منصوبہ بھی نہیں بنایا تھا۔ صدر نے قوم سے اپنے خطاب میں خبردار کیا تھا کہ:

"اس آئینی اور جمہوری اقدام کے خلاف کسی قسم کا غیر جمہوری احتجاج ہرگز برداشت نہیں کیا جائے گا۔ اگر کسی نے کوئی غیر ذمہ دارانہ حرکت کی یا احتساب سے بچنے کے لئے لوگوں کو گمراہ کرنے کی کوشش کی تو اس سے سختی سے نمٹا جائے گا۔"

ملک میں رد عمل پر سکون رہا، نہ احتجاجات ہوئے، نہ مظاہرے ہوئے۔ غلام مصطفےٰ جتوئی کی سرکردگی میں ایک نگران حکومت تشکیل دی گئی، اور تقریباً فی الفور نومبر ۱۹۹۰ میں عام انتخابات کی تیاریاں شروع ہو گئیں۔ عام انتخابات حسب اعلان نومبر ۱۹۹۰ میں ہوئے، نتائج کے مطابق پنجاب کے وزیر اعلیٰ نواز شریف واضح اکثریت کے ساتھ قومی اسمبلی میں قائد ایوان کے طور پر ابھرے۔ میں نے ایوان صدر سے انہیں لاہور فون کیا، انہیں مبارکباد دی اور کہا کہ ہم سب اسلام آباد میں آپ کی آمد کے منتظر ہیں۔ وہ ایک روشن دن تھا، چاروں طرف دھوپ پھیلی ہوئی تھی اور آسمان میں سیاہ بادل کا ایک ٹکڑا تک نہ تھا، مستقبل تابناک نظر آرہا تھا، صدر کو بھی توقع تھی کہ نواز شریف کے ساتھ ان کے تعلقات کار خوشگوار رہیں گے۔ لیکن ع
اے بسا آرزو کہ خاک شدہ اور ع ما در چہ خیالیم و فلک در چہ خیال!

باب۔ ۷

تصادُم کی جانب

صدر غلام اسحٰق خان اور وزیر اعظم محمد نواز شریف کے آپس کے تعلقات کم از کم سال بھر تک خوش گوار نظر آئے، دسمبر ۱۹۹۱ء میں ہمیں پہلی مرتبہ کچھ گڑبڑ محسوس ہوئی۔ ہوا یوں کہ صدر غلام اسحٰق خان پارلیمنٹ کے دونوں ایوانوں (قومی اسمبلی اور سینٹ) کے مشترکہ اجلاس سے خطاب کر رہے تھے، بے نظیر صدر کو لعن طعن کا نشانہ بنا رہی تھیں اور "باباجا، جاباباجا" کے حقارت آمیز نعرے لگا رہی تھیں۔ بے نظیر کی تقلید میں پوری حزب اختلاف اسی قسم کی حرکتیں کر رہی تھی۔ گیلری میں بیٹھے سفارتی نمائندے، بری، بحری فضائی افواج کے سربراہ، قومی اور بین الاقوامی ذرائع ابلاغ کے نمائندے سب یہ منظر دیکھ رہے تھے، لیکن نواز شریف یا ان کی حزب اقتدار نے کسی قسم کی کوئی مزاحمت نہیں کی بلکہ خاموش بیٹھے تماشہ دیکھتے رہے، بلکہ مجھے تو ایسا لگا کہ ایسا سب کچھ پہلے سے طے شدہ پروگرام کے تحت ہو رہا ہے اور نواز شریف اور ان کے ساتھی مزے لے رہے ہیں۔ بہر حال صدر نے بے نظیر اور اس کی پارٹی کے رکیک حملوں کا سامنا تن تنہا کیا اور آدھ گھنٹے تک اپنا خطاب جاری رکھا۔ خطاب کے فوراً بعد میں صدر غلام اسحٰق خان سے ملا اور ان سے کہا:

"مبارک ہو آپ نے بڑے پروقار انداز میں صورت حال کا سامنا کیا"

غلام اسحٰق خان مسکرا کر خاموش رہے۔ کچھ بولے نہیں۔ اُس دن سے میرے دل میں یہ شک جاگزیں ہو گیا کہ صدر سے محمد نواز شریف کی وفاداری مشکوک ہے، ان کا تو اپنا ہی کوئی ایجنڈا ہے، یہ اپنے ہی کسی چکر میں ہیں۔ لیکن صدر بدستور محمد نواز شریف کو شک کا فائدہ دیتے رہے، یہی سمجھتے رہے کہ نواز شریف کی نیت بری نہیں اور نواز شریف پر اعتماد کرتے رہے۔

۹ نومبر ۱۹۹۰ء کو صدر غلام اسحٰق خان ایوان صدر راولپنڈی میں وزیراعظم کے مشیروں سے حلف لے رہے ہیں

خیر تو ۱۹۹۲ کے آخر تک صدر (غلام اسحٰق خان) اور وزیر اعظم کے باہمی تعلقات میں دراڑیں صاف نظر آنے لگیں، یکم جنوری ۱۹۹۳ کے آس پاس چوہدری نثار علی خان جو اس زمانے میں پیٹرولیم اور قدرتی وسائل کے وفاقی وزیر تھے، اور نواز شریف کے مقربین اور معتمدین میں سے تھے میرے پاس آئے اور تین گھنٹے تک صدر اور وزیر اعظم کے بگڑتے ہوئے باہمی تعلقات کے بارے میں تبادلہ خیال کیا۔ ہم دونوں (چوہدری نثار علی خان اور میں) نے اتفاق کیا کہ صدر اور وزیر اعظم کے مابین اتفاق رہنا چاہیے اور اس کے لئیے ہم دونوں وقتاً فوقتاً ملتے رہیں تاکہ اگر صدر اور وزیر اعظم کے درمیان ذرا بھی غلط فہمی کا امکان نمودار ہو تو اس کا فی الفور ازالہ کیا جاسکے۔ جب نثار علی خان رخصت ہو رہے تھے تو میں نے ان سے جاتے جاتے کہا:

"ابھی ابھی ہم نے جو طے کیا ہے اس کے مطابق میں اپنی سی پوری کوشش کروں گا کہ صدر اور وزیر اعظم میں اتفاق رہے، ناچاقی نہ ہو۔ مجھے امید واثق ہے کہ آپ بھی ایسا ہی کریں گے لیکن اس کے باوجود اگر ہم ناکام ہوئے تو یہ ہم دونوں کی ناکامی ہوگی کسی ایک کی نہیں، ناکامی کی صورت میں آپ پر واضح رہے کہ میری حمایت و تائید صدر کے ساتھ ہوگی"

چوہدری نثار علی خان نے جواباً کہا:

" میں آپ کی پوزیشن کو بخوبی سمجھتا ہوں اور اس کا احترام کرتا ہوں"

یہ آصف نواز جنجوعہ (اس وقت کے آرمی چیف) کی وفات سے ایک ہفتہ پہلے کی بات ہے۔ چوہدری نثار علی خان چلے گئے تو میں نے اطمینان کا سانس لیا، بہت خوش ہوا کیونکہ اب مجھے یہ بھروسہ تھا کہ آئندہ اگر صدر اور وزیر اعظم کے درمیان غلط فہمی ہوئی تو ہم دونوں (چوہدری نثار علی خان اور میں) سنبھال لیں گے اور اس طرح ان دونوں کے مشترک مخالفوں اور بدخواہوں کے مکروہ عزائم کو خاک میں ملا دیں گے لیکن بعد کے واقعات نے بتلایا کہ میں کسقدر بر خود غلط تھا۔

جنوری۔ ۱۹۹۳ء

جنوری ۱۹۹۳ء میں دو واقعات ایسے اہم ہوئے جن سے میرے کان کھڑے ہوئے کہ جیسے کچھ ہونے والا ہے۔ ایک واقعہ تو یہ ہے کہ سید افتخار گیلانی نے جو پی پی کی حکومت (۱۹۸۸ تا ۱۹۹۰) میں وفاقی وزیر قانون رہ چکے تھے قومی اسمبلی میں ایک تقریر کی جس میں انہوں نے حزب اقتدار اور حزب اختلاف میں مذاکرات برائے مفاہمت کی افادیت پر زور دیا اور یہاں تک کہہ دیا کہ جو اس تجویز کا مخالف ہوگا وہ ملک کا غدار ہوگا۔ وزیر اعظم (نواز شریف) کا ردعمل اس تجویز کے بارے میں مثبت نظر آیا۔

دوسرا واقعہ یہ تھا کہ بے نظیر کو قومی اسمبلی کی امور خارجہ کی کمیٹی کی چئیر پرسن بنادیا گیا۔ یہ تجویز نواز شریف کے وزیر مملکت برائے امور خارجہ نے پیش کی اور نواز شریف کے بھائی شہباز شریف نے اس تجویز کی تائید کی۔ یہ سب چونکہ صدر کو اعتماد میں لئے بغیر کیا گیا تھا، ایوان صدر میں اسے پسند نہیں کیا گیا۔

ان دونوں واقعات سے اندازہ ہوتا تھا کہ حزب اقتدار اور حزب اختلاف میں کوئی گٹھ جوڑ ہوگیا ہے اور کوئی کھچڑی پک رہی ہے۔ یہ وہ زمانہ تھا جب بے نظیر کی سب تدبیریں الٹی ہو چکی تھیں، ان کی سب پالیس ناکام ہو چکی تھیں، ان کی لمبی مارچ بے نتیجہ رہی تھی۔ ان کی پارٹی شدت پسندوں اور صلح پسندوں میں بٹ چکی تھی۔ فاروق لغاری، سلمان تاثیر، احسان الحق پراچہ، طارق رحیم اور اعتزاز احسن کو ان دنوں پنجاب گروپ کہا جاتا تھا، ان کا کہنا تھا کہ حکومت انہیں ہراساں کر رہی ہے لہذا پی پی کو حکومت کے خلاف سخت رویہ اختیار کرنا چاہیے۔ لیکن ان کی یہ بات نہیں مانی گئی اور صلح پسند دھڑے کے کہنے پر پی پی نے حکومت سے مفاہمت کے لئے مذاکرات کا فیصلہ کرلیا۔

۸ جنوری ۱۹۹۳ کو اس وقت کے آرمی چیف جنرل آصف نواز جنجوعہ کا انتقال اچانک ہوگیا۔ وہ حکومت کی مثلث (صدر، وزیراعظم، آرمی چیف) میں سب سے اہم تھے۔ ان کی اچانک وفات نے ملک کے سیاسی حالات خصوصاً صدر اور وزیراعظم کے باہمی تعلقات پر نہایت دور رس اور گہرا اثر ڈالا۔ یہ تقریباً سب کو معلوم تھا کہ وزیراعظم اور آرمی چیف ایک دوسرے کو ناپسند کرتے ہیں اور ان کے باہمی تعلقات کشیدہ ہیں۔ جنرل آصف نواز جنجوعہ کی اچانک وفات کے بعد سوال پیدا ہوا کہ ان کا جانشین کسے بنایا جائے،؟ آئین کی آٹھویں ترمیم کی رو سے صدر اور صرف صدر، آرمی چیف اپنی صوابدید کے مطابق مقرر کرنے کا مجاز ہے۔ جنرل آصف نواز جنجوعہ کی اچانک وفات سے پورے ملک کو صدمہ ہوا تھا۔ جب میں آصف نواز جنجوعہ مرحوم کے جنازے میں شرکت اور ان کی نماز جنازہ ادا کر کے اپنی موٹر میں ایوان صدر اسلام آباد جارہا تھا تو میرے ذہن میں یہی سوال ابھر رہا تھا کہ اب آصف نواز جنجوعہ کا جانشین کون ہوگا۔ میں جیسے ہی ایوان صدر پہنچا صدر نے مجھ کو طلب کرلیا۔ انہوں نے مجھ سے کچھ کہا نہیں تھا لیکن مجھے اندازہ تھا کہ اس وقت ان کو آصف نواز جنجوعہ کے جانشین کو بلا تاخیر اور فی الفور مقرر کرنے کی فکر دامن گیر ہوگی۔ کیونکہ فوج سپہ سالار کے بغیر نہیں رہ سکتی، فوج کو ہر لمحے اور ہر لحظے معلوم ہونا چاہیے کہ اسکا سپہ سالار اعلیٰ کون ہے۔ صدر اور میں نے فوج کے تقریباً نصف درجن اعلیٰ افسروں کے کوائف کارکردگی (ڈوسیرز) غور سے دیکھے۔ اور یہ جائزہ لیا کہ

- ان کے بارے میں ان کے اپنے اعلیٰ افسروں کی رائے کیا تھی؟
- دورانِ جنگ و امن ان کی کارکردگی کیسی رہی تھی؟
- ان کی شہرت کیسی ہے؟
- دوسرے انہیں کس نگاہ سے دیکھتے ہیں؟

اس پوری مشق کے بعد ہم نے بری فوج کے اس وقت کے چیف آف جنرل سٹاف لفٹننٹ جنرل فرخ کو چنا۔ میں چلنے لگا تو صدر نے کہا: اگرچہ آرمی چیف کا تقرر میرا صوابدیدی اختیار ہے پھر بھی میں دن میں کسی وقت وزیراعظم کی رائے بھی معلوم کرلوں گا۔ میں صدر کے دفتر سے خوش خوش باہر نکلا کہ ہم نے اتنا بڑا فیصلہ اتنی جلد اور صرف استحقاق اور قابلیت کی بنا پر کرلیا۔ مجھے یقین تھا کہ سب طرف سے اس فیصلے کا خیر مقدم ہوگا۔ دوپہر کے کھانے کے بعد صدر اور میں صدارتی ہیلی کاپٹر میں آصف نواز جنجوعہ کے آبائی گاؤں ان کی تدفین کی رسوم میں شامل ہونے چلے گئے۔ تدفین مکمل ہوئی تو میں نے دیکھا کہ صدارتی ہیلی کاپٹر کے پاس صدر اور وزیراعظم چپ چپ کھڑے ہیں، پھر بھی مجھے محسوس نہ ہوا کہ کچھ گڑبڑ ہے۔ میں نے سوچا کہ غلام اسحٰق خان اور محمد نواز شریف دونوں شرمیلے سے کم گو قسم کے آدمی ہیں۔ وہ بہت کم کسی سے کھلتے ہیں اور دونوں باتوں کے رسیا نہیں۔ واپسی میں بھی صدر تمام راستے خاموش اور اپنے خیالوں میں گم رہے۔ ایوان صدر پہنچ کر میں ان سے رخصت ہوا اور اپنے گھر چلا آیا۔

میں سارے دن کی غیر معمولی مصروفیت سے بے حد تھک گیا تھا اور جلدی سے رات کا کھانا کھاتے ہی سونا چاہتا تھا کہ اتنے میں ٹیلی فون کی گھنٹی بجی، میں نے فون اٹھایا تو معلوم ہوا دوسری طرف سے چوہدری نثار علی خان بول رہے ہیں۔ انہوں نے کہا کہ وہ ایک نہایت اہم قومی معاملے میں مجھ سے فوراً ملنا چاہتے ہیں، ان کے لب ولہجہ سے میں نے اندازہ لگالیا کہ ان کا مجھ سے فوراً ملنا واقعی بے حد ضروری ہے۔ چنانچہ میں نے اپنے گھر کے اسٹڈی روم میں ان کا خیر مقدم کیا اور سبز چائے کا پیالہ پیش کیا۔ انہوں نے مجھے بتلایا کہ دن میں صدر اور وزیراعظم کی ایک نہایت ناخوشگوار قسم کی ملاقات ہوئی ہے کیونکہ وزیراعظم کو جنرل فرخ کی نامزدگی برائے آرمی چیف کسی صورت قابل قبول نہیں۔ اگر صدر نے اس تقرری پر اصرار کیا تو وزیراعظم مستعفی ہوجائیں گے، اس لئے کہ وزیراعظم اور جنرل فرخ ایک ساتھ نہیں چل سکتے اور اس طرح ملک ایک سنگین بحران سے دوچار ہوجائے گا۔

میں نے چوہدری نثار علی خان سے پوچھا: آخر وزیراعظم کو جنرل فرخ کی تقرری پر اعتراض کیا ہے؟

چوہدری نثار علی خان نے جواب دیا: وزیراعظم سمجھتے ہیں کہ جنرل آصف نواز جنجوعہ مرحوم سے ان کے تعلقات بگاڑنے کے لئے تمام تر جنرل فرخ ذمہ دار ہیں۔

میں یہ سن کر حیران رہ گیا۔ چوہدری نثار علی خان نے کہا کہ ایک ہفتہ پہلے مجھ میں اور ان میں صدر اور وزیراعظم کو ایک دوسرے کے قریب رکھنے کا جو سمجھوتہ ہوا تھا اس کے تحت میں کچھ کروں۔ انہوں نے یہ بھی کہا کہ سوائے جنرل فرخ کے، صدر اور جس کو بھی آرمی چیف لگائیں وہ تقرری وزیراعظم کے لئے قابل قبول ہوگی۔ میں نے سوچا کہ معاملہ اگر اتنا سنگین ہے اور جنرل فرخ کی تقرری سے مملکت کے دو اہم ستونوں، صدر اور وزیراعظم، کے مابین ناچاقی پیدا ہوتی ہے تو پھر صدر کو اپنے انتخاب پر اصرار کی بجائے وزیراعظم کی

بات مان لینی چاہیے۔ میں نے چوہدری نثار علی خان سے کہا کہ میں اگلی صبح صدر سے بات کروں گا۔

اگلی صبح ایوان صدر جاتے ہی میں صدر سے ملا۔ صدر نے تصدیق کی کہ ہاں گذشتہ کل میری وزیراعظم سے ایک ناکام میٹنگ ہوئی تھی، جس میں وزیراعظم نے دھمکی دی تھی کہ اگر آپ نے جنرل فرخ کو آرمی چیف لگایا تو میں جنرل فرخ سے تعاون نہیں کروں گا۔ میں نے صدر کو مشورہ دیا کہ بات بڑھانے اور وزیراعظم سے ٹکرانے سے کیا فائدہ؟ صدر نے وزیراعظم کے شدید منفی ردعمل اور میری بروقت مداخلت کے پیش نظر اپنے فیصلے پر نظر ثانی کرنا مان لیا۔ انہوں نے جنرل فرخ کی تقرری پر اصرار چھوڑ دیا۔ چنانچہ صدر اور میں دونوں نئے آرمی چیف کی تلاش میں مصروف ہوگئے۔ ہم نے ازسرنو اعلیٰ ترین فوجی افسروں کے کوائف کارکردگی کو کھنگالا تو اس مرتبہ ہماری نظر انتخاب لفٹننٹ جنرل عبدالوحید کاکڑ پر پڑی۔ میں نے صدر سے کہا کہ اس تقرری پر یہ اعتراض ہو سکتا ہے کہ آپ نے اپنے ہم نسل پشتون کو آرمی چیف مقرر کرکے حکومت کی مثلث میں وزیراعظم کے خلاف اپنی پوزیشن کو زیادہ مضبوط بنایا ہے۔ غلام اسحٰق خان نے جواب دیا:

"میرا پورا ماضی شاہد ہے کہ میں نے آج تک کوئی فیصلہ صوبائی عصبیت کی بنا پر نہیں کیا۔ لہٰذا اگر اس تقرری سے مجھ پر صوبائی عصبیت کا الزام لگتا ہے تو لگا کرے، مجھے اس کی کوئی پرواہ نہیں"۔ میں نے یہ سنا تو اطمینان کا سانس لیا چلو صدر کی دانشمندی اور فہم و فراست سے صدر اور وزیراعظم کے درمیان ٹکراؤ کا خطرہ ٹل گیا۔ کچھ دیر بعد وزیراعظم ایوان صدر آئے تو انہیں جنرل عبدالوحید کاکڑ کے بارے میں بتلایا گیا۔ پھر لفٹننٹ جنرل عبدالوحید کاکڑ کو ایوان صدر بلا کر انہیں نیا آرمی چیف بننے کی خوشخبری سنائی گئی۔ چوہدری نثار علی خان اور وزیراعظم کے دوسرے ساتھیوں نے مجھ کو مبارکباد دی کہ آپ کی بروقت مداخلت نے ملک کو ایک سنگین بحران سے بچالیا۔ چوہدری نثار علی خان نے مجھ سے یہاں تک کہا کہ سوئٹزرلینڈ سے واپسی پر وزیراعظم خود صدر کے پاس جاکر آرمی چیف کی تقرری میں ان (وزیراعظم) کی رائے کو ملحوظ خاطر رکھنے پر صدر کا شکریہ ادا کریں گے۔ میں ایوان صدر سے خوش خوش رخصت ہوا اور یہ سمجھا کہ حالات سدھر گئے ہیں مجھے کیا معلوم تھا کہ یہ صدر اور وزیراعظم کے مابین تصادم کی انتہا نہیں بلکہ ابتداء تھی۔

مجھے نہیں معلوم کہ اسکے بعد چوہدری نثار علی خان نے کیوں مجھ سے دوبارہ رابطہ قائم نہیں کیا۔ اگر وہ رابطہ کر لیتے تو کیا کچھ فرق پڑ جاتا؟ خدا ہی جانے۔

جلد ہی معلوم ہو گیا کہ وزیراعظم عبدالوحید کاکڑ کے آرمی چیف مقرر ہونے سے بھی خوش نہیں، ان کی نظر کسی اور پر تھی۔ آصف نواز کے انتقال کے اور جنرل فرخ کی نامنظوری کے بعد کسی اور کو آرمی چیف دیکھنا چاہتے تھے جب وہ نہیں ہوا تو انہوں نے آئین میں آٹھویں ترمیم کی تنسیخ کی مہم تیز سے تیز تر کر دی، کیونکہ اس ترمیم کی رو سے صدر کو آرمی چیف کی تقرری کا صوابدیدی اختیار حاصل تھا۔

فروری ۱۹۹۳ء

آئین میں آٹھویں ترمیم کی تنسیخ پر سیاسی حلقوں میں اب شور زیادہ اٹھنے لگا، کچھ کا خیال تھا کہ پارلیمنٹ اور وزیراعظم کے سروں پر لٹکتی ڈیمو کلیز کی تلوار کو ہٹا دینا چاہیے۔ دوسروں کا خیال تھا کہ اسکے ہٹنے سے وزیراعظم مطلق العنان آمر بن جائے گا۔

"آصف زرداری کو ضمانت پر رہا کر دیا گیا، انہیں لندن جانے کی اجازت دے دی گئی، بے نظیر کے ہاں بچہ پیدا ہوا تو نواز شریف نے بے نظیر کو پھولوں کا گلدستہ بھیجا، فاروق لغاری نے بیان دیا کہ میری پارٹی حکومت سے بات چیت کے خلاف نہیں" ____ یہ سب اشارے تھے کہ ملکی سیاست میں کچھ نہ کچھ ہونے والا ہے۔ لندن کی محفوظ دوری سے بے نظیر اپنی سیاسی چالیں چالاکی سے چل رہی تھیں۔ ایک طرف خود ایوان صدر سے بات چیت کرتی رہیں، دوسری طرف اپنے پارٹی لیڈروں کو اجازت دیدی کہ وہ وزیراعظم سے بات چیت جاری رکھیں۔ اب بے نظیر نے صدر اور وزیراعظم کی باہمی کشمکش میں زیادہ گہری دلچسپی لینا شروع کر دی اور فیصلہ کر لیا کہ وہ اس کشمکش کا زیادہ سے زیادہ فائدہ خود اٹھائیں گی۔

اسی اثناء میں وزیراعظم نے کھلم کھلا یہ کہنا شروع کر دیا کہ آئین کی آٹھویں ترمیم منسوخ ہونی چاہیے گویا اب صدر اور وزیراعظم کے مابین جنگ علانیہ تھی۔ دونوں طرف سے جنگ کی لکیر کھنچ چکی تھی۔ آئین کی آٹھویں ترمیم رہے یا نہ رہے، یہ دونوں کے مابین حد فاصل تھی۔ عوام نہایت توجہ سے صدر اور وزیراعظم کے مابین کشمکش کو دیکھ رہے تھے۔

نواز شریف نے سینٹ میں ایک تقریر کی جس میں آئین کی آٹھویں ترمیم کی تنسیخ کے معاملہ پر غور کے لئے سید غوث علی شاہ کی سربراہی میں ایک ذیلی کمیٹی بنوا دی، گویا یہ باقاعدہ اعلان جنگ تھا۔ اس ذیلی کمیٹی سے کہا گیا کہ وہ اس سلسلے میں اتفاق رائے حاصل کرے، اس طرح پارلیمانی گروپ دو دھڑوں میں بٹ گیا: غلام اسحٰق خان گروپ اور نواز شریف گروپ۔ ۲۱ فروری ۱۹۹۳ کو ملک غلام مصطفےٰ کھر نے ایوان صدر میں صدر سے ملاقات کی۔ غلام مصطفےٰ کسی زمانے میں پی پی پی کے صف اول کے لیڈر ہوا کرتے تھے اور آج کل قومی جمہوری اتحاد میں شامل تھے۔ صدر سے ملاقات کے بعد انہوں نے ایک اخباری کانفرنس میں اعلان کیا:

"جب تک موجودہ حکومت برقرار ہے ہم آئین کی آٹھویں ترمیم کی تنسیخ کی مخالفت کرتے رہیں گے، نواز شریف اپنے لئے لامحدود اختیارات چاہتے ہیں انہیں اپنے لئے زیادہ سے زیادہ اختیارات حاصل کرنے کی ناقابل تسکین ہوس ہے، نواز شریف کو حصولِ اقتدار و اختیار کا خبط ہو گیا ہے وہ یک جماعتی حکومت کی داغ بیل ڈالنا چاہتے ہیں"۔

اسلامی جمہوری اتحاد میں بھی آئین کی آٹھویں ترمیم کی تنسیخ کے بارے میں اختلاف رائے موجود تھا۔

اسی زمانے میں ایک اور سیاسی واقعہ یہ ہوا کہ پاکستان پیپلز پارٹی کے ایک ممتاز لیڈر مخدوم فہیم ہالہ

(سندھ) سے لمبا سفر طے کر کے صدر سے ملنے ۱۴ فروری ۱۹۹۳ کو ایوان صدر اسلام آباد آئے، ان کی اس ملاقات کے فوراً بعد پی پی پی کے دو اور ممبر قومی اسمبلی، فیصل صالح حیات اور صاحبزادہ نذیر سلطان، بھی صدر سے ملے۔ ۱۸ فروری ۱۹۹۳ کو فاروق لغاری نے ایک اخباری کانفرنس کو بتلایا کہ پی پی پی کے جو ممبر بھی صدر سے ملے ہیں وہ اپنی ذاتی حیثیت سے ملے ہیں۔ صدر سے ان کی ملاقاتوں کا مطلب یہ نہ لیا جائے کہ گویا پی پی پی کا رویہ بدل گیا ہے یا اس کی پالیسی بدل گئی ہے۔ اس اعلان کا مقصد لوگوں کو ان ملاقاتوں کے پس پردہ اصلی محرکات سے بے خبر رکھنا تھا۔

مارچ۔ ۱۹۹۳ء

۲ مارچ ۱۹۹۳ کو پاکستان مسلم لیگ کے صدر محمد خان جونیجو وفات پا گئے۔ محمد نواز شریف نے محمد خان جونیجو کی جگہ خود پاکستان مسلم لیگ کا صدر بننے کے معاملے میں اس قدر بے صبری کا مظاہرہ کیا کہ محض بزرگ مسلم لیگ لیڈروں کی نامزدگی کی بنا پر مسلم لیگ کی صدارت سنبھالنا چاہی۔ نتیجہ یہ ہوا کہ حامد ناصر چٹھہ کی قیادت میں علانیہ بغاوت ہو گئی، اور محمد نواز شریف کی کابینہ سے چار وزیروں نے استعفیٰ دیدیا۔ عام خیال یہ ہے کہ چار وزیروں نے استعفیٰ صدر کے ایماء پر دیا تھا، لیکن یہ خیال بالکل غلط ہے۔ جب باغی ارکان اسمبلی کا ایک گروپ صدر (غلام اسحٰق خان) سے ملا تھا اور صدر سے اپنے مؤقف کی تائید چاہی تھی تو صدر غلام اسحٰق خان نے نہ صرف اس گروپ کے مؤقف کی تائید نہیں کی تھی بلکہ انہیں مشورہ دیا تھا کہ وہ جو کرنا چاہ رہے ہیں وہ نہ کریں۔ یاد رہے کہ اس گروپ میں جو صدر سے ملا تھا اس میں غلام اسحٰق خان کے اپنے داماد انور سیف اللہ خان بھی شامل تھے۔

محمد نواز شریف کیخلاف پاکستان مسلم لیگ میں سب سے پہلے علم بغاوت حامد ناصر چٹھہ نے بلند کیا تھا۔ اب حامد ناصر چٹھہ کھلم کھلا محمد نواز شریف سے تصادم کے راستہ پر گامزن تھے، اور پاکستان مسلم لیگ پارٹی کے وہ سب عناصر جو محمد نواز شریف کے خلاف تھے، حامد ناصر چٹھہ کے جھنڈے تلے جمع ہونا شروع ہو گئے۔ پاکستان مسلم لیگ کے اندر صدر کے حامی گروپ کے قیام کو صدر کی تائید حاصل تھی۔ غلام اسحٰق خان اور محمد نواز شریف کے مابین ناچاقی اپنی انتہا کو اس وقت پہنچی جب غیر سیاسی، سماجی نوعیت کی مجالس میں بھی وہ ظاہر ہونے لگی، مثلاً ۸ مارچ ۱۹۹۳ کو غلام اسحٰق خان کے برادر نسبتی نادر درانی وفات پا گئے۔ ان کے جنازے میں محمد نواز شریف شامل نہیں ہوئے اور ان کی غیر حاضری کو سب نے محسوس کیا۔ غلام اسحٰق خان دو روز تک پشاور میں ٹھہر کر تعزیت کرنے والوں سے ملتے رہے، ان میں آرمی چیف عبدالوحید کاکڑ بھی شامل تھے، انہوں نے بھی محمد نواز شریف کی عدم موجودگی پر اظہار حیرت کیا۔ تعزیت پر محمد نواز شریف کے نہ آنے کا واضح مطلب تھا کہ معاملہ گڑبڑ ہے اور اب مشکل دن آنے والے ہیں۔

۱۸ مارچ ۱۹۹۳ کو صدر نے افواج کے سربراہوں کے اعزاز میں دعوت افطار کا اہتمام کیا، اس میں محمد نواز شریف نہیں آئے۔ ۱۹ مارچ ۱۹۹۳ کو وزیراعظم نے اپنے ہاں دعوت افطار کا اہتمام کیا اس میں غلام اسحٰق خان موجود نہ تھے۔

۲۱ مارچ ۱۹۹۳ کو محمد خان جونیجو کی تجہیز و تکفین کے موقعہ پر بھی غلام اسحٰق خان اور محمد نواز شریف دونوں الگ الگ رہے۔ دونوں الگ الگ ہوائی جہازوں میں محمد خان جونیجو کے آبائی گاؤں سندھڑی گئے، دونوں الگ الگ وقت پر سندھڑی پہنچے، دونوں الگ الگ کمروں میں بیٹھے اور اگر کبھی مصافحہ کی نوبت آئی بھی تو مصافحہ مجبوراً، بادل ناخواستہ اور رسماً ہوا۔

مملکت کے دو عظیم ستونوں، صدر غلام اسحٰق خان اور وزیراعظم محمد نواز شریف، کے درمیان ناچاقی سے بے نظیر نے خوب فائدہ اٹھایا۔ وہ بیٹھی تو رہیں پاکستان سے دور لندن میں، لیکن کوشش یہی کی کہ صدر اور وزیراعظم کے درمیان خلیج وسیع سے وسیع تر ہو، دونوں سے بہ یک وقت بات چیت جاری رکھی جائے اور ہر دو پر یہی ظاہر کیا جائے کہ وہ جس کا بھی ساتھ دیں گی اس کشمکش میں وہ جیت جائے گا۔ غرض یہ کہ اپنی مخصوص پوزیشن سے بے نظیر نے پورا پورا فائدہ اٹھایا۔ محمد نواز شریف کی طرف سے سید افتخار حسین گیلانی اور محمود خان اچکزئی کو ایک پرکشش پیش کش کے ساتھ بے نظیر کے پاس لندن بھیجا گیا لیکن بے نظیر نہ مانیں، صدر غلام اسحٰق خان کی طرف سے ان کے علم اور ایما سے غلام مصطفےٰ جتوئی بھی لندن گئے تاکہ بے نظیر کو صدر کی طرف مائل کر سکیں۔ جب افتخار گیلانی اور محمود اچکزئی کا مشن ناکام ہو گیا تو ہم نے محسوس کیا کہ بے نظیر واضح طور پر صدر کی طرف جھک رہی ہیں۔

اس سے مجھے دوسری جنگ عظیم کی ابتدا (ستمبر ۱۹۳۹) سے فوراً پہلے کا زمانہ یاد آ گیا۔ اس وقت برطانوی وزیراعظم نیول چیمبرلین نے ایک سست مسافر و مال بردار بحری جہاز میں ایک برطانوی عسکری مشن کو برطانیہ سے ماسکو روانہ کیا تھا تاکہ یہ مشن سوویٹ یونین سے باہمی امداد کے معاہدے کے لئے زمین ہموار کرے۔ برطانوی چیمبرلین کے مقابلے میں جرمن ہٹلر نے روبن ٹراپ کو نہایت سرعت سے برلن سے ماسکو بھیجا اور روبن ٹراپ کو پورے پورے اختیارات دے دیئے کہ وہ تمام جرمن۔ سوویٹ تصفیہ طلب امور پر جیسے مناسب سمجھیں اپنی صوابدید کے مطابق سمجھوتہ کر لیں۔

بلاشبہ پاکستان کے حالات مذکورہ بالا حالات سے مختلف تھے، نہ غلام اسحٰق خان ہٹلر تھے نہ محمد نواز شریف، چیمبرلین تھے، نہ بے نظیر کوئی اسٹالین تھیں۔ نہ غلام مصطفےٰ جتوئی کوئی پیشکش لیکر گئے تھے نہ ان کے پاس ایسے غیر مشروط اور غیر محدود اختیارات تھے کہ وہ بے نظیر سے جس معاملہ پر چاہیں سمجھوتہ کر لیں۔ آخرکار بے نظیر نے صدر غلام اسحٰق خان کا ساتھ دینے کا فیصلہ کر لیا اور اس طرح اس راؤنڈ میں محمد نواز شریف بازی ہار گئے۔

پروجیکٹ مین ہیٹن

۱۹۹۲ کے آخر میں، میں نے پاکستان پیپلزپارٹی کے رویہ میں نمایاں تبدیلی محسوس کی۔ اس احساس کی وجہ یہ تھی کہ پاکستان پیپلز پارٹی کے پنجاب سے تعلق رکھنے والے چند چوٹی کے لیڈرروں نے جو شدت پسند کہلاتے تھے اور محمد نواز شریف سے پی پی کی مصالحت کے بالکل خلاف تھے میرے یہاں آنا جانا شروع کردیا۔ ان لیڈروں میں سر فہرست تو چوہدری الطاف حسین تھے جو بعد میں گورنر پنجاب بنے۔ وہ نہایت خوش خو اور خوش گفتار انسان تھے، ان کی خاص خوبی یہ تھی کہ آپ ان سے ملنے کے بعد ان سے بدگماں نہیں ہو سکتے تھے، وہ محمد نواز شریف کے سخت مخالف تھے اور غلام اسحٰق خان اور بے نظیر کے درمیان مصالحت کے حامی تھے۔ انہوں نے مجھ سے کہا تھا:

"غلام اسحٰق خان اور بے نظیر کا سیاسی مناقشہ ایک افسوسناک سانحہ تھا، بے نظیر کو ان کے چند مشیروں نے گمراہ کردیا تھا، اب وہ اپنی غلطی کا ازالہ کرنے کو تیار ہیں، آپ ان دونوں کو ایک دوسرے کے قریب لانے کی کوشش کیجئے۔"

میں نے کوئی وعدہ نہیں کیا لیکن غلام اسحٰق خان کو مذکورہ گفتگو سے آگاہ ضرور کردیا۔ انہوں نے کہا: ہاں بالواسطہ میرے پاس بھی اسی قسم کا ایک پیغام آیا ہے'۔

چوہدری الطاف حسین سے یہ میری پہلی ملاقات تھی، اس کے بعد بھی ان سے متعدد ملاقاتیں ہوئیں اور رفتہ رفتہ ہر ملاقات کے بعد میرے دل میں ان کی قدر ومنزلت بڑھتی چلی گئی۔

چوہدری الطاف حسین کے بعد پی پی کے جن ممتاز لیڈروں نے مجھ سے رابطہ قائم کیا ان میں خواجہ طارق رحیم، سلمان تاثیر، احسان الحق پراچہ، اور فیصل صالح حیات قابل ذکر ہیں۔ ان سب نے مجھ سے جو گفتگو کی اس کا ماحصل یہ تھا:

"ہم تمام لوگ غلام اسحٰق خان اور بے نظیر کے درمیان مصالحت چاہتے ہیں، ہم نواز شریف کے سخت خلاف ہیں، ہم بے نظیر اور محمد نواز شریف کے درمیان مصالحت کی ہر کوشش کو ناکام بنادیں گے، خصوصاً پنجاب پی پی پی ایسی ہر کوشش کی سخت مزاحمت کرے گی"۔

مجھ پر یہ بات عیاں تھی کہ اس معاملے میں پی پی پی کی ہائی کمان میں اختلافات تھے اور وہ بھی شدید۔ بہر حال پی پی پی کے ان جیالوں سے میری جو بھی بات چیت ہوتی تھی میں اس سے صدر کو حرف بحرف آگاہ کردیا کرتا تھا۔

حالات کی رفتار اس وقت اچانک تیز ہوگئی جب پی پی پی کے چوٹی کے لیڈر اور بے نظیر کے معتمد خاص سردار فاروق احمد خان لغاری نے مجھ سے ملنے کی خواہش ظاہر کی۔ صدر سے اجازت لیکر میں فاروق لغاری

سے ایک مشترک دوست حبیب اللہ کنڈی کے گھر ملا۔ اس ملاقات میں میر افضل خان (اس وقت کے وزیراعلیٰ سرحد) اور آفتاب احمد خان شیرپاؤ (مستقبل کے وزیراعلیٰ سرحد) بھی موجود تھے، بلکہ میر افضل خان مجھ کو خود اپنی کار میں حبیب اللہ کنڈی کے ہاں لے گئے۔ سردار فاروق احمد خان لغاری اور آفتاب شیرپاؤ کے ساتھ یہ میری پہلی ملاقات تھی لیکن بعد میں اور بھی کئی ملاقاتیں ہوئیں۔ مجھے لگا کہ سردار فاروق لغاری اور آفتاب شیرپاؤ کو بے نظیر نے مذاکرات کی کھلی چھٹی دے رکھی ہے۔ بعد میں یہ ملاقاتیں حبیب اللہ کنڈی کے گھر کی بجائے میرے گھر میں ہونے لگیں۔ پھر ایک روز سردار فاروق لغاری نے مجھ سے کہا: ”آپ غلام اسحٰق خان کو بتلادیں کہ بے نظیر۔ نواز شریف مصالحت کے جس مشن پر افتخار گیلانی اور محمود اچکزئی لندن گئے تھے وہ مشن ناکام ہو گیا ہے۔ بے نظیر اب خلوص نیت سے غلام اسحٰق خان سے مصالحت چاہتی ہیں: نواز شریف آٹھویں ترمیم منسوخ کرواکر صدر کو بے اختیار کر دینا چاہتے ہیں: پی پی پی نواز شریف کی ایسی سب کوششوں کی مزاحمت کریگی جنکا مقصد صدر کو کمزور کر کے نواز شریف کو آمرانہ اختیارات دینا ہو۔ اب وقت آگیا ہے کہ صدر اور بے نظیر کے باہمی تعاون سے محمد نواز شریف کو اقتدار سے الگ کر دیا جائے اس سے پہلے کہ پانی سر سے گذرے“

میں نے یہ سب باتیں من و عن صدر تک پہنچا دیں۔ صدر کا رد عمل مثبت تھا۔ انہوں نے مجھ سے کہا:

”فاروق لغاری اور آفتاب شیرپاؤ سے میری طرف سے کہہ دو کہ مجھے ان کے نقطہ نظر سے اتفاق ہے۔ اب قومی اسمبلی میں محمد نواز شریف کے خلاف عدم اعتماد کی تحریک پیش ہو جانی چاہیے۔“

فاروق لغاری نے کہا: ”ماضی کا تجربہ ہمیں بتلاتا ہے کہ ہمارے مخصوص حالات میں حکومتیں تحریک عدم اعتماد کے ذریعے نہیں بدلی جاسکتیں۔ ماضی میں ایسی سب کوششیں ہمیشہ ناکام رہی ہیں، لہٰذا تحریک عدم اعتماد کے ذریعے نواز شریف حکومت کو گرانے کا خیال چھوڑ کر صدر کو آئین کی دفعہ ۵۸ کی شق (۲) کی ذیلی شق (ب) کے تحت اپنے خصوصی اختیارات استعمال کر کے نواز شریف حکومت کو ہٹانا اور اسمبلی کو توڑنا ہوگا۔“

ادھر غلام اسحٰق کا کہنا تھا: ”میں ۳ سال میں دوسری مرتبہ آئین کی دفعہ ۵۸ کی شق (۲) کی ذیلی شق (ب) کے تحت اسمبلی توڑنا نہیں چاہتا۔ اعلیٰ عدالتیں اس طرح اسمبلی توڑنے کو غیر جمہوری اور ناپسندیدہ سمجھتی ہیں۔ ۱۹۹۰ میں بھی جن لوگوں نے پاکستان کے قومی مفاد کی خاطر بدعنوان اور بے ایمان حکومت کو ہٹانے اور قومی اسمبلی کو توڑنے پر اصرار کیا تھا، جب حکومت ہٹ گئی اور اسمبلی ٹوٹ گئی، اور ایسا ہونے پر نکتہ چینی شروع ہوئی تو وہ سب لوگ غائب ہو گئے، اور مجھے تن تنہا اعتراضات کا سامنا کرنا پڑا“۔

میں نے سردار فاروق لغاری کو جب یہ بتلایا تو وہ بولے: ”۱۹۹۳ کے معروضی حالات، ۱۹۹۰ کے

معروضی حالات سے بالکل مختلف ہیں۔ اس مرتبہ مقبول عام پی پی پی، حکومت ہٹانے اور اسمبلی توڑنے کے صدارتی فیصلے کی ملک کے طول و عرض میں حمایت کرے گی۔ اگر صدارتی فیصلہ عدالت میں چیلنج بھی ہوا تو عدالت کو بدلے ہوئے معروضی حالات کو مد نظر رکھ کر فیصلہ کرنا ہوگا۔ ہمیں یقین ہے کہ ہم عدالت میں بھی صدارتی فیصلے کا کامیاب دفاع کر سکیں گے۔ صدر چاہیں تو ہم اسمبلی کے نصف سے زیادہ ممبروں کے استعفے حاصل کر کے صدر کے سپرد کر سکتے ہیں"۔

غرضیکہ اس بارے میں اور بہت سے دوسرے متعلقہ امور کے بارے میں مختلف معتدد میٹنگوں میں تبادلہ خیال ہوتا رہا۔ ایک میٹنگ میں میں نے تجویز کیا کہ معاملہ کی نزاکت اور اس کو صیغہ راز میں رکھنے کی شدضرورت کے پیش نظر اس پورے آپریشن کو کوئی خفیہ (کوڈ) نام دیدینا چاہیے۔ میں ان دونوں رچرڈ رہوڈز کی کتاب: "بنانا جوہری بم کا" پڑھ رہا تھا۔ چنانچہ میں نے تجویز کیا کہ اس منصوبہ کو پروجیکٹ مین ہیٹن "کا نام دیدیا جائے، فاروق احمد لغاری کو یہ نام پسند آیا، دوسروں نے بھی تائید کی چنانچہ اس وقت سے اس پورے آپریشن کا نام "پروجیکٹ مین ہیٹن" پڑ گیا۔

شروع شروع میں تو میں ایک طرف تھا اور فاروق لغاری اور آفتاب شیرپاؤ مخالف کیمپ میں تھے، لیکن وقت کے ساتھ ساتھ ہم نے ایک دوسرے کو بہتر طور پر سمجھ لیا تھا اور میرے دل میں سردار فاروق احمد خان لغاری اور آفتاب شیرپاؤ کیلئے عزت و احترام کے گہرے جذبات پیدا ہوتے چلے گئے۔ بعد میں سردار فاروق لغاری صدر پاکستان بنے اور آفتاب شیرپاؤ وزیراعلیٰ سرحد۔

اپریل ۱۹۹۳

۱۷ اپریل ۱۹۹۳ ہمارے ملک کی تاریخ میں ایک منحوس دن کے طور پر یاد رکھا جائے گا۔ اس روز میں اپنی کار میں اپنے بیٹے جاوید خان کے ساتھ آرمی ہاؤس راولپنڈی گیا۔ وہاں میرا بیٹا اور میں دونوں ساڑھے سات بجے شام کھانے پر مدعو تھے۔ جنرل عبدالوحید کاکڑ آرمی چیف اور ان کی نیک دل اہلیہ یاسمین ہمارے میزبان تھے۔ ہم شام کے سات بج کر پچیس منٹ پر آرمی ہاؤس پنڈی پہنچے تو دیکھا کہ جنرل عبدالوحید اور ان کی بیگم اپنے گھر کے لان میں ٹہل رہے ہیں۔ چونکہ اسی شام وزیراعظم محمد نواز شریف ریڈیو اور ٹیلی وژن پر قوم سے خطاب کرنے والے تھے تو جنرل عبدالوحید نے کہا کیوں نہ پہلے ہم وزیراعظم کی تقریر سن لیں اور پھر اطمینان سے کھانا کھائیں، ہم نے کہا ٹھیک ہے چنانچہ ہم سب ایک ٹیلی وژن سیٹ کے سامنے بیٹھ گئے، اور وزیراعظم محمد نواز شریف کی تقریر سننے لگے۔ تقریر کیا تھی صدر کے خلاف براہ راست الزامات کا پلندہ تھی، ہم نے جو سنا وہ سن کر ہم حیران پریشان رہ گئے، انہوں نے اپنی تقریر کے دوران کہا:

"میں قوم کی خدمت کرنا چاہتا ہوں لیکن میرا راستہ روکا جارہا ہے، وہی جو جمہوریت کے پاسبان اور وفاق کا

نشان سمجھے جاتے ہیں اپنی بے اصول اور غلیظ سیاست سے ملک و قوم کی خدمت کی میری تمام کوششوں کو خاک میں ملانا چاہتے ہیں۔ مجھ پر دباؤ ڈالا جارہا ہے، مجھے دھمکایا جارہا ہے، مجھ کو ڈرایا جارہا ہے، مجھے بلیک میل کیا جارہا ہے کہ میں اپنے عہدے سے دستبردار ہو جاؤں۔ لیکن میں نہ تو استعفےٰ دوں گا، نہ قومی اسمبلی توڑوں گا، نہ کسی آمرانہ حکم کی تعمیل کروں گا"۔

وزیراعظم محمد نواز شریف کی مذکورہ تقریر ختم ہوئی تو جنرل عبدالوحید بولے: "یا اللہ! ہم تو بڑی مصیبت میں پھنس گئے، اب کیا ہوگا؟" مجھ پر تو جیسے سکتے کا عالم تھا لیکن جیسے ہی میرے ہوش حواس ٹھکانے آئے تو میں نے کہا: "یہ تو صدر کے خلاف وزیراعظم کا کھلا اعلان جنگ ہے۔ اس کے بعد صدر اور وزیراعظم کیسے ایک ساتھ چل سکتے ہیں؟ اب امور مملکت کیسے آئین کے مطابق چلائے جاسکتے ہیں؟ ماضی میں تو اس سے کہیں کم سنگین صورت میں مارشل لا لگ چکا ہے۔ لیکن خدا کا شکر ہے کہ اب اس کی ضرورت نہیں پڑے گی کیونکہ آئین کی آٹھویں ترمیم کی رو سے صدر کو قومی اسمبلی توڑنے، حکومت کو ہٹانے، عام انتخابات دوبارہ کروانے اور اس طرح بحران کو آئینی حدود کے اندر اندر حل کر لینے کا اختیار ہے"۔

غرض یہ کہ ساری شام وزیراعظم کی مذکورہ تقریر ہی گفتگو کا موضوع رہی۔ جنرل عبدالوحید نے یہ سن کر کہ سیاسی بحران آئینی حدود کے اندر اندر حل ہو سکتا ہے، اطمینان کا سانس لیا، انہوں نے مجھ سے کہا:

"مارشل لاء؟ توبہ توبہ! مارشل لا کا تو نام نہ لو مارشل لا لگانے کا سوال ہی پیدا نہیں ہوتا، البتہ صدر تک میرا یہ پیغام آپ پہنچادیں کہ آئینی حدود کے اندر اندر آپ جو بھی کارروائی کریں گے میں ان کے ساتھ ہوں گا۔ میں خود صدر کو یہ بات بتلادیتا لیکن ایسا کرنا صورت حال کی نزاکت کے پیش نظر قرین مصلحت نہیں کیونکہ اس کو غلط معنی پہنائے جاسکتے ہیں"۔

مجھے یقین ہو گیا تھا کہ اگر آئین کی دفعہ ۵۸ کی شق (۲) کی ذیلی شق (ب) کے تحت فوری کارروائی نہ کی گئی تو مارشل لا ناگزیر ہو جائے گا۔ جیسے ہی عشائیہ ختم ہوا میں وہاں سے اٹھ کر سیدھا غلام اسحٰق خان کے داماد، انور سیف اللہ خان، کے گھر چلا گیا اور ان سے کہا کہ مجھ کو صدر سے فوراً ملاقات کا وقت دلوادیں۔ انہوں نے بات کی اور صدر نے مجھ کو فوراً بلالیا۔ میں ایوان صدر پہنچا اور صدر کو جنرل عبدالوحید کا مذکورہ پیغام پہنچایا۔ صدر نے اطمینان اور سکون سے میری بات سنی اور صرف یہ کہا: "رات گذرنے دو، صبح کو بات کریں گے"۔

اگلے روز تقریباً دوپہر کے کھانے کے وقت صدر نے مجھ کو یاد کیا اور مجھ سے کہا کہ: میں نے صدر کی حیثیت سے اپنے خصوصی اختیارات استعمال کر کے قومی اسمبلی کو توڑنے اور موجودہ حکومت کو برطرف

ـنے کا فیصلہ کرلیا ہے"۔ جنرل عبدالوحید سے میری ملاقات آرمی ہاؤس پنڈی میں ۳ بجے بعد دوپہر ـوئی۔ میں گذشتہ ۲۴ گھنٹوں میں دوسری بار آرمی ہاؤس پنڈی آیا تھا، میں جیسے ہی جنرل عبدالوحید سے ملا ـہوں نے مجھ سے کہا: "آپ کے ایوان صدر اسلام آباد سے روانہ ہونے کے بعد لیکن آرمی ہاؤس پنڈی پہنچنے ـسے پہلے صدر کے سیکریٹری (فضل الرحمٰن خان) کا فون آیا تھا کہ وہ ابھی صدر کا پیغام آرمی چیف کو نہ دیں، ـوان صدر سے فون کا انتظار کریں۔ تھوڑی ہی دیر میں فضل الرحمٰن خان کا فون آگیا اور انہوں نے مجھ سے کہا ـ اب آپ صدر کا پیغام آرمی چیف کو دے سکتے ہیں۔ میں نے صدر کا پیغام آرمی چیف کو دیا تو انہوں نے ـرف اتنا کہا: میں تمام مطلوبہ حفاظتی انتظامات کرلوں گا۔ انہوں نے پوچھا کہ ایوان صدر میں اس سلسلے میں ـسر رابطہ کون ہوگا؟ تو میں نے بریگیڈیر ذوالفقار احمد خان کا نام دے دیا۔ پھر میں جنرل عبدالوحید سے ـخصت ہو کر ایوان صدر واپس پہنچ گیا۔

اس ڈرامے کا دوسرا ایکٹ ۱۸ اپریل ۱۹۹۳ کو شروع ہوا۔ آئین کی دفعہ ۵۸ کی شق (۲) کی ذیلی شق (ب) ـکے تحت اپنے خصوصی اختیارات استعمال کرتے ہوئے صدر نے قومی اسمبلی توڑ دی اور حکومت ہٹادی، گویا ـیاسی عمل وہیں واپس پہنچ گیا جہاں سے شروع ہوا تھا۔ سیاسی مبصر اس کارروائی سے حیران نہیں ہوئے۔ ـیں ایسا ہوا ہے کہ مملکت کے دو سب سے اہم ستون۔ صدر اور وزیراعظم۔ ایک دوسرے کی شکل سے اتنے ـزار ہو جائیں کہ رسمی میل جول بھی نہ رہے؟ ۲۴ فروری ۱۹۹۳ کو وزیراعظم محمد نواز شریف نے سینٹ ـکے ایک اجلاس میں اعلان کیا تھا کہ میں آئین کی آٹھویں ترمیم کی تنسیخ کا فیصلہ کر چکا ہوں۔ بس یہی اعلان ـدر اور وزیراعظم کے درمیان ناچاقی کا نقطہء آغاز ثابت ہوا۔ ویسے بھی یہ اعلان قبل از وقت تھا اس لئے کہ ـئین میں ترمیم کی منظوری کیلئے قومی اسمبلی میں دو تہائی اکثریت کی ضرورت ہوتی ہے جو محمد نواز شریف کے ـس نہیں تھی۔

۱۴ اپریل ۱۹۹۳ کو غلام اسحٰق خان اور محمد نواز شریف کے درمیان مصالحت کی ایک اور کوشش ہوئی جس ـکے بعد ایوان صدر سے ایک پریس نوٹ جاری ہوا جس میں نواز شریف سے کہا گیا تھا وہ کیا کچھ کریں۔ میں ـسمجھتا ہوں یہ پریس نوٹ قطعاً غیر ضروری تھا بلکہ اس وقت کی فضا میں اس سے غلط فہمی پیدا ہوئی اور منفی ـتائج نکلے۔ محمد نواز شریف نے بھی ضرورت سے زیادہ برافروختگی ظاہر کی، ۱۷ اپریل ۱۹۹۳ کی شام کو ـیڈیو ٹیلی وژن پر قوم سے ان کا خطاب، صدر کے خلاف اعلان جنگ سے کم نہ تھا۔

ستم ظریفی یہ ہے ۱۷ اپریل ۱۹۹۳ تک غلام اسحٰق خان کا کوئی ارادہ قومی اسمبلی توڑنے اور حکومت ہٹانے ـنہ تھا۔ غلام اسحٰق خان کے کیمپ میں بہت سے لوگ محمد نواز شریف کیخلاف فوری کارروائی کے حامی تھے لیکن ـلام اسحٰق خان اس کے خلاف تھے۔ جب قومی اسمبلی کے ممبروں کے استعفے مطلوبہ تعداد میں موصول ـہو گئے تو سید شریف الدین پیرزادہ، رفیع رضا، عزیز منشی، فضل الرحمٰن خان اور میں صدر سے ملے۔ ہم میں

شریف پیرزادہ، رفیع رضا، عزیز منشی پیشہ ور آئینی اور قانونی ماہر تھے۔ انہوں نے کہا کہ ان استعفوں کی بنا پر آپ اسمبلی توڑ سکتے ہیں اور اگر اس کارروائی کو عدالت میں چیلنج کیا گیا تو آپ کی کارروائی کا دفاع عدالت میں کامیابی سے کیا جا سکتا ہے۔ غلام اسحٰق خان یہ سن کر ناخوش ہوئے، ان کا چہرہ سرخ ہو گیا، انہوں نے کہا تین سال میں میرا دوسری مرتبہ کلہاڑی چلانیکا کوئی ارادہ نہیں۔ محض استعفوں سے اسمبلی توڑنے کا جواز پیدا نہیں ہوتا یہ کہہ کر وہ اپنے کام میں مصروف ہو گئے گویا یہ ایک لطیف اشارہ تھا کہ میٹنگ برخاست ہو چکی ہے۔

صدارتی کیمپ کے شدت پسند عناصر اور ماہرین آئین جو کام صدر سے نہیں کروا سکتے تھے محمد نواز شریف کی ۱۷ اپریل ۱۹۹۳ کی شام کی تقریر نے وہ کام سرعت سے کروادیا۔ اس تقریر کے بعد صدر کی مزاحمت ٹوٹ گئی اور وہ قومی اسمبلی کو توڑنے پر مجبور ہو گئے۔ کیا محمد نواز شریف کو اپنی تقریر سے اسی قسم کے نتائج کی توقع تھی جو بعد میں برآمد ہوئے؟ شاید نہیں!

مئی ۱۹۹۳

۲۶ مئی ۱۹۹۳ کو سپریم کورٹ نے مذکورہ صدارتی کارروائی کو رد کر دیا لیکن جسٹس سید سجاد علی شاہ نے اپنے اختلافی نوٹ میں لکھا:

۱۔ ”اس مقدمے میں اکثریتی فیصلہ میرے فاضل بھائی جسٹس شفیع الرحمٰن سنانے والے ہیں۔ میں نے اس فیصلے کے متن کو بغور پڑھا ہے، میرے دل میں جسٹس شفیع الرحمٰن کا بہت احترام ہے، میں ان کے عمیق علم اور وسیع مطالعہ کا دل سے قدردان ہوں۔ لیکن بصد احترام میں یہ کہنے پر مجبور ہوں کہ میں ان کی رائے سے متفق نہیں۔ اس لئے مجھے یہ اختلافی نوٹ لکھنا پڑ رہا ہے۔ اگرچہ مقدمے کے حقائق کو اکثریت کے فیصلے میں تفصیل سے بیان کر دیا گیا ہے لیکن اختصار سے ان کا بیان اس نوٹ میں بھی بے جا نہ ہوگا۔“ ہوا یوں کہ مدعی (وزیراعظم) اور مدعا علیہ (صدر) کے درمیان اختلافات پیدا ہوئے جس سے ان کے باہمی روابط بگڑ گئے، بگڑتے ہوئے تعلقات کو سنبھالنے اور کاروبار حکومت کو مکمل تعطل سے بچانے کی خاطر ۱۴ اپریل ۱۹۹۳ کو ایوان صدر میں ایک میٹنگ ہوئی، جو اس سلسلے کی آخری میٹنگ ثابت ہوئی۔

اختصار کی خاطر اس نوٹ میں اس کے بعد مدعی کو 'وزیراعظم' اور مدعا علیہ کو 'صدر' کہا جائے گا۔

۲۔ میری مودبانہ رائے میں اس معاملہ میں اہم ترین مرکزی نکتہ وہ تقریر، اس کا لب و لہجہ اس کی غرض و غایت ہے جو وزیراعظم نے کی۔ اکثریتی فیصلے میں اس تقریر کے بارے میں کچھ نہیں کہا جا رہا بلکہ زور اس بات پر ہے کہ وزیراعظم نے جو کچھ کیا وہ آئین کے اندر رہ کر کیا اور یہ کہ

صدر مملکت کے سپرد وزیراعظم کو مشورہ دینے کا کوئی کام نہیں تھا۔ وزیراعظم کی تقریر کے لب و لہجے سے صاف ظاہر ہے کہ انہوں نے قوم کو اعتماد میں لینے کی کوشش کی کہ صورت حال اب اس سطح پر پہنچ چکی ہے جس میں وفاقی حکومت دستور کے مطابق کام نہیں کر سکتی اور اس صورت حال کی ذمہ داری وزیراعظم پر نہیں بلکہ ایوان صدر میں صدر کی ذات پر ہے جنہوں نے حکومت کے اندر کے اور باہر کے عناصر سے ساز باز کر کے حکومت وقت کو متزلزل کرنے کی اپنی سی پوری کوشش کی۔

۳۔ میری رائے میں یہ سوال کہ اس صورت حال کے پیدا کرنے میں کس کی ذمہ داری ہے ثانوی ہے۔ بنیادی حقیقت یہ ہے کہ وفاق کے دوستونوں (صدر اور وزیراعظم) کے درمیان اختلافات اتنے بڑھے کہ کاروبارِ مملکت معطل ہو گیا اور صدر کے لئے آئین کی دفعہ ۵۸ کی شق (۲) کی ذیلی شق (ب) کے تحت صدارتی کارروائی کا جواز پیدا ہو گیا۔ اس بارے میں کوئی اختلاف رائے نہیں کہ وزیراعظم نے ۱۷ اپریل ۱۹۹۳ کو قوم سے جو خطاب کیا تھا اس میں ان کا لب و لہجہ سرکشی کا تھا اور انہوں نے للکارا تھا۔ اس سے بجائے خود یہ صاف صاف ظاہر ہوتا ہے کہ صدر اور وزیراعظم کے باہمی تعلقات بالکل منقطع ہو چکے تھے، اور آئین کے تحت وفاق کی حکومت کا چلنا ناممکن ہو چکا تھا لہذا نئے عام انتخابات کے ذریعے عوام کی رائے معلوم کرنے کے سوا اور کوئی چارہ نہ تھا۔ میرے نزدیک یہ کہنا فضول ہے کہ یہ عدالت وزیراعظم کو یکطرفہ پیش کش کرے کہ اگر وہ عدالت کو اطمینان دلادیں کہ حکومت کی بحالی کے بعد صدر سے تعاون کریں گے تو مسئلہ حل ہو جائے گا۔ ایسی کوئی پیش کش صدر کو تو نہیں کی گئی۔ عمل اور رد عمل کی قوت مساوی بھی ہوتی ہے اور مخالف بھی۔ وزیراعظم کی تقریر کے تند و تیز لب و لہجے سے صدر کے جذبات کا مجروح ہونا اور صدر کا وزیراعظم کی تقریر کو ذلت آمیز محسوس کرنا بعید از قیاس نہیں، نہ ان دونوں (صدر اور وزیراعظم) میں کوئی ایسی مفاہمت و مصالحت ہوئی ہے کہ جس کی بنا پر یہ مانا جا سکے کہ انہوں نے اپنے باہمی اختلافات دور کر لئے ہیں، دونوں میں صدق دل سے صلح ہو گئی ہے اور دونوں نے گذشتہ را صلوٰۃ آئندہ را احتیاط کا عہد کر لیا ہے۔

۴۔ آئین میں جو نظام ترتیب دیا گیا ہے اس میں صدر اور وزیراعظم دونوں وفاق کی سرکاری مشینری کے نہایت اہم کل پرزے ہیں۔ اس نظام کے تحت یہ بے حد ضروری ہے کہ امور مملکت کو ان دونوں کے باہمی تعاون کے خوشگوار ماحول میں نمٹایا جائے اور وزیراعظم کے مشورے سے صدر کے نام پر جو احکام صادر ہوں، ان کی تعمیل ہو، چنانچہ اس سلسلے میں سمریوں کا صدر کے پاس بھیجا جانا ناگزیر ہے، اگر صدر تعاون نہ کریں تو پھر کیا ہوگا؟

۵۔ میں یہاں یہ بھی کہنا چاہتا ہوں کہ خواجہ طارق رحیم والے مقدمے میں بھی صورت حال اتنی گمبھیر نہیں تھی، بے نظیر نے وزیراعظم کی حیثیت سے قوم کے سامنے کوئی ایسی تقریر نہیں کی تھی جس میں صدر پر علانیہ تنقید ہو، اس لئے علانیہ سرکشی کی وہ فضا بھی پیدا نہیں ہوئی تھی جو اب موجود ہے، گویا اس مقدمے میں اسمبلی توڑنے کے حق میں پیش کردہ کوائف و دلائل کو معروضی انداز میں جانچنا ہوگا۔ اس (خواجہ طارق رحیم والے) مقدمہ میں اسمبلی توڑنے کے حق میں جو دلائل دیئے گئے تھے اور اس سلسلہ میں جو مواد پیش کیا گیا تھا نہ وہ اتنا زیادہ تھا نہ اتنا عمدہ تھا جتنا کہ اس مقدمہ میں ہے۔ پھر بھی اس مقدمے میں اسمبلی توڑنے کی صدارتی کارروائی کی توثیق کردی گئی تھی جب کہ مقدمہ زیر نظر میں ایسا نہیں کیا جارہا۔

٦۔ میری مودبانہ رائے ہے کہ چونکہ اس عرضداشت پر پہلے ہائی کورٹ میں غور نہیں ہوا اور سپریم کورٹ نے اسے براہ راست غور کے لئے منظور کرلیا اور چونکہ سپریم کورٹ سے بالا کوئی اور ایسی عدالت نہیں جہاں سپریم کورٹ کے فیصلے کے خلاف اپیل کی جاسکے لہذا اس کورٹ کے لئے اسمبلی توڑنے کے حق میں پیش کردہ مواد کو زیادہ توجہ اور غور سے پرکھنا اور بھی زیادہ ضروری ہے، اس سے پہلے حاجی سیف اللہ خان اور خواجہ احمد طارق رحیم کے مقدمات کے فیصلے کرتے وقت اسی کورٹ نے جو رہنما اصول وضع کئے تھے، ان کی رو سے بھی ایسا کرنا ضروری ہے۔

۷۔ میری مودبانہ رائے ہے کہ آئین کی دفعہ ۵۸ کی شق (۲) کی ذیلی شق (ب) چاہے ہمیں پسند ہو یا نہ ہو لیکن یہ ہمارے آئین کا جزو ہے۔ ہر ملک کا اپنا آئین ہوتا ہے جو دوسرے ملکوں کے آئینوں سے مختلف ہوتا ہے کیونکہ ہر ملک کا آئین اس کے اپنے مخصوص اور منفرد معروضی حالات، اس کے تاریخی و ثقافتی پس منظر، اس کے نمایاں رسم رواج، اسکے اپنے مذہبی عقائد و اقدار کو مد نظر رکھ کر بنایا جاتا ہے، اب اگر مذکورہ آئینی دفعہ کی مذکورہ شق اور ذیلی شق ناپسندیدہ ہے تو اسے خارج کیا جاسکتا ہے اسے بدلا جاسکتا ہے۔ اس میں ترمیم کی جاسکتی ہے بشرطیکہ ایسا آئین میں درج طریق کار کے مطابق کیا جائے۔ قانون سازی مقننہ کا کام ہے قانون کی تعبیر و تشریح عدلیہ کا کام ہے، عدلیہ قانون نہیں بناسکتی نہ اسے ایسی کوشش کرنا چاہیے۔ عدلیہ کا فرض اور اختیار صرف اس قدر ہے کہ وہ آئین اور دیگر قوانین کی تعبیر و تشریح کرتی رہے اور وہ بھی اس انداز سے کہ آئین قابل عمل رہے اور اس کے قابل عمل رہنے کا شائستہ مقصد فروغ پاتا رہے۔ کورٹ آئین کی تعبیر و تشریح ایسے تنگ اور محدود انداز میں نہیں کرسکتا جس سے آئین کی دفعات فضول اور لایعنی بن جائیں۔

۸۔ اسمبلی توڑنے کے حق میں جو مواد اس مقدمے میں پیش ہوا ہے اسے اکثریتی فیصلے میں رد کر دیا گیا ہے اور آئین کی دفعہ ۵۸ کی شق (۲) کی ذیلی شق (ب) کی تعبیر اس انداز سے کی گئی ہے کہ عملاً وہ کالعدم ہو کر رہ گئی ہے، جس کا مطلب یہ ہوا کہ آئندہ کسی صدر کے پاس کسی وزیر اعظم کے خلاف کتنا ہی وزنی مواد کیوں نہ موجود ہو وہ عدالت کے عدم اطمینان کے خیال سے نہ قومی اسمبلی توڑ سکے گا، نہ وزیر اعظم کو برخاست کر سکے گا۔ گویا آئین کی دفعہ ۵۸ کی شق (۲) کی ذیلی شق (ب) عملاً فضول اور آئین سے خارج ہو جاتی ہے، لیکن آئین کی کسی بھی دفعہ کسی بھی شق یا ذیلی شق کو آئین سے خارج کرنا مقنّنہ کا کام ہے، (عدلیہ کا نہیں)

۹۔ حاجی سیف اللہ خان اور خواجہ طارق رحیم کے مقدمات میں اسمبلی توڑنے کے حق میں پیش ہونے والے مواد پر غور و خوض کے لئے جو رہنما اصول وضع کئے گئے تھے میرے نزدیک مقدمہ زیر سماعت میں ان کو نظر انداز کرنے کا کوئی جواز نہیں۔ مجھے تو اس مواد میں جو اسمبلی توڑنے کے حق میں خواجہ احمد طارق رحیم کے مقدمے میں پیش کیا گیا تھا اور اس مواد میں جو مقدمہ زیر سماعت میں پیش کیا گیا ہے، کوئی فرق نظر نہیں آتا۔ اکثریتی فیصلے کے استدلال کو صرف اسی صورت میں قبول کیا جا سکتا ہے کہ خواجہ احمد طارق رحیم کے مقدمے میں فیصلہ غلط ہونے کا واشگاف اعلان کیا جائے۔

۱۰۔ میری اپنی رائے یہ ہے کہ چونکہ یہ عدالت، ملک کی سب سے اعلیٰ عدالت عظمیٰ ہے، اسے آئین اور قانون کی تعبیر و تشریح کرتے وقت مذکورہ مقدمہ کو مد نظر رکھنا ہوگا اور قانون کی متعین کردہ حدود کے اندر رہنا ہوگا۔ یہ عدالت قانون کی تعبیر و تشریح تو کر سکتی ہے قانون بنا نہیں سکتی۔ یہ عدالت قانون کی تعبیر کرتے وقت قانون کی حدود کو محدود تو کر سکتی ہے لیکن اتنی محدود بھی نہیں کہ قانون کا وجود ہی فضول ہو جائے۔ جہاں تک آئین کی دفعہ ۵۸ کی شق (۲) کی ذیلی شق (ب) کی تعبیر کا تعلق ہے، وہ نہایت فضیلت کے ساتھ حاجی سیف اللہ خان اور خواجہ احمد طارق رحیم کے مذکورہ مقدمات میں کی جا چکی ہے، اور اس تعبیر کی رو سے صدر آئین کی مذکورہ دفعہ کے تحت اپنے اختیارات استعمال کر سکتا ہے جب واقعی نظام کے ماؤف ہونے کا خطرہ ہو، آئین کی ایک سے زائد دفعات کی تعمیل نہ ہو رہی ہو، جس سے ملک کو ماورائے آئین طریقوں سے چلائے جانے کا تاثر ملے۔ یقیناً صدر کو اپنی رائے اس مواد کی بنیاد پر قائم کرنی چاہیے جو اس کے سامنے موجود ہو۔ خواجہ احمد طارق رحیم کے مقدمے کو اس عدالت کی جس بینچ نے سنا تھا اس میں ۱۲ جج تھے، مقدمہ زیر سماعت کو جس بینچ نے سنا ہے اس میں گیارہ جج ہیں جن میں سے سات وہی ہیں جنہوں نے خواجہ احمد طارق رحیم کا مقدمہ بھی سنا تھا۔ ان سات ججوں میں سے چھ نے بے نظیر

حکومت کی برطرفی اور قومی اسمبلی کی تحلیل کے صدارتی فیصلے کی توثیق کی تھی، ان چھ ججوں کے علاوہ تین جج مزید ایسے ہیں جنہوں نے بے نظیر حکومت کی برطرفی اور قومی اسمبلی کی تحلیل کے مقدمے کو لاہور ہائی کورٹ اور سندھ ہائی کورٹ کے ججوں کی حیثیت سے سنا تھا اور حکومت کی برطرفی اور اسمبلی کی تحلیل کے صدارتی فیصلے کی توثیق کی تھی۔ چنانچہ اب یہ صورت پیدا ہو گئی ہے کہ مقدمہ زیر سماعت سننے والے گیارہ ججوں میں سے نو ایسے ہیں جنہوں نے خواجہ احمد طارق رحیم کے مقدمے میں کہا تھا کہ حکومت ہٹانے اور اسمبلی توڑنے کا صدارتی فیصلہ صحیح تھا لیکن مقدمہ زیر سماعت میں ان کا کہنا ہے کہ حکومت ہٹانے اور اسمبلی توڑنے کے حق میں جو مواد پیش کیا گیا ہے وہ ناکافی ہے، صدر کو حکومت ہٹانے اور اسمبلی توڑنے کا قانونی اختیار نہ تھا، اسلئے ان کا حکومت ہٹانے اور اسمبلی توڑنے کا فیصلہ قانوناً بے اثر ہے۔

۱۱۔ میں احترام اور ادب کے ساتھ کہتا ہوں کہ مجھے اکثریتی رائے سے اتفاق نہیں، میرے نزدیک آئین کی دفعہ ۱۷ کی شق (۲) کی رو سے کسی سیاسی پارٹی کو یہ حق نہیں مل جاتا کہ اگر وہ حکومت بنائے تو ساری مدت پوری کرے نہ مجھے اس اکثریتی رائے سے اتفاق ہے کہ صدارتی فرمان تحلیل میں تخریب آئین کے ذکر سے آئین کی دفعہ ۱۴ کے تحت وزیر اعظم کا بنیادی حق مجروح ہوا ہے، نہ مجھے اس رائے سے اتفاق ہے کہ صدر، وزیر اعظم کو وفاق کے زیر انتظام قبائلی علاقوں میں حکومتِ وقت کے سیاسی عمل کی توسیع سے روک رہے تھے۔

۱۲۔ مجھے افسوس ہے کہ میں اس استدلال کو قبول نہیں کر سکتا جسکے تحت مقدمہ زیر سماعت میں خواجہ احمد طارق رحیم کے مقدمے میں دی گئی رائے سے، مختلف رائے قائم کی جا رہی ہے، جب کہ دونوں مقدمات میں الزامات کم و بیش ایک جیسے ہیں اور اسمبلی توڑنے کے حق میں مواد مقدمہ زیر سماعت میں پچھلے مذکورہ مقدمے کے مقابلے میں کہیں زیادہ ہے، مقدمہ زیر سماعت کا ایک غیر معمولی پہلو یہ ہے کہ وزیر اعظم نے ٹیلی وژن پر قوم سے خطاب کیا، صدر پر برملا نکتہ چینی کی اور دوبدو چپقلش کا اعلان کیا، ایسی صورت میں کاروبار سلطنت آئین کے مطابق کیسے چل سکتا تھا؟ نہیں چل سکتا تھا، لہذا فیصلہ عام انتخابات کے ذریعے صرف ووٹر ہی کر سکتا تھا۔ میری رائے یہ بھی ہے کہ آئین میں آئین کی دفعہ ۵۸ کی شق (۲) کی ذیلی شق (ب) کی اپنی ایک مستقل حیثیت ہے جس کا انحصار آئین کی کسی دوسری دفعہ یا شق یا ذیلی شق پر نہیں۔ اور یہ کہ اگر صدر کو اطمینان ہو جائے کہ اسمبلی توڑنا اور دوبارہ عام انتخابات کروانا ضروری ہے تو اس صورت میں اس عدالت کو چاہیے کہ وہ صدارتی فرمان تحلیل کو قائم رہنے دے اور آخری فیصلہ سیاسی مقتدرِ اعلیٰ (ووٹر) پر چھوڑ دے۔

۱۳۔ یہ صحیح ہے کہ حاجی سیف اللہ خان کے مقدمے میں صدارتی فرمان تحلیل کو باطل قرار دیدیا گیا تھا لیکن قومی اسمبلی اور حکومت کو بحال نہیں کیا گیا تھا۔ وجوہات یہ تھیں کہ عام انتخابات کے تمام انتظامات مکمل ہو چکے تھے، دوسرے ۱۹۸۵ میں جو انتخابات ہوئے تھے وہ غیر جماعتی بنیادوں پر ہوئے تھے، جب کہ ۱۹۸۸ کے نئے انتخابات میں سب سیاسی جماعتوں کو حصہ لینے کا موقعہ ملتا۔ تیسرے یہ کہ رٹ (Writ) جاری کرنا یا نہ کرنا عدالت کی صوابدید پر منحصر ہے، اسمبلی کی بحالی کی رٹ کی منظوری سے اس کی نامنظوری کے مقابلہ میں قومی نقصان کا خطرہ زیادہ تھا اور قومی مفاد کو انفرادی حقوق پر فوقیت دینا ضروری ہے۔ رہا خواجہ احمد طارق رحیم کا مقدمہ تو اس میں بے نظیر حکومت کی برطرفی اور اسمبلی کی تحلیل کے حق میں پیش کردہ مواد کو کافی تسلیم کر لیا گیا تھا۔ مقدمہ زیر سماعت میں اکثریتی رائے ان رہنما اصولوں سے صریحاً متصادم ہے جو خواجہ احمد طارق رحیم کے مقدمے میں وضع کئے گئے تھے، حالانکہ مقدمہ زیر سماعت میں اسمبلی توڑنے کے حق میں جو مواد پیش کیا گیا ہے وہ اس مواد سے کہیں زیادہ ہے اور وقیع ہے جو پچھلے مقدمے میں پیش کیا گیا تھا۔ اس کے باوجود اسے مسترد کر دیا گیا ہے اور رد کرنے کے حق میں جو وجوہ اور دلائل دیئے گئے ہیں میرے نزدیک وہ ناکافی ہیں۔

۱۴۔ ممکن ہے کہ میں غلطی پر ہوں اور خدا کرے کہ میں غلطی پر ہوں اور یہ میرا محض ایک واہمہ ہو لیکن جہاں تک میں سمجھ سکتا ہوں خواجہ احمد طارق رحیم والے مقدمے میں اور مقدمہ زیر سماعت میں الزامات کے اعتبار سے اسبابِ تحلیل کے اعتبار سے، تحلیل کے حق میں پیش کردہ مواد کے اعتبار سے کوئی فرق نہیں۔ لیکن مقدمہ زیر سماعت میں پیش کردہ مواد کی توقیع (پرکھ) اس پیمانے سے نہیں کی جارہی جس پیمانے سے پچھلے مقدمہ میں کی گئی تھی۔ بظاہر ایسا لگتا ہے کہ جیسے آئین کی دفعہ ۵۸ کی شق (۲) کی ذیلی شق (ب) کے مذبح خانہ میں سندھ کے دو وزرائے اعظم کو تو قربان کر دیا گیا لیکن جب پنجاب کے وزیر اعظم کی باری آئی تو پیمانے بدل گئے۔ یہ بات سب کے علم میں ہے کہ موجودہ مقدمے کی سماعت کے شروع میں ہی یہ اشارے دے دیے گئے تھے کہ اس مقدمہ کا فیصلہ ایسا ہو گا جس سے قوم خوش ہو گی (یہ نہیں کہا گیا تھا) کہ وہ فیصلہ قانونی تقاضوں کے مطابق بھی ہو گا یا نہیں۔ میری مودبانہ رائے ہے کہ اس عدالت کے فیصلوں کا مقصد قانونی تقاضے پورا کرنا ہونا چاہیے نہ کہ قوم کو خوش کرنا، کیونکہ یہ ضروری نہیں کہ جو فیصلہ قوم کو خوش کرے وہ قانونی تقاضے بھی پورے کرے۔

۱۵۔ میری اپنی رائے یہ ہے کہ ملک کے موجودہ سیاسی بحران کا حل حکومت اور اسمبلی کی بحالی نہیں بلکہ عام انتخاب ہے، اور یہ آئین کے عین مطابق بھی ہے۔ فرمان تحلیل کے وقت وفاق کے

نظام کے دو ستونوں میں فاصلہ اتنا بڑھ چکا تھا کہ اسے پاٹا نہیں جا سکتا تھا۔ ان دونوں (صدر اور وزیر اعظم) میں اب مصالحت کی کوئی امید نہیں، ان حالات میں توقع رکھنا کہ ماضی کی تلخیاں بھلا کر یہ دونوں ایک دوسرے کا ہاتھ پکڑے کامیابی اور سہولت سے کاروبار سلطنت چلانے کے راستے پر خراماں خراماں گامزن ہو جائیں گے، عبث ہے۔ بلکہ ان حالات میں اسمبلی اور حکومت کی بحالی سے فائدہ کم اور نقصان زیادہ ہوگا، حالات اور ابتر ہو جائیں گے۔ دونوں طرف سے اسمبلی کے ممبروں کی حمایت حاصل کرنے کے لئے بولی لگے گی، جائز ناجائز ہر طریقہ سے مخالف پارٹی کو توڑ کر اپنے ساتھ ملانے کی کھلی چھٹی ہو جائی گی، اور ایسا ہونا یقیناً آئینی تقاضوں کے مطابق نظم حکومت چلانے اور جمہوری اداروں کو فروغ دینے کے منافی ہوگا۔

"میں نے یہ اختلافی نوٹ صرف اس لئے لکھا ہے تاکہ صحیح صحیح حقائق و کوائف و دلائل ضبط تحریر میں آجائیں۔ میری مودبانہ رائے یہی ہے کہ مقدمہ زیر ساعت میں بھی ویسا ہی فیصلہ سنایا جانا چاہیے جیسا کہ خواجہ احمد طارق رحیم والے مقدمہ میں سنایا گیا تھا لہذا میرے نزدیک اس درخواست کو خارج ہو جانا چاہیے۔"

سپریم کورٹ کے اکثریتی فیصلے سے صدر اور وزیر اعظم کے مابین مناقشہ ختم ہو جانا چاہیے تھا لیکن ایسا نہ ہونا تھا نہ ہوا۔ بہت سے لوگوں کا خیال تھا کہ کھیل ختم ہو چکا لیکن کھیل ختم کہاں سے ہوتا وہ تو ابھی شروع ہوا تھا۔ صرف یہ ہوا کہ محاذ جنگ مرکز سے پنجاب میں منتقل ہو گیا، میرے گھر میں ایک لمبی چوڑی میٹنگ ہوئی جو ساری رات صبح تک چلتی رہی۔ اس میٹنگ میں بے نظیر نے منظور وٹو کو پنجاب کی صوبائی اسمبلی توڑنے پر آمادہ کر لیا۔ منظور وٹو ان دنوں پنجاب کے وزیر اعلیٰ تھے، منظور وٹو نے پہلے تو بہت لیت و لعل کی لیکن بعد میں مان گئے، ان کی اپنی پوزیشن بحیثیت وزیر اعلیٰ پنجاب کافی کمزور ہو چکی تھی۔ لاہور واپس پہنچتے ہی منظور وٹو وزیر اعلیٰ پنجاب نے چوہدری الطاف حسین گورنر پنجاب کو پنجاب اسمبلی توڑنے کا مشورہ دے دیا۔ آیا یہ مشورہ آئین کی دفعہ ۱۱۲ کے مطابق تھا یا نہیں، یہ مسئلہ لاہور ہائی کورٹ کے سامنے برائے فیصلہ پیش ہوا، یہی ماجرا صوبہ سرحد میں پیش آیا، میر افضل خان نے سرحد اسمبلی تڑوادی۔ اگرچہ مئی ۱۹۹۳ میں مرکز میں محمد نواز شریف کی حکومت بحال ہو چکی تھی لیکن بحالی کے بعد انہوں نے اپنی حکومت کو بہ یک وقت صوبہ پنجاب اور صوبہ سرحد کی حکومتوں سے برسرپیکار پایا۔

جون۔ ۱۹۹۳ء

۲۸ جون ۱۹۹۳ کو لاہور ہائی کورٹ نے پنجاب اسمبلی کی بحالی کا حکم سنایا، اس حکم کے سنائے جانے کے سات منٹ کے اندر اندر منظور وٹو نے گورنر پنجاب کو اسمبلی توڑنے کا مشورہ دوبارہ دیدیا۔ عام تاثر یہ ہے کہ

پنجاب اسمبلی کو دوسری مرتبہ بھی صدر کے ایما سے توڑا گیا تھا، یہ تاثر غلط ہے۔ صدر پنجاب اسمبلی دوبارہ توڑنے کے خلاف تھے۔ پنجاب اسمبلی دوبارہ توڑنے کی اور اس کے صحیح یا غلط ہونے کی تمام تر ذمہ داری منظور وٹو وزیراعلیٰ پنجاب اور چوہدری الطاف حسین گورنر پنجاب کی تھی۔

۲۹ جون ۱۹۹۳ کو محمد نواز شریف (وزیراعظم) غلام اسحٰق خان (صدر) سے ایوان صدر میں ملے اور پنجاب کے گورنر کی برطرفی کا مطالبہ کیا لیکن صدر نے جواب میں مکمل خاموشی اختیار کی۔ صدر کے قریب کے کچھ ساتھیوں نے جب انہیں یہ مشورہ دیا کہ محمد نواز شریف کی بات رکھنے کو (جو سپریم کورٹ کے فیصلے کے بعد ذرا اونچا اڑنے لگے تھے) پنجاب کے گورنر کو ہٹا دیا جائے تو غلام اسحٰق خان نے کافی برہمی کا اظہار کیا۔

پنجاب کی الجھی گتھی کو سلجھانے کے لئے محمد نواز شریف نے گھبراہٹ میں ۲۹ جون ۱۹۹۳ کو قومی اسمبلی سے ایک قرارداد منظور کرائی جس میں آئین کی دفعہ ۲۳۴ کے تحت پنجاب کی صوبائی حکومت کا انتظام وفاق کی تحویل میں لینے کی سفارش کی گئی تھی۔ محمد نواز شریف کی حکومت یہ سمجھی کہ اسمبلی کی قرارداد پر عملدرآمد کے لئے صدارتی توثیق کی ضرورت نہیں، اسمبلی کی منظوری کافی ہے، چنانچہ اس قرارداد پر یکطرفہ عملدرآمد کی کوشش میں احکام کو وفاقی کابینہ کے سیکریٹری کے دستخطوں کے تحت لاہور بھجوا دیا گیا، اور صوبہ کا انتظام سنبھالنے کے لئے میاں محمد اظہر کو صوبائی ایڈمنسٹریٹر مقرر کر دیا گیا اور نئے چیف سیکریٹری اور نئے انسپکٹر جنرل بھی مقرر کر دئے گئے۔ پنجاب کی صوبائی حکومت نے ان احکام کی اطاعت کی بجائے ان کی مزاحمت کا فیصلہ کیا۔ وزیراعلیٰ پنجاب نے کہا کہ چونکہ ان احکام پر صدر کے دستخط نہیں اسلئے یہ جعلی، بے اثر اور ناقابل قبول ہیں۔ پھر محمد نواز شریف نے طاقت استعمال کر کے رینجرز (ایک نیم عسکری فورس) کے ذریعے اپنے احکام کی تعمیل کروانے کی کوشش لیکن اس میں وہ ناکام رہے۔

روز بروز بحران زیادہ سے زیادہ سنگین ہوتا جا رہا تھا، مفاہمت و مصالحت کے کوئی آثار نہیں نظر آرہے تھے۔ چنانچہ میں سب ہنگاموں سے دور نتھیا گلی چلا گیا۔ نتھیا گلی ایک صحت افزا پہاڑی مقام ہے اور کار میں اسلام آباد سے نتھیا گلی پہنچنے میں دو گھنٹے لگتے ہیں۔ میں جولائی ۱۹۹۳ء کے پہلے ہفتے میں نتھیا گلی میں تھا کہ مجھ کو آرمی چیف کی طرف سے پیغام ملا کہ آپ آج سہ پہر پانچ بجے آرمی چیف سے آرمی ہاؤس میں ملیں، چار بج کر پچاس منٹ پر جب میں آرمی ہاؤس پنڈی کے قریب پہنچا تو آرمی چیف کے پرنسپل اسٹاف افسر مجھ کو آرمی ہاؤس لے جانے کے بجائے اپنے گھر لے گئے۔ میں خاصہ پریشان ہوا کہ آخر ماجرا کیا ہے؟ مجھ سے کہا یہ گیا کہ آرمی چیف کانفرنس میں مصروف ہیں، جیسے ہی فارغ ہوتے ہیں آپ سے ملیں گے۔ میں سوچنے لگا کہ مجھے انتظار ہی کرنا تھا تو وہ تو آرمی ہاؤس میں بھی ہو سکتا تھا، مجھے آرمی چیف کے پرنسپل اسٹاف افسر کے گھر کیوں لایا گیا ہے؟ کیا آرمی چیف مجھ سے ملاقات کو کور کمانڈروں سے مخفی تو نہیں رکھنا چاہتے؟ آج تک مجھ کو ان سوالوں کے جواب نہیں ملے۔ دس منٹ بعد معلوم ہوا کہ کانفرنس ختم ہو چکی ہے۔ میں آرمی ہاؤس میں

آرمی چیف سے ملا، آرمی چیف نے مجھ سے کہا کہ :

"میں نے ملک کے سیاسی بحران کے بارے میں سب کور کمانڈروں سے مشورہ کیا ہے سب کا یہی مشورہ ہے کہ وزیر اعظم (نواز شریف) صدر (غلام اسحٰق خان) کو مشورہ دیں کہ

- سب قومی اور صوبائی اسمبلیاں توڑ دی جائیں۔
- سب حکومتیں (وفاقی اور صوبائی) برطرف کر دی جائیں۔
- نگراں حکومت کے تحت نئے عام انتخابات کروائے جائیں۔
- محمد نواز شریف نگراں حکومت کے سربراہ ہوں۔

آرمی چیف کا خیال تھا کہ مندرجہ بالا منصوبہ لے کر وہ اور میں صدر سے ایک ساتھ ملیں، اور یہ کہ ملاقات کے دوران وہ تو خاموش رہیں گے اور ساری باتیں میں کر دوں گا۔ میں نے کچھ اعتراضات اٹھائے لیکن آرمی چیف نے کہا ان سب کا بھی کچھ نہ کچھ کر لیں گے۔ انہوں نے کہا "میں صدر سے ملاقات کا وقت شام کے آٹھ بجے مانگوں گا" اور آرمی ہاؤس پنڈی سے ایوان صدر اسلام آباد جاتے ہوئے تمہیں تمہارے گھر سے لے لوں گا۔ میں شام بھر انتظار کرتا رہا لیکن وہ نہ آئے۔ وہ آئے تو آدھی رات کو آئے اور مجھ کو بتلایا: کہ میں نے سوچا صدر سے ملنے سے پہلے وزیر اعظم سے بھی مل لوں تاکہ کور کمانڈروں کے تجویز کردہ فارمولے کو وزیر اعظم کی تائید بھی حاصل ہو جائے۔ لیکن وزیر اعظم نے کچھ کہنے سے پہلے لاہور میں اپنے "اباجی" سے مشورہ ضروری سمجھا۔ چنانچہ صدر سے ہماری ملاقات نہ ہو پائی اور وحید فارمولا آغاز سے پہلے ہی انجام کو پہنچ گیا، یعنی خود بخود ختم ہو گیا۔

جولائی ۱۹۹۳ء : آخری حل

سیاسی گتھی سلجھنے کے جب کوئی آثار نظر نہ آئے تو اسلامی دینی اتحاد کا ایک وفد مولانا سمیع الحق کی سرکردگی میں ایوان صدر اسلام آباد میں صدر سے ملا۔ وفد کا خیال تھا کہ اگر صدر اور وزیر اعظم ایک دوسرے سے ملنے پر آمادہ ہو جائیں تو سیاسی مسئلہ کا کوئی حل نکل آئے، صدر نے وفد سے کہا۔

"وزیر اعظم سے میرا کوئی مسئلہ نہیں، لیکن حزب اختلاف کی متفقہ رائے ہے کہ سیاسی مسئلے کے حل کے لئے عام انتخابات کا فی الفور کرایا جانا ضروری ہے، وزیر اعظم کو میرا مشورہ ہے کہ وہ اس سلسلے میں حزب اختلاف سے بات کریں۔"

اس پر مولانا سمیع الحق نے صدر سے کہا "محمد نواز شریف اس وقت تک عام انتخابات نہیں چاہتے جب تک آپ صدر ہیں۔"

مدر غلام اسحٰق خان نے جواب دیا:

”اگر صدارت سے میری دست برداری سے عام انتخابات کی راہ ہموار ہوتی ہے تو میں اس کے لئے بھی تیار ہوں بشرطیکہ اس کے ساتھ ساتھ محمد نواز شریف خود بھی وزارت عظمیٰ سے مستعفی ہو جائیں تاکہ عام انتخابات ایک غیر جانبدار حکومت کی نگرانی میں ہوں۔ محمد نواز شریف کو صدر کو اسمبلی توڑنے کا مشورہ دینا ہوگا۔“

یوان صدر میں ۱۲ جولائی اور ۱۵ جولائی ۱۹۹۳ء کو صدر غلام اسحٰق خان اور وزیر اعظم محمد نواز شریف کے بین میٹنگیں ہوئیں جن میں محمد نواز شریف نے غلام اسحٰق خان کا مذکورہ بالا فارمولا قبول کر لیا۔ میں ان یٹنگوں میں موجود نہیں تھا لیکن محمد نواز شریف کے جاتے ہی صدر مجھ کو بلا کر جو بھی ماجرا گزرا ہوتا وہ مجھ کو تلا دیتے تھے۔ صدر نے مجھ سے کہا:

”میں نہیں جانتا میں نے جو فیصلہ کیا ہے وہ صحیح ہے یا غلط بہر حال اب فیصلہ ہو چکا۔“

س سمجھوتے سے بالاخر وہ ڈرامہ جو ہر ایک کے اعصاب کو تباہ کر رہا تھا اپنے انجام کو پہنچا۔ عام تاثر یہ تھا کہ ان یٹنگوں میں اس وقت کے آرمی چیف جنرل عبدالوحید کاکڑ بھی شامل تھے، یہ تاثر صحیح نہیں۔ اس سمجھوتے کا ہرا اگر کسی کے سر ہے تو وہ صدر، وزیر اعظم اور مولانا سمیع الحق کے سر ہے، بعد میں جب اس سمجھوتے پر عملدرآمد کا طریقہ وضع کرنے کا مرحلہ آیا تو آرمی چیف اس وقت شریک گفت و شنید ہوئے۔“

صدر نے مجھ سے کہا۔ ”بے نظیر سے رابطہ کر کے انہیں بھی تازہ ترین صورت حال سے آگاہ کر دو۔“

بے نظیر ان دنوں لاہور میں تھیں میں نے فون کیا تو معلوم ہوا کہ وہ محو استراحت ہیں۔ میں نے گھنٹے بعد ھر فون کیا، بے نظیر فون پر آئیں میں نے ان سے کہا:

”میرے پاس کچھ اچھی خبریں ہیں اور کچھ بری۔“ ”اچھی خبریں تو یہ ہیں کہ نمبر ایک، عام انتخابات اکتوبر ۱۹۹۳ء میں ہوں گے آپ کو ۱۹۹۵ء تک انتظار نہیں کرنا پڑے گا۔ نمبر دو، عام انتخابات کے وقت محمد نواز شریف وزیر اعظم نہیں ہوں گے کیونکہ یہ انتخابات ایک غیر جانبدار حکومت کی نگرانی میں ہوں گے۔ نمبر تین، صوبائی اسمبلیاں بھی توڑ دی جائیں گی اور صوبائی انتخابات بھی غیر جانبدار حکومتوں کی نگرانی میں ہوں گے۔“ اس پر بے نظیر نے کہا ”یہ تو ہوئیں اچھی خبریں۔ بری خبر کیا ہے؟“ میں نے کہا۔ ”بری خبر یہ ہے کہ قومی اسمبلی کے ٹوٹتے ہی غلام اسحٰق خان بھی صدارت سے مستعفی ہو جائیں گے۔“ اس پر بے نظیر بولیں: ”صدر کو مستعفی ہونے کی کیا ضرورت ہے؟ ان کے استعفٰی کا مطالبہ

صرف محمد نواز شریف کی طرف سے ہے اور کسی کی طرف سے تو نہیں ؟"

میں نے کہا "یہ سمجھوتہ تو ایک مربوط پیکیج ہے اور اس پیکیج کی بدولت نئے عام انتخابات اکتوبر ۱۹۹۳ میں ایک غیر جانبدار حکومت کی نگرانی میں کروانا ممکن ہوا ہے۔" بے نظیر نے کہا "صدر ایک بہت بڑ ذاتی قربانی دے رہے ہیں، میں اس سمجھوتے کی تائید صرف اس شرط پر کروں گی کہ غلام اسحٰق خا ہماری طرف سے صدارتی امیدوار بننا منظور کریں، ازراہ کرم آپ میرا یہ پیغام ان تک پہنچادیں۔" میر نے کہا: "میں آپ کی پیشکش صدر تک پہنچادوں گا لیکن بہتر ہوگا کہ اگر اس موضوع پر آپ خود ان سے بات کریں۔" بے نظیر نے کہا: "اچھا میں ان سے بات کرلوں گی۔"

آخری قصہ

۱۸ جولائی ۱۹۹۳ء ہمارے ملک کی پر آشوب سیاسی تاریخ میں ایک اندوہ ناک، المناک دن کے طور پر یادر کھ جائے گا۔ اس دن اقتدار کی شطرنج کا وہ کھیل جس نے پوری قوم کو سراسیمہ کر رکھا تھا اور قومی مستقبل پر اپ سیاہ سائے ڈالنا شروع کر دیئے تھے، آخر کار انجام کو پہنچا۔ میں نے اس گھناؤنے ڈرامے کا ڈراپ سین دیکھا ملک تباہی کے کنارے پر تھا۔ اس المناک ڈرامے کے دو بڑے کردار یعنی صدر اور وزیراعظم جو سال رواں کے آغاز سے ہی برسرپیکار تھے، رخصت ہونے والے تھے۔ میں اس روز جب صدر کے دفتر میں داخل ہوا مجھے ایسا لگا کہ دو دشمن ملکوں کے سربراہ حد درجہ کشیدہ فضا میں ایک دوسرے سے مل رہے ہیں۔ اس سے بدتر یہ کہ اس وقت ان دونوں کے ماتحت، جنرل عبدالوحید کاکڑ (آرمی چیف) لفٹیننٹ جنرل غلام محمد (کو کمانڈر) اور لیفٹیننٹ جنرل اشرف قاضی (ڈائریکٹر جنرل انٹر سروسز انٹیلی جنس) بھی وہاں موجود تھے۔ وز اعظم کی اعانت لیفٹیننٹ جنرل (ریٹائرڈ) عبدالمجید ملک کر رہے تھے اور وزیراعظم کی طرف سے زیادہ تر وہ بول رہے تھے۔ صدر پاکستان مسلح افواج کے سپریم کمانڈر تھے، وزیراعظم سربراہ حکومت تھے۔ دونوں مملکت کے اہم ترین دو ستون تھے اور دونوں ایک دوسرے سے گتھم گتھا تھے۔ یہ ایک کریہہ منظر تھا جسے دیکھ کر میں حد درجہ دل برداشتہ اور آزردہ خاطر ہوا۔ میں زیادہ تر تو خاموش رہا بس دو ایک موقع پر جب میں نے ضروری محسوس کیا تو میں بولا ورنہ نہیں۔ میرے ذہن میں نکسن کا یہ سوال تیزی سے گھومتا رہا کہ "جو اتنا بلند تھا اتنا پست کیسے ہو گیا؟"

میں سوچ رہا تھا کہ یہ دونوں جو پہلے ایک دوسرے کے حلیف تھے جنہیں تقدیر نے ایک ہی راستے پر کھڑا کیا تھا کیسے ایک دوسرے سے الگ ہو گئے، کیوں ایک دوسرے کے خون کے پیاسے ہو گئے؟ یہ کیسے ہو کہ محمد نواز شریف اپنے ہی دانشمند محسن و رہبر غلام اسحٰق خان کے جانی دشمن بن گئے؟ کونسی طاقتور قوتو نے ان دونوں کو ایسے گہرے گڑھے میں دھکیل دیا جہاں فائدہ کسی کا نہ ہوا نقصان دونوں کا بلکہ پورے ملک

بے حد و حساب ہوا؟ واقعات کا وہ کونسا سلسلہ تھا جن کا انجام یونانی ٹریجڈی کا سا ہوا؟ کیا ایسا ہونا ناگزیر تھا؟ یا غلطی ہماری اپنی تھی؟ عمودی چٹان سے نہ پھسلنا اور تباہی کے کنارے سے واپس آنا، آخر اس قدر مشکل کیوں ہو گیا؟ دونوں کیمپوں کے بہترین، اور ذہین دماغ ہمیں المناک گھاٹی میں گرنے سے کیوں نہ بچا سکے؟

کیا غلام اسحٰق خان اور محمد نواز شریف کا تصادم ناگزیر تھا؟ کیا انجام کا اتنا شرمناک ہونا لازمی تھا؟ میرا جواب ہے "نہیں" "کیا بچاؤ ممکن تھا؟ میرا جواب ہے۔ "شاید" ۱۷ اپریل ۱۹۹۳ء کی نواز شریف کی تقریر سے پہلے پہلے لیکن اس اعلان جنگ کے بعد نہیں، ۱۷ اپریل ۱۹۹۳ء تک محمد نواز شریف کی تمام سہواً اور قصداً غلطیوں کے باوجود، غلام اسحٰق خان، محمد نواز شریف کو برطرف کرنے کا ارادہ نہیں رکھتے تھے، نواز شریف کو شاید معلوم نہ ہو لیکن غلام اسحٰق خان شک کا فائدہ ہمیشہ نواز شریف کو دیا کرتے تھے۔ ۱۷ اپریل ۱۹۹۳ء تک، محمد نواز شریف اور بے نظیر کے مابین غلام اسحٰق خان ترجیح ہمیشہ محمد نواز شریف کو دیتے تھے۔ اپنی سب سے بڑی سیاسی مخالف، بے نظیر کے مقابلہ کے لئے محمد نواز شریف کو غلام اسحٰق خان سے زیادہ قابل اعتماد، مستقل مزاج اور مخلص حلیف کوئی نہیں مل سکتا تھا۔ یہ کتنا بڑا قومی المیہ ہے کہ محمد نواز شریف نے غلام اسحٰق خان کو بالکل غلط سمجھا اور انجانے میں غلام اسحٰق خان کو بے نظیر سے مفاہمت و مصالحت پر مجبور کر دیا۔

حالات نے غلام اسحٰق خان کو اور محمد نواز شریف کو ایک ہی راستہ پر لا کھڑا کیا تھا۔ غلام اسحٰق خان سادہ منش زاہد خشک سرکاری کارکن تھے۔ محمد نواز شریف ایک ایسے نوجوان تھے جو جلدی میں تھا، بنیادی طور پر محمد نواز شریف شائستہ، نیک نیت، شرمیلے، کم آمیز گفتگو میں محتاط عملی قسم کے انسان تھے۔ انہیں دانشوری کا دعویٰ نہ تھا، انہیں سیاسی یا انتظامی تجربہ بھی کوئی خاص نہ تھا، وہ مروجہ قواعد و ضوابط اور بیورو کریسی کو حقارت سے دیکھتے تھے اور قواعد و ضوابط سے اکثر و بیشتر بے نیاز رہتے۔ ایسی صورت میں غلام اسحٰق خان اور محمد نواز شریف کے درمیان مغائرت اور فاصلے پر زیادہ حیرت نہیں ہونی چاہئے۔ پارلیمانی جمہوریت کی روایت ہے کہ وزیراعظم صدر سے ہر ہفتہ ملتا ہے، لیکن محمد نواز شریف اور غلام اسحٰق خان کی ملاقات مہینہ میں ایک سے زیادہ شاید ہی کبھی ہوئی ہو۔ براہ راست ربط ضبط کے بغیر دونوں کے راستے ایک دوسرے سے جدا جدا ہونا شروع ہو گئے۔ دوسروں کی معرفت ربط وضبط سے فائدہ کم اور نقصان زیادہ ہوا، اس لئے کہ دوسروں کا اپنا ہی ایجنڈا تھا۔ بالواسطہ رابطے سے غلط فہمیاں پیدا ہوئیں، بے اعتمادی کی فضا نے جنم لیا۔ دونوں میں اگر کوئی قدر مشترک باقی رہ گئی تھی تو وہ تھی بے نظیر کی مخاصمت۔

غلام اسحٰق خان نے اپنے دور صدارت میں دو قومی اسمبلیاں توڑیں، دو وفاقی حکومتوں کو ہٹایا، ایک کی سربراہ بے نظیر تھیں (۶ اگست ۱۹۹۰ء) اور دوسری کے محمد نواز شریف (۱۸ اپریل ۱۹۹۳ء) دونوں حکومتوں کے خلاف بنیادی طور پر الزامات ایک سے تھے، بدعنوانی، بے ایمانی، بددیانتی، اقتدار اور اختیارات

کا ذاتی منفعت کے لئے ناجائز استعمال۔ سپریم کورٹ نے پہلے صدارتی فرمان تحلیل (۶ اگست ۱۹۹۰ء) کی توثیق کی لیکن دوسرے (۱۸ اپریل ۱۹۹۳ء) کی نہیں کی۔ دونوں صدارتی فرمانوں کو حزب اختلاف نے سراہا اور حزب اقتدار نے برا بھلا کہا۔ غلام اسحٰق خان کا دور صدارت (اگست ۱۹۸۸ء تا جولائی ۱۹۹۳ء) کیسا رہا؟ اس پر فیصلے کا وقت ابھی نہیں آیا اس کے لئے ہمیں تاریخ کے فیصلے کا انتظار کرنا ہوگا۔ البتہ غلام اسحٰق خان کی شخصیت کے بارے میں رائے دی جاسکتی ہے۔

غلام اسحٰق خان بلا کے ذہین ہیں، بلکہ ذہانت کے اعتبار سے انہیں یقیناً نابغہ روزگار کہا جاسکتا ہے، جو بھی جب بھی ان سے ملا یہ محسوس کئے بغیر نہ رہ سکا کہ ان کے دور بین اور توانا ذہن رسا میں حقائق کو سرعت سے گرفت میں لے لینے کی بے پناہ قوت ہے، ان کا حافظہ غضب کا ہے صرف اس لئے ہی نہیں کہ اس میں بے شمار معلومات محفوظ رہتی ہیں بلکہ اس لئے بھی کہ وہ جب بھی چاہیں جو حقائق چاہیں نہایت تیزی اور صحت کے ساتھ محض اپنی یادداشت کی بنا پر استعمال کرنے کی بے مثل صلاحیت بھی رکھتے ہیں۔ ان کے قابل صد ستائش اور حیرت انگیز حافظہ میں زراعت، افزائش حیوانات، جنگلات، آب پاشی، توانائی، آبی ذخیرہ جات برائے پن بجلی، مالیات اور پاکستانی معیشت کے ہر پہلو کے بارے میں بے شمار اعداد و شمار محفوظ ہیں۔ یہاں تک کہ آپ انہیں چلتی پھرتی انسائیکلوپیڈیا یا چلتا پھرتا ڈیٹا بینک کہہ سکتے ہیں۔ ان معاملات میں ان کا کوئی ثانی نہیں۔ حقائق پر ان کی گرفت خیرہ کن ہے۔ تمام میٹنگوں میں چاہے وہ اندرون ملک ہوتیں یا بیرون ملک، ان کی معلومات ہمیشہ ہر ایک سے زیادہ افضل و بہتر ہوتیں۔ ان کی تیاری سب سے زیادہ ہوتی اور ان میں اپنے مافی الضمیر کو صراحت و وضاحت و بلاغت سے بیان کی قدرت سب سے زیادہ ہے۔ غلام اسحٰق خان وہ ممتاز فرد ہیں جو جب بھی جس نظام میں بھی رہے انہوں نے صرف اس نظام کے تقاضے ہی پورے نہیں کئے بلکہ وہ پورے نظام پر چھائے رہے، اس پر حاوی رہے۔ ان سے ملنے والے ان کے شرمیلے پن سے متاثر ہوئے بغیر نہیں رہ سکتے تھے۔ انہیں بحث و مباحثہ ذہنی مسابقت پسند تھی لیکن وہ کبھی کسی پر رعب جھاڑنے یا دھونس جمانے کی کوشش نہ کرتے، نہ کسی کی تحقیر کرتے۔

غلام اسحٰق خان کو اخبار والے کبھی پسند نہیں رہے، وہ ان سے ہمیشہ دور بھاگتے، وہ ذرائع ابلاغ سے بے اعتنا تھے۔ ان کے دل میں پریس والوں کے لئے صرف حقارت تھی۔ ظاہر ہے ایسی صورت میں وہ پریس والوں میں مقبول و ہر دل عزیز کیسے ہوسکتے تھے۔ آخر تک انہیں معلوم نہ ہوسکا کہ صحافیوں کے لئے کونسا رویہ مناسب ہے۔ پریس سے بے نیازی کی قیمت غلام اسحٰق خان کو بھاری چکانی پڑی۔ آئزن ہاور کی طرح، غلام اسحٰق خان بھی پریس کی اہمیت کے زیادہ قائل نہ تھے۔ ۱۹۶۱ء میں رابرٹ پی واک نے آئزن ہاور سے پوچھا تھا۔

"کیا سالہا سال تک پریس نے آپ کے ساتھ انصاف کیا؟"

ئزن ہاور نے جواب دیا تھا :

"ایک پریس رپورٹر آپ کا کیا بگاڑ سکتا ہے ؟ آپ کا کیا خیال ہے ؟"

اگر کوئی غلام اسحٰق خان سے پسی واک جیسا سوال کرتا تو آئزن ہاور جیسا ہی جواب پاتا۔ غلام اسحٰق خان کی ظر ہمیشہ حقیقت پر رہتی تھی عکس پر نہیں۔

غلام اسحٰق خان شرمیلے بھی تھے اور حساس بھی، وہ سیاسی مناظرہ بازی کو اپنے رتبہ اور اپنے وقار سے کمتر سمجھتے تھے۔ ہربرٹ ہوور کی طرح ان کا بھی یہی خیال تھا۔

"یہ (عہدہ صدارت) کوئی بازی گر کا تماشا نہیں۔ میں کوئی ایسی بات نہیں کروں گا جو میری فطرت میں نہیں۔"

چنانچہ اس میں کیا عجب کہ تعلقات عامہ کے نقطہ نظر سے غلام اسحٰق خان کا دور صدارت ناکام رہا۔

غلام اسحٰق خان اپنے ماتحتوں سے نہایت شائستگی اور خوش خلقی سے پیش آتے وہ کسی کو رسمی انداز سے مخاطب نہ کرتے، لیکن وہ بے تکلفانہ گپ شپ بھی سوائے چند نہایت قریبی دوستوں کے اور کسی سے نہ کرتے۔

غلام اسحٰق خان اپنی تقریروں کے مسودے اپنے عملے سے تیار تو کرواتے لیکن ان میں کوئی جملہ بدل کے، کچھ گھٹا کے کچھ بڑھا کے، کچھ قطع بُرید کر کے ان مسودوں کو اپنی مرضی کے مطابق ڈھال لیتے۔ جیسے وہ زندگی میں ہر دوسری چیز کے بارے میں سنجیدہ تھے اسی طرح انگریزی زبان کو صحت کے ساتھ استعمال کرنے کے معاملے میں بھی وہ حد درجہ سنجیدہ تھے۔

پاکستان میں اعلیٰ سرکاری افسر اکثر جاہ و حشمت، نام و نمود اور شہرت کے طلب گار رہتے ہیں لیکن غلام اسحٰق خان کو ان سب سے نفرت تھی، وہ پبلسٹی سے مقبولیت حاصل کرنا نہیں چاہتے تھے، وہ خود ستائی سے دور بھاگتے تھے۔ ان کے ذاتی کوائف جاننے کے لئے بھی آپ کو کرید کرید کر پوچھنا پڑتا تھا۔

جیرالڈ فورڈ امریکہ کے صدر اس لئے نہیں بنے تھے کہ وہ عوام میں بے حد ہر دلعزیز تھے یا یہ کہ انہوں نے صدر امریکہ بننے کے لئے کوئی عوامی مہم چلائی تھی۔ ۱۷ اگست ۱۹۸۸ء کو غلام اسحٰق خان جب صدر پاکستان بنے تو انکا بھی یہی حال تھا۔ اگر وہ وزیر خزانہ سے چیئرمین سینٹ اور چیئرمین سینٹ سے منصب صدارت تک پہنچے تو اس میں ان کے تجربہ، ان کی قابلیت، ان کی دیانت اور ان کی صداقت کا دخل تھا۔ یقیناً جنرل محمد ضیاء الحق کی موت کے بعد وہ کرسی صدارت پر بیٹھنے کے لئے اس وقت سب سے زیادہ موزوں شخص تھے۔

جیرالڈ فورڈ کے کردار کا سب سے بڑا اثاثہ وہ جرات و ہمت تھی جس کی بنا پر وہ سیاسی نتائج و عواقب کی پروا کئے بغیر وہ کر گزرتے جسے وہ صحیح سمجھتے تھے۔ غلام اسحٰق خان کا بھی یہی حال تھا، اور اس خوبی کے ساتھ

ساتھ غلام اسحٰق خان کا ایک بہت بڑا اثاثہ ان کی غیر متزلزل دیانت داری تھی۔ غلام اسحٰق خان ہر دلعزیزی اور مقبولیت عام کے بازی گرانہ کرتبوں سے قطعاً نا آشنا تھے۔

ان کے نزدیک صدر پاکستان کا سب سے پہلا فرض قومی سلامتی کا تحفظ تھا۔ ان کے بدترین ناقد بھی یہ ماننے پر مجبور ہیں کہ قومی سلامتی کے معاملے میں انہوں نے کبھی کوئی رورعایت نہیں برتی۔ ۱۹۹۱ء کے آخر میں رسچینالڈ بار تھولومیو امریکہ کے نائب وزیر خارجہ تھے اور امریکی وزارت خارجہ میں بین الاقوامی سلامتی کا قلمدان ان کے پاس تھا۔ وہ ۲۰ نومبر ۱۹۹۱ء کو ایوان صدر اسلام آباد میں صدر پاکستان غلام اسحٰق خان سے ملے۔ اس میں پاکستان کے جوہری توانائی کے پروگرام پر گفتگو ہوئی۔ غلام اسحٰق خان نے قومی سلامتی کے معاملہ میں سودے بازی سے صاف انکار کر دیا (جیسا کہ اس ملاقات کی تحریری رُوداد سے ظاہر ہے) مجھے اُسی وقت احساس ہو گیا تھا کہ اب ایوان صدر میں غلام اسحٰق خان کے دن گنے چنے ہیں۔

پیگی نونن کہتی ہیں۔

"بڑے آدمی جب پریزیڈنسی سے رخصت ہوتے ہیں تو عرصہ دراز تک ہم انہیں نظر انداز کرتے رہتے ہیں یا ان کا مذاق اڑاتے رہتے ہیں، پھر کافی دنوں کے بعد ہمیں اندازہ ہوتا ہے ارے! یہ تو بہت بڑا آدمی تھا۔ میرا کہنا یہ ہے کہ ایسا ہونا قدرتی امر ہے کیونکہ اگر آپ کسی پہاڑ کی اونچائی اور بڑائی کا صحیح اندازہ لگانا چاہتے ہیں تو آپ کو اس پہاڑ سے دور جانا پڑے گا، اگر آپ اسے بہت نزدیک سے دیکھیں گے تو وہ آپ کو محض ایک تودہ نظر آئے گا۔ لیکن آپ اس سے پرے ہٹتے جائیے اور پھر کچھ دور جا کر پلٹ کر دیکھئے تب آپ کو اندازہ ہو گا کہ وہ پہاڑ کتنا اونچا اور کتنا بڑا ہے۔" ہم ابھی غلام اسحٰق خان کی صدارت پاکستان پر کوئی حکم صادر نہیں کر سکتے۔ ابھی بہت کم وقت گزرا ہے ابھی سے فیصلہ صادر کرنا عجلت کا فیصلہ ہو گا قبل از وقت ہو گا۔ آج کل غلام اسحٰق خان اپنے نکتہ چینوں ناقدوں عیب جوؤں سے بے نیاز پشاور میں اپنے گھر میں نہایت ہشاش بشاش ہیں، مطمئن ہیں اور اپنی معمول کی زندگی چین سے گزار رہے ہیں۔ وہ اپنے فیصلوں کو وقت کی کسوٹی پر پرکھے جانے کے لئے بہ خوشی تیار بھی ہیں، آمادہ بھی۔

ڈیوڈ میکولوف نے اپنی کتاب "کریکٹر" (کردار) کے صفحہ ۴۲ پر کہا ہے۔

"پریزیڈنسی کو "کردار" کی ضرورت ہر دوسری خوبی سے زیادہ ہوتی ہے، پریزیڈنٹ کی معلومات امور خارجہ، امور معاشی، امور سیاسی کے بارے میں زیادہ ہوں یا کم ہوں اس سے اتنا فرق نہیں پڑتا جتنا کہ اس کے صاحب کردار ہونے یا نہ ہونے سے پڑتا ہے۔ کیونکہ فیصلہ کرتے وقت (اور پریزیڈنسی میں پریزیڈنٹ کو ہر وقت فیصلے کرنے پڑتے ہیں) معلوم ہو گا کہ وہ کیسا فیصلہ کرتا ہے، کس رخ مڑتا ہے کتنی اور کیسی جرات کا مظاہرہ کرتا ہے۔ ایک مرتبہ ہنری ٹرومین نے اپنے ممدوح اینڈریو جیکسن کا ذکر کرتے ہوئے کہا تھا: "دنگل لڑنے کے لئے جرات درکار ہوتی ہے لیکن اک دوست کی خواہش رد کرنے کے لئے اس سے بھی

زیادہ جرات کی ضرورت ہوتی ہے۔'' غلام اسحٰق خان یقیناً ویسی ہی جرات کے حامل تھے جیسی کہ ہنری ٹرومین کے کہنے کے مطابق اینڈریو جیکسن میں تھی۔

پاکستان کی صدارت پر فائز ہونے کے لئے غلام اسحٰق خان سے زیادہ تربیت یافتہ، تجربہ کار، آزمودہ کار، پختہ کار، جہاں دیدہ شخص پاکستان میں اور کوئی نہ تھا۔ وہ فوجی اور غیر فوجی اعلیٰ اہلکاروں سے بخوبی واقف تھے۔ سسٹم کیسے چلتا ہے وہ یہ ہر ایک سے بہتر جانتے تھے۔

جب ہنری ٹرومین نے جنرل ڈگلس میک آرتھر کو ان کے عہدے سے الگ کیا تو یہ فیصلہ ہنری ٹرومین کی صدارت کا سب سے زیادہ غیر مقبول اور متنازعہ فیہ فیصلہ بن گیا۔ اسی طرح ۱۸ اپریل ۱۹۹۳ء کو جب غلام اسحٰق خان نے محمد نواز شریف کو وزارت عظمیٰ سے برطرف کیا تو یہ ان کی صدارت کا سب سے زیادہ غیر مقبول اور متنازعہ فیہ فیصلہ بن گیا۔ ان پر چاروں طرف سے حملے ہوتے رہے، اخبار والے اپنے اداریوں میں ان کے اس فیصلے کے بخیئے ادھیڑتے رہے، لیکن غلام اسحٰق خان حسب معمول اپنے کام میں مصروف آندھی کے گزر جانے کا انتظار کرتے رہے۔ جو لوگ ان دنوں ان کے قریب تھے وہ حیرت زدہ رہ جاتے تھے یہ دیکھ کر کہ اتنے نامساعد حالات کا بھی غلام اسحٰق خان کی جمعیت خاطر اور کام سے لگن پر کوئی اثر نہیں پڑا۔

غلام اسحٰق خان کہا کرتے تھے :

''آخر کار ملک و قوم اسی نتیجہ پر پہنچیں گے کہ میں نے جو فیصلہ کیا ہے وہ صحیح فیصلہ تھا۔ میری کارگزاری اور میرے فیصلہ پر آخری فیصلہ تاریخ کا ہوگا۔ اور میں نے جو کچھ کیا ہے وہ یقیناً وقت کی کسوٹی پر کھرا نکلے گا۔''

غلام اسحٰق خان نے جو کچھ بھی کیا ادائے فرض کے لئے کیا۔ انہوں نے آئین کی پاسداری کا حلف اٹھایا تھا۔ آئین میں صاف صاف لکھا ہوا تھا کہ صدر کو کس قسم کے حالات میں کیا کرنا چاہئے۔ نتائج و عواقب سے بے نیاز غلام اسحٰق خان نے جو بھی فیصلہ کیا آئین کی پاسداری میں کیا۔ انہیں نہ اس کی فکر تھی کہ پریس کیا کہہ رہا ہے نہ اس کی کہ سپریم کورٹ نے ان کا فیصلہ الٹ دیا ہے۔ انہیں اگر فکر تھی تو صرف یہ کہ ملک و قوم کے مفاد میں کیا ہے؟

ایوان صدر کے عملے میں، ان کے گھریلو عملے میں، ان سرکاری ملازمین میں جنہوں نے ان کے ساتھ کام کیا ہے مجھے ان سب میں آج تک ایک آدمی بھی ایسا نہیں ملا جو انکا گرویدہ نہ ہو۔ غلام اسحٰق خان میں ایک بڑی خوبی یہ تھی (اور اس خوبی کی حکمرانوں میں بہت کمی ہے) کہ جو بھی ان کے پاس ملنے آتا وہ اس کے دل سے ڈر اور گھبراہٹ دور کر کے بے فکری اور اطمینان سے بات کرنے کا حوصلہ پیدا کر دیتے۔ وہ اپنے ملنے والوں سے شرافت سے پیش آتے۔ وہ اپنے ملنے والوں کی تعظیم کرتے، اور کبھی انہیں رعب و دبدبہ سے مرعوب کرنے کی کوشش نہ کرتے۔

غلام اسحٰق خان میں تکلف اور تصنع نام کو نہیں، وہ نقاب نہیں پہنتے، جو ہیں وہ نظر آتے ہیں، جو نظر آتے ہیں

وہ وہی ہیں۔ وہ کھری بات کرنے کے عادی ہیں۔ اسی عادت کی بدولت انہوں نے بہت سے دشمن اور کچھ دوست بنائے، ان کا ذہن اس بارے میں بالکل صاف رہتا ہے کہ انہیں کس رخ پر چلنا ہے اور پھر وہ بے محابہ اسی رخ پر چلتے رہتے ہیں، انہیں اس کی پرواہ نہیں رہتی کہ کوئی اس بارے میں کیا کہے گا کیا نہیں کہے گا۔ اس اعتبار سے وہ سیاست دان نہ تھے کیونکہ سیاست دان تو ہر وقت اپنے اصلی چہرے نقابوں تلے چھپائے رکھتے ہیں۔ غلام اسحٰق خان نہ یہ چاہتے تھے کہ لوگ انہیں پسند کریں نہ انہوں نے مقبول عام بننے کی کوشش کی۔ وہ شروع ہی سے اپنی کھال میں مست رہنے کے عادی تھے، وہ سیاست دانوں کو حقارت کی نگاہ سے دیکھتے اور ان سے دور دور رہتے۔ وہ پارلیمانی ریشہ دوانیوں اور سازشوں سے نمٹنے کے لئے نہیں بنے تھے۔ ان کی عادات و اطوار میں جو سادگی تھی ان کی ذاتی زندگی میں جو قناعت تھی، ان کی طبیعت جیسے لذت و تفریح و مزاح سے بے نیاز تھی۔ ان سب کی وجہ سے ان کے قریب پہنچنا بہت مشکل تھا۔ صرف چند لوگ ہی ایسے ہوں گے جنہیں ان کے قرب کا شرف حاصل رہا ہو اور مجھے فخر ہے کہ مجھ کو یہ شرف حاصل رہا اور ہے۔ وہ کبھی کسی کو بے تکلفانہ قربت یا دوستانہ راہ و رسم کی اجازت نہیں دیتے تھے۔ اپنی نیک دلی کے باعث بعض وقت وہ اپنے ارد گرد کے لوگوں کی جاہ پسندی اور چالبازی کو ضرورت سے زیادہ نظر انداز کر دیتے۔ وہ ان سے بھی وفا نبھاتے جو ان کی وفا کے مستحق نہ تھے، اور جو غلام اسحٰق خان کی وفا کا جواب وفا سے دینے کے اہل نہ تھے۔

۱۹۷۷ء تک غلام اسحٰق خان سرکاری ملازم رہے۔ اس وقت تک وہ صرف نیکیوں اور خوبیوں کے پتلے تھے، محاسن و فضائل کے مجسمے تھے۔ حب الوطنی، فرض شناسی، مالی اور اخلاقی ہر طرح کی دیانتداری، ذہنی ایمانداری، خاکساری، انکساری ان کے کردار کی نمایاں خوبیاں تھیں۔ کیا سیاست کے تند و تیز تھپیڑوں اور ایوان اقتدار کی خاردار جھاڑیوں میں یہ سب خوبیاں من و عن برقرار رہ پائیں! بعض لوگ کہتے ہیں کہ انہوں نے مصلحت آمیز مفاہمت و مصالحت شروع کر دی تھی ایسے لوگوں میں ان کے کچھ مداح بھی شامل ہیں لیکن سب نکتہ چیں شامل نہیں۔ ایسے لوگ کہتے ہیں کہ ان کے دور صدارت کے بارے میں یہ نہیں کہا جا سکتا کہ اس میں نیک کو ہمیشہ نیکی کی جزا اور بد کو ہمیشہ بدی کی سزا ملتی تھی۔ مثلاً بلخ شیر مزاری کی وزارت عظمیٰ میں جو کابینہ بنی اس میں آصف علی زرداری شامل تھے۔ آصف علی زرداری کی بدعنوانی، بددیانتی اور بے ایمانی زباں زد خاص وعام تھی بلکہ ضرب المثل تھی۔ ان پر بینکنگ کے قوانین کے تحت متعدد مقدمات چل رہے تھے۔ آخر آصف علی زرداری جیسے رسوائے زمانہ سے غلام اسحٰق خان نے بطور مرکزی وزیر حلف لیا تو کیوں لیا؟ سرکاری ملازمت میں نیکی کی جزا اور بدی کی سزا دینا نسبتاً آسان ہوتا ہے لیکن سیاست میں اتنا آسان نہیں ہوتا۔ سیاست میں دوستی انعام پاتی ہے، نیکی نظر انداز ہوتی ہے اور اصول قربان ہو جاتا ہے۔ مجھے معلوم ہے کہ یہ فیصلہ ان کے لئے کتنا مشکل رہا ہو گا۔ لیکن محمد نواز شریف سے جنگ جیتنے کے لئے بحالت مجبوری انہیں یہ قیمت چکانی پڑی۔

اک تاثر یہ بھی ہے کہ غلام اسحٰق خان اپنے بعض دامادوں کی حمایت و وکالت ضرورت سے زیادہ کرتے تھے، یہ ان کی دکھتی رگ تھی جس کو انکے نکتہ چینوں نے ان کے مخالفوں نے خوب خوب اچھالا۔ اگر کوئی صدر اپنے قرابت داروں کی خطاؤں سے چشم پوشی کر کے ان کی حمایت و حفاظت کرے تو ایسا کرنا صدر کے لئے زہر قاتل ہے۔ ایک روز غلام اسحٰق خان آرمی جی ایچ کیو کی کسی میٹنگ سے واپس آئے تو مجھے بتلایا کہ میٹنگ میں انہوں نے اپنے داماد کا کیسا پرجوش دفاع کیا۔ مجھے یہ سن کر سخت وحشت ہوئی۔ غلام اسحٰق خان کی دیانت شہرہ آفاق تھی ہر شک و شبہ سے بالا تھی، مثالی تھی۔ ایسے شخص کو اپنے قرابت داروں کے لئے زیادہ اعلیٰ معیار عمل متعین کرنا چاہئے تھا۔ اس کے علاوہ معاملہ کی اچھائی برائی سے قطع نظر میں سمجھتا ہوں کہ اعلیٰ فوجی افسروں کی موجودگی میں اپنے ہی داماد کا دفاع، بعید از دانش تھا۔ وہ ایسا اعلیٰ معیار اخلاق قائم کر سکتے تھے جس کے تحت ان کے دور صدارت میں ان کے قرابت داروں کے لئے انحراف ممکن نہ رہتا۔ کاش کہ غلام اسحٰق خان جیسا لیڈر جس کا ماضی بے داغ تھا، جس کے کارنامے قابل فخر تھے ایسی چھوٹی چھوٹی لغزشوں سے محفوظ رہتا۔

غلام اسحٰق خان ملک کے بیوروکریٹک اور سیاسی اسٹیج پر تقریباً نصف صدی تک چھائے رہے پھر وہ رخصت ہو گئے اور ان کے ساتھ ایک عہد ایک دور ایک زمانہ رخصت ہو گیا۔ ان سے میری رفاقت طویل بھی ہے اور قریبی بھی۔ اور اس بنا پر میں بلا خوف تردید دعویٰ کر سکتا ہوں کہ ان کی بظاہر خشک اور بارعب شکل کے پیچھے ایک ایسا شخص نہاں تھا جس کا دل نرمی اور رحم و ہمدردی سے لبریز تھا، جو دوستوں کا دوست تھا، جو رفقائے کار سے وفادار تھا۔ جسے اپنے کام سے لگن دیوانگی اور عشق کی حد تک تھی۔ جو اپنے فرائض کی انجام دہی میں ماہر و مستعد تھا، جس کا اس کے رفقائے کار ملک کے اندر اور اس کے ہم منصب ملک کے باہر، بے حد احترام کرتے تھے اور جس کے نزدیک زندگی میں سب سے اہم شئے ملکی و قومی مفادات کی حفاظت تھی۔

باب۔۸

احتساب حکمرانوں کا

A Wizard told him in these words our fate:
At length Corruption, like a general Flood,
(so long by watchful ministers withstood),
Shall deluge all;
Pope

After Nigeria, Pakistan is the most corrupt country in the world.
Transparency International Berlin
June 1996

"بد عنوانی اور بے ایمانی کے سیلاب کو اب تک چوکنے وزیر روکتے رہے ہیں۔ لیکن آخر کار یہ سیلاب تم سب کو غرق کر دے گا، ان الفاظ میں ایک دانا نے ہمیں اپنی تقدیر میں لکھا انجام بتلایا۔"

الیگزنڈر پوپ

"نائیجیریا کے بعد پاکستان دنیا کا سب سے زیادہ کرپٹ اور بد عنوان ملک ہے۔"

ٹرانس پرینسی انٹر نیشنل، برلن۔ جون ۱۹۶۶ء

"حکمراں کو سب سے پہلے اپنی نیکو کاری کا خیال رکھنا چاہئے،

لوگوں کی اطاعت اسے نیکو کاری سے ملے گی، لوگوں کی اطاعت سے اسے علاقہ ملے گا،
علاقہ سے اسے دولت ملے گی، دولت سے اسے اخراجات کے لئے وسائل ملیں گے،
گویا نیکو کاری جڑ ہے اور دولت اس کی شاخیں،
اگر کوئی حکمران شاخوں کو زیادہ اہمیت دیگا اور جڑ کو کم،
تو وہ لوگوں کو ناراض کر دے گا اور انہیں بددیانتی کا سبق دے گا، ارتکاز دولت سے لوگ منتشر ہوں گے اور تقسیم دولت سے متحد،
اگر اس کے اقوال صادق نہ ہوں گے بلکہ کاذب ہوں گے تو ایک دن اس کو خود بھی اقوال کاذب کا سامنا کرنا پڑے گا اور بددیانتی سے کمائی دولت جس راستے آئی تھی اسی راستے اسے چھوڑ جائے گی۔"

چینی فلسفی کنفیوشس

میں نے وفاقی وزیر کے عہدے کا حلف ۱۱ اگست ۱۹۹۰ء کو اٹھایا۔ اس کے چند روز بعد صدر غلام اسحٰق خان نے "احتساب" کا قلمدان میرے سپرد کر دیا۔ جن وجوہ کی بنا پر وہ اس نتیجہ پر پہنچے تھے کہ امور مملکت آئین کے مطابق نہیں چل سکتے لہذا وفاقی حکومت ہٹانا، قومی اسمبلی توڑنا اور دوبارہ عام انتخابات کروانا ضروری ہے، ان میں ایک وجہ یہ تھی کہ وفاقی حکومت میں اس کے کارندوں محکموں، ایجنسیوں، سرکاری کارپوریشنوں، قومیائے گئے بینکوں اور نمائندہ عہدیداروں میں بدعنوانی اور اقربا پروری کی وبا پھیل چکی تھی، عوام کو یہ یقین نہیں رہا تھا کہ آئین، قانون، فرض شناسی اور حلف وفاداری کے تقاضوں کے مطابق امور مملکت چل سکتے ہیں۔ لوگ وسیع پیمانے پر اس صورت حال کو برا بھلا کہہ رہے تھے لیکن حکومت وقت نے اصلاح احوال کی طرف کوئی قدم نہیں اٹھایا تھا۔

صدر غلام اسحٰق خان نے قوم سے اپنے ۶ اگست ۱۹۹۰ء والے خطاب میں کہا تھا:

"ان تکلیف دہ حالات کے ساتھ ساتھ، اختیارات کے ناجائز استعمال کے ذریعے ذاتی مال و دولت جمع کرنے اور ناجائز مراعات دیئے جانے کے قصے وسیع پیمانے پر عوام میں گردش کر رہے تھے، ہر شخص رشوت ستانی، بے ایمانی اور بدعنوانی کی باتیں کر رہا تھا۔ قومی اور بین الاقوامی پریس میں رسوا کن اسکینڈلز چھپ رہے تھے۔ علانیہ کہا جا رہا تھا کہ مالی بے ضابطگیاں حد سے بڑھ گئی ہیں اور بدعنوانی اس قدر ہے کہ اس سے پہلے کبھی نہ تھی۔ سرکاری خزانے کو موروثی جاگیر کے طور پر استعمال کرنے اور قومی دولت کو مال غنیمت کی طرح لوٹنے کے قصے اتنے عام تھے کہ "بدعنوانی اور بے ایمانی" پاکستانی پالیسیوں کا نشان امتیاز بن گئی تھیں۔

"یہ تاثر بھی عام تھا کہ قومیائے گئے بینکوں اور دوسرے مالیاتی اداروں مثلاً زرعی ترقیاتی بینک، این

ڈی ایف سی، پک اک وغیرہ کے کلیدی عہدوں پر چن چن کر مطلوبہ اہلیت و تجربے سے عاری افسروں کو لگایا جاتا تھا تاکہ ان کے ذریعہ ناجائز مراعات حاصل اور تقسیم کی جاسکیں، جو لوگ سیاسی اعتبار سے منظور نظر تھے ان کو بغیر مطلوبہ دستاویزات، بغیر مطلوبہ مساوی وثیقوں، اور بغیر ضروری چھان بین کے اربوں روپے کے قرضے دلوائے گئے، کروڑوں روپے کے واجب الوصول قرضے معاف کر دیئے گئے، یا ان کی شرائط و میعاد ادائیگی کو بددیانتی اور بے ضمیری سے نرم کر دیا گیا حتیٰ کہ بعض بینکوں کے متعلق کہا جانے لگا کہ ان کا دیوالہ نکلنے والا ہے۔

اخباروں نے سرکاری تجارت اور لین دین میں بہت سی بے ایمانیوں کو بے نقاب کیا۔ اخباروں کا کہنا تھا کہ پاکستانی کپاس اور چاول کو بڑی بڑی مقدار میں ایسی فرموں کو بیچا گیا جن کی شہرت داغدار اور کارکردگی مشکوک تھی اور ایسی قیمتوں پر بیچا گیا جو اس وقت کی بین الاقوامی منڈی میں رائج قیمتوں سے کم تھیں، اس طرح کروڑوں روپے کا ناجائز کمیشن کھایا گیا، اخباروں میں یہ بھی چھپا کہ توانائی، ہوابازی، مواصلات اور دیگر شعبوں کی مطلوبہ اشیاء کی خریداری میں حقیقی ضرورت، بہتر کوالٹی، کم قیمت کا خیال نہیں رکھا گیا بلکہ ناجائز ذاتی منفعت کی خاطر اربوں روپے خورد برد کئے گئے۔

سرکاری ٹھیکوں، درآمدی، برآمدی لائسنسوں، مختلف قسم کے اجازت ناموں اور صنعت لگانے کی منظوریوں کے سلسلے میں بڑی بڑی رشوت ستانیوں اور سیاسی اقربانوازیوں کے قصے بھی عام تھے، ایسی رپورٹیں بھی اکثر چھپتیں کہ نہایت قیمتی سرکاری زمینوں، رہائشی اور تجارتی پلاٹوں کو اونے پونے الاٹ کیا جارہا ہے۔ رشوت ستانی بدعنوانی اور بے ایمانی کے قصے اخبار والے ہی نہیں چھاپتے تھے بلکہ سیاسی حلقے بھی اس قسم کے الزامات لگاتے اور ثبوت میں شہادتیں شائع کرتے۔ جب بدعنوانی کے الزامات کا طوفان اس زور سے اٹھے تو ذمہ دار حکومت کا فرض ہے کہ وہ تفتیش کا حکم دے، لیکن ایسا نہیں ہوا بلکہ ان الزامات کو بہتان بازی، سیاسی پروپیگنڈا اور حکومت کو بدنام کرنے کی سازش کا نام دے کر سنی ان سنی کر دیا گیا۔ ممکن ہے تحقیق و تفتیش کے بعد الزامات بے بنیاد ثابت ہوتے لیکن بغیر تحقیق کے ان الزامات کے صحیح ہونے کے امکان کو سرے سے نظر انداز تو نہیں کیا جاسکتا تھا۔ بنیادی نکتہ یہ ہے کہ ان الزامات کی تحقیقات کسی آزاد اور غیر جانبدار ادارے سے کروائی جاتیں تاکہ دودھ کا دودھ پانی کا پانی ہو جاتا اور عوام کا اعتماد منتخب نمائندوں میں بحال ہو جاتا۔ اس قسم کی تحقیقات کے مطالبات زور و شور سے ہوتے رہے لیکن ان پر کوئی توجہ نہیں دی گئی، جب دباؤ بڑھا تو تحقیقات ایک ایسے منظور نظر کے سپرد کر دی گئیں جس کے پاس کوئی قانونی اختیار نہ تھا۔ ظاہر ہے کہ ایسی تحقیقات کو نہ سیاسی حلقوں نے مانا نہ عوام نے۔

''جو لوگ بدعنوانی کی شکایت کرتے ان سے کہا جاتا ''جاؤ عدالت کا دروازہ کھٹکھٹاؤ'' یہ صحیح ہے کہ

جمہوریت میں اعتماد عدالتوں سے نہیں عوام سے حاصل کیا جاتا ہے، یہ بھی صحیح ہے کہ عدالتی چارہ جوئی کا مشورہ بھی بظاہر غلط نہ تھا، لیکن اصل نکتہ یہ ہے کہ اس سے پہلے کہ عدالت میں مقدمہ دائر ہو الزامات کی تحقیق و تفتیش ضروری ہوتی ہے، جو سرکاری ادارے ہی کر سکتے ہیں۔ متعلقہ فائلیں اور دستاویزات بھی سرکاری تحویل میں ہوتی ہیں اور حکومت کی اجازت کے بغیر ان تک دسترس ممکن نہیں، ایسی صورت میں عدالتی چارہ جوئی کا مشورہ لایعنی تھا۔

"پھر کم از کم ایک معاملے میں عدالت نے اقربا نوازی اور اختیارات کے ناجائز استعمال کے الزامات کو درست بھی قرار دیدیا، لیکن اس کا فائدہ کیا ہوا؟ کچھ بھی نہیں! اس کا نتیجہ کیا نکلا؟ کچھ بھی نہیں؟ کیا عدالت کے فیصلے کا احترام کیا گیا؟ بالکل نہیں۔ دوسرے جمہوری ملکوں میں اگر کسی رکن حکومت پر بدعنوانی، بددیانتی کا معمولی سا الزام بھی لگتا ہے تو وہ شخص یا خود استعفیٰ دیدیتا ہے یا اس سے استعفیٰ مانگ لیا جاتا ہے، تاکہ الزام کی تحقیق شک و شبہ سے بالا آزادانہ اور غیر جانبدارانہ فضا میں ہو سکے۔ کیا اس روایت پر عمل کیا گیا؟ افسوس کے ساتھ اس کا جواب نفی میں دینا پڑتا ہے اور کہنا پڑتا ہے کہ احتساب کی روایت قائم نہیں کی گئی۔"

صدر کے سیکریٹری فضل الرحمان خان نے وفاقی تفتیشی ادارے کو کچھ دستاویزات بھجوائیں، وفاقی تفتیشی ادارے نے ان دستاویزات کی بنا پر بے نظیر اور ان کے وزیروں کے خلاف بدعنوانی، اقربا پروری، جانبداری، اختیارات اور اثر و رسوخ کے ناجائز استعمال جیسے بہت سے الزامات کی تفتیش کی اور پھر اپنی رپورٹیں ایوان صدر بھیجیں۔ ان رپورٹوں کو اس وقت کے اٹارنی جنرل عزیز منشی، معروف قانون دان سید شریف الدین پیرزادہ، بیرسٹر رفیع رضا اور میں نے غور سے جانچا پرکھا۔ ان رپورٹوں سے بے نظیر اور اس کے وزیروں کے خلاف ایسی بدعنوانی کے الزامات کو تقویت ملتی تھی جس کی تعریف ۱۹۷۷ء کے پی پی او ۱۷ کے آرٹیکل ۴ میں کی گئی تھی۔ ہم نے ان رپورٹوں کی بنا پر چھ معاملات ایسے چنے جن میں بدعنوانی کا الزام بے نظیر پر لگتا تھا اور نو معاملات ایسے چنے جن میں الزام بے نظیر کے وزیروں اور ممبران قومی اسمبلی پر لگتا تھا۔

وزارت قانون کی تائید کے بعد ہم نے ان معاملات کو وزیراعظم کے معاون خصوصی کمال اظفر کو بھیجا، انہوں نے ان معاملات کو اس وقت کے نگراں وزیراعظم غلام مصطفیٰ جتوئی کے سامنے پیش کیا۔ جب وزیر اعظم کو اطمینان ہو گیا کہ واقعی بے نظیر، ان کے وزراء اور دیگر پبلک عہدیدار بدعنوانیوں کے مرتکب ہوئے ہیں تب انہوں نے صدر کو مشورہ دیا کہ یہ معاملات خصوصی عدالتوں میں بھیج دیئے جائیں اور عدالتوں سے درخواست کی جائے کہ وہ ان مقدمات کی سماعت کریں۔ اپنی حتمی آراء ضبط تحریر میں لائیں اور قانون کے مطابق مناسب احکام صادر کر کے مقدمات کا فیصلہ کریں۔ پھر صدر نے اپنا اطمینان کیا اور جب انہیں یقین ہو گیا کہ یہ باور کرنے کے لئے معقول اسباب موجود ہیں کہ بدعنوانیوں کا ارتکاب ہوا ہے

تب انہوں نے یہ مقدمات قانون کے تحت قائم شدہ خصوصی عدالتوں کو بھجوادیئے (ملاحظہ ہو ضمیمہ ۲) یہ سارا کام تین ماہ کے عرصہ میں مکمل کر لیا گیا۔

صدر کو ان کے ماہر قانون مشیروں نے بتلایا تھا کہ خصوصی عدالتوں کے پاس جب صدارتی ریفرنس پہنچیں گے تو پہلے وہ دستاویزات کو پرکھیں گی، پھر ملزمین سے جواب طلب کریں گی پھر ان جوابوں کی روشنی میں مزید چھان بین کریں گی۔ ملزمین کو شنوائی کا موقع دیں گی پھر اپنی حتمی آراء قلم بند کریں گی۔ صدر کو (اور ہم کو) یہ بھی بتلایا گیا تھا کہ عدالتوں کا طریقہ کار سمری (مختصر) ہوگا اور پوری کارروائی دوماہ کے اندر اندر پوری ہو جائے گی۔ چونکہ ہر الزام کے ثبوت میں ناقابل تردید دستاویزی شہادتیں پیش کر دی گئی تھیں ہمیں یقین تھا کہ الزامات ضرور ثابت ہو جائیں گے۔

لیکن ہوا یہ کہ جب مذکورہ ریفرنس خصوصی عدالتوں میں پہنچ گئے تو بے نظیر اور ان کی زیر قیادت پوری حزب اختلاف نے احتساب کے عمل، احتساب کے قانون اور احتسابی عدالتوں پر زور و شور سے حملے شروع کر دیئے۔ یہ قوانین کالعدم ہیں، یہ قوانین غیر آئینی ہیں، ان قوانین کے تحت ملزم کو الزام ثابت ہونے سے پہلے مجرم قرار دیا جا رہا ہے جو انصاف کے معروف اصول کے خلاف ہے۔ یہ بھی کہا گیا کہ ریفرنس خصوصی عدالتوں کو کیوں بھیجے گئے؟ عام عدالتوں کو کیوں نہیں بھیجے گئے؟ غرض یہ کہ اس طرح بے نظیر اور انکے ساتھیوں نے عوام کے ذہنوں کو بلاوجہ الجھنوں اور خلفشار میں مبتلا کر دیا۔ حتیٰ کہ سرکاری ترجمان کو واضح کرنا پڑا کہ:

"احتساب کا عمل انہی قوانین کے تحت ہو رہا ہے جو ذوالفقار علی بھٹو کی وزارت عظمیٰ کے زمانے میں بنائے گئے تھے اور جو قوانین ابھی تک نافذ العمل ہیں۔ وہ دو قوانین جن کے تحت خصوصی عدالتیں قائم ہوئی ہیں ۹ جنوری ۱۹۷۷ء سے چلے آرہے ہیں اور آج تک ان پر کوئی اعتراض نہیں ہوا۔ یہ دونوں قوانین اس پارلیمنٹ نے منظور کئے تھے جو ۱۹۷۳ء کے آئین کے تحت قائم ہوئی تھی۔ اس وقت چوہدری فضل الٰہی صدر تھے، ان قوانین پر دستخط کرنے سے پہلے صدر چوہدری فضل الٰہی نے کچھ ردو بدل بھی کیا تھا۔ انہوں نے بعض ایسی دفعات کو جن سے امتیاز اور تفریق کی بو آتی تھی، یا جو قدرتی انصاف کے مسلمہ اصولوں پر پوری نہیں اترتی تھیں، نکال دیا تھا اور اس طرح اس ردو بدل سے ان قوانین کو انصاف کے تقاضوں کے اور زیادہ مطابق کر دیا تھا۔ ان قوانین میں سے ایک کا نام تھا (۱) نمائندہ عہدیداروں کی بداعمالی کے انسداد کا قانون مجریہ ۱۹۷۶ء اور (۲) دوسرے کا نام تھا پارلیمنٹ اور صوبائی اسمبلیوں کے ممبروں کی نا اہلی کا قانون مجریہ ۱۹۷۶ء۔ ان دونوں قوانین کا نفاذ ۹ جنوری ۱۹۷۷ء سے عمل میں آیا تھا اور اس وقت ذوالفقار علی بھٹو وزیر اعظم تھے۔"

"مذکورہ قوانین میں وفاقی وزیر اعظم اور صوبائی وزرائے اعلیٰ کو احتساب کے عمل سے مستثنیٰ قرار دیا گیا تھا، اور ان میں ملزم کے لئے ذاتی شنوائی اور قانونی اعانت کی گنجائش بھی نہ تھی، چنانچہ ۱۹۷۷ء

میں جب صدارتی احکام ۱۶ اور ۱۷ جاری کئے گئے تو مذکورہ دونوں خامیاں دور کر دی گئیں۔ اب احتساب کے عمل سے کوئی مستثنیٰ نہیں نہ وزیر اعظم نہ وزیر اعلیٰ، ملزم کو ذاتی شنوائی اور قانونی اعانت کے حقوق دے دیئے گئے ہیں اور ملزم کو سپریم کورٹ کے پاس اپیل کرنے کا حق بھی دیدیا گیا ہے۔"

"۱۹۷۷ء کے صدارتی احکام ۱۶ اور ۱۷ کے تحت کسی کو صرف آئین کی دفعہ ۶۲ اور ۶۳ کے تحت نااہل قرار دیا جا سکتا ہے اس لئے یہ کہنا کہ یہ احکام غیر آئینی ہیں سراسر غلط ہے۔ علاوہ ازیں آئین کی دفعہ ۶۳ کے تحت کسی کو نااہل قرار دینے کے لئے ضروری ہے کہ (۱) اسے قانون رائج الوقت کے تحت بدعنوانی یا غیر قانونی حرکت کا مرتکب پایا جائے۔ اور

(۲) وہ قانون رائج الوقت کے تحت پارلیمنٹ یا صوبائی اسمبلی کا رکن چنے جانے کے لئے نااہل ہو۔

"لہٰذا جہاں تک مذکورہ آئینی دفعات کا تعلق ہے یہ تو ۱۹۷۳ء سے نافذ العمل تھیں۔ جہاں تک مذکورہ قانون کا تعلق ہے یہ ۱۹۷۶ء سے نافذ العمل تھا، جہاں تک مذکورہ احکام کا تعلق ہے یہ ۱۹۷۷ء سے نافذ العمل تھے اور ان احکام کا مقصد سارے احتسابی عمل کو قانون اور آئین کی روح کے مطابق ڈھالنا تھا۔"

"یہ تاثر دینا کہ ۱۹۷۷ء کے صدارتی حکم نامہ ۱۷ کے تحت ملزم کو مجرم تصور کر لیا گیا ہے سراسر غلط ہے، کیونکہ اس سلسلہ میں جس ذیلی قاعدے کا حوالہ دیا جاتا ہے وہ بعینہ وہی ہے جو ۱۹۷۷ء کے قانون نمبر پانچ میں تھا۔ یہ ذیلی قاعدہ صرف یہ کہتا ہے کہ اگر کوئی ملزم مدعا علیہ کسی کوائف و حقائق کی وضاحت نہ کر سکے یا وضاحت کرنے سے انکار کرے تو ملزم پر جرم کا قیاس ہو سکتا ہے اور یہ قانون شہادت کے تحت عام سی بات ہے۔"

"لہٰذا یہ بات بالکل واضح ہے کہ نگراں حکومت جن قوانین کے تحت احتساب کرنا چاہتی ہے ان کی روح اور ان کی اساس بالکل ویسی ہی ہے جیسی ذوالفقار علی بھٹو کی وزارت عظمیٰ کے زمانے کے منظور شدہ قوانین کی تھی۔ جہاں تک ان میں ترامیم کا تعلق ہے انکا مقصد محض انہیں انصاف اور جمہوریت کے تقاضوں کے قریب تر لانا تھا۔"

جب بھی بے نظیر کے پاس کوئی بدعنوانی یا رشوت ستانی کی شکایت لے کر جاتا تو وہ اسے عدالتی چارہ جوئی کا مشورہ دیتیں لیکن یہ مشورہ بالکل لایعنی اور قطعاً ناقابل عمل تھا کیونکہ اس سلسلہ میں کوئی عدالتی کارروائی وزیر اعظم (بے نظیر) یا متعلقہ صوبائی وزیر اعلیٰ کی اجازت کے بغیر ہو ہی نہیں سکتی تھی۔

خصوصی قوانین کی علت غائی کے بارے میں بے بنیاد غلط فہمیاں پھیلا کر عوام کے ذہنوں کو پراگندہ کرنے کی کوشش کی گئی۔ لہٰذا اس گنجلک کو واضح کرنے کی ضرورت ہے۔ خصوصی قوانین، خصوصی حالات سے نمٹنے کے لئے بنائے جاتے تھے اور ان کی پہلے سے بہت سی مثالیں موجود تھیں، مثلاً سرکاری ملازموں

کے ملازمت سے متعلق امور طے کرنے کے لئے سروس ٹریبونل تھے، کسٹمز کے قوانین کی خلاف ورزی سے نمٹنے کے لئے کسٹمز کی خصوصی عدالتیں تھیں، بینکنگ کی خلاف ورزی سے نمٹنے کے لئے بینکنگ کی عدالتیں تھیں، ذخیرہ اندوزوں اور کالا دھندا کرنے والوں کے لئے الگ عدالتیں تھیں۔ غرض یہ کہ خاص قسم کے جرائم سے نمٹنے کے لئے خاص قسم کی عدالتوں کا قیام کوئی انوکھا یا انجانا تجربہ نہ تھا۔ عوام کے منتخب نمائندے عوامی اعتماد کے امین ہوتے ہیں۔ وہ قانون ساز ہوتے ہیں، اگر قانون ساز خود قانون شکن بن جائے، بدعنوانی کرے، بداعمالی کا مرتکب ہو، عوام کے اعتماد کی امانت میں خیانت کرے تو وہ یقیناً اس بات کا مستحق ہے کہ اس پر عام عدالتوں میں عام قوانین کے تحت مقدمہ نہ چلایا جائے بلکہ خاص عدالتوں میں خاص قوانین کے تحت مقدمہ چلایا جائے کیونکہ اس کا جرم عام مجرموں سے زیادہ گھناؤنا اور قابل نفرین ہے۔ اس کے علاوہ خاص عدالتوں اور خاص قوانین کی ضرورت اس لئے بھی تھی کہ عام عدالتوں میں عام قوانین کے تحت مقدمات کے فیصلے عرصہ دراز تک نہیں ہوپاتے۔ عام عدالتوں میں کام کی زیادتی کی وجہ سے یا کسی اور وجہ سے عدالتی عمل میں حد درجہ طوالت اور تاخیر ہوتی ہے۔ لہٰذا ان سے یہ توقع رکھنا کہ وہ انصاف اور جمہوریت کی خاطر عوامی نمائندوں اور عہدیداروں کے خلاف بدعنوانی، بداعمالی، بے ایمانی کے مقدمات مطلوبہ سرعت سے نمٹادیں گی، عبث ہے۔

ہمیں اعتماد تھا کہ ہماری قانونی پوزیشن مضبوط ہے خصوصی عدالتیں فیصلے ملزموں کے خلاف جلد کردیں گی لیکن اے بسا آرزو کہ خاک شدہ" پہلا دھماکہ لاہور میں ہوا۔ بے نظیر کابینہ کے ایک وزیر جہانگیر بدر کے خلاف ایک صدارتی ریفرنس جسٹس منیر اے شیخ کی خصوصی عدالت میں بھیجا گیا تھا۔ انہوں نے یہ ریفرنس صدر کو ۱۹۷۷ء کے صدارتی فرمان کی دفعہ ۴ کی شق (۳) کی ذیلی شق (۱) کے تحت یہ کہہ کر واپس کردیا کہ فریقین کو سنے بغیر، صرف ریکارڈ دیکھ کر ملزم کو مجرم قرار نہیں دیا جاسکتا۔ ہمیں ہرگز یہ امید نہ تھی کہ ایک صدارتی ریفرنس کو کہ جس کو ملک کے بعض بہترین ماہرین قانون نے محنت، مشقت اور غوروخوض سے تیار کیا تھا، ریفرنس بھیجنے والی اتھارٹی کو سنے بغیر، اور اسے الزامات کی تائید میں مزید شہادت پیش کرنے کا موقع دیئے بغیر اتنی عجلت اور سرسری انداز میں خارج کردیا جائے گا۔ اس سے ہمیں اندازہ ہوگیا کہ آئندہ کیا ہونے والا ہے۔

ہم نے بہتیری کوشش کی کہ بے نظیر کے خلاف جو چھ ریفرنس بھیجے گئے ہیں ان میں سے کسی کا فیصلہ کسی کے حق میں تو ہوجائے۔ لیکن اگلے دو سالوں میں کسی ریفرنس پر کوئی فیصلہ کسی طرف سے نہیں ہوا، التواء کی درخواستیں متواتر دی جاتیں اور آسانی سے منظور کرلی جاتیں۔ مقدمات کی کارروائی میں تاخیر پیدا کرنے کے لئے ہر ہتھکنڈا استعمال کیا گیا۔ جب دیوانی اور فوجداری کے عام مقدمات میں تاخیر کا فائدہ مدعا علیہ کو پہنچتا ہے تو ان ریفرنسوں کے عوامی عہدیدار مدعا علیہان کو کیا پڑی تھی کہ وہ مقدمات نمٹوانے میں جلدی

تے۔ انہیں معلوم تھا کہ تاخیر کا فائدہ انہی کو پہنچے گا۔ وقت کے ساتھ گواہوں کی یاد داشت کمزور پڑ سکتی ہے، مقدمات میں ان کی دلچسپی کم یا ختم ہو سکتی ہے، یا انہیں توڑا جا سکتا ہے یا سب سے بڑی بات یہ ہے کہ ت گزرنے کے ساتھ ساتھ صورت حال اپنے حق میں بدل بھی سکتی ہے چونکہ تاخیر سے ملزم / مدعا یہ کو فائدہ ہی فائدہ تھا، لہذا سماعت مقدمہ کو بار بار ملتوی کروایا گیا۔ عدالتوں کو فروعی تحقیقات میں (جن کا ل معاملہ سے دور پرے کا بھی تعلق نہ تھا) الجھایا جاتا، مثلاً یہ کہ آیا مدعا علیہ / ملزم نے واقعی اپنے اختیار کا جائز استعمال کیا یا نہیں؟ وغیرہ وغیرہ۔ ہمیں جلد احساس ہو گیا کہ گاڑی پٹڑی سے اتر گئی ہے۔ اب ایسی ورت میں اگر عوام یہ سمجھیں تو کیا عجب ہے کہ ڈاکو لٹیرے جو چاہیں کر لیں ان کا کوئی کچھ نہیں بگاڑ سکتا۔ نکہ ہمارا قانون نہ طاقتور ہے، نہ مستحکم ہے، نہ انصاف دلانے کے قابل ہے، نہ سریع الاثر ہے بلکہ یہ تو کل بے اثر ہے کاغذی شیر ہے!

عام طریقہ تو یہی ہے کہ کسی مقدمے میں صرف آخری حکم یا آخری فیصلے کے خلاف ایک اپیل دائر کی سکتی ہے لیکن ہمیں پتہ چلا کہ ان ریفرنسوں میں ہر عبوری حکم کے خلاف بھی ایک اپیل کی جا سکتی ہے۔ ہر ہے دیر پر دیر ہوتی چلی گئی کیونکہ اپیل کے فیصلے تک خصوصی عدالت کا پہیہ جام رہتا تھا، "خود کردہ را ج نیست۔" ہم نے قانون میں ترمیم کر کے اپیل کی گنجائش اس لئے رکھوائی تھی کہ جہانگیر بدر والے فرنس میں عدالت نے جو حکم دیا تھا ہم اس کے خلاف اپیل کر سکیں۔ ترمیم کی افادیت تو مشکوک رہی لیکن یں اسکی قیمت بہت بھاری ادا کرنا پڑی۔

ہمیں جلد احساس ہو گیا کہ جتنی دیر میں آدمی چاند پر جا کر واپس آ سکتا ہے اتنی دیر میں ریفرنس پر فیصلہ یں مل سکتا، پورے احتسابی نظام میں اتنے چور دروازے تھے کہ فیصلے سے برسوں گریز کیا جا سکتا تھا۔ بے یر ہر حیلے بہانے سے استغاثہ کا جواب دینے سے پہلو تہی کرتی رہیں، حالانکہ استغاثہ کی تیاری میں مہینوں لے تھے اور تیاری کے دوران بعض گواہوں پر جرح اتنی طویل ہوئی تھی کہ ان میں سے بعض کے تو اعصاب نے ہی جواب دے دیا تھا۔

جب بے نظیر اکتوبر ۱۹۹۳ء میں دوبارہ برسر اقتدار آ گئیں تو ان کے خلاف چھ کے چھ ریفرنسوں کا فیصلہ ق رفتاری سے انہی کے حق میں کر دیا گیا۔ باقی ریفرنسوں کا بھی یہی حشر ہوا۔ اور ایسا ہونے میں تعجب ں کیا ہے۔ بے نظیر (جن کے خلاف ریفرنس دائر کئے گئے تھے) اب وزیر اعظم کی سرکاری رہائش گاہ میں جمان تھیں اور غلام اسحٰق خان (جنہوں نے وہ ریفرنس بھجوائے تھے) اب ایوان صدر چھوڑ چکے تھے۔

میاں محمد نواز شریف اکتوبر ۱۹۹۰ء میں پہلی مرتبہ وزیر اعظم بنے تو انہوں نے اپنے آپ کو اس احتسابی ں سے الگ تھلگ رکھنے کا فیصلہ کر لیا جو ان سے پہلے نگران وزیر اعظم غلام مصطفیٰ جتوئی نے شروع کیا تھا۔ رے لئے اس فیصلے سے مزید دشواریاں اور پیچیدگیاں پیدا ہو گئیں۔ میں ہر ہفتہ وزیر اعظم کو احتسابی عمل

کے بارے میں رپورٹ بھیجتا تھا جس میں ہر معاملہ میں پیش رفت یا عدم پیش رفت کے کوائف درج ہوتے وزیر اعظم نے میری ان رپورٹوں میں ایک مرتبہ بھی ذرا سی دلچسپی ظاہر نہیں کی۔ انہوں نے مجھ سے کبھی نہیں پوچھا کہ تم کیا کر رہے ہو؟ کیا نہیں کر رہے ہو؟ احتسابی عمل آگے کیوں نہیں بڑھ رہا؟ البتہ ایک مرتبہ انہوں نے چوہدری شجاعت حسین وزیر داخلہ کے کہنے پر اس سلسلہ میں ایک میٹنگ ضرور بلائی تھی ہوا یہ تھا کہ وہ صدر سے ملکر آئے تو مجھے فون کر کے کہا "آؤ ناشتہ ساتھ کرتے ہیں اور احتسابی عمل کے بارے میں گپ شپ بھی کر لیں گے۔" میں چلا گیا۔ انہوں نے مجھے بتلایا کہ صدر نے ان سے کہا ہے کہ حکومت خصوصاً وزیر اعظم کی طرف سے احتسابی عمل کے بارے میں لاپروائی برتی جارہی ہے۔ صدر کے اشارے سے چوہدری شجاعت حسین کو ریفرنسوں کے سیاسی مضمرات اور حقیقی امکانات کا دفعتاً ادراک ہو اور انہوں نے غیر معمولی دور اندیشی سے تقریباً معجزانہ پیش گوئی کی اور پنجابی میں کہا کہ:

"بے نظیر اگر سب ریفرنسوں میں چھٹ گئیں اور دوبارہ بر سر اقتدار آگئیں تو وہ ہم سب کو الٹا لٹکا دے گی۔ ہمیں اس سے ہر قیمت پر بچنا ہو گا۔"

اپنے خدشات کا اظہار چوہدری شجاعت حسین نے وزیر اعظم نواز شریف سے کیا ہو گا۔ کیونکہ وزیر اعظم نے چوبیس گھنٹے کے اندر اندر احتساب پر بحث کے لئے ایک اجلاس طلب کر لیا۔ اس اجلاس میں وزیر اعظم کے علاوہ وزیر داخلہ (چوہدری شجاعت حسین) وزیر پیٹرولیم (چوہدری نثار علی خان) اٹارنی جنرل (عزیز منشی) وزارت قانون کے سیکریٹری (نام یاد نہیں) اور میں شامل تھے۔ ہر معاملہ پر تفصیلی بحث ہوئی۔ معاملات کو نمٹانے میں تیزی لانے کے لئے کچھ فیصلے بھی ہوئے۔ میں خوش ہوا کہ چلو گاڑی کچھ چلی تو سہی۔ لیکن تھوڑے دنوں بعد ہی مجھے اندازہ ہو گیا کہ جو اجلاس ہوا ہے وہ پہلا اور آخری اجلاس ہو گا۔

اقتدار کی غلام گردشوں میں احتساب کا لفظ گالی بن گیا اور پھر کبھی سننے میں نہ آیا، احتساب کی جنگ لڑنے کے لئے صدر غلام اسحٰق خان کو تن تنہا چھوڑ دیا گیا۔ احتساب کے عمل سے وزیر اعظم کی بے اعتنائی، عدالتی کارروائی میں ان کی عدم دلچسپی اور وفاقی حکومت کی عمومی بے توجہی اور لاپروائی سے حکومت کے کل پرزوں کو اشارہ مل گیا کہ کیا کرنا ہے؟ کیا نہیں کرنا۔ صدر غلام اسحٰق خان کو برطرف شدہ ممبران پارلیمنٹ کی شدید تنقید کا نشانہ بننا پڑا اور آج تک ان پر یہ اعتراض کیا جاتا ہے کہ انہوں نے احتساب کے نام پر اسمبلیاں توڑیں حکومتیں ہٹائیں، لیکن احتساب کے عمل کو آگے نہ بڑھا سکے۔ اعلیٰ عدالتیں بھی تنقید سے نہ بچ سکیں۔ دونوں عدالتی فیصلوں پر شدید نکتہ چینی ہوئی بلکہ برسر عام ججوں کی نیت تک پر شک کیا گیا۔

پس، احتساب کا تجربہ ہمیں کیا سکھاتا ہے؟

پہلا سبق تو یہ ہے کہ اگرچہ آئین کے تحت انتظامیہ کی زیادتیوں اور من مانی حرکتوں اور نمائندہ عہدیداروں کے چلن پر کڑی نگاہ رکھنے کی ذمہ داری مملکت کے دو اہم ستونوں، صدر اور عدلیہ پر ہے لوگوں

اعتماد ان دونوں ستونوں پر سے اٹھ گیا ہے۔
دوسرا سبق یہ ہے کہ احتساب تو بس یا مذاق بن گیا ہے یا انتقام۔ بدعنوان انتظامیہ کی مدد سے ہر حکومت احتساب کے نام پر اپنے سیاسی مخالفوں کا پیچھا کرتی ہے انہیں ہراساں کرتی ہے ان کا جینا حرام کرتی ہے جبکہ حکومت کے حواری نازیبا بداعمالی، اختیارات کے ناجائز استعمال، بدعنوانی، اعتماد شکنی، حلف شکنی کی سزا سے بچ جاتے ہیں۔ احتساب کا جو مفہوم مغرب میں ہے اس لحاظ سے تو احتساب میں دلچسپی نہ حکومت وقت کو ہے نہ حزب مخالف کو نہ عدلیہ کو۔
تیسرا سبق یہ ہے کہ آپ کتنے ہی نیک نیت، دیانت دار، راست باز کیوں نہ ہوں موجودہ سیاسی ماحول میں موجودہ عدالتی نظام کے تحت آپ مجرموں کو (خواہ وہ سرکاری ملازم ہوں یا نمائندہ عہدیدار) کیفر کردار تک نہیں پہنچا سکتے۔ اگر آپ ایسی کوئی کوشش کریں گے تو صرف اپنا وقت اپنی توانائی اور سرکاری وسائل ضائع کریں گے اور کچھ نہیں۔
چوتھا سبق یہ ہے کہ پارلیمنٹ اور نمائندہ عہدیداروں پر سے بھی عوام کا اعتماد اٹھ گیا ہے، کیونکہ اب عوام پارلیمنٹ کے ممبروں کو یا نمائندہ عہدیداروں کو اپنی قومی امنگوں امیدوں کا مظہر نہیں سمجھتے۔ یہی وجہ ہے کہ جب اسمبلیاں ٹوٹتی ہیں تو کوئی آنسو نہیں بہاتا۔
جنوبی کوریا میں دو فوجی (ایک حکومت کا تختہ الٹ کر دوسرا انتخاب جیت کر) کوریا کے صدر بنے۔ دونوں آج کل جیل میں ہیں، دونوں پر مقدمے چل رہے ہیں۔ جو حکومت کا تختہ الٹ کر صدر بنا تھا اس پر انسانی حقوق کی پائمالی کا مقدمہ ہے، جو انتخاب جیت کر صدر بنا تھا اس پر بدعنوانی کا مقدمہ ہے۔
اسی طرح باب پیک وڈ ایک سینئر ری پبلکن لیڈر امریکی سینٹ کا رکن تھا اس پر جنسی اسکینڈل میں ملوث ہونے کا الزام لگا، سینٹ کے دوسرے ممبروں نے اس سے کہا۔ ”آپ گھر جائیے ورنہ ہم آپ پر فرد جرم عائد کر دیں گے۔“
اسی طرح امریکہ کے ایک نائب صدر سپائرو ایگ نیو کو رشوت ستانی کے الزام میں استعفیٰ دینا پڑا۔ اسی طرح روسٹن کو وسکی امریکی ایوان نمائندگان کا ممبر تھا اور امریکی کانگریس کی ایک نہایت اہم اور باوقار کمیٹی ذرائع و وسائل کمیٹی کا چیئرمین اور نہایت بااثر قانون ساز تھا۔ اس پر الزامات تھے کہ اس نے اپنی حیثیت کا ناجائز فائدہ اٹھا کر
اپنی موسم گرما کی رہائش گاہ میں گھاس مفت کٹوائی تھی۔
اپنی بیٹی کی شادی پر فوٹو مفت کھنچوائے تھے۔
اپنے دفتر کے حساب سے ٹکٹ خرید کر انہیں استعمال کرنے کے بجائے انہیں نقدی میں تبدیل کر لیا تھا۔
ان الزامات کی سزا میں اسے سترہ ماہ تک جیل میں رہنا پڑا تھا۔ جب وہ عدالت میں اپنی سزا سننے کھڑا ہوا تو

امریکی ڈسٹرکٹ جج نورما ہیلووے نے اس کی شدید مذمت و ملامت کی۔ جج نورما نے کہا تھا:

"جن ووٹروں نے آپ کو ووٹ دیکر کانگریس میں بھیجا تھا آپ نے ان سے عہد شکنی کی ہے آپ نے سے دھوکہ کیا ہے، ایوان نمائندگان میں آپ کی رکنیت کے زمانے کو ذلت ورسوائی کے دور کے طو یادر کھا جائے گا۔ اور یہ بات آپ کو ہمیشہ ذلت نفس کا احساس دلاتی رہے گی۔"

اس معاملے پر رائے زنی کرتے ہوئے امریکی موقر اخبار نیویارک ٹائمز نے لکھا تھا:

"لوگوں کا خیال تھا کہ روسٹن کووسکی جیسے مقتدر اور سیاسی اعتبار سے بااثر لیڈر کے لئے یہ نازیبا حرک سہی لیکن یہ بہت چھوٹی سی بات تھی لیکن جب ان کے مقدمہ کا فیصلہ ہوا اور انہیں سزا ملی تو وہ سزا اچھ سزا نہ تھی۔ اپنے عہدے کے ناجائز استعمال کی سزا میں انہیں جیل جانا پڑا۔ گویا اب ہر عہدیدار سامنے تنبیہ کی زرد بتی جلادی گئی ہے۔"

اسی طرح گنگرچ امریکی ایوان نمائندگان کا مقتدر اور نہایت بااثر اسپیکر ہے۔ ان پر الزام تھا کہ انہوں ایک ایسے کورس کے لئے جسے وہ پڑھاتے تھے خیراتی فنڈز کا غیر قانونی استعمال کیا تھا اور استعمال سے پہلے قانونی مشورہ حاصل نہیں کیا تھا، اور اخلاقیاتی پینل کو اس بارے میں غلط معلومات فراہم کی تھیں۔ ان پر لاکھ امریکی ڈالر کا جرمانہ عائد کیا گیا تھا اور جرمانہ عائد کرتے وقت کہا گیا تھا کہ "یہ تاوان ہے اس وقت کا جو آ کی غلط بیانی کی وجہ سے اخلاقیاتی کمیٹی کا ضائع ہوا۔"

اسی طرح اسرائیل میں وہاں کے وزیراعظم بینجمن نے تنیاہو کے خلاف اسرائیلی پولیس نے دھوکے عہد شکنی کے جو الزامات عائد کئے تھے وہ آٹھ سو صفحات پر پھیلے ہوئے تھے۔ ان پر بڑا الزام یہ تھا کہ انہوں اٹارنی جنرل مقرر کرتے وقت ان سے یہ سودے بازی کی تھی کہ وہ ان کے سیاسی حلیف ایچ ڈیری سے نر برتیں گے جن پر بدعنوانی کے الزامات تھے۔

اسی طرح بہت سی مثالیں ہیں جن میں جاپان میں اور اٹلی میں اعلیٰ عہدیداروں کو بدعنوانی کے الزاما میں ملوث ہونے کے باعث مستعفی ہونا پڑا۔

ایک چینی مقولہ ہے کہ مچھلی سر سے سڑنا شروع ہوتی ہے۔ گویا احتساب کا عمل چوٹی سے شروع چاہئے۔ احتساب کا اطلاق سب سے پہلے حکمرانوں پر ہونا چاہئے تاکہ کوئی اس غلط فہمی میں نہ رہے کہ وہ د دلیری سے قانون توڑ سکتا ہے اور اس کا کچھ نہیں بگڑے گا۔ جنوبی کوریا، امریکہ، اسرائیل، جاپان، اطالیہ مثالوں سے ثابت ہے کہ نیت نیک اور عزم پختہ ہو تو بہت کچھ ہو سکتا ہے۔

پاکستان کا المیہ یہ ہے کہ یہاں چوٹی کے ارباب اقتدار کی بے ایمانیاں، بدعنوانیاں، بداعمالیاں عوام نظروں سے چھپی بھی نہیں۔ یہ علانیہ اور بے غیرتی سے رونما ہوتی ہیں صرف اس لئے کہ ان کے مرتک ارباب اقتدار کو معلوم ہوتا ہے کہ ان کا کچھ نہیں بگڑے گا۔ میں نے محمد نواز شریف کی حکومت (پہلا

۱۹۹۰ء تا ۱۹۹۳ء) کو قانون احتساب کا ایک مسودہ بھیجا تھا جس میں میں نے تجویز کیا تھا کہ ایک مستقل احتساب کمیشن قائم کیا جائے جو صدر اور وزیر اعظم کے علم، ایما اور اجازت کے بغیر پبلک عہدیداروں کی بد عنوانی، بداعمالی اور اختیار کے ناجائز استعمال کے الزامات کا نوٹس از خود لینے کا مجاز ہو۔ مقصد یہ تھا کہ سب پبلک عہدیداروں کا احتساب ہو چاہے وہ ماضی کے ہوں یا حال کے۔ نواز شریف حکومت نے (۱۹۹۰ء تا ۱۹۹۳ء) میری اس تجویز پر کوئی کارروائی نہیں کی۔

میں نے دوبارہ یہی معاملہ بلخ شیخ مزاری کی نگران حکومت کے سامنے اٹھایا لیکن وہاں بھی اس پر کوئی فیصلہ نہ ہوا۔

بعد میں ۱۹۹۶ء میں جب محمد نواز شریف قومی اسمبلی میں قائد حزب اختلاف تھے انہیں کافی دیر میں یہ احساس ہوا کہ اگر پبلک عہدیدار اپنے اختیار یا حیثیت یا اثر کا ناجائز فائدہ اٹھائے تو اس کا احتساب واقعی ضروری ہے۔ چنانچہ انہوں نے یکم جون ۱۹۹۶ء کو ایک خط اس سلسلہ میں صدر فاروق لغاری کو لکھا۔ صدر فاروق لغاری نے اس خط کے جواب میں محمد نواز شریف قائد حزب اختلاف قومی اسمبلی کو لکھا:

"آپ نے مجھ کو جو خط یکم جون ۱۹۹۶ء کو لکھا ہے اس میں آپ نے تجویز کیا ہے کہ میں ایک ایسے مستقل عدالتی کمیشن کے قیام کے بارے میں عوام کی رائے معلوم کرواؤں جو حکمرانوں، عوامی نمائندوں اور سرکاری اہلکاروں کے خلاف بد عنوانی کے الزامات کی تحقیق تفتیش کرے، چھان بین کرے اور دیگر ضروری کارروائی کرے۔"

"آپ کی تجویز کے بارے میں حکومت کا کہنا ہے کہ اسے بد عنوانی کی لعنت سے پوری پوری آگہی ہے اور انسداد رشوت ستانی اس کے ایجنڈے میں سر فہرست ہے، حکومت کا نقطہ نظر یہ ہے کہ موجودہ آئین اور قوانین میں احتساب کے لئے کافی گنجائش موجود ہے اس لئے حکومت کے کہنے کے مطابق، جس مستقل عدالتی کمیشن کے قیام کی تجویز آپ نے دی ہے، وہ کمیشن احتساب کے عمل کو آگے بڑھانے کے بجائے اس میں رکاوٹ بن جائے گا۔"

"مندرجات بالا کی روشنی میں مجھے یقین ہے کہ آپ مجھ سے اتفاق کریں گے اگر میں کہوں کہ بد عنوانی ایک قومی مسئلہ ہے جس کے انسداد کے لئے پارٹی بازی سے بالا ہو کر فکر و عمل کی ضرورت ہے۔ اب اگر میں آپ کی تجویز کے مطابق بد عنوانی کے معاملہ پر ریفرنڈم کرواؤں تو بد عنوانی ایک سیاسی مسئلہ بن جائے گی۔ قومی معاملہ نہیں رہے گی جبکہ اس کے انسداد کے لئے نہ صرف حکومت وقت کی بلکہ حزب اختلاف کی بلکہ پاکستان کے تمام شہریوں کی متحدہ اور متفقہ مساعی کی ضرورت ہے۔"

"ہمیں بد عنوانی کے معاملہ کو سیاسی رنگ ہرگز نہیں دینا چاہئے نہ یہ مسئلہ الزامات اور جوابی الزامات سے حل ہو گا۔ اگر ہم عوامی نمائندوں نے اس معاملہ کو نظر انداز کیا یا اس سے پہلو تہی کی تو ہم ادائے فرض

میں ناکام رہیں گے۔"

"پاکستان کے عوام نے ہمیں منتخب کر کے ہم پر جو اعتماد کیا ہے ہمیں اس کا احترام کرنا چاہئے۔وہ بدعنوانی کا خاتمہ چاہتے ہیں، عوامی نمائندوں کو عوامی توقعات پر پورا اترنا چاہئے، عوامی نمائندے یہ کام پارلیمنٹ کے توسط سے سرانجام دے سکتے ہیں، لہذا میں حزب اقتدار کو، حزب اختلاف کو، بلکہ پارلیمنٹ کے تمام ممبروں کو دعوت عمل دیتا ہوں کہ وہ قومی اسمبلی میں اور سینٹ میں ایسی سلیکٹ کمیٹیاں قائم کریں جو بدعنوانی کے مسئلہ کی چھان بین کریں اور اس خباثت ولعنت کو جڑ سے اکھاڑ پھینکنے کی تدابیر وضع کریں۔"

"میں آپ کو یہ خط لکھ رہا ہوں اور اس کے ساتھ ساتھ وزیراعظم (بے نظیر) کو بھی خط لکھ رہا ہوں اور ان سے کہہ رہا ہوں کہ وہ قومی اسمبلی اور سینٹ میں مذکورہ سلیکٹ کمیٹیوں کے قیام کی تجویز مان لیں۔"

"مجھے امید ہے کہ مخلوط حکومت، حزب اختلاف اور پارلیمنٹ کے دیگر سب اراکین ان سلیکٹ کمیٹیوں کے قیام کے عمل میں تعاون کریں گے اور ان کمیٹیوں کے لئے مناسب فرائض کا تعین کریں گے، مناسب طریق کار وضع کریں گے اور یہ سب متفقہ اور متحدہ طور پر ہوگا۔"

میں نہیں سمجھتا کہ مندرجہ بالا رائے صدر (فاروق لغاری) کی اپنی رائے تھی، میرے خیال سے وہ صرف حکومت وقت (بے نظیر) کی ہاں میں ہاں ملا رہے تھے۔وہ جانتے تھے کہ لوگ پارلیمنٹ کے ممبروں کو (الا ماشاء اللہ چند مستثنیات کے) قومی وسائل کی لوٹ مار میں برابر کا شریک سمجھتے ہیں۔ صدر جانتے تھے کہ جب پارلیمنٹ کے ممبر خود بدعنوانی میں شامل ہیں تو وہ خود اپنے اوپر فرد جرم کیسے عائد کریں گے؟ صدر جانتے تھے کہ انسداد بدعنوانی کے لئے طریق کار وضع کرنے کے لئے سلیکٹ کمیٹیوں کے قیام کی قطعاً ضرورت نہیں کیونکہ وزارت داخلہ میں انسداد رشوت ستانی وبدعنوانی کے موضوع پر کم از کم نصف درجن ضخیم رپورٹیں موجود ہیں جن پر گرد کی تہیں روز بروز دبیز سے دبیز تر ہوتی جا رہی ہیں۔ صدر جانتے تھے کہ نمائندہ عہدیدار حضرات، انتخابات سے پہلے، آئین کے تحت قائم شدہ اعلیٰ اختیاری مستقل عدالتی کمیشن کے توسط سے اپنا احتساب کیوں نہیں کروانا چاہتے۔ میں نے کہا تھا کہ ملک کو احتساب کی ضرورت ہے بلکہ اگر میرا اندازہ صحیح ہے تو ملک بے دریغ احتساب کا مطالبہ کر رہا ہے۔پاکستان میں کب کوئی نمائندہ عہدیدار اپنے منصب سے ناجائز فائدہ اٹھانے کے جرم میں جیل جائے گا؟ کب ہمارے ہاں امریکی جج نورما جیسا جج پیدا ہوگا جو کسی طاقتور سیاسی پبلک عہدیدار کی عہد شکنی پر ملامت کرے گا؟ اس کے کرتوتوں پر سرزنش کرے گا؟ اسے جیل بھیجے گا بالکل ویسے ہی جیسے جج نورما نے سینیٹر کرووسکی کو ملامت وسرزنش کے بعد جیل بھیجا تھا؟ جب بھی ایسا ہوا وہ گھڑی پوری قوم کے لئے بالعموم اور ہماری عدلیہ کے لئے بالخصوص ساعت مسعود ہوگی۔

جو لوگ عوام کے اعتماد کو ٹھیس پہنچاتے ہیں عوام کے بھروسہ کو دھوکہ دیتے ہیں ملک کی دولت کو لوٹتے ہیں، قوم کا فرض ہے کہ ان کے احتساب کا اہتمام کرے۔اگر عوامی نمائندوں کا احتساب اس وقت نہ ہوا، اگر

جرموں کو نااہل قرار دیکر اس وقت پارلیمنٹ پر دوبارہ تسلط اور غلبہ سے نہ روکا گیا تو پورا جمہوری عمل ایک داق بن جائے گا اور آئین اور قانون کے مطابق ستھری سیاست اور دیانت دار جمہوری حکومت کا خواب کبھی نرمندہ تعبیر نہ ہو سکے گا۔ بدعنوان عناصر اور سیاسی لٹیرے جلد انتخابات کے بہانے احتساب میں تاخیر ر کے احتساب سے بچنا چاہ رہے ہیں۔ ان کی اس کوشش کی مخالفت و مزاحمت بے حد ضروری ہے تاکہ یہ وشش کامیاب نہ ہونے پائے کیونکہ اگر یہ بدعنوان عناصر دوبارہ منتخب ہوگئے تو وہ پھر کبھی اپنا احتساب نہ ہونے دیں گے۔

صدر فاروق احمد خان لغاری

ب۔ ۹

فاروق لغاری

۱۰ اکتوبر ۱۹۹۳ء کو نئی منتخب قومی اسمبلی نے بے نظیر بھٹو کو قائد ایوان چن لیا۔ جب یہ ہو چکا تو پھر توجہ صدر کے انتخاب کی طرف مبذول ہوئی۔ ستائیس امیدوار میدان میں اترے جن میں مندرجہ ذیل ۲۴ شامل تھے۔

۱۔ غلام اسحٰق خان، سابق صدر مملکت
۲۔ وسیم سجاد، قائم مقام صدر مملکت (پاکستان مسلم لیگ، نواز شریف گروپ)
۳۔ نوابزادہ نصر اللہ خان (پاکستان جمہوری اتحاد)
۴۔ اکبر بگتی (جمہوری وطن پارٹی)
۵۔ سردار فاروق احمد خان لغاری (پاکستان پیپلز پارٹی)
۶۔ آفتاب احمد خان شیرپاؤ (پاکستان پیپلز پارٹی)
۷۔ آفتاب شعبان میرانی (پاکستان پیپلز پارٹی)
۸۔ سرتاج عزیز (پاکستان مسلم لیگ، نواز شریف گروپ)
۹۔ گوہر ایوب خان (پاکستان مسلم لیگ۔ نواز شریف گروپ)
۱۰۔ عبد المجید ملک (پاکستان مسلم لیگ۔ نواز شریف گروپ)
۱۱۔ سید افتخار حسین گیلانی (پاکستان مسلم لیگ۔ نواز شریف گروپ)
۱۲۔ اصغر خان (تحریک استقلال)

۱۳۔   میر بلخ شیر مزاری (آزاد)

۱۴۔   حاجی این اے زائریاں (آزاد)

۱۵۔   یحییٰ بختیار (آزاد)

۱۶۔   میر محمد عمر (آزاد)

۱۷۔   صغیر حسین صوفی (آزاد)

۱۸۔   حاجی معیز الدین (آزاد)

۱۹۔   پیر عزیز اللہ حقانی (آزاد)

۲۰۔   پیر زادہ مختار سعید (آزاد)

۲۱۔   بشیر احمد میو (آزاد)

۲۲۔   سید نذر حسین شاہ گیلانی (آزاد)

۲۳۔   غازی شفیق الرحمان صدیقی (آزاد)

۲۴۔   ایم پی خان (آزاد)

مندرجہ بالا دو در جن امیدواروں میں تقریباً نصف غیر معروف تھے، ان چوبیس امیدواروں میں سے چودہ کے کاغذات نامزدگی تو شروع ہی میں چیف الیکشن کمشنر نے تکنیکی وجوہ کی بنا پر رد کر دیئے، باقی رہ گئے دس۔ اب کوشش شروع ہوئی کہ آٹھ اور بیٹھ جائیں تو مقابلہ پھر دو کے مابین ہی رہ جائے۔ چنانچہ پاکستان پیپلز پارٹی اور پاکستان مسلم لیگ (ن) نے اپنے اپنے ذیلی امیدوار بٹھا دیئے۔ یعنی پاکستان پیپلز پارٹی نے

(۱)   آفتاب احمد خان شیر پاؤ

(۲)   آفتاب شعبان میرانی کو بٹھا دیا۔

اور پاکستان مسلم لیگ (ن) نے

(۱)   سر تاج عزیز

(۲)   گوہر ایوب خان

(۳)   عبد المجید ملک

(۴)   سید افتخار حسین گیلانی کو بٹھا دیا۔

۱۲ نومبر ۱۹۹۳ء کو نوابزادہ نصر اللہ خان اور ایئر مارشل اصغر خان نے اپنے اپنے کاغذات نامزدگی واپس لیکر اعلان کیا کہ وہ سردار فاروق لغاری کے حق میں دستبردار ہو رہے ہیں۔

پی پی پی کے فاروق لغاری اور پی ایم ایل (ن) کے وسیم سجاد کے علاوہ غلام اسحٰق خان ابھی تک میدان میں تھے۔ بے نظیر کو جلد ہی اندازہ ہو گیا کہ غلام اسحٰق خان اگر میدان میں رہے تو فاروق لغاری کے صدر بننے کے امکانات کم ہو جائیں گے۔ بے نظیر اپنے امیدوار کی ناکامی کا ذرہ برابر خطرہ مول نہیں لینا چاہتی تھیں۔ ایک دن صبح ہی صبح ساڑھے سات بجے غلام اسحٰق خان کے داماد انور سیف اللہ خاں نے فون کیا کہ بے نظیر اپنے پورے لاؤ لشکر کے ساتھ غلام اسحٰق خان سے ملنے ان کے گھر آ رہی ہیں اور یہ بھی کہا کہ غلام اسحٰق چاہتے ہیں کہ اس ملاقات کے وقت آپ بھی موجود رہیں۔ میں نے جلد جلد لباس بدلا اور انور سیف اللہ کے گھر پہنچ گیا۔

چند منٹ بعد بے نظیر بھی پہنچ گئیں۔ انکے ساتھ آصف علی زرداری، سردار فاروق احمد خان لغاری، آفتاب احمد خان شیرپاؤ، نوابزادہ نصر اللہ خان اور کچھ اور لوگ تھے۔ تھوڑی دیر بعد غلام اسحٰق خان بھی ڈرائنگ روم میں آ گئے۔ غلام اسحٰق خان نے جب جولائی ۱۹۹۳ء میں منصب صدارت چھوڑا تھا تب بے نظیر غلام اسحٰق خان سے ملنے اور انہیں خدا حافظ کہنے ایوان صدر اسلام آباد گئی تھیں۔ اس کے بعد چار ماہ گزر چکے تھے۔ بے نظیر غلام اسحٰق خان سے چار ماہ بعد پہلی مرتبہ مل رہی تھیں۔ غلام اسحٰق خان کو اس بات کا بڑا دکھ تھا (اور یہ دکھ جائز بھی تھا) کہ بے نظیر انہیں اپنی پارٹی کا صدارتی امیدوار بنانے کے وعدے سے مکر گئی تھیں، نہ صرف یہ بلکہ رابطہ تک نہیں کیا تھا نہ یہ بتلانے کی زحمت گوارا کی تھی کہ آخر انہیں ایسا کرنے میں کیا دشواریاں ہیں۔ ہم بے نظیر کے وعدے کو سچا اور معتبر سمجھ بیٹھے تھے لیکن ایسے وعدے تو توڑنے ہی کے لئے کئے جاتے ہیں۔ غرض یہ کہ فضا خاصی مکدر تھی۔ بے نظیر نے بات شروع کی۔

"ہم نے پی پی پی کے سرکردہ لیڈروں سے صلاح مشورے اور بہت غور و خوض کے بعد سردار فاروق احمد خان لغاری کو پی پی پی کا صدارتی امیدوار نامزد کرنے کا فیصلہ کیا ہے، آپ بھی اس سلسلہ میں ہماری مدد کریں۔"

بے نظیر نے البتہ یہ نہیں بتلایا کہ انہوں نے غلام اسحٰق خان کے ساتھ دغا کی ہے اور یہ بھی نہیں بتلایا کہ انہوں نے سر توڑ کوشش کی ہے کہ صدارتی انتخاب بلا مقابلہ ہو جائے، لیکن ان کی یہ کوشش ناکام ہو گئی ہے اسلئے اب انہیں مجبوراً غلام اسحٰق خان کے پاس مدد مانگنے آنا پڑا ہے۔

غلام اسحٰق خان نے بے نظیر سے پوچھا "آپ نے صدارتی امیدوار کی نامزدگی کی کارروائی سے مجھ کو بے خبر کیوں رکھا؟"

بے نظیر نے جواب دیا "ساری بات چیت اجلال حیدر زیدی اور انور سیف اللہ خان کے سامنے ہوئی تھی اور میں نے ان دونوں سے کہہ دیا تھا کہ وہ آپ کو آگاہ کر دیں۔" پھر میری طرف رخ کر کے بولیں۔ "میں نے آپ سے بھی بات کرنا چاہی تھی لیکن بات نہ ہو سکی۔"

غلام اسحٰق خان نے بے نظیر سے کہا۔"مجھ کو کسی نے کچھ نہیں بتلایا۔"

اس پر بے نظیر نے غلام اسحٰق خان سے کہا"آپ کو صدارتی انتخاب سے کاغذات نامزدگی واپس لینے یا نہ لینے کا فیصلہ فوراً کرنا ہوگا تاکہ میں آپ کے فیصلے سے اپنے ساتھیوں کو آگاہ کر سکوں اور اگر آپ اپنے کاغذات نامزدگی واپس نہیں لیتے تو ہمیں متبادل راستوں کے بارے میں سوچنا پڑے گا۔"

اس پر غلام اسحٰق خان بھڑک اٹھے اور چیخ کر بولے۔"میں سمجھتا ہوں کہ آپ کا اشارہ جی ایچ کیو کی طرف ہے، جی ایچ کیو کا اس معاملہ سے بھلا کیا تعلق ہے؟ اگر اس قدر اہم فیصلے بھی جی ایچ کیو میں ہونے لگے تو ملک کا خدا حافظ۔"

غرض یہ کہ غلام اسحٰق خان اور بے نظیر کے درمیان اس قسم کی لاحاصل اور بے نتیجہ گفتگو کافی دیر تک ہوتی رہی۔ اس اثناء میں، میں نے محسوس کیا کہ پاکستان مسلم لیگ (جونیجو گروپ) کے سربراہ حامد ناصر چٹھہ بھی، بے نظیر کے مقابلے میں غلام اسحٰق خان کی حمایت نہیں کریں گے تو میں نے مداخلت کی اور غلام اسحٰق خان سے کہا کہ "آپ اپنے کاغذات نامزدگی واپس لینے پر غور کریں تاکہ صدارتی انتخاب میں سردار فاروق احمد خان لغاری کی جیت یقینی ہو جائے۔" غلام اسحٰق خان یہ سن کر خاموش رہے۔ کوئی فیصلہ نہ ہو سکا اور بے نظیر جیسے خالی ہاتھ آئی تھیں ویسی ہی واپس چلی گئیں۔ جب بے نظیر اور ان کے ساتھی چلے گئے اور غلام اسحٰق خان اور میں کمرے میں اکیلے رہ گئے تو انہوں نے مجھ سے پوچھا۔

"صدارتی انتخاب میں میری کامیابی کے امکانات کتنے روشن ہیں؟"

میں نے جواب دیا،"موجودہ حالات میں تو یہ امکانات زیادہ روشن نہیں۔"

میرا خیال ہے کہ یہی وہ وقت تھا جب انہوں نے ذہنی طور پر صدارتی انتخاب سے دستبردار ہونے اور میدان کو فاروق لغاری (پی پی پی) اور وسیم سجاد پی ایم ایل (ن) کے دوبدو مقابلے کے لئے خالی چھوڑنے کا فیصلہ کر لیا تھا۔

یہاں فرنٹیئر پوسٹ کا یہ اقتباس بے جا نہ ہوگا۔

"بے نظیر کسی ایسے متفقہ صدارتی امیدوار کی تلاش میں تھیں جو بلا مقابلہ منتخب ہو جائے۔ اس سلسلہ میں اجلال حیدر زیدی نے (جو کسی زمانے میں غلام اسحٰق خان کے وفاداروں میں شمار ہوتے تھے) وسیم سجاد سے رابطہ قائم کیا اور صدارت کو کم و بیش تھالی میں سجا کر وسیم سجاد کے سامنے رکھ دیا بشرطیکہ وسیم سجاد بعد کی تاریخوں میں صوبائی گورنروں، ججوں اور کچھ دوسرے حکام کے احکام تقرری پر دستخط کر کے بے نظیر کے حوالے کر دیں۔ اس کے بدلے میں پاکستان جمہوری اتحاد انہیں اپنا متفقہ امیدوار مان لے گا۔ اصول اور دیانت کا تقاضہ تو یہ تھا کہ قائم مقام صدر وسیم سجاد، سید اجلال حیدر زیدی کو مملکت کے اعلیٰ ترین منصب کو سودے بازی میں ملوث کرنے کی ناقابل قبول پیشکش کرنے پر، باہر کا راستہ دکھلاتے۔

انہوں نے کہا: ''میرے آئندہ تعاون کے بارے میں آپ جس قسم کی ضمانت چاہیں، میں فراہم کر سکتا ہوں، بے نظیر حکومت جیسی تقرریاں چاہے گی میں ان میں حائل نہیں ہوں گا، نہ حکومت کے کسی کام میں دخل دوں گا۔''

''وسیم سجاد ہر بات ماننے کے لئے تیار تھے بس یہ ماننے کو تیار نہ تھے کہ کاغذات تقرری پر دستخط اس وقت کر دیں جس وقت مطلوبہ دستخط کرنے کا قانونی اختیار ان کے پاس نہ تھا۔ اس طرح سودا نہ ہو سکا اور وسیم سجاد کی صدر بننے کی حسرت دل کی دل میں رہ گئی۔ جب پی پی پی کے ایک سرکردہ لیڈر سے اس موضوع پر بات ہوئی تو انہوں نے کہا۔

''پی پی نے تو وسیم سجاد کو ایسی کوئی پیش کش نہیں کی تھی، کہیں ایسا تو نہیں کہ اجلال زیدی نے یہ پیش کش اپنے طور کی ہو؟ یہ تو طے ہے کہ سید اجلال حیدر زیدی نے وسیم سجاد کو مذکورہ پیشکش کی تھی کیونکہ ۱۲ نومبر ۱۹۹۳ء کو وسیم سجاد نے خود راقم الحروف سے مذکورہ پیشکش کی تصدیق کی تھی لیکن شرط یہ لگادی تھی کہ اس خبر کو ۱۳ نومبر ۱۹۹۳ء (یعنی صدارتی انتخاب کی تکمیل) سے پہلے استعمال نہیں کیا جائے گا۔ پیشکش کا انجام جو بھی ہوا سو ہوا لیکن اس بھونڈے واقعہ سے یہ تو عیاں ہو جاتا ہے کہ مملکت کے سب سے اعلیٰ منصب پر بٹھلانے کے لئے کس قسم کی سیاست کھیلی جا رہی تھی۔ یاد رہے کہ یہ وہی منصب ہے جس کے سپرد آئین کی پاسداری اور پاسبانی کے فرائض بھی ہیں۔''

بہر حال آخر کار صدارتی انتخاب کا نتیجہ یہ نکلا کہ سردار فاروق احمد خان لغاری کو ۲۷۴ ووٹ ملے اور وسیم سجاد کو ۱۶۸ ووٹ ملے، گویا فاروق لغاری، وسیم سجاد سے ۱۰۶ ووٹ زیادہ لیکر انتخاب جیت گئے۔ فاروق لغاری کے صدر بن جانے سے وہ عمل ختم ہو گیا جو ۱۹ جولائی ۱۹۹۳ کو غلام اسحٰق خان اور محمد نواز شریف کے بیک وقت مستعفی ہونے سے شروع ہوا تھا۔

۱۳ نومبر ۱۹۹۳ کو سردار فاروق احمد خان لغاری صدر منتخب ہوئے اور اسی روز شام کو آفتاب احمد خان شیرپاؤ میرے گھر آئے اور مجھ کو بے نظیر (وزیراعظم) کے پاس لے گئے۔ بے نظیر خوشی سے پھولی نہیں سما رہی تھیں، ان کی پارٹی پی پی پی نے پہلی مرتبہ ملک کے دونوں اعلیٰ ترین مناصب یعنی صدارت اور وزارت عظمیٰ حاصل کر لئے تھے۔ وہ فاتحانہ شان سے ایوان اقتدار میں واپس آگئی تھیں۔ انہوں نے اپنی بازی ہوشیاری سے کھیلی تھی اور جیت لی تھی، لیکن اصل مشکل کام تو اب شروع ہونے والا تھا کیونکہ اب وہ قائد حزب اختلاف کی طرح تنقید کی عیاشی نہیں کر سکتی تھیں، اب انہیں وزیراعظم کی حیثیت سے حکومت کو چلانا تھا۔ بسمارک نے ایک مرتبہ کہا تھا۔

''سیاسی فراست یہ ہے کہ رخشِ تاریخ کے سموں کی ٹاپ دور سے سن لی جائے اور جیسے ہی گھوڑ سوار پاس سے گذرے لپک کر اس کے لبادے کو کونے سے پکڑ لیا جائے۔''

بے نظیر نے بھی ویسی سیاسی فراست کا ثبوت دیا تھا۔ وہ اقتدار میں واپس آنے کے لئے ابلیس سے بھی گٹھ جوڑ کرنے کو تیار تھیں، اور انہوں نے کیا بھی یہی۔ وہ سیاسی محرومی کے صحرا سے جست لگا کر ایوانِ اقتدار میں دوبارہ آ کودی تھیں، انہوں نے غلام اسحٰق خان اور محمد نواز شریف دونوں کو سیاسی شطرنج میں ایک ساتھ مات دیدی تھی، اور سیاسی اقتدار کی دونوں سر بفلک چوٹیاں، صدارت اور وزارت عظمیٰ سر کرلی تھیں۔ یقیناً یہ لمحہ ان کے لئے لمحہ فخر و شادمانی تھا۔

۱۹۸۸ء میں وہ مصائب و مسائل کی تاریکی میں گھری ہوئی تھیں۔ روشنی کی ایک کرن دور دور بھی نظر نہ آتی تھی، ہر شے پر مایوسی چھائی ہوئی تھی اور وہ سوچنے لگ گئی تھیں کہ ان کی خوش بختی کا ستارہ کبھی روشن ہوگا بھی یا نہیں۔ تب ان کی قسمت پلٹی، ایک معجزہ رونما ہوا اور قضائے الٰہی نے ان کے سب سے بڑے دشمن (جنرل محمد ضیاء الحق) کو صفحہ ہستی سے پلک جھپکتے میں مٹادیا۔ مجھے اس وقت یورپ کی جنگ ہفت سالہ کا ایک واقعہ یاد آگیا۔ اس جنگ میں فریڈرک اعظم ایک طرف تھا اور دوسری طرف روس، فرانس اور آسٹریا ایک ساتھ فریڈرک اعظم کے خلاف صف آراء تھے، فریڈرک ایک مرحلہ پر اتنے بددل ہوئے تھے کہ انہوں نے جنگ سے دستبرداری اور خودکشی کے بارے میں سوچنا شروع کردیا تھا، اس وقت کارلائل نے اپنی تصنیف "تاریخ فریڈرک اعظم" میں فریڈرک سے مخاطب ہو کر یہ ڈرامائی لیکن موزوں الفاظ لکھے تھے:

"بہادر بادشاہ! تھوڑا سا انتظار اور کرلو تمہارا دورِ ابتلا ختم ہونے والا ہے۔ تمہاری خوش بختی کا سورج محض کالے بادلوں میں چھپ گیا ہے، وہ جلد بادلوں سے نکلنے والا ہے اور جب وہ نکلا تو اس کی روشنی اور تابناکی سے تمہاری آنکھیں خیرہ ہو جائیں گی۔"

اس کے تھوڑے ہی دنوں بعد واقعی ایک معجزہ رونما ہوا، فریڈرک کے خون کی پیاسی زارینہ روس الزبتھ فوت ہوگئی، زارینہ الیزبتھ کا جانشین فریڈرک کے ساتھ مل گیا اور فریڈرک کو جنگ میں فتح نصیب ہوئی۔

بے نظیر کی قسمت کے لئے بھی اب کسی زار کو صفحہ ہستی سے مٹنا تھا۔ ۱۷ اگست ۱۹۸۸ء کو تقریباً ۴ بجکر ۳۵ منٹ سہ پہر کے وقت نہایت پراسرار حالات میں بے نظیر کے سب سے بڑے دشمن جنرل محمد ضیاء الحق چل بسے، ان کا C-130 فوجی طیارہ بہاولپور کے نزدیک حادثہ کا شکار ہوگیا۔ جس طرح زارینہ روس الزبتھ کی موت سے فریڈرک کی خوش بختی کا سورج سیاہ بادلوں سے نکل آیا تھا، جنرل محمد ضیاء الحق کی موت سے بے نظیر کی خوش بختی کا سورج بھی سیاہ بادلوں سے باہر نکل آیا، اور بے نظیر پر اپنی تابناک کرنیں بکھیرنے لگا۔ بے نظیر نے جنرل محمد ضیاء الحق کے جانشین غلام اسحٰق خان سے مفاہمت کرلی اور ایوان اقتدار میں داخل ہوگئیں۔ بعض وقت تاریخ کے پیچ و خم کس قدر محیر العقل ہوتے ہیں۔

میں نے بے نظیر کو ان کی دوہری کامیابی (صدارت اور وزارت عظمیٰ) پر مبارکباد دی تو وہ اس وقت اپنی

پسندیدہ مٹھائی گلاب جامن کھا رہی تھیں، انہوں نے میرا شکریہ ادا کیا اور ازراہ تواضع مجھ کو ایک گلاب جامن پیش کی، بے نظیر کو مبارکباد دینے کے لئے آنے والے ایک ایک کر کے رخصت ہو رہے تھے میں نے بھی رخصت کی اجازت چاہی تو انہوں نے مجھے رات کے کھانے پر روک لیا۔ انہوں نے اپنے عملے سے کہا کہ رات کے کھانے کی میز دس آدمیوں کے لئے لگاؤ۔ تھوڑی دیر بعد سردار فاروق احمد خان لغاری اور آصف علی زرداری بھی آ گئے جو اظہار تشکر کے طور پر پاک پتن شریف میں بابا فرید الدین شکر گنج کے مزار پر چادر چڑھا کر تھوڑی دیر پہلے ہی واپس لوٹے تھے۔ آفتاب شیرپاؤ، غلام مصطفیٰ کھر اور سید اقبال حیدر تو پہلے سے وہاں موجود ہی تھے۔

رات کے کھانے کی میز پر سردار فاروق احمد لغاری نے بے نظیر سے کہا:

"آئندہ کل صدر کا حلف اٹھانے کے بعد شام کو میں قوم سے خطاب کرنا چاہوں گا"۔

بے نظیر نے یہ سن کر ناپسندیدگی ظاہر کی اور کہا:

"ہم منصبِ صدارت کو ذرا اوجھل ہی رکھنا چاہتے ہیں، آپ کے خطاب کی کوئی ضرورت نہیں"۔

یہ سنتے ہی محفل پر سناٹا چھا گیا۔ مجھے خفت محسوس ہوئی اور دوسروں کو بھی۔ میں سوچنے لگا کہ آثار تو اچھے نہیں، شگون تو نیک نہیں، کیا تاریخ اب اپنے کو الٹی سمت میں دہرائے گی؟ کیا اب وزیراعظم، صدر کی باتیں پکڑا کریں گی؟

اس سے پہلے بھی ایک واقعہ یہ ہو چکا تھا کہ ایک دن میرے گھر پر میٹنگ ہو رہی تھی۔ بینظیر نے فاروق لغاری سے کہا کہ تم پنجاب کے وزیراعلیٰ کا عہدہ سنبھال لو۔ فاروق لغاری نے بات سنی ان سنی کر دی اور کوئی دلچسپی ظاہر نہ کی۔ بے نظیر پیچھے پڑی رہیں۔ فاروق لغاری اڑے رہے اور پنجاب کا وزیراعلیٰ بننے سے صاف انکار کر دیا، اور کہا: "میں انکار اس لئے بھی کر رہا ہوں کہ صوبے کے امور چلانے میں مجھے اپنی ہی پارٹی سے تعاون کی توقع نہیں"۔ بے نظیر سمجھیں فاروق لغاری مرکز میں وزیر خزانہ بننا چاہتے ہیں چنانچہ وہ بولیں:

"میرا کوئی ارادہ تمہیں وفاقی وزیر خزانہ بنانے کا نہیں کیونکہ وزارت خزانہ کے چلانے کے بارے میں میرے اپنے کچھ خیالات ہیں"۔

اس پر فاروق لغاری نے کہا:

"آپ مجھے مرکز میں کوئی عہدہ دیں یا نہ دیں، مجھے اس سے کچھ فرق نہیں پڑتا"۔

بے نظیر نے پہلے فاروق لغاری پر دھونس جما کر مرعوب کرنا چاہا، وہ نہ مانے تو اپنی ساحرانہ دلآویزی کا جادو جگانا چاہا اس کا بھی کچھ اثر نہ ہوا۔ فاروق لغاری اپنی بات پر اڑے رہے، اب میں پیچھے مڑ کر دیکھتا ہوں تو لگتا

ہے کہ فاروق لغاری نے اس وقت کے پر آشوب شوریدہ سر پنجاب نہ جاکر بڑی عقل مندی اور دور اندیشی کا ثبوت دیا۔

۱۹۹۱ء میں احتساب کا قلم دان میرے سپرد تھا۔ جب میں نے ایک معاملے میں وہ نوٹ دیکھے جو فاروق لغاری نے وفاقی وزیر آب و برق کی حیثیت سے وزیر اعظم بے نظیر کو بھیجے تھے۔ وہ نوٹ پڑھ کر میرے دل میں فاروق لغاری کے لئے بے حد احترام پیدا ہو گیا۔

معاملہ یہ تھا کہ ایشیائی ترقیاتی بینک کراچی میں بجلی کی ترسیل کے نظام کی توسیع و تجدید کے لئے مدد دینا چاہتا تھا، اس سلسلے میں کراچی الیکٹرک سپلائی کارپوریشن یعنی کے ای ایس سی کو ایشیائی ترقیاتی بینک کے وضع کردہ رہنما اصولوں اور مقررہ طریق کار کے مطابق مستند ماہر مشیر فرم کو مقرر کرنا تھا۔ اہلیت کی بنا پر میسرز لیہ میر کی فرم سر فہرست تھی، کے ای ایس سی کے ڈائریکٹروں کے بورڈ نے تکنیکی جائزہ رپورٹ منظور کر کے ایشیائی ترقیاتی بنک بھجوادی تھی اور اس کی نقل برائے اطلاع فاروق لغاری وفاقی وزیر آب و برق کو بھی بھجوادی تھی۔ ایشیائی ترقیاتی بینک میں ان کی اپنی ایک سہ رکنی کمیٹی ہے جو مشیروں کو چنتی ہے۔ اس کمیٹی کے تینوں ممبروں نے متفقہ طور پر تسلیم کیا تھا کہ میسرز لیہ میر کی پیش کش تکنیکی اعتبار سے بلکہ ہر اعتبار سے سب سے زیادہ پر کشش ہے۔

جب ایشیائی ترقیاتی بینک نے کے ای ایس سی کو میسرز لیہ میر کی تقرری کی اجازت دیدی تو کے ای ایس سی نے میسرز لیہ میر کو دعوت دی کہ وہ آئیں اور اپنی پیش کش کی جزئیات طے کریں۔ کے ای ایس سی کے دفتر میں میسرز لیہ میر کی پیش کش کے سربمہر لفافے کو ایشیائی ترقیاتی بینک کے نمائندے کی موجودگی میں کھولا گیا تو معلوم ہوا کہ میسرز لیہ میر کی لاگت کا تخمینہ دوسرے سب تخمینوں سے کم تھا۔

اس مرحلہ پر وزیر اعظم کی پروجیکٹ جانچنے اور پیشرفت پر نظر رکھنے والی کمیٹی کے چیئرمین (جو براہ راست وزیر اعظم کے ماتحت تھے) بیچ میں کود پڑے اور حکم جاری کروادیا کہ کے ای ایس سی کی ایک اور کمیٹی اس معاملہ کی جانچ از سر نو کریگی اور فی الحال اس معاملہ میں کوئی فیصلہ نہ کیا جائے۔ یہ حکم وزیر اعظم کے سیکریٹریٹ کے سربراہ میجر جنرل (ریٹائرڈ) نصیر اللہ بابر نے فاروق لغاری، وفاقی وزیر آب و برق کو بھیجا۔

فاروق لغاری نے ایک توضیحی نوٹ بے نظیر کو بھیجا اور معاملہ کی دوبارہ جانچ کی تجویز کی شدید مخالفت کی اور دو ٹوک الفاظ میں کہہ دیا:

"ایسا کرنا ہرگز قرین دانش نہ ہو گا، اس سے پورے ادارے پر سے اعتبار اٹھ جائے گا۔ لہذا کے ای ایس سی کو مقررہ طریق کار کے مطابق سب سے زیادہ اہل مشیر فرم سے معاہدہ کرنے سے نہ روکا جائے"

وفاقی وزیر آب و برق کی مذکورہ رائے کے باوجود کے ای ایس سی کے نئے مینجنگ ڈائریکٹر کے تحت ایک نئی کمیٹی سے معاملہ کی دوبارہ جانچ کروائی گئی۔ دوسری کمیٹی نے پہلی کمیٹی کے فیصلے کو بدل دیا۔ جب یہ دوسری رپورٹ وفاقی وزیر آب و برق کے پاس پہنچی تو انہوں نے دوسری رپورٹ کو بھی ۷ جنوری ۱۹۹۰ کو وزیر اعظم کے سیکریٹریٹ بھیج دیا لیکن ساتھ ہی ساتھ صاف صاف یہ بھی لکھ دیا کہ :

"پہلی جانچ جو کے ای ایس سی نے کی تھی اور جس کی تائید اور منظوری ایشیائی ترقیاتی بینک کی طرف سے کے ای ایس سی کو مل چکی ہے، وہ صحیح تھی، اس پر دوبارہ غور کی ہرگز ضرورت نہیں، اس کو ہرگز نہ بدلا جائے اور کے ای ایس سی کو اجازت و ہدایت دی جائے کہ وہ فی الفور میسرز لیہ میر سے مشاورتی معاہدہ کرلے"۔

اس پر وزیر اعظم کے سیکریٹریٹ نے مندرجہ ذیل حکم وفاقی وزارتِ آب و برق کو بھجوائے :

"اگر کارپوریشن نے کوئی مشیر چن لیا ہے تو کارپوریشن کو وہی مشیر مقرر کرنے دیا جائے بلکہ کراچی الیکٹرک سپلائی کارپوریشن کو خود مختار ادارے کی حیثیت سے آزادانہ کام کرنے دیا جائے تاکہ کارپوریشن کے کام میں تاخیر و تعطل نہ ہو، اب مزید تاخیر نہیں ہونی چاہیے۔"

ظاہر ہے کہ مندرجہ بالا حکم سے یہی نتیجہ اخذ کیا گیا کہ وزیر آب و برق کی سمری مورخہ ۷ جنوری ۱۹۹۰ء میں درج سفارشات کو وزیر اعظم نے منظور کر لیا ہے۔ چنانچہ وزارت آب و برق نے اپنے وزیر کی اجازت سے کے ای ایس سی کے مینجنگ ڈائریکٹر کو واضح ہدایات دیں کہ میسرز لیہ میر سے معاہدے کو آخری شکل دیدی جائے"۔

وزیر اعظم کے سیکریٹریٹ کو جب وزارت کی مذکورہ ہدایت کا پتہ چلا تو سیکریٹریٹ نے اظہار برہمی کیا اور حکم دیا :

"تدارک فوراً کیا جائے، اور بتلایا جائے کہ (وزیر اعظم کی) ہدایات کو کیسے بدلا گیا؟ کس نے ہدایات بدلنے کی جرأت کی؟ جس نے بھی ایسی جرأت کی ہے اسکے خلاف تادیبی کارروائی کی جائے اور اس معاملہ کو کابینہ کی اقتصادی رابطہ کمیٹی کے سامنے پیش کیا جائے، اور کے ای ایس سی کے نئے مینجنگ ڈائریکٹر سے کہا جائے کہ وہ اپنا نقطہ نظر خود کابینہ کی اقتصادی رابطہ کمیٹی کے سامنے پیش کریں"۔

۲۵ جون ۱۹۹۰ کو کابینہ کی اقتصادی رابطہ کمیٹی کا اجلاس ہوا۔ اس اجلاس میں فاروق لغاری نے اپنی وزارت کی طرف سے کی گئی کارروائی کا بھرپور دفاع کیا۔ لیکن وزیر اعظم نے (جن کے پاس وزارت خزانہ کا قلمدان بھی تھا اور اور جو کابینہ کی اقتصادی رابطہ کمیٹی کی چیئرپرسن بھی تھیں) فیصلہ کیا :

"چونکہ ایشیائی ترقیاتی بنک کی مالی اعانت کو استعمال کے ای ایس سی کو کرنا ہے لہذا اسی کو چاہیے کہ وہ اپنے

پانچویں پروجیکٹ برائے توسیع و ترقی نظام ترسیل برق کے لئے مشیر کی تقرری اور اس سے معاہدہ کے معاملہ کو ایشیائی ترقیاتی بینک کے صلاح مشورے سے آخری شکل دے دے۔ اس سلسلہ میں ایشیائی ترقی بینک کے ساتھ گفت و شنید ایک دو رکنی کمیٹی کرے گی جو وفاقی سیکریٹری خزانہ اور مینجنگ ڈائریکٹر کے ای ایس سی پر مشتمل ہو گی۔ بہر حال اس منصوبے کے لئے ایشیائی ترقیاتی بنک کی طرف سے منظور شدہ مالی اعانت گنوائی ہرگز نہ جائے۔ اگر ایشیائی ترقیاتی بینک اپنے فیصلے پر نظر ثانی کرنے پر آمادہ نہ ہو تو پھر معاہدہ میسرز لیہ میرؔ سے ہی کر لیا جائے جیسا کہ کے ای ایس سی کے ڈائریکٹروں کے بورڈ اور ایشیائی ترقیاتی بینک نے پہلے فیصلہ کیا تھا"۔

اس سے پہلے یکم جنوری ۱۹۹۰ کو اسلام آباد میں مقیم ایشیائی ترقیاتی بینک کے نمائندے نے وفاقی سیکریٹری خزانہ اور مینجنگ ڈائریکٹر کے ای ایس سی کو بتلا دیا تھا کہ اگر کے ای ایس سی کی پہلی تجویز میں ردوبدل کے لئے کہا گیا تو ایسے ردوبدل پر ایشیائی ترقیاتی بینک ہرگز غور نہیں کریگا۔ کے ای ایس سی کے نئے مینجنگ ڈائریکٹر نے یہاں تک کہا کہ مجھ کو ایشیائی ترقیاتی بنک کے صدر دفتر واقع منیلا میں اپنا نقطہ نظر پیش کرنے کا موقعہ دیا جائے لیکن بینک نے ایسا موقعہ دینے سے بھی انکار کر دیا۔

۶ اگست ۱۹۹۰ کو قومی اسمبلی ٹوٹی، بے نظیر حکومت برطرف ہوئی، نئی نگران حکومت قائم ہوئی ۹ اگست ۱۹۹۰ کو کابینہ کی اقتصادی رابطہ کمیٹی کا اجلاس ہوا جس میں وزارت خزانہ کی طرف سے پیش کردہ سمری مورخہ ۸ اگست ۱۹۹۰ پر غور کیا گیا۔ اور فیصلہ ہوا :

"کابینہ کی اقتصادی رابطہ کمیٹی نے وزارت خزانہ کی سمری مورخہ ۸ اگست ۱۹۹۰ ملاحظہ کی، اور کے ای ایس سی کو حکم دیا کہ وہ چار دن کے اندر اندر میسرز لیہ میر سے معاہدہ طے کر کے اس پر دستخط کرے"

الغرض آخر کار جیت سردار فاروق احمد خان لغاری کی ہی ہوئی۔ ہم نے فاروق لغاری کی نوٹنگ پر مبنی ایک صدارتی ریفرنس بے نظیر کے خلاف خصوصی عدالت میں بھیجا۔ اکتوبر ۱۹۹۳ تک تو اس ریفرنس پر کوئی فیصلہ نہ ہوا لیکن اکتوبر ۱۹۹۳ میں جیسے ہی بے نظیر دوبارہ وزیراعظم بن گئیں، یہ ریفرنس بھی ہمارے دوسرے ریفرنسوں کی طرح مسترد کر دیا گیا۔ اس کے باوجود میں یہ کہوں گا کہ میں بے نظیر کابینہ کے کسی اور ایسے وزیر کو نہیں جانتا جو بے نظیر سے اصولی جنگ اتنی دلیری اور جرأت سے لڑ سکتا۔

سردار فاروق احمد خان لغاری ۱۳ نومبر ۱۹۹۳ کو صدر منتخب ہو گئے۔ میں ان سے ملنے گیا مقصد مرگلہ کی پہاڑیوں میں قومی پارک کی حفاظت سے متعلق امور پر گفتگو کرنا تھا۔ ایک غیر سرکاری تنظیم "مرگلہ ہلز سوسائٹی" (جس کا میں صدر ہوں) اس قومی پارک میں گہری دلچسپی رکھتی ہے، ہماری گفتگو زیادہ تر قومی پارک کے بارے میں رہی، سرسری طور پر کچھ اور باتیں بھی ہوئیں۔ جب میں چلنے لگا تو انہوں نے کہا :

"ہماری ملاقاتیں زیادہ ہونی چاہئیں، اگر میں آپ کے گھر آؤں تو کیسا رہے گا؟"

یہ سن کر تو میری خوشی کا کوئی ٹھکانہ نہ رہا۔ اس سے پہلے میں کچھ کہتا انہوں نے اپنے ملٹری سیکریٹری کو لیا اور کہا:

"ایران کے دورے سے واپسی پر میں نے اپنے آپ کو روئیداد خان کے ہاں رات کے کھانے پر مدعو کر لیا ہے"!

ں صدر فاروق لغاری کے اس اظہار شفقت سے بے حد متاثر ہوا اور مجھے ان کی بے تکلفی اور اپنائیت کے ظہار پر فخر محسوس ہوا۔

صدر فاروق لغاری کی اجازت سے میں نے اس عشائیہ میں صرف انہی لوگوں کو مدعو کیا جو اوائل ۱۹۹۳ ں مین ہیٹن پروجیکٹ کے بانیوں میں شامل تھے، یعنی آفتاب شیر پاؤ اور حبیب اللہ کنڈی۔ میں نے انور یف اللہ خان کو بھی بلا لیا اگرچہ وہ اس پروجیکٹ میں بہت بعد میں شامل ہوئے تھے۔ بدقسمتی سے میر افضل ان جو اس منصوبے کے کلیدی بانی تھے وہ اس عشائیہ میں شریک نہ ہو سکے کیونکہ اس وقت وہ لندن کے یک کلنک میں سرطان سے زندگی اور موت کی جنگ لڑ رہے تھے۔

باب۔ ۱۰

کردار و صداقت

"Fame is a vapour, popularity is accident, riches take wing, and only character endures."

Horace Greeley

شہرت بھاپ ہے، مقبولیت حادثہ ہے
دولت اڑ جاتی ہے، صرف کردار کو دوام ہے
ہورلیس گریلے

امریکی صدر رونالڈ ریگن کا جائزہ لیتے ہوئے پیگی نونن لکھتی ہے:
"صدر کے لئے صاحبِ کردار ہونا شرطِ اول بھی ہے اور شرط آخر بھی، صدر کے لئے نابغہ روزگار ہ
ضروری نہیں، ہیری ٹرومین کی ذہانت غیر معمولی نہیں تھی پھر بھی انہوں نے مغربی یورپ کو اسٹالی
سے بچالیا۔ صدر کے لئے چالاک ہونا بھی ضروری نہیں، آپ چالاک لوگوں کو ملازم رکھ سکتے ہیں، د
میں ایوان ہائے صدارت ایسے حاضر دماغ ذہین لوگوں سے بھرے پڑے ہیں جو آپ کو پلک جھپکتے مشو
دے سکتے ہیں کہ کسی سینیٹر کو کیسے جھٹکا دیا جائے یا کسی حکمت عملی پر کیسے عملدر آمد کروایا جائے۔ آ
موقعہ شناسوں کو، پالیسی ساز کتابی کیڑوں کو بھی ملازم رکھ سکتے ہیں لیکن آپ شجاعت و شرافہ
نہیں خرید سکتے، آپ قومی اخلاقی حس کرایے پر نہیں لے سکتے، صدر یہ چیزیں (یعنی شجاعت، شرافہ

اور اخلاقی حس) اپنے ساتھ لاتا ہے۔ اسے معلوم ہونا چاہیے کہ وہ ایوان صدر میں کیوں آیا ہے ؟ اور وہاں رہتے رہتے وہ کیا کرنا چاہتا ہے"۔

پاکستان میں منصب صدارت پر جو افراد فائز رہے ان کے کردار کی غالب صفات کیا رہی ہیں :

"ایوب خان ابراہیم لنکن ثانی بھی نہ تھے نہ وہ صلاح الدین ایوبی ثانی تھے (جیسا کہ ذوالفقار علی بھٹو شروع شروع میں ان کی توصیف میں کہا کرتے تھے) لیکن ایوب خان بہروپیے بھی نہ تھے (جیسا کہ ذوالفقار علی بھٹو آخر میں ان کی نقل اتارا کرتے تھے)"

ایوب خان کی فراست اوسط درجے کی تھی ، دولت کے حریص تھے لیکن بددیانت نہیں تھے۔ وہ بنیادی طور پر خوش خلق تھے ، رحمدل تھے ، شریف النفس تھے ، اپنے بعد کے آنے والے صدور کے مقابلے میں قدو قامت میں سب سے بلند ، اپنے چھوٹے موٹے نقائص کے باوجود سب سے افضل تھے۔

یحییٰ خان اچھے انسان ضرور تھے لیکن اچھے صدر شاید ہی۔ ان کی شفافیت ان کے کردار کی نمایاں صفت تھی ، وہ نقاب پوش نہیں تھے وہ جو تھے نظر آتے تھے ، وہ جو نظر آتے تھے وہی تھے ، وہ مکر وریا سے پاک تھے۔ مالی معاملات میں یحییٰ خان نہایت محتاط اور نہایت دیانتدار تھے اسی لئے اپنی وفات کے وقت وہ تقریباً قلاش تھے۔ فرانس کے لوئیس شانزدہم (Louis XVI) کی طرح شاید مزے لوٹنے کیلئے صدر بنے تھے۔ یحییٰ خان کو دیکھ کر مجھے ہمیشہ امریکی صدر ہارڈنگ یاد آتے تھے : انسان نہایت عمدہ ، صدر شاید بدترین ، ہارڈنگ کو جب اطلاع ملی کہ وہ امریکہ کے صدر بن گئے ہیں تو انہوں نے چھوٹتے ہی کہا : خدا میری مدد کر کیونکہ مجھے اس کی بے حد ضرورت ہے"۔ جب کولمبیا یونیورسٹی کے پریذیڈنٹ ، نکولاس مرے بٹلر ، صدر ہارڈنگ سے ملنے وہائٹ ہاؤس گئے تو ہارڈنگ نے بٹلر سے کہا :

"مجھے معلوم تھا کہ میرے لئے یہ عہدہ (امریکی صدارت) میری صلاحیت و قابلیت سے زیادہ بڑا ہوگا ، میں اس منصب کا اہل نہیں ، مجھے اس منصب پر کبھی فائز نہیں ہونا چاہیے تھا"۔

ایک مرتبہ ہارڈنگ کسی میٹنگ کی صدارت کر رہے تھے۔ میٹنگ میں ٹیکس سے متعلق کوئی مسئلہ زیر غور تھا ، مختلف مشیر مختلف بلکہ متضاد آراء پیش کر رہے تھے ، ہارڈنگ سخت کوفت میں تھے ، انہوں نے ایک سیکریٹری سے کہا :

"جان ! ٹیکس کے اس معاملے میں تو میرے پلے کچھ نہیں پڑ رہا ، میں ایک طرف کی بات سنتا ہوں مجھے وہ صحیح لگتی ہے ، میں دوسری طرف کی بات سنتا ہوں مجھے وہ ٹھیک لگتی ہے ، میں جہاں سے چلتا ہوں وہیں واپس پہنچ جاتا ہوں۔ کبھی مجھے لگتا ہے کہ کہیں نہ کہیں کوئی کتاب ایسی ضرور ہے جس میں اس

مسئلے کا حل لکھا ہے لیکن یا خدا میں اس کتاب کو پڑھوں گا کیسے ؟ کبھی مجھے لگتا ہے کہ کہیں نہ کہیں کوئی نہ کوئی ماہر معاشیات ایسا ضرور ہے، جو اس مسئلہ کا حقیقی حل جانتا ہے، لیکن یاالٰہی! اگر وہ مل بھی جائے میں اسے پہچانوں گا کیسے! اور اگر میں نے اسے پہچان بھی لیا تو اس کی بات پر یقین کیسے کر سکوں گا؟ یاالٰہی! امریکی صدارت بھی کیسا عجیب وغریب منصب ہے!"

ذوالفقار علی بھٹو کے کردار کی نمایاں صفت ان کی جرأت تھی۔ وہ ایوان صدر تک پہنچنے والے سب سے زیادہ ذہین، باصلاحیت، قادر الکلام اور رنگین مزاج صدر تھے۔ نہ صرف یہ کہ ان کی خوبیوں اور خامیوں کا سرچشمہ ایک تھا بلکہ ان کی خوبیاں اور خامیاں لازم وملزوم تھیں، بلکہ اگر میں یہ کہوں تو بے جا نہ ہوگا کہ ان کی خوبیاں ہی ان کی خامیاں تھیں، ان کا جوش وخروش ہی ان کے لئے باعث تباہی بنا، وہی خوبیاں جو انہیں دلآویز بناتی تھیں پلک جھپکتے میں انہیں دلآزار بنا دیتی تھیں وہ آپ کو مسحور بھی کرتے تھے اور متنفر بھی۔

جنرل محمد ضیاء الحق کی نمایاں خوبی انکی انکساری اور رحمدلی تھی، لیکن وہ صداقت کی خوبی سے خالی تھے۔ جنرل محمد ضیاء الحق کو دیکھ کر مجھ کو ہمیشہ جنرل آلیور کرامویل یاد آیا کرتا تھا۔ دونوں میں بہت سی اقدار مشترک تھیں، دونوں شکل، صورت، عادت، طبیعت کے اعتبار سے بظاہر سادہ منش نظر آتے تھے، عجز و انکسار کی نقاب پہنے رہتے۔ دونوں اپنے خطابوں اور تقریروں میں بار بار 'خدا' اور نیکی کا ذکر کرتے۔ دونوں کے اقتدار کی اساس منظم عسکری قوت تھی (ہر آمر کے لئے ضروری ہوتی ہے) دونوں سازش میں ماہر تھے، دونوں اپنی من مانی کرتے تھے، دونوں دوسروں کی ذہانت ولیاقت کو اپنے فائدے کیلئے استعمال کرتے تھے لیکن ان مشترک صفات کے ساتھ ساتھ بہت سی باتوں میں وہ ایک دوسرے سے مختلف بھی تھے، آلیور کرامویل کے اقتدار کی پشت پر اسکے شاندار فوجی کارنامے تھے، جنرل محمد ضیاء الحق نے کوئی نمایاں فوجی کارنامہ انجام نہیں دیا تھا، آلیور کرامویل بے رحم تھا، جنرل محمد ضیاء الحق رحمدل تھے۔

غلام اسحٰق خان کے بارے میں ایما ڈنکن نے لکھا ہے غلام اسحٰق خان اور شلز جڑواں بھائی لگتے ہیں، غلام اسحٰق خان بے حد وبے حساب محنتی تھے، ان کی ایمانداری اور دیانت داری شک وشبہ سے پاک تھی، ذوالفقار علی بھٹو کو چھوڑ کر اور کسی صدر نے شاید ہی سرکاری کام نمٹانے میں اتنی محنت کی ہو جتنی غلام اسحٰق خان کیا کرتے تھے۔ بعض اوقات غلام اسحٰق خان بھی (ایوب خان کی طرح) ضرورت سے زیادہ ٹیکنوکریٹک قاعدے ضابطے کے پابند، حس مزاح سے عاری اور سیاسی عزائم سے بے نیاز لگتے تھے۔ غلام اسحٰق خان پاکستانی صدور میں سب سے زیادہ خود اعتماد اور آزاد منش صدر تھے، امریکیوں سے نمٹنے کے لئے وہ بالخصوص آزادانہ انداز رکھتے تھے، وہ کبھی امریکیوں سے مرعوب نہیں ہوئے۔ کاش کہ لوگوں کو معلوم ہوتا کہ انہوں نے کتنی شدت وقوت سے قومی جوہری توانائی کے پروگرام کا تحفظ کیا۔ انہوں نے امریکیوں سے کیسے نڈر اور بیباک

ہو کر قومی مفاد کے تحفظ کیلئے بات کی، تولوگوں کی رائے ان کی کارکردگی کے بارے میں اس سے مختلف ہوتی جو ہے۔

"رچرڈ نکسن کہا کرتے تھے کہ صدر دو قسم کے لوگ بننا چاہتے ہیں : ایک وہ جو بڑے کام کرنا چاہتے ہیں دوسرے وہ جو خود بڑا بننا چاہتے ہیں۔ بڑا بننا ان کا مقدر ہے اور انہیں لوگوں سے اپنی بڑائی کی تصدیق ان کی تحسین و آفرین کے ذریعہ کروانی ہے۔" ایوب خان اور رونلڈ ریگن پہلی قسم کے لوگوں میں سے تھے۔ وہ دونوں صدر بننے سے پہلے بڑے بن چکے تھے اب صدر بن کر انہیں بڑے کام کرنے تھے۔ دونوں صدر بننے سے پہلے بھی اپنے کو محفوظ و مشہور، مستحکم اور بڑا سمجھتے تھے، وہ دونوں سیاست میں کوئی خلا پورا کرنے نہیں گئے تھے، ایوب خان کے نزدیک اقتدار مقصود بالذات نہیں تھا، بلکہ ان کے تصور میں پاکستان کا جو نقشہ تھا اس کو عملی جامہ پہنچانے کا ذریعہ تھا۔ لیکن آپ میں اپنے تصور کو حقیقت کا روپ دینے کے لئے مطلوبہ کردار، مطلوبہ جرأت اور مطلوبہ جوانمردی نہ ہو تو پھر ایسا تصور کس کام کا۔

یحییٰ خان رچرڈ نکسن کی بتلائی ہوئی دونوں قسموں سے کسی ایک قسم کے بھی نہیں تھے، نہ وہ بڑے کام کرنا چاہتے تھے نہ خود بڑا بننا چاہتے تھے، وہ تو صرف منصب صدارت کے توسط سے دادِ عیش دینا چاہتے تھے۔

ذوالفقار علی بھٹو جب صدر بنے تو وہ اس وقت بھی بڑے تھے اور وہ بڑے کام بھی کرنا چاہتے تھے۔ ایوب خان کی طرح، ذوالفقار علی بھٹو کے تصور میں بھی پاکستان کی ایک تصویر تھی اگر وہ اس تصویر میں جان نہ ڈال سکے تو اس کیوجہ ان میں قوت ایمانی اور قوی اخلاقی حس کی کمی تھی، جنکا ہونا کسی بھی لیڈر کی کامیابی کے لئے ازحد ضروری ہے۔ اگر میں رچرڈ نکسن کی زبان استعمال کروں تو کہوں گا کہ ذوالفقار علی بھٹو کا ایمان تھا کہ ذاتی عظمت ان کا مقدر ہے جس کی تصدیق تحسین و آفرین کے ذریعہ کرنا عوام کا فرض ہے۔ پاکستان کی سیاست میں سوشلزم کو متعارف ذوالفقار علی بھٹو نے کروایا، ویسے ہی جیسے جنرل محمد ضیاء الحق نے پاکستان کی سیاست میں اسلام کو داخل کیا۔ جتنا نقصان ذوالفقار علی بھٹو نے سوشلزم کو پہنچایا اتنا ہی نقصان اسلام کو جنرل محمد ضیاء الحق نے پہنچایا۔

جنرل محمد ضیاء الحق منصب صدارت پر فائز ہونے سے پہلے اپنے آپ کو بڑا آدمی نہیں سمجھتے تھے لیکن جرأت و شرافت کی خوبیاں ایوان صدر میں پہنچنے سے پہلے بھی ان کے کردار کا جزو تھیں۔ محمد ضیاء الحق ایوان صدر میں اپنی غرض و غایت سے آگاہ تھے انھیں معلوم تھا کہ ان کا ہدف کیا ہے۔ انہیں اقتدار محبوب بھی تھا مرغوب بھی تھا۔ وہ اقتدار میں رہنا چاہتے تھے اور پاکستانی معاشرے کو اسلامی سانچے میں ڈھالنا چاہتے تھے لیکن ان کے ذہن میں اسلام کے قرون اولیٰ کا خالص، متحرک اور انقلابی معاشرہ نہیں تھا، انکے ذہن میں تو ملائیت زدہ، رسم ورواج میں جکڑا، جامد و غیر متحرک اسلام تھا جسے حکمران بالعموم اپنا الو سیدھا کرنے کے لئے

استعمال کرتے ہیں۔ مجھے اس بارے میں قطعاً کسی قسم کا کوئی شک یا شبہ نہیں کہ اگر جنرل محمد ضیاء الحق سے زندگی وفا کرتی تو وہ ہمیں قرون وسطیٰ کی دنیا میں پہنچا کر ہی دم لیتے!

غلام اسحٰق خان کو بھی اپنے بڑے پن کا گماں نہیں رہا، نہ کبھی انہوں نے بڑے بڑے کارنامے سر انجام دینے کے ارادوں کا علان کیا، لیکن ان کے ذہن میں پاکستان کے مستقبل کے بارے میں ایک تصور تھا، ان کے تصور کا اسلامی معاشرہ متحرک تھا، ارتقاء پذیر تھا، معاشرتی انصاف پر مبنی تھا، احتساب کا حامل تھا، لیکن وہ وقت کا دھارانہ پلٹ سکے۔ اس لئے نہیں کہ وہ جری جوانمرد نہ تھے بلکہ اس لئے کہ دوسروں نے انکا ساتھ نہ دیا۔ وہ تن تنہا تھے اور تنہا وہ سب کچھ نہیں کر سکتے تھے، لہذا ان کے تصور کا مستقبل ایک دکھ بھرا خواب ہی رہا جو کبھی شرمندہ تعبیر نہ ہو سکا۔

سردار فاروق لغاری وجیہ تھے، ذہین تھے، مذہبی میلان طبع رکھتے تھے، پاکستان کے تمام صدور میں ان کی صحیح قدر و منزلت کا ابھی تک اندازہ نہیں لگایا جاسکا۔ ایکطرف انکے صدارتی فرائض منصبی تھے دوسری طرف پارٹی سے وابستگی کے تقاضے تھے، پارٹی لیڈر (بے نظیر) روز بروز تحمل بردباری اور رواداری کی صفات سے محروم ہو رہی تھیں اور علانیہ چار سو پھیلی بد عنوانی سے سیاسی گتھی بجائے سلجھنے کے اور الجھتی جارہی تھی۔ گو یہ مشکل ہے کہ فاروق لغاری پاکستان کے عظیم صدروں میں گنے جائیں، لیکن میرے الفاظ یاد رکھئے وہ پاکستان کے سیاسی منظرنامے کو تبدیل ضرور کر دیں گے۔

الوداع

"انتھونی:

لوگوں کی بدی مرنے کے بعد بھی باقی رہتی ہے
ان کی نیکی ان کی لاش کے ساتھ دفن ہو جاتی ہے
یہی ماجرا سیزر کے ساتھ بھی ہونے دو"
شیکسپیئر

"سیاسی زندگی بے رحم ہے، بقول چرچل جب کوئی اپنی عظمت کی بلندی سے پھسلتا ہے یا گرتا ہے تو لوگ بے رحمی سے اس کی تکا بوٹی کر دیتے ہیں۔ خود پر ترس کھانے کے ایک شاذ لمحے میں چرچل نے اپنے ایک دوست سے کہا تھا:

"مجھے دیکھو۔ میں تیس سال تک برطانوی دارالعوام کا رکن رہا۔ مملکت کے اعلیٰ ترین مناصب پر فائز رہا۔

اور آج مجھے دودھ کی مکھی کی طرح نکال کر باہر پھینک دیا گیا ہے، میں راندۂ درگاہ ہوں، رد شدہ ہوں، اکیلا چھوڑ دیا گیا ہوں، نامقبول ہوں۔"

ان ٹن، سقراط کا ہم شکل تھا، جب پیرس کی ایک کال کوٹھری سے اس کو تختہ دار کی طرف لے جا رہے تھے تو اس نے اگرچہ تاخیر سے کہا لیکن پھر بھی افسوس کیا کہ ہائے! میں نے عزت کی زندگی کیوں نہ گزاری؟ لوگوں پر حکمرانی کرنے سے تو غریب مچھیرا ہونا بہتر ہے؟

"۲۶ مارچ ۱۹۶۹ کو ایوب خان نے اپنے سابقہ وزیروں کا اجلاس بلایا، اس اجلاس میں انہوں نے ہلکے سرمئی رنگ کا سوٹ پہنا ہوا تھا، دھوپ کا چشمہ لگا رکھا تھا۔ سابق وزیروں سے خطاب کرتے ہوئے ایوب خان نے کہا:

"پوری دنیا نے ہمیں تحسین کی نظروں سے دیکھنا شروع کر دیا تھا لیکن ہمارے سیاست دانوں نے دنیا سے کہا: ابھی پاکستان کی تعریف کرنے میں اتنی جلدی نہ کیجئے۔ ہم آپ کو بتلاتے ہیں کہ ہماری اصلیت کیا ہے۔ ہم واقعی دنیا پر اپنی دھاک جما چکے تھے کہ ہمارے اپنے لوگوں نے ہماری پول کھول دی۔ میں ملک کے مستقبل کو داؤ پر نہیں لگا سکتا تھا اس سے بہتر تو میرے لئے خودکشی تھی۔ ہمیں آزادی کی صحیح قدر و قیمت کا شعور نہیں، عجیب بات ہے آزادی میں ہم اپنے کو غیر محفوظ اور غمزدہ محسوس کرتے ہیں، اگر ہمیں اپنے حال پر کھلا چھوڑ دیا جائے تو شاید ہم طوقِ غلامی پھر اپنی گردن میں ڈال لیں۔ مجھے صدارت چھوڑنی پڑی ہے کیونکہ اس کے علاوہ کوئی اور چارہ کار نہ تھا۔ میں نے کبھی سوچا بھی نہیں تھا کہ لوگ اتنے دیوانے ہو جائیں گے بدقسمتی سے کوئی تعمیری رائے عامہ بھی نہیں (جو تخریب کا سدباب بن سکتی)۔ میرا پختہ ارادہ اقتدار کو جمہوری طریقہ سے منتقل کرنیکا تھا (لیکن ~ اے بسا آرزو کہ خاک شدہ) مجھے خدشہ ہے کہ ہماری قومی سیاست کو عرصہ دراز تک شاید ہی کوئی اچھا آدمی نصیب ہو سکے، خدا کا شکر ہے ہمارے پاس فوج تو ہے۔ اگر میں نے اور کچھ نہیں کیا تو دس سال تک ملک کو متحد تو رکھا ہے، ملک کو متحد رکھنا ایسا ہی تھا جیسے مینڈکوں کو ٹوکری میں بند رکھنے کی کوشش کی جائے، خدا جانے کل پاکستان میں کیا صورت ہوگی؟ جابر کی حکومت یا انبوہ کی حکومت؟ خدا کرے کہ ہمیں اس افراط اور تفریط کے درمیان اعتدال کا راستہ مل جائے"

اس اجلاس کے دوران سوگ کا سماں تھا۔ جیسے ہی رسمی کارروائی ختم ہوئی، سب ایک لفظ کہے بغیر رخصت ہو گئے۔ "جونہی کار پورچ سے باہر نکلی ایوب خان نے کار کی کھڑکی سے سر نکال کر ہاتھ کے اشارے سے

سب کو آخری مرتبہ الوداع کہا۔ پھر کار بائیں طرف مڑی اور سرو قد سنتریوں کے پاس سے گذرتی ہوئی پھاٹک سے باہر نکل گئی۔

جب ۲۰ دسمبر ۱۹۷۱ء کو میں انتقال اقتدار دیکھنے ایوان صدر پہنچا تو یحییٰ خان کو حد درجہ دل شکستہ پایا، وہ اپنی آخری بازی ہار چکے تھے۔ نیشنل ڈیفنس کالج راولپنڈی میں یحییٰ خان کے چیف آف سٹاف لفٹنٹ جنرل عبدالحمید فوجی افسروں سے مل رہے تھے، اور جونیئر فوجی افسر غیظ و غضب کے عالم میں ان سے سوال کر رہے تھے، ان پر آوازے کس رہے تھے، اور 'حرامزادے' "شرابی'، 'بے شرم'، 'ذلیل'، کے نعرے لگا رہے تھے۔ کھیل ختم ہو چکا تھا۔

انتقال اقتدار کی تقریب کے بعد میں نے جنرل یحییٰ خان کو خدا حافظ کہا اور چلا آیا، ان سے یہ میری آخری ملاقات تھی، کیونکہ اسی دن انہیں حفاظتی حراست میں لیکر ایبٹ آباد کے سرکاری مہمان خانے پہنچا دیا گیا۔ جب وزارت داخلہ کے جوائنٹ سیکریٹری ضیاء حسین، ان کے پاس انکی حراست و حبس کا حکمنامہ لیکر گئے تو وہ (یحییٰ خان) رو پڑے۔ انہوں نے کہا:

"میں صرف یہ چاہتا ہوں کہ مجھ پر مقدمہ چلایا جائے، میرا بیان سنا جائے اگر مجھ پر جرم ثابت ہو جائے تو مجھ کو پھانسی دیدی جائے۔"

کاش کہ لوگوں کو یحییٰ خان کی بات سننے اور جسٹس حمود الرحمٰن کمیشن کے سامنے ان کے نقطہ نظر کو جاننے کا موقعہ مل جاتا تو یحییٰ خان کی ناکامی کے بارے میں شاید لوگوں کا نظریہ بدل جاتا۔ میں ۱۹۷۷ تا ۱۹۸۵ آٹھ سال تک وزارتِ داخلہ کا پہلے سیکریٹری اور پھر سیکریٹری جنرل رہا ہوں۔ اور اس حیثیت سے حمود الرحمٰن کمیشن رپورٹ اپنی تحویل میں رکھنے کا اعزاز مجھے آٹھ سال تک حاصل رہا ہے۔ میں نے اس رپورٹ کو غور سے پڑھا ہے اور اس بنا پر بلا خوف تردید کہہ سکتا ہوں کہ اگرچہ حمود الرحمٰن کمیشن کے سامنے بڑے بڑے ممتاز فوجی اور غیر فوجی گواہ پیش ہوئے اور ان کے بیانات قلم بند ہوئے، تاہم جنرل یحییٰ خان کا بیان باقی سب کے بیانوں سے کہیں زیادہ افضل اور برتر تھا۔

ذوالفقار علی بھٹو پر قتل کے مقدمے کے جو بھی مثبت یا منفی پہلو رہے ہوں، اور تاریخ اس بارے میں آئندہ چاہے جو فیصلہ بھی کرے لیکن انہیں تختہ دار پر بھیجا جانا میرے ذہن کو برابر پراگندہ کئے رہتا ہے۔ ۳ اور ۴ اپریل ۱۹۷۹ء کی درمیانی رات میں جوں جوں تختہ دار کا وقت قریب آ رہا تھا مجھے ۱۷۸۹ کے انقلابِ فرانس کے پر آشوب دور کے دو واقعات یاد آ رہے تھے۔

ایک واقعہ تو یہ تھا کہ جب لوئیس، شاہ فرانس کے سامنے اسمبلی کا آخری فیصلہ سنایا گیا تو اس نے اپنے خاندان سے ملنے کی خواہش ظاہر کی۔ بادشاہ کی بات مان لی گئی، اسی شام ساڑھے آٹھ بجے شاہی خاندان کو

بادشاہ سے ملوادیا گیا۔ شاہی خاندان کو اسمبلی کا فیصلہ معلوم نہ تھا، جب بادشاہ نے انہیں فیصلہ بتلایا تو کلیری نے دروازے کے شیشے میں سے دیکھا کہ عورتیں اور بچے بلک بلک کر رو رہے تھے۔ پونے دو گھنٹے تک شاہی خاندان والے بادشاہ کے ساتھ رہے، وہ کبھی بلبلاتے، کبھی ایک دوسرے کو چومتے، کبھی ایک دوسرے کو دلاسہ دیتے، غرض یہ کہ جو کر سکتے تھے وہ کرتے رہے، جب آخری وقت وداع آیا تو شاہی خاندان کا کوئی فرد بھی الوداعی رخصت کے غم کا بار گراں نہ اٹھاپایا، باہر نکلتے وقت بادشاہ کی بیٹی شہزادی عالیہ اپنے باپ پر گر پڑی اور نیم مردہ اور بے ہوش ہوگئی۔

دس بجے جلوس تختہ دار کے قریب پہنچا، پلیٹ فارم کے نیچے جلاد اور اس کے معاون نے جب بادشاہ کے کپڑے اتار کر ہاتھ باندھنے کی کارروائی شروع کی تو بادشاہ نے کہا:

''میں کوٹ اتارنا نہیں چاہتا نہ میں ہاتھ بندھوانا چاہتا ہوں''

انہوں نے کوٹ اتروانے اور ہاتھ بندھوانے کی مزاحمت ایسی شدت سے کی کہ ایک لمحے کے لئے ایسا لگا کہ وہ جلاد سے دست بہ گریباں ہو جائیں گے لیکن جب ایچ ورتھ نے لوئیس سے کہا: 'آپ کی آزمائش عیسیٰ یسوع مسیح کی آزمائش کے مثل ہے، تو لوئیس راضی بہ رضائے الٰہی ہو کر ہر ذلت و رسوائی کے لئے تیار ہوگئے۔ تختہ دار پر چڑھنے کے زینے کی سیڑھیاں اتنی اونچی اونچی تھیں کہ ان پر چڑھنے کے لئے بادشاہ کو پادری کے کاندھے کا سہارا لینا پڑا۔ سین سن خاندان سر کے بال مستعدی اور پھرتی سے تراشنے کے معاملے میں طاق مشہور تھا، اس نے اپنی شہرہ آفاق پھرتی سے جلدی جلدی بادشاہ کے بال تراش دیئے۔ آخر میں بادشاہ لوئیس نے ان بیس ہزار نفوس سے خطاب کرنا چاہا جو چوک میں جمع تھے۔ بادشاہ لوئیس نے کہا:

''مجھ پر جتنے بھی الزامات لگائے گئے ہیں میں ان سے بے گناہ ہوں۔ میں موت کے منہ میں بے گناہ جا رہا ہوں۔ جو مجھے مار رہے ہیں مین انہیں معاف کرتا ہوں خدا نہ کرے کہ جیسا خون تم آج بہانے جا رہے ہو فرانس کو پھر کبھی ویسے ہی خون کی ضرورت پڑے۔''

اس لمحہ سانیتر نے ڈھول زور زور سے بجانے کا حکم دیا تاکہ ڈھول کی آواز کے شور میں بادشاہ کی باقی بات کوئی سمجھ نہ سکے۔ اس کے بعد بادشاہ لوئس کو پیٹی سے ایک تختہ کے ساتھ باندھ دیا گیا تاکہ تختہ کو جب آگے دھکیلا جائے تو بادشاہ کا سر پھندے کے اندر آجائے، سین سن نے رسی کھینچ لی، بارہ انچ کا پھل گر پڑا، اور چکردار نالیوں میں سے سی سی کی آواز نکالتا اپنے نشان پر پہنچ گیا، رواج کے مطابق جلاد نے بادشاہ کا سر ٹوکری سے نکالا اور خون رستے تن سے جدا سر کو وہاں کھڑے لوگوں کو دکھلایا۔

دوسرا واقعہ بھی انقلاب فرانس (۱۷۸۹ء) کے زمانے کا ہے، ڈان ٹن تختے کے سامنے کھڑا ہے، اس کی

قمیض پر اس کے بہترین دوستوں کے خون کے چھینٹے پڑے ہوئے ہیں اور وہ سین سن (جلاد) سے مخاطب ہو کر کہتا ہے۔ "لوگوں کو میرا (تن سے جدا) سر دکھلانا مت بھولنا۔ (زحمت تو ہوگی لیکن) میرا سر اس زحمت کا مستحق ہے۔"

ذوالفقار علی بھٹو ۳ اور ۴ اپریل ۱۹۷۹ء کی درمیانی رات تختہ دار پر اس وقت گئے جب گھڑیال نے دو بجائے، فرانسیسی جلاد سین سن کی جگہ یہاں پاکستانی جلاد تارا مسیح تھا۔ تارا مسیح نے لیور کھولا۔ فوراً تختے ایک دوسرے سے جدا ہوئے، اور ذوالفقار علی بھٹو کا بے جان جسم نیچے گر پڑا، چند منٹوں بعد ڈاکٹر نے ذوالفقار علی بھٹو کے مردہ ہونے کی تصدیق کر دی۔

پھانسی سے ایک شام پہلے یعنی ۳ اپریل ۱۹۷۹ء کی شام کو ذوالفقار علی بھٹو نے اپنی داڑھی شیو کرنے کے لئے یہ کہہ کر گرم پانی منگوایا تھا کہ "میں دڑھیل ملا کی طرح نہیں مرنا چاہتا۔" جب ان سے انکی وصیت کے بارے میں پوچھا گیا تو انہوں نے جواب دیا۔ "میں نے وصیت نامہ لکھنے کی کوشش کی تھی لیکن میرا ذہن اتنا منتشر تھا کہ میں اسے پورا نہ کر سکا چنانچہ جتنا بھی لکھا تھا اسے بھی جلا دیا۔"

وہ تختہ دار پر بغیر کسی سہارے کے تن تنہا کھڑے تھے۔ جب ان کے گلے میں پھندا ڈالا گیا اور ان کے سر پر ٹوپہ اڑھایا گیا تو انہوں نے منہ ہی منہ میں کہا "اسے اتار دو، اسے اتار دو" اور اس طرح جلاد کی رسی نے ذوالفقار علی بھٹو کو ۵۱ برس اور ۳ ماہ کی عمر میں موت سے ہم کنار کر دیا۔

ذوالفقار علی بھٹو نے گناہ بھی کئے ہوں گے، ان سے غلطیاں، زیادتیاں اور بے وقوفیاں بھی ہوئی ہوں گی لیکن انہوں نے اپنی زندگی کے آخری تقریباً ڈیڑھ سال میں جو بے حساب اذیتیں، مصیبتیں اور صعوبتیں برداشت کیں میں سمجھتا ہوں کہ اس سے انہوں نے اپنے سب گناہوں اپنی سب خطاؤں اپنی سب زیادتیوں اور اپنی سب لغزشوں کا کفارہ ادا کر دیا۔

ذوالفقار علی بھٹو کی موت سے مجھے ولیم شیکسپیئر (۱۵۶۴ء تا ۱۶۱۶ء) کے ڈرامے جولیس سیزر میں انتھونی کے وہ الفاظ یاد آگئے جو وہ روما کے عوام کے سامنے جولیس سیزر کی موت کا منظر بیان کرتے وقت استعمال کرتا ہے۔ انتھونی کہتا ہے کہ سیزر گر پڑا اور

"آہ! وہ کیا گرنا تھا وہاں، میرے ہم وطنو اس وقت میں اور آپ اور ہم سب گر گئے۔"

ذوالفقار علی بھٹو اقتدار میں آئے بھی جلدی اور اقتدار سے رخصت بھی جلد ہو گئے۔

بہاولپور کے ہوائی اڈے سے جنرل محمد ضیاء الحق کا سی-130 طیارہ ۱۷ اگست ۱۹۸۸ء کی سہ پہر کو زمین سے فضا میں بلند ہوا اور ڈھائی منٹ بعد پر اسرار حادثے کا شکار ہو گیا۔ جنرل محمد ضیاء الحق اس حادثہ میں ہلاک ہو گئے۔ کیا یہ سانحہ محض حادثہ تھا؟ ہمیں معلوم نہیں۔ کیا اس حادثہ کے پیچھے کوئی مجرمانہ سازش تھی؟ ہمیں

معلوم نہیں۔ کیا یہ حادثہ تخریبی کارروائی کا نتیجہ تھا؟ ہمیں معلوم نہیں اور شاید کبھی معلوم ہو بھی نہ سکے۔

۱۸ اور ۱۹ جولائی ۱۹۹۳ء کی درمیانی شب ۲ بجے غلام اسحٰق خان نے اعلان کیا کہ وہ منصب صدارت سے مستعفی ہو رہے ہیں اور اپنے فیصلے کو (حالات معمول پر لوٹنے کے بعد) تاریخ کے سپرد کر رہے ہیں۔ غلام اسحٰق خان کا ارادہ تو یہ تھا کہ وہ کار سے اسلام آباد تا پشاور جائیں لیکن قائم مقام صدر وسیم سجاد نے صدارتی طیارہ پیش کر دیا چنانچہ غلام اسحٰق خان اسی میں اسلام آباد سے پشاور پہنچے۔

وہ پشاور میں ایک پرائیویٹ شہری کی حیثیت سے نہایت پرسکون زندگی گزار رہے ہیں۔ ہر روز ملاقاتیوں، دوستوں، سرکاری ملازمت کے دور کے پرانے ساتھیوں اور سیاست دانوں کا تانتا بندھا رہتا ہے۔ وہ گورنر ہاؤس پشاور سے متصل مسجد میں باقاعدگی سے جمعہ کی نماز پڑھنے جاتے ہیں اور حسب سابق اخبار نویسوں صحافیوں اور پریس والوں سے دور رہتے ہیں۔

۵ نومبر ۱۹۹۶ء کو بے نظیر کی حکومت کو ہٹا کر صدر پاکستان سردار فاروق احمد خان لغاری نے پاکستان کی تاریخ کو ایک نئے رخ میں متحرک کر دیا ہے۔ صدر پاکستان کے اعلیٰ منصب پر فائز ہونے کے تین برس بعد ہی (نومبر ۱۹۹۳ء تا ۱۹۹۶ء) سردار فاروق احمد خان لغاری نے پاکستان کے سیاسی منظر نامے کو یکسر بدل دیا ہے (ویسے ہی جیسے گورباچوف نے سوویت یونین کے صدر کی حیثیت سے سوویت یونین کا سیاسی منظر نامہ یکسر بدل دیا تھا) بے نظیر اب سیاسی اقتدار سے محرومی کے دشت میں صحرا نوردی کر رہی ہیں، بے نظیر کی پاکستان پیپلز پارٹی سخت افراتفری کا شکار ہے۔

وہی ایوان صدر جو غلام اسحٰق خان کے دور صدارت میں گہما گہمی اور شان و شوکت سے جگمگاتا رہتا تھا اب اپنے پرانے وجود کا سایہ نظر آتا ہے۔ وہ تو اب پہچانا بھی نہیں جاتا اتنا بدل گیا ہے۔ اختیارات سے محروم ہونے کے بعد صدر کی حیثیت ایسی رہ گئی ہے جیسے انسانی جسم میں زائد آنت، صدر کا کام اب آئینی سربراہ کی حیثیت سے رسمی تقریبات میں شریک ہونا رہ گیا ہے۔ جنرل محمد ضیاء الحق نے اپنے دور میں منصب صدارت کے گرد اقتدار کا جو ہالہ سا بنا دیا تھا وہ اب معدوم ہو چکا ہے۔ ۵ جولائی ۱۹۷۷ء کو مارشل لاء لگنے سے پہلے ملک جس قسم کے سیاسی بحران سے دوچار تھا اگر خدانخواستہ ملک میں پھر ویسا ہی کوئی بحران آیا تو اس میں صدر کا کردار صفر ہوگا۔ جنرل ریٹائیرڈ خالد محمود عارف کا خیال ہے کہ اگر صدر اور وزیر اعظم کے اختیارات کے درمیان توازن یکطرفہ ہونے کے بجائے متوازن ہوتا تو شاید مارشل لاء کی بھی ضرورت نہ پڑتی۔ آئین پاکستان میں آٹھویں ترمیم کو تیرہویں ترمیم سے منسوخ کر کے ہم پھر وہیں پہنچ گئے ہیں جہاں سے چلے تھے۔ ایسا لگتا ہے کہ فرانس کے بوربونوں کی طرح ہمارے سیاست دانوں نے بھی نہ کچھ بھلایا ہے نہ کچھ سیکھا ہے۔

ایوب خان، یحییٰ خان، ذوالفقار علی بھٹو، جنرل محمد ضیاء الحق، غلام اسحٰق خان اور سردار فاروق احمد خان لغاری، صدور پاکستان کے عروج وزوال کے مطالعہ سے پاکستان میں سیاسی قیادت کا سوال کھل کر سامنے آگیا ہے۔ ان کے اندوہناک انجام، ان کے ذلت بھرے خاتموں اور ان کے افسوسناک خروج کے پیش نظر ہم پاکستان کے موجودہ اور آئندہ سیاسی لیڈروں کو میکیاولی کی کتاب ''پرنس'' پڑھنے کا مشورہ دے سکتے ہیں۔ اس نے اپنی اس کتاب میں ایک پورا باب اس موضوع پر لکھا ہے کہ لیڈر کو کیوں لوگوں کی حقارت و نفرت سے بچنا چاہئے۔ کیوں لوگوں کے مشوروں کو دھیان سے سننا چاہئے ورنہ اسے نہایت ناخوشگوار عواقب و نتائج سے دوچار ہونا پڑے گا۔ میکیاولی لکھتا ہے۔

''میں اب اپنی بات یہ کہہ کر ختم کرتا ہوں کہ شہزادوں کے لئے فوجیوں کو خوش رکھنا آج کل اتنا ضروری نہیں جتنا پہلے زمانے میں تھا، فوجیوں کی تھوڑی بہت ناز برداری تو خیر کرلی جائے لیکن بہت زیادہ نہیں۔ سلطنت روما کے زمانے کی فوجیں فنون سپہ گری میں ماہر ہونے کے علاوہ فنون جہاں بانی و حکمرانی پر بھی حاوی ہوتی تھیں، اس لئے اس زمانے میں فوجوں کی ناز برداری عوام کی ناز برداری سے زیادہ ضروری تھی۔ لیکن آج کل کی فوجیں فنون جہاں بانی و حکمرانی پر ویسی حاوی نہیں جیسی سلطنت روما کی فوجیں تھیں۔ آج کل عوام فوجوں سے زیادہ طاقتور ہیں لہذا فوجوں کے مقابلے میں عوام کی ناز برداری آج کل زیادہ ضروری ہے۔''

۱۹۳۶ء میں ایک کنونشن سے خطاب کرتے ہوئے فرینکلن ڈی روزویلٹ نے کہا تھا:

''حکومتوں سے غلطیاں ہوسکتی ہیں، صدور سے لغزشیں ہوسکتی ہیں لیکن سدا بہار دانتے ہمیں بتلاتا ہے کہ انصاف خداوندی سنگ دلوں کے گناہوں اور نیک دلوں کے گناہوں کو الگ الگ ترازوؤں میں تولتا ہے۔''

ہم اپنے صدور میں سے کس صدر کو کس خانے میں رکھیں گے؟ یعنی کس کو ''سنگدلی'' کے خانے میں اور کس کو ''نیک دلی'' کے خانے میں۔ میں نے پہلے کچھ کوشش تو کی لیکن پھر عقل سلیم کے مشورے پر اس خانہ بندی کو قاری اور ذات باری پر چھوڑ دیا۔

باب۔۱۱

طاقت کا سرچشمہ : ظاہری اور حقیقی

اسلامی جمہوریہ پاکستان کے آئین کی تمہید میں درج ہے:

”ہر گاہ کہ کل کائنات پر اقتدار اعلیٰ صرف اور صرف قادر مطلق کے پاس ہے، پاکستان کے عوام اس اقتدار اعلیٰ کو استعمال کر سکتے ہیں لیکن اللہ کی مقررہ کردہ حدود کے اندر رہ کر، ایک مقدس امانت کے طور پر“

ارسطو نے پوچھا تھا: ”ریاست کا اقتدار اعلیٰ کس کے پاس ہونا چاہئے؟ عوام کے پاس، اصحاب جائیداد کے پاس، اچھے لوگوں کے پاس؟ یا اس آدمی کے پاس جو سب سے افضل ہو؟ یا جو آمر و جابر ہو؟“

اے وی ڈائسی نے کہا تھا: ”ہمارے سیاسی اداروں کی غالب صفت (قانونی نقطہ نگاہ سے) (برطانوی) پارلیمنٹ کا مقتدر اعلیٰ ہونا ہے۔“ ڈائسی کا یہ بھی کہنا ہے: ”پارلیمنٹ کے مقتدر اعلیٰ ہونے کا مطلب صرف اور صرف یہ ہے کہ وہ جو قانون چاہے بنا سکتی ہے جو قانون چاہے منسوخ کر سکتی ہے، نہ اس سے زیادہ نہ اس سے کم۔ انگلستان کا قانون کسی ایسے فرد یا ادارے کو تسلیم نہیں کر سکتا جو پارلیمنٹ کے بنائے ہوئے قانون کو رد کر دے یا بدل دے۔ انگریز قانون دانوں کے نزدیک پارلیمنٹ ہر شئے پر قادر ہے صرف مرد کو عورت اور عورت کو مرد نہیں بنا سکتی۔“

سوال یہ ہے کہ پاکستان میں اقتدار اعلیٰ کس کے پاس ہے! اگر اقتدار اعلیٰ کا وہی اصطلاحی مفہوم لیا جائے جو ڈائسی نے لیا ہے تو کہنے کو اقتدار اعلیٰ ہمارے آئین میں بھی ہماری پارلیمنٹ کے پاس ہے لیکن ڈائسی خود تسلیم کرتا ہے کہ بسا اوقات اقتدار اعلیٰ کا مفہوم محض قانونی نہیں سیاسی ہوتا ہے۔ ”کسی ریاست میں حقیقی

اقتدار اعلیٰ اس ادارے کے پاس ہے جو ریاست کے شہریوں سے آخر کار اپنا حکم منوانے کی قوت رکھتا ہو۔"

اس اعتبار سے "عوام" یا (زیادہ صحیح یہ کہنا ہو گا کہ) "انتخاب کنندگان" کے پاس اقتدار اعلیٰ ہونا چاہئے، لیکن پاکستان میں، برطانیہ کے برعکس "انتخاب کنندگان" نہ اپنا حق جتا سکتے ہیں نہ اپنی مرضی منوا سکتے ہیں۔ یہ بات سب جانتے ہیں کہ ہمارے ملک میں پارلیمنٹ کے اراکین یا پارلیمنٹ کے قوانین عوام کی خواہش یا "رضائے عامہ" کا مظہر نہیں ہوتے۔ کہنے کو تو پارلیمنٹ کے اراکین عوام کے امین ہوتے ہیں لیکن عملاً وہ منتخب ہوتے ہی احتساب سے مبرا بن جاتے ہیں۔ منتخب کنندگان نے انہیں منتخب کر کے ان پر جس اعتماد کا اظہار کیا ہوتا ہے اس اعتماد کو دھوکا دیتے ہوئے ان کا ضمیر ان کی کوئی سرزنش یا ملامت نہیں کرتا۔ پاکستان میں آج تک کسی عدالت نے کسی عوام کے اعتماد کے امین کو نقض عہد کے جرم میں سزا نہیں دی۔ لہذا یہ سمجھنا کہ پاکستان میں اقتدار اعلیٰ عوام کے پاس ہے یا انتخاب کنندگان کے پاس ہے۔ "ایں خیال است و محال است و جنوں" آج کل کے حالات میں پاکستان کے عوام کو اقتدار اعلیٰ کا حامل سمجھنا، کسی ستم ظریفی سے کم نہیں۔

سپریم کورٹ کی نو رکنی بینچ نے چیف آف آرمی اسٹاف جنرل محمد ضیاء الحق کے پارلیمنٹ (قانونی مقتدر اعلیٰ) کو توڑنے اور مارشل لاء نافذ کرنے کے عمل کو احتیاج ریاست اور فلاح عامہ کی خاطر جائز قرار دیا اور کہا کہ چیف مارشل لاء ایڈمنسٹریٹر قانون سلامتی کے تحت جو چاہے وہ کر سکتا ہے۔ جو قانون چاہے وضع کر سکتا ہے۔ حتیٰ کہ آئین میں ترمیم بھی کر سکتا ہے۔ یہ فیصلہ کر کے سپریم کورٹ نے دنیا کی عدالتی تاریخ میں ایک نئے (لیکن سنہری نہیں!) باب کا اضافہ کیا اور ایسا کر کے پاکستان کے حقیقی مقتدر اعلیٰ کو بے نقاب بھی کر دیا۔

> "ادب سے یہ کہنا لازم آتا ہے کہ کورٹ کو کہ ایک ملکی ادارہ ہے نہ یہ اختیار تھا نہ یہ ان کے احاطہ کار میں تھا کہ وہ مسلمہ آئینی طریقوں سے حیلہ بہانہ کر کے روگردانی کرتے اور کسی اہلکار کو آئین میں تصرف کی اجازت دیتے۔ یہ اختیار کا ایسا (ناپسندیدہ) استعمال تھا جس کی نظیر نہیں ملتی۔ (تعجب یہ ہے کہ) کسی ایک جج نے بھی اختلافی رائے نہیں دی۔"

> "ملک کی اعلیٰ ترین عدالت کے اس فیصلے کا سہارا لے کر آئندہ سالوں میں آئین پاکستان میں ترامیم تھوک کے حساب سے کی گئیں اور جب بھی اس سلسلہ میں اختیارات کے ناجائز استعمال کا اعتراض اٹھایا جاتا، جواب میں سپریم کورٹ کا یہ فیصلہ پیش کر دیا جاتا۔"

(چاہ کن را چاہ در پیش) حکومت نے عدلیہ کی فراہم کردہ تلوار سے ہی عدلیہ پر ضرب لگائی اور (مارچ) ۱۹۸۱ء کے عبوری آئینی حکم نامے (پی سی او، ۱۹۸۱ء) کے تحت مارشل لاء کے دور کی تمام کارروائیوں کو عدالتی عمل دخل سے خارج کر دیا اور فوجی عدالتوں کے ہر عمل کو عدالتی تبصرے یا جائزے سے بالا قرار دیدیا۔

جو بات بے حد پریشان کن بھی ہے اور حیران کن بھی وہ یہ ہے کہ سپریم کورٹ نے آئین کا محافظ اور پاسبان ہونے کے باوجود، خود چیف مارشل لاء ایڈ منسٹریٹر کو آئینی دفعات میں ترمیم کرنے کی اجازت دیدی، حالانکہ ایسی اجازت دینا نہ سپریم کورٹ کے احاطہ کار میں تھا نہ اس کے احاطہ اختیار میں اور سپریم کورٹ کی اس ناروا اجازت سے فائدہ اٹھا کر چیف مارشل ایڈ منسٹریٹر نے آئین پاکستان میں ایسی ایسی ترمیمیں کیں کہ آئین کا چہرہ ناقابل شناخت حد تک مسخ ہو گیا۔ پاکستان کی اعلیٰ عدالتوں نے چیف مارشل لاء ایڈ منسٹریٹر کو اپنی من مانی ترمیمیں کرنے کی اجازت دیکر کوئی قابل فخر کارنامہ سرانجام نہیں دیا۔ ہماری آئینی تاریخ ویسے بھی کچھ زیادہ دل خوش کن اور تابناک نہ تھی لیکن اب تو وہ اپنے سب سے زیادہ اندوہ ناک اور تاریک دور میں داخل ہو گئی۔

دوسو کے مقدمے سے ذرا پہلے پاکستان کے چیف جسٹس، جسٹس محمد منیر نے ذرا شاعرانہ انداز میں کہا تھا ”جب ایوان عدل کے شاندار پھاٹک سے سیاست اندر آتی ہے تو ایوان کی چہیتی مکین جمہوریت، چور دروازے سے باہر کھسک جاتی ہے۔“

دوسو کے مقدمے میں عدالت نے غصب اقتدار کی بنا پر بنی حکومت کو جائز قرار دیا۔

جسٹس محمد منیر نے جو اس وقت پاکستان کے چیف جسٹس تھے اپنے فیصلے میں کہا: ”انقلاب کامیاب ہو کر اپنے آپ کو موثر ثابت کر دیتا ہے اس طرح وہ قانون سازی کا اختیار حاصل کر کے ایک ناقابل تردید حقیقت بن جاتا ہے۔“ غرضیکہ اس فیصلے سے سپریم کورٹ نے فوجی حکومت کو جائز قرار دیدیا۔

پاکستان کی تاریخ میں اعلیٰ عدالتوں کی آزمائش اس وقت ہوئی جب ۲۴ اکتوبر ۱۹۵۴ء کو اس وقت کے گورنر جنرل پاکستان، غلام محمد نے آئین ساز اسمبلی کو توڑ دیا اور ملک میں ہنگامی حالت کا اعلان کر دیا۔ انہوں نے ایسا فوج کی پشت پناہی سے کیا اور ایسا کرتے وقت اعلان کیا: ”آئین ساز اسمبلی عوام کا اعتماد کھو چکی تھی، وہ اپنے فرائض ادا کرنے سے قاصر رہی تھی۔ میں نے اسمبلی توڑ دی ہے اور ایک نئی کابینہ بنا دی ہے۔“

غلام محمد کی اس کارروائی کے خلاف اسمبلی کے اس وقت کے اسپیکر مولوی تمیز الدین خان نے سندھ ہائیکورٹ میں ایک درخواست دائر کی جس میں کہا گیا تھا کہ عدالتی حکم جاری کر کے گورنر جنرل اور نئی کابینہ کو گورنر جنرل کے اعلان عام اور تحلیل مقننہ کے حکم پر عملدرآمد سے روکا جائے۔

سندھ ہائی کورٹ نے ۱۳ امور کا جائزہ لیا:

(I) کیا اسمبلی کی کارروائی کو جائز قرار دینے کے لئے گورنر جنرل کی منظوری ضروری ہے؟

(II) کیا گورنر جنرل کو اسمبلی توڑنے کا اختیار تھا؟

(III) رٹ (حکم امتناعی) کے لئے جو درخواست ہائی کورٹ میں پیش کی گئی ہے کیا وہ ہائی کورٹ کے دائرہ کار و اختیار میں آتی ہے یا نہیں؟

سندھ ہائی کورٹ نے اپنا فیصلہ آئین و قانون ساز اسمبلی کی بالادستی کے حق میں دیا۔ سندھ ہائی کورٹ کے اس وقت کے چیف جسٹس کونسٹن ٹائن نے اپنے فیصلے میں کہا ''اسمبلی توڑنے کے حکم کی کوئی قانونی حیثیت نہیں'' اور مذکورہ بالا تین امور کے بارے میں بالترتیب فیصلہ دیا کہ :

(I) اسمبلی کی کارروائی کو جائز قرار دینے کے لئے گورنر جنرل کی منظوری ضروری نہیں۔

(II) گورنر جنرل کو اسمبلی توڑنے کا اختیار نہیں۔

(III) رٹ کی درخواست کورٹ کے احاطہ کارو اختیار میں آتی ہے۔

گورنر جنرل غلام محمد نے سندھ ہائی کورٹ کے مذکورہ فیصلے کے خلاف فیڈرل کورٹ میں اپیل دائر کی اور موقف یہ اختیار کیا کہ سندھ ہائی کورٹ گورنر جنرل پاکستان کے فیصلوں کو ریویو نہیں کر سکتا۔

جسٹس محمد منیر کی سربراہی میں فیڈرل کورٹ نے اٹھائے گئے بہت سے بنیادی سوالوں کو یکسر نظر انداز کر کے فیصلہ سنایا کہ اسمبلی کی کارروائی کو قانونی حیثیت دینے کے لئے گورنر جنرل کی منظوری ضروری ہے۔ فیڈرل کورٹ کے اس وقت کے ججوں میں سے صرف ایک جج یعنی جسٹس کارنیلیس نے اس اکثریتی فیصلے سے اختلاف کیا۔

عاصمہ جیلانی والے مقدمے میں سپریم کورٹ نے تین باہمی مربوط امور کا جائزہ لیا۔

(I) ۱۹۵۴ء میں دوسو کے مقدمے میں ''کامیاب انقلاب۔ خود اپنا جواز'' کا جو نظریہ وضع کیا گیا تھا وہ کس حد تک جائز ہے ؟

(II) مذکورہ نظریئے کا اطلاق مارچ ۱۹۶۹ء میں ایوب خان سے یحییٰ خان کو اقتدار کی منتقلی پر کس حد تک ہو سکتا ہے ؟

(III) یحییٰ خان نے قانونی ڈھانچے کے بارے میں جو حکم نامہ (لیگل فریم ورک آرڈر) جاری کیا ہے اس کی قانونی حیثیت کیا ہے ؟

سپریم کورٹ نے مندرجہ بالا تینوں امور پر بالترتیب یہ فیصلے دیئے۔

(I) کامیاب انقلاب، خود اپنا جواز، جائز نظریہ نہیں۔

(II) مذکورہ نظریئے سے یحییٰ خان کے حصول اقتدار کو قانونی جواز نہیں ملتا لہذا یحییٰ خان غاصب اقتدار ہے۔

(III) چونکہ یحییٰ خان کا اقتدار خود غصب شدہ ہے اس کا ہر حکم (بشمول لیگل فریم ورک آرڈر) قانون کے خلاف ہے۔ یہاں یہ وضاحت ضروری ہے کہ سپریم کورٹ نے یہ فیصلہ اس وقت سنایا جب یحییٰ خان اقتدار سے خارج ہو چکے تھے۔

مارچ ۱۹۸۱ء میں جنرل محمد ضیاء الحق نے عبوری آئین کا حکم نامہ (پی سی او) ۱۹۸۱ء جاری کیا اور اس کی غرض

وغایت اور سبب یہ بتلایا۔

- قانون کا استحکام۔
- قومی سلامتی کو درپیش خطرات کا سدباب۔
- اعلیٰ عدالتوں کے احاطہ کار و اختیار کے بارے میں ابہام و شکوک کا ازالہ۔

لیکن حقیقتاً اس حکم نامے (پی سی او) کے نتائج کیا نکلے ؟ سنیئے۔

- عدالتی اختیارات تقریباً ختم ہو گئے اور انتظامیہ کے پاس آ گئے۔
- عسکری حکمرانی کی حدود وسیع سے وسیع تر کر دی گئیں۔
- صدر اور چیف مارشل لاء ایڈ منسٹریٹر کو نہ صرف آئین میں ترمیم کا اختیار دیدیا گیا بلکہ یہ اختیار بھی دیدیا گیا کہ وہ آئین میں جو ترمیم بھی کریں گے اس کا اطلاق اگر وہ چاہیں گے تو ماضی پر بھی ہو سکے گا۔
- مارشل لاء کے تحت کی گئی سب کارروائیوں اور اس کے تحت دیئے گئے سب فیصلوں کو جائز قرار دیدیا گیا اور کہہ دیا گیا کہ ان کارروائیوں اور فیصلوں کو (قطع نظر کسی عدالتی فیصلے کے) کسی عدالت میں زیر بحث نہیں لایا جا سکتا۔
- سپریم کورٹ اور ہائی کورٹس کے چیدہ چیدہ ججوں سے کہا گیا کہ وہ عبوری آئین کے حکم نامے (پی سی او) ۱۹۸۱ء سے وفاداری کا حلف دوبارہ اٹھائیں۔

غرض یہ کہ عملاً ۱۹۷۳ء کے آئین پاکستان کو منہدم کر دیا گیا۔

جو عمل ۱۹۵۵ء میں مولوی تمیز الدین خان والے مقدمے، ۱۹۵۵ء کے ریفرنس اور دوسو کے مقدمے میں عدالتی فیصلوں سے شروع ہوا وہ ۲۶ سال بعد مارچ ۱۹۸۱ء میں عبوری آئین کے حکم نامے (پی سی او) کے اجراء سے اپنے منطقی نتیجہ کو پہنچا۔ ان فیصلوں کا حوالہ دیتے ہوئے پاکستان کے چیف جسٹس یعقوب علی خان نے کہا۔

"(اکتوبر ۱۹۵۸ء کے مارشل لاء کے) تیرہ سال بعد (دسمبر ۱۹۷۱ء میں) میرے نزدیک مشرقی پاکستان علیحدہ براہ راست اسی شرمناک واقعہ کی وجہ سے ہوا۔"

جیسا کہ میں نے پہلے بھی کہا تھا کہ یہ رائے اس وقت دی گئی جب غاصب صفحہ ہستی سے مٹ چکا تھا۔

۲۹ مئی ۱۹۸۸ء کو صدر پاکستان جنرل محمد ضیاء الحق نے آئین میں آٹھویں ترمیم کے ذریعہ ڈالی گئی دفعہ ۵۸ کی شق (۲) کی ذیلی شق (ب) کے تحت اپنے خصوصی اختیارات استعمال کرتے ہوئے قومی اسمبلی توڑ دی اور محمد خان جونیجو کو اور ان کی حکومت کو برطرف کر دیا۔ اس کارروائی کو لاہور ہائی کورٹ نے قانوناً ناجائز قرار دیا۔ سپریم کورٹ نے لاہور ہائی کورٹ کے اس فیصلے کی توثیق کی، لیکن لاہور ہائی کورٹ کا فیصلہ اور

سپریم کورٹ کی توثیق، یہ دونوں باتیں جنرل محمد ضیاء الحق کی وفات کے بعد وقوع پذیر ہوئیں! سوال یہ ہے کہ اگر صدر جنرل محمد ضیاء الحق کی ۲۹ مئی ۱۹۸۸ء کو قومی اسمبلی توڑنے اور محمد خان جونیجو حکومت ہٹانے کی کارروائی قانوناً ناجائز تھی تو پھر قومی اسمبلی اور محمد خان جونیجو کی حکومت کو بحال کیوں نہیں کیا گیا؟

۶ اگست ۱۹۹۰ء کو صدر غلام اسحٰق خان نے بھی قومی اسمبلی توڑی، بے نظیر حکومت کو برطرف کیا سپریم کورٹ نے صدر کی کارروائی کو جائز قرار دیا۔

۱۷ اپریل ۱۹۹۳ء کو وزیراعظم نواز شریف نے ریڈیو اور ٹیلی وژن پر قوم سے خطاب کیا اور الزام لگایا کہ صدر نواز شریف حکومت کا تختہ الٹنے کی ریشہ دوانیوں میں ملوث ہیں گویا نواز شریف وزیراعظم نے غلام اسحٰق خان صدر کے خلاف اعلان جنگ کر دیا۔ مجبوراً اگلے روز غلام اسحٰق خان کو نواز شریف کی حکومت کو برطرف اور قومی اسمبلی کو توڑنا پڑا۔ عام خیال یہ تھا کہ سپریم کورٹ صدارتی کارروائی کی ملامت کرے گی لیکن اسمبلی اور حکومت بحال نہیں کرے گا۔ غلام اسحٰق خان کا بھی یہی خیال تھا، لیکن بجائے اس کے کہ صدارتی فیصلے کے خلاف شکایت پہلے ہائی کورٹ سنتا پھر سپریم کورٹ کے پاس اپیل جاتی۔ چیف جسٹس نسیم حسن شاہ نے صدارتی حکم کے خلاف شکایت براہ راست شروع سے سپریم کورٹ میں برائے سماعت داخل کر لی۔ گویا اس طرح ہائی کورٹ کے فیصلے اور پھر اس فیصلے کے بعد سپریم کورٹ کے پاس اپیل کا موقع ہاتھ سے جاتا رہا۔

سپریم کورٹ نے فیصلہ صدارتی حکم کے خلاف دیا۔ سوال یہ ہے کہ جب ۶ اگست ۱۹۹۰ء کو بے نظیر کی حکومت کو صدر نے برطرف کیا۔ قومی اسمبلی کو توڑا، تب تو سپریم کورٹ نے صدارتی فیصلے کی توثیق کی۔ لیکن جب ۱۸ اپریل ۱۹۹۳ء کو اسی صدر نے نواز شریف حکومت کو برطرف کیا اور قومی اسمبلی کو توڑا تب صدارتی فیصلے کی توثیق نہیں کی؟ آخر کیوں؟ خصوصاً ایسی صورت میں جبکہ نواز شریف حکومت کی برطرف کرنے اور اس وقت قومی اسمبلی توڑنے کے حق میں دلائل ان دلائل سے زیادہ وقیع اور وزنی تھے جو ۶ اگست ۱۹۹۰ء کو بے نظیر حکومت کی برطرفی اور قومی اسمبلی کی تحلیل کے وقت دیئے گئے تھے۔

سپریم کورٹ نے نواز شریف کے مقدمے میں فیصلہ سناتے وقت کہا کہ صدر غلام اسحٰق خان نے، آئین میں صدر کو جو کار منصبی دیا گیا ہے اس کو صحیح طور پر نہیں سمجھا۔ سوال یہ ہے کہ ۶ اگست ۱۹۹۰ء کو بھی یہی صدر تھے، یہی کار منصبی تھا لیکن اس وقت سپریم کورٹ کو صدارتی کارروائی میں کوئی سقم نظر نہیں آیا لیکن جب ۱۸ اپریل ۱۹۹۳ء کو اسی صدر نے ویسی ہی کارروائی کی تو سپریم کورٹ کو صدارتی کارروائی غلط نظر آئی۔ آخر یہ دوغلا پن کیوں؟

خیال ہو سکتا ہے کہ اس فرق کی وجہ شاید یہ رہی ہو کہ ۶ اگست ۱۹۹۰ء والے صدارتی فیصلے کو فوج کی تائید حاصل تھی جبکہ شاید ۱۸ اپریل ۱۹۹۳ء والے صدارتی فیصلے کو ایسی تائید حاصل نہ رہی ہو۔ لیکن میں اپ

اتی علم کی بنا پر اس خیال کی تردید کر سکتا ہوں کیونکہ میں نے خود جنرل عبدالوحید آرمی چیف کا یہ پیغام غلام اسحٰق خان صدر کو پہنچایا تھا کہ صدر آئین و دستور پاکستان کی حدود کے اندر اندر جو کارروائی بھی کریں گے فوج پوری طرح اس کی تائید کرے گی۔ غلام اسحٰق خان سے بہتر پاکستانی سیاست کی اس بنیادی حقیقت کو کون جان سکتا تھا کہ کوئی انتہائی اہم اور بھاری بھرکم فیصلہ پاکستان کی سیاست میں فوج کے سربراہ کی تائید یا اس کے ایماء کے بغیر نہیں کیا جا سکتا۔ اگر انہیں آرمی چیف کی تائید کے بارے میں ذرا سا بھی شک شبہ ہوتا یا اگر انہیں اپنے فیصلے کی صحت اور اس کے جواز پر صد فیصد اطمینان نہ ہوتا تو میں سمجھتا ہوں کہ غلام اسحٰق خان ہرگز وہ قدم نہ اٹھاتے جو انہوں نے ۱۸ اپریل ۱۹۹۳ء کو اٹھایا۔ بدقسمتی سے ہوا یہ کہ راتوں رات آرمی چیف جنرل عبدالوحید پر ''مصلحت اور ہوشیاری'' کا غلبہ ہو گیا اور وہ اپنے محسن غلام اسحٰق خان کا ساتھ چھوڑ کر غلام اسحٰق خان پر لعن طعن کرنے والوں کے انبوہ میں شامل ہو گئے۔ افسوس کہ ہمیں جنرل عبدالوحید کی اس راتوں رات تبدیلی کا علم نہ ہو سکا۔ جونہی غلام اسحٰق خان سے فوجی تائید گئی، ان کا کام تمام ہو چکا تھا۔

پاکستان کے سیاسی منظر پر سیاسی اقتدار کے تین مراکز ابھرے ہیں۔ صدر، وزیراعظم اور فوج آرمی چیف کی شکل میں۔ صدر کا انتخاب سینٹ، قومی اسمبلی اور سب صوبائی اسمبلیوں کے ممبر مل کر کرتے ہیں۔ وزیر اعظم کو عوام براہ راست منتخب کرتے ہیں پھر قومی اسمبلی میں حزب اقتدار کے ممبر اس کو اپنا لیڈر منتخب کرتے ہیں تب وہ وزیراعظم بنتا ہے۔ فوج کے سربراہ کو وزیراعظم کے مشورے سے صدر مقرر کرتا ہے۔ کونسل برائے دفاع اور قومی سلامتی اگر رہ گئی تو وہ مذکورہ مثلث اقتدار کے ممبروں میں توازن بگاڑ سکتی ہے، کیونکہ پھر تمام اہم قومی امور کے فیصلے اس کونسل میں ہوا کریں گے۔ حالانکہ آئین کے تحت صدر کو اعانت و مشورہ دینے کے فرائض وزیراعظم اور ان کی کابینہ کے ہیں۔ اب منصب کار تبدیل کر دیئے گئے ہیں اور صدر کے توسط سے کونسل وزیراعظم اور ان کی کابینہ کو مشورہ دیا کرے گی۔ جس کونسل کے صدر، صدر پاکستان ہوں اور جہاں صدر کے دائیں بائیں افواج پاکستان کے سربراہ بیٹھے ہوں، اس کونسل کے ''مشورے'' کی حقیقی حیثیت کیا ہو گی اس کی وضاحت غیر ضروری ہے۔

اگر اس بارے میں کبھی کسی کو شک بھی تھا کہ پاکستان میں اقتدار اعلیٰ کا مرکز کہاں ہے تو وہ ۱۷ اگست ۱۹۸۸ء کو ختم ہو گیا، جب فوج نے داخلی غور و فکر کے بعد فیصلہ کیا کہ مارشل لا نہ لگایا جائے اور چیئرمین سینٹ غلام اسحٰق خان کو صدارت پاکستان کی پیش کش کی جائے۔ آئین میں صاف صاف درج ہے کہ صدر کی موت کی صورت میں چیئرمین سینٹ قائم مقام صدر بن جائے گا، لہٰذا جنرل محمد ضیاء الحق کی ناگہانی موت کے بعد چیئرمین سینٹ غلام اسحٰق خان کو خود بخود قائم مقام صدر بن جانا چاہیئے تھا لیکن ایسا ہوا نہیں۔ جنرل ریٹائیرڈ خالد محمود عارف اپنی کتاب ''ورکنگ ود ضیاء'' میں رقم طراز ہیں:

''(جنرل محمد ضیاء الحق کی موت کی) خبر کو تین گھنٹے تک صیغہ راز میں رکھا گیا، دریں اثناء پس پردہ سیاسی

عمل زور و شور سے جاری رہا۔ ان تین گھنٹوں کے دوران نہ ملک کا کوئی سربراہ تھا نہ فوج کا کیونکہ دونوں عہدے جنرل ضیاء نے اپنے پاس ہی رکھے ہوئے تھے۔ آئین میں صاف صاف درج ہے کہ صدر کی موت کے بعد یا ملک سے غیر موجودگی کے دوران، چیئرمین سینٹ خود بخود صدر بن جائے گا لہذا غلام اسحٰق خان چیئرمین سینٹ کو خود بخود صدر بن جانا چاہیئے تھا۔ آئین کی پیش بینی اور اس کے واضح اور غیر مبہم مندرجات کے پیش نظر لیت و لعل اور تاخیر کا جواز قطعاً نہ تھا بلکہ ایسا کرنا آئین سے روگردانی اور انحراف کے مترادف تھا۔"

جنرل رٹیائرڈ خالد محمود عارف آگے چل کر اپنی اسی کتاب میں لکھتے ہیں:

"جنرل (مرزا اسلم) بیگ کے دفتر میں دو متبادل امکانات پر غور ہوا۔ ایک یہ کہ ملک میں مارشل لاء لگادیا جائے اور ملک کا نظم و نسق فوج سنبھال لے۔ دوسرا یہ کہ آئینی راستہ اختیار کیا جائے اور چیئرمین سینٹ قائم مقام صدر کے فرائض سنبھال لیں۔ فیصلہ دوسرے طریقے کے حق میں ہوا۔ بری فوج کے نقطہ نظر کے پختہ ہو جانے کے بعد بحریہ اور فضائیہ سے بھی مشورہ ضروری تھا۔ بحریہ اور فضائیہ کے سربراہوں نے بھی بری فوج کے اس فیصلے سے اتفاق کیا کہ آئینی راستہ اختیار کیا جائے۔ جب تینوں افواج میں اتفاق ہو چکا تب غلام اسحٰق خان چیئرمین سینٹ کو آرمی جی ایچ کیو بلایا گیا اور تینوں افواج کے نقطہ نگاہ سے آگاہ کیا گیا، اب (۱۷ اگست ۱۹۸۸ء) شام کے تقریباً ساڑھے سات بج چکے تھے۔

"اعلیٰ فوجی افسروں کو یہ زیب نہیں دیتا تھا کہ وہ چیئرمین سینٹ غلام اسحٰق خان کو آرمی جی ایچ کیو میں بلاتے، بلکہ انہیں خود غلام اسحٰق خان کے پاس جا کر اظہار تعزیت کرنا چاہیئے تھا اور بحیثیت آئینی قائم مقام صدر کے ان سے اپنی وفاداری کا یقین دلانا چاہیئے تھا، غلام اسحٰق خان کا قائم مقام صدر بننا ان کا آئینی حق تھا۔ افواج پاکستان کا ان پر کوئی احسان نہ تھا۔ غلام اسحٰق خان اتنے مہذب اور شائستہ ہیں کہ انہوں نے حفظِ مراتب (پروٹوکول) پر اصرار نہیں کیا۔ کیونکہ وہ جانتے تھے کہ قوم اس وقت ایک شدید صدمہ سے دوچار ہے۔ لیکن اعلیٰ عسکری افسر شاہی کا اپنا فرض تھا کہ وہ غلام اسحٰق خان کے معاملے میں حفظ مراتب کو مد نظر رکھتی اور ان کے ساتھ مطلوبہ ادب و احترام سے پیش آتی۔"

ایک فرانسیسی ماہر قانون ژین بودان نے "مقتدر اعلیٰ" کی تعریف یہ کی ہے کہ "وہ اعلیٰ ترین قوتِ نافذہ جو شہریوں اور رعایا سے اپنے احکام کی تعمیل کروا سکنے پر قادر ہو اور جو قانون قاعدے ضابطے کی پابندیوں سے بالاتر ہو۔" اس تعریف کی روشنی میں، آئینی پوزیشن سے صرف نظر، پاکستان میں سیاسی اقتدار اعلیٰ نہ انتخاب کنندگان کے پاس ہے، نہ پارلیمنٹ کے پاس ہے، نہ انتظامیہ کے پاس ہے نہ عدلیہ کے پاس ہے۔ نہ اس آئین کے پاس ہے جو اپنے تحت قائم کردہ تمام اداروں سے خود بالا ہوتا ہے۔ پاکستان میں اقتدار اعلیٰ اگر کسی کے پاس ہے تو وہ اس قوتِ نافذہ کے پاس ہے جو عملی طور پر ہر فیصلہ کرنے اور اس پر عمل کروانے پر قادر ہے۔ یہی پس پردہ

مخفی قوتِ نافذہ فیصلہ کرتی ہے کہ آئین کے ساتھ کیا کیا جائے؟ اسے معطل کیا جائے؟ اسے منسوخ کیا جائے؟ اس میں ردوبدل کیا جائے؟ منتخب حکومتوں کو برطرف کیا جائے؟ جمہوریت کو کب اور کس حد تک واپس لایا جائے؟ حتیٰ کہ یہی قوت فیصلہ کرتی ہے کہ آیا ایک منتخب شدہ وزیر اعظم کو زندہ رہنے دیا جائے یا اسے موت کے گھاٹ اتار دیا جائے۔ لیکن یہ پس پردہ مخفی قوتِ نافذہ روسو کی وارننگ بھول جاتی ہے۔ روسو نے کہا تھا:

''کوئی فرد بشر کتنا ہی طاقتور کیوں نہ ہو وہ اتنا طاقتور کبھی نہیں ہو سکتا کہ وہ ہمیشہ برسر اقتدار رہے۔ ہاں وہ اپنے اقتدار کو دوام صرف اس صورت میں بخش سکتا ہے جب وہ اپنی قوت کو حق کے قیام کے لئے اس طور استعمال کرے کہ لوگ اس کی اطاعت کو دل وجان ورضاورغبت سے اپنا فرض تسلیم کریں۔''

پاکستان کی پچاس سالہ تاریخ میں عسکری فرماں رواؤں نے تقریباً آدھے وقت حکمرانی کی ہے (اکتوبر ۱۹۵۸ء تا دسمبر ۱۹۷۱ء اور جولائی ۱۹۷۷ء تا اگست ۱۹۸۸ء)۔ ان فرماں رواؤں (ایوب خان، یحییٰ خان، محمد ضیاء الحق) تینوں کا مسئلہ یہ رہا ہے کہ وہ کیسے اپنے اقتدار کو حق پر مبنی اور قانوناً جائز ثابت کر سکیں اور تینوں نے اسی مقصد کے حصول کی خاطر نت نئی لچھے دار ترکیبیں نکالیں۔ مثلاً ایوب خان نے بنیادی جمہوریتوں کا نظام جاری کر کے جنوری ۱۹۶۰ء میں صدارتی بیلٹ کروایا۔ پھر ۱۹۶۲ء میں اپنا ہی ایک نیا آئین نافذ کر کے ۱۹۶۵ء میں صدارتی انتخاب کروایا۔ یحییٰ خان نے لیگل فریم ورک آرڈر جاری کیا۔ محمد ضیاء الحق نے مارچ ۱۹۸۱ء میں پی سی او جاری کیا، دسمبر ۱۹۸۴ء میں اپنی صدارت کے بارے میں ریفرنڈم کا ڈھونگ رچایا، پھر فروری ۱۹۸۵ء میں بغیر پارٹی کے انتخابات کروائے۔ غرض یہ کہ تینوں نے اپنے اپنے چکر چلائے لیکن ناکام رہے۔

اصل میں اقتدار کے قانونی جواز کا مسئلہ اسلامی تاریخ میں کوئی نیا مسئلہ نہ تھا۔ خلافت کے دنوں میں مسلمانوں کا امام خلیفہ وقت ہوتا تھا۔ وہ دین کا پاسباں، اسلام کا محافظ اور ریاست کا منصف اعلیٰ ہوتا تھا۔ وہ جانشین رسول ہونے کے ناطے امت مسلمہ کا سربراہ ہوتا تھا۔ وہ مظلوموں کا سپہ سالار اعلیٰ ہوتا تھا۔ وہ تمام مسلمانوں کا رہنما، رہبر، قائد، حاکم اور فرماں روا ہوتا تھا۔ خلافت کے دبدبہ اور جاہ و جلال کا یہ حال تھا کہ اگرچہ ابوواحد عبدالدولہ نہایت طاقتور فرماں روا تھا، پھر بھی وہ کٹھ پتلی خلیفہ وقت طائی کے سامنے اپنی غیر مشروط اطاعت اور مکمل فرماں برداری کا ناٹک رچا کر خلیفہ کے نام کو اپنی حکمرانی کے قیام و دوام کے لئے استعمال کرتا تھا۔ محمود غزنوی چاہتا تو وہ بہ آسانی خلیفہ وقت کو مرغوب و مغلوب کر سکتا تھا لیکن وہ بھی خلیفہ وقت سے اپنی فرماں روائی کی توثیق کا خواہاں رہتا۔ حتیٰ کہ سلجوقی بادشاہ بھی (جو اپنے زمانے کی سب سے بڑی سلطنت کے نہایت طاقتور اور مقتدر فرماں روا تھے) خلیفہ وقت کی قانونی حیثیت کو نظر انداز نہیں کرتے تھے۔ جیسے اللہ کے رسول، اللہ کے خلیفہ ہیں، اسی طرح خلیفہ خلیفہ رسول ہے، اور بادشاہ اپنے ملک میں خلیفہ کا نائب ہے۔ جب خلیفہ ابو جعفر منصور المستنصر باللہ کے ایلچی دہلی پہنچے تو سلطان شمس الدین التتمش کی

نوزائیدہ مملکت میں جشن منایا گیا، کیونکہ اس روز سلطان ہند کو خلیفہ وقت کی جانب سے پروانہ منظوری ملنے والا تھا۔ ۱۲۵۸ء میں ہلاکو خان نے خلیفہ مُستعصِم کو ہلاک کر کے اس کے جانشینوں کا نام و نشان تک مٹا دیا۔

آسماں را خوں ببا ید بار بروئے زمیں
بر زوال ملک مُستعصِم امیر المومنیں

(آسمان کو چاہئے کہ خلیفہ مُستعصِم امیر المومنین کی خلافت کی ہلاکت و بربادی پر خون کے آنسو بہائے)

دہلی کے مسلمان حکمرانوں نے خلیفہ مُستعصِم کے جانشینوں کی عدم موجودگی سے اپنے لئے پیدا ہونے والے مسئلہ کا حل یہ نکالا کہ وہ مُستعصِم کی موت کے بعد بھی عرصہ تک اپنے سکوں پر مُستعصِم کا نام ہی استعمال کرتے رہے۔

رسول اللہ صلی اللہ علیہ وسلم کے انتقال (۶۳۲ء) کے بعد سے حکومت کے قانونی جواز کا مسئلہ سارے عالم اسلام کے لئے پریشان کن رہا ہے۔ اس معاملے میں قرآن پاک خاموش ہے۔ بجز یہ کہنے کے کہ مسلمان اپنے معاملات باہمی صلاح مشورے سے طے کیا کریں رسول اللہ صلی اللہ علیہ وسلم نے اپنا جانشین مقرر کرنے سے اجتناب فرمایا تھا۔ انہوں نے سیاسی جانشینی کے لئے بھی کوئی قواعد مقرر نہیں فرمائے تھے۔ اسلام نسلی یا نسبی بادشاہت (باپ کے بعد بیٹا وغیرہ) کے تصور کو تسلیم نہیں کرتا۔ عملاً اسلامی تاریخ میں جانشینی کا فیصلہ داعی کی تلور کی لمبائی اور اس کی دھار کی کاٹ کی بنیاد پر ہوا کرتا تھا۔ چنانچہ جب اکتوبر ۱۹۵۸ء کے ایوب خاں کے پہلے مارشل لاء کو چیف جسٹس منیر نے "نظریہ ضرورت" کے تحت جائز قرار دیا، جب جولائی ۱۹۷۷ء کے محمد ضیاء الحق کے مارشل لاء کے ذریعے فوج کے سہارے زبردستی حکومت چھیننے اور اقتدار غصب کرنے کو چیف جسٹس شیخ انوار الحق نے حرمت بخشی تو یہ دونوں (یعنی چیف جسٹس منیر اور چیف جسٹس انوار الحق) اسلامی روایت میں کوئی جدت نہیں پیدا کر رہے تھے بلکہ وہ تو اپنے اسلاف کی قائم کردہ اور مسلمہ روایت کے مطابق انہیں کے نقش قدم پر چل رہے تھے۔

اکتوبر ۱۹۵۸ء میں ملک میں پہلا مارشل لاء لگانے کے بعد ایوب خان کے سامنے بھی اسی قسم کا معمہ تھا۔ آخر وہ اپنے اقتدار اور اپنی حکومت کے لئے عوام کی نظروں میں قابل قبول قانونی جواز پیدا کرے تو کیسے کرے؟ خلافت تو بہت پہلے ختم ہو چکی تھی۔ اب بغداد میں کوئی خلیفہ نہ تھا جو ایوب خاں کی حکومت کو پروانہ توثیق دیکر اسے جائز بنا دیتا۔ لہٰذا ایوب خان نے اپنی حکومت کو جائز ثابت کرنے اور لوگوں کو اپنی اطاعت پر آمادہ کرنے کی خاطر بنیادی جمہوریتوں کے اسی ہزار ممبروں کو جنوری ۱۹۶۰ء میں اپنے صدارتی بیلٹ کے لئے استعمال کیا۔ جنرل محمد ضیاء الحق نے دسمبر ۱۹۸۴ء میں اسلام کے نام پر ریفرنڈم کا ڈھونگ رچایا اور حالانکہ اس ڈھونگ میں بھی بہت کم ہی لوگوں نے حصہ لیا انہوں نے ریفرنڈم کا نتیجہ خود ہی عوامی تائید و

عتماد سمجھ لیا اور فیصلہ کر لیا کہ وہ ۱۹۸۵ء سے ۱۹۹۰ء تک کے پانچ سالوں میں صدر پاکستان رہیں گے۔ یہ دوسری بات ہے کہ ۱۷ اگست ۱۹۸۸ء کو وہ حادثہ کا شکار ہو گئے اور اپنی صدارت کے پورے پانچ سال مکمل نہ کر سکے۔

اگرچہ اسلامی خلافت تو عرصہ ہوا معدوم ہو گئی لیکن عالم اسلام میں جو کردار پہلے خلیفہ وقت ادا کرتا تھا وہ اب امریکی صدر کرتا ہے۔ آج کل شاید ہی کوئی مسلم حکمران ایسا ہو جو اپنی حکومت کے ریاست ہائے متحدہ امریکہ سے تسلیم ہونے سے پہلے، اپنی حکومت کو مستند سمجھ لے۔ قرون وسطیٰ میں خلیفہ کے ایلچی پروانہ توثیق لیکر آتے تو شادیانے بجتے، جشن منتا۔ فیروز شاہ تغلق سلاطین دہلی میں ایک نامور اور مقتدر سلطان گزرے ہیں ان کے پاس جب خلیفہ وقت کے ایلچی پروانہ توثیق لیکر پہنچے تو انہوں نے ان ایلچیوں کی بہت تعظیم و تکریم کی ان سے بہت احترام اور ادب سے پیش آئے اور جب ایلچیوں نے انہیں خلیفہ وقت کی طرف سے بھیجے ہوئے علم اور خلعت دیئے تو سلطان فیروز شاہ تغلق خلیفہ وقت کے دارالخلافہ کا رخ کر کے سر بسجود ہو گئے اور سجدہ شکر بجالائے! آج کل کے بد معاملہ، بد عنوان، بد دیانت اور غیر مقبول مسلم حکمران بھی امریکی صدر کے ایلچیوں کی کم و بیش ویسی ہی تعظیم و تکریم کرتے ہیں جیسی سلطان فیروز شاہ تغلق نے خلیفہ وقت کے ایلچیوں کی کی تھی۔ اور اگر کہیں امریکی صدر خود بہ نفس نفیس کسی مسلم حکمران کے ملک میں آجائے تو وہ حکمران اس کو اپنے لئے سند حکمرانی سمجھتا ہے اور عام تاثر یہ دیا جاتا ہے کہ جیسے برسوں کا کوئی پرانا اور سہانا خواب حقیقت کا روپ دھار لے۔ یہ دوسری بات ہے کہ بعض اوقات امریکی صدر کے دوروں سے غیر متوقع نتائج برآمد ہو جاتے ہیں اور حکمراں کی حکومت کو مزید طوالت بخشنے کے بجائے مزید اختصار کا باعث بن جاتے ہیں، جیسا کہ جمی کارٹر کے دورہ ایران اور جمی کارٹر کی شاہ ایران کی بے جا اور مبالغہ آمیز تعریف و توصیف کے بعد رضا شاہ پہلوی، شاہ ایران کے ساتھ ہوا!

باب۔ ۱۲

سرکاری اہلکار

"The kind of men we must choose from among the Guardians will be those who are found to be full of zeal to do whatever they believe is for the good of the Common-wealth and never willing to act against its interests."

Plato

"The Civil Service of Pakistan is the successor of the Indian Civil Service, which was the most distinguished Civil Service in the world."

Sir Eric Franklin

''ہمیں محافظوں میں سے ایسے افراد کو چننا ہو گا جن میں دولت مشترکہ کے مفاد کو فروغ دینے کا جوش و جذبہ بدرجہ اتم ہو اور جو کبھی دولت مشترکہ کے مفاد کے خلاف کوئی کام نہ کریں۔''

افلاطون

''سول سروس آف پاکستان، انڈین سول سروس کی جانشین ہے اور انڈین سول سروس ساری دنیا میں سب سے زیادہ ممتاز سول سروس تھی۔''

سر ایرک فرینکلن

قائداعظم محمد علی جناح نے ۱۴اپریل ۱۹۴۸ء کو گورنمنٹ ہاؤس پشاور میں اعلیٰ سرکاری افسروں سے خطاب فرمایا تھا۔ اپنے اس خطاب میں انہوں نے فرمایا تھا:

''آپ اس صوبے میں پاکستانی انتظامیہ کے اعلیٰ افسر ہیں اور نہایت اہم عہدوں پر فائز ہیں۔ اسی لئے میں نے آپ کو خاص طور پر بلایا ہے تاکہ میں آپ سے کچھ باتیں کرلوں۔

پہلی بات جو میں آپ سے کہنا چاہتا ہوں وہ یہ ہے کہ آپ پر ناجائز دباؤ چاہے کوئی سیاسی جماعت ڈالے یا سیاست دان، آپ ناجائز دباؤ ہرگز ہرگز قبول مت کیجئے۔ آپ اگر پاکستان کا وقار اور پاکستان کی عظمت کا بول بالا چاہتے ہیں تو آپ کو پاکستانی عوام اور پاکستانی سیاست کی خدمت بے باکی اور بے خوفی سے کرنا ہوگی۔ سرکاری ملازم مملکت کی ریڑھ کی ہڈی ہیں۔ حکومتیں بنتی اور ٹوٹتی رہتی ہیں۔ وزرائے اعظم اور وزراء آتے جاتے رہتے ہیں لیکن آپ قائم دائم رہتے ہیں اس لئے آپ کے کاندھوں پر بہت بڑی ذمہ داری ہے۔ آپ کو اِس سیاسی پارٹی یا اُس سیاسی پارٹی، اِس سیاست دان یا اُس سیاست دان کی حمایت یا مخالفت میں فریق بننے کی ضرورت قطعاً نہیں۔ جو حکومت بھی آئین پاکستان کے مطابق قائم ہو اور جو شخص بھی آئین پاکستان کے مطابق ملک کا وزیر اعظم بنے، آپ کا فرض ہے کہ آپ حکومت وقت کی خدمت نہ صرف وفاداری اور ایمانداری سے کریں بلکہ غیر جانبداری اور بے باکی سے کریں اور اس طرح اپنی اور اپنی سروس کی دیانتداری کی اعلیٰ شہرت برقرار رکھیں اور اپنی اور اپنی سروس کی عزت اور اس کے وقار کو بلند سے بلند تر کریں۔ پاکستان کو ایک شاندار ملک بنانا ہمارا تصور ہے۔ پاکستان کو دنیا کی عظیم ترین قوموں میں شامل کرنا ہمارا خواب ہے۔ اگر آپ اپنے ادائے فرض کی ابتداء اسی عزم مصمم کے ساتھ کریں گے تو ہمارے تصور اور ہمارے خوابوں کے پاکستان کی تعمیر میں آپ کا بہت بڑا حصہ ہوگا۔''

''میں جہاں ایک طرف آپ سے (سرکاری اہلکاروں سے) یہ بات کہہ رہا ہوں وہاں اسی موقعہ سے فائدہ اٹھا کر میں اپنے لیڈروں اور سیاست دانوں سے بھی یہ بات زور دے کر کہنا چاہتا ہوں کہ اگر وہ سرکاری اہلکاروں پر ناجائز سیاسی دباؤ ڈالیں گے، سرکاری اہلکاروں کے کام میں سیاسی مداخلت کریں گے تو وہ پاکستان کی کوئی خدمت نہیں کریں گے بلکہ پاکستان کو نقصان پہنچائیں گے۔ کیونکہ ناجائز سیاسی دباؤ اور ناجائز سیاسی مداخلت کا نتیجہ ہمیشہ بدعنوانی، رشوت ستانی اور اقربا پروری کی شکل میں نکلتا ہے یہ ایک خوفناک مرض ہے اور اس مرض میں نہ صرف آپ کا صوبہ بلکہ ملک کے دوسرے حصے بھی مبتلا ہیں۔

''مجھے امید ہے کہ آپ اپنے اپنے فرائض اور اپنی اپنی ذمہ داریوں کی حدود کو پہچانیں گے اور ایک دوسرے کے ساتھ خوش اسلوبی، ہم آہنگی اور باہمی تعاون کے جذبے کے ساتھ کام کریں گے اور یہ بات ہمیشہ یاد رکھیں گے کہ ہر ایک کا احاطہ کار اپنا اپنا اور علیحدہ علیحدہ مقرر ہے اور ہر ایک کو اپنے ہی احاطہ کار کے اندر رہ کر اپنا فرض ادا کرنا ہے۔''

''اگر آپ ادائے فرض کی ابتداء جوش وجذبے سے کریں گے اور اپنے عزم مصمم میں استقلال و مستق
مزاجی سے قائم رہیں گے تو فریق ثانی (سیاست داں) بھی یہ محسوس کرلے گا کہ کسی محکمے یا ک

ناجائز دباؤڈالنے سے سرکاری اہلکاروں کی کیسی حوصلہ شکنی ہوتی ہے اور اس طرح ملک کو کتنا بڑا نقصان پہنچتا ہے (اگر آپ میرے مشورے پر عمل کریں گے تو اس طرح) آپ اپنی قوم کی شاندار خدمت انجام دیں گے۔"

"مجھے معلوم ہے کہ سرکاری اہلکاروں پر ناجائز اثر ورسوخ اور دباؤ ڈالنا ہمارے سیاستدانوں اور سیاسی جماعتوں کے بااثر لوگوں کی عام کمزوری ہے تاہم مجھے امید ہے کہ آپ آج سے ہی ناجائز اثر یا دباؤ قبول نہ کرنے اور اپنے فرائض منصبی میرے مشورے کے مطابق بلا خوف وخطر دیانت وامانت سے ادا کرنے کا عزم صمیم کرلیں گے۔"

"یہ عین ممکن ہے کہ وزیروں کو من مانی نہ کرنے دینے کی آپ کو سزا ملے۔ میری دعا اور خواہش ہے کہ ایسا نہ ہو، لیکن ہو سکتا ہے کہ ایسا ہو، اس لئے نہیں کہ آپ کوئی غلط کام کر رہے ہیں، ملک کی خاطر قربانیاں تو دیتی پڑتی ہیں میں بھی آپ سے اپیل کرتا ہوں کہ آپ سینہ تان کر قربانی پیش کریں چاہے اس کی شکل آپ کو بلیک لسٹ پر رکھنا ہو یا آپ کو ہراساں کرنا اور ایذا پہنچانا ہو۔"

"اگر آپ میں سے چند افراد بھی ملک کے وسیع تر مفاد کی خاطر ایسی قربانیاں دیں گے تو یقین مانیئے کہ ہم اس لعنت کا جلد ہی کوئی نہ کوئی علاج تلاش کرلیں گے۔ میں آپ سے شدومد سے کہتا ہوں کہ اگر آپ اپنی سرکاری ذمہ داریاں، اپنے سرکاری فرائض، دیانت داری، خلوص نیت اور وفاداری ادا سے کریں گے تو آپ بلیک لسٹ پر نہیں رہیں گے اور آپ ہمیں ایسی مضبوط انتظامی مشنری کے قیام میں مدد دیں گے جو آپ کو مکمل احساس تحفظ دے سکے۔"

آزادی کے بعد پاکستان میں سرکاری اہلکاروں کو کیسے محنت سے، دیانت سے، لگن سے، سیاسی غیر سیاسی دباؤ قبول کئے بغیر، عقوبت کی فکر کئے بغیر، ملک اور ملک کے عوام کی خدمت کے اپنے فرائض منصبی ادا کرنے چاہئیں اس کے بارے میں یہ قائداعظم کے نظریات تھے جو انہوں نے آزادی کے آٹھ ماہ بعد ہی بتلادیئے تھے۔ لیکن کتنے افسوس کی بات ہے کہ بانی پاکستان کی اس تقریر کا ذکر کتنا کم ہوتا ہے۔ اس تقریر کی کم یابی کا اندازہ اِس سے لگائیے کہ مجھے اس کا متن حاصل کرنے کے لئے اس سرکاری دفتر جانا پڑا جہاں پرانی دستاویزات محفوظ رکھی جاتی ہیں۔ جناح صاحب کے ان ارشادات کو نہ سرکاری اہلکار یاد رکھنا چاہتے ہیں نہ سیاست دان۔ کیونکہ ان فرمودات کا ذکر ان کی سماعت پر گراں گزرتا ہے۔ چنانچہ کیا عجب کہ ریڈیو، ٹیلی وژن پر اور دیگر سرکاری ذرائع ابلاغ میں ان کا ذکر نہیں ہوتا۔ پہلے بھی اور اب بھی ہر حکومت کی کوشش یہی رہی کہ عوام اس تقریر کے مندرجات سے بے خبر رہیں اور یہ تقریر یونہی سردخانے کے کسی کونے میں دبی پڑی رہے۔

قائداعظم نے سرکاری اہلکاروں کو حکومت وقت کی خدمت مستعدی سے کرنے کا مشورہ دیتے وقت

نہایت دور اندیشی سے، یہ شرط بھی لگادی تھی کہ حکومت وقت آئینی تقاضوں کے مطابق بنی ہو اور وزیر اعظم نے اقتدار آئینی طریق کے مطابق حاصل کیا ہو۔ کیا ہم نے یعنی سرکاری اہلکاروں نے اس کا خیال رکھا؟ نہیں! ہرگز نہیں! اکتوبر ۱۹۵۸ء میں ملک بھر میں پہلا مارشل لاء لگا ایک عسکری آمر نے آئین منسوخ کر دیا۔ حکومت برطرف کر دی، اسمبلیاں توڑ دیں، عدالت عظمیٰ نے اموی اور عباسی خلفاء کے زمانے کے خوشامدی اور چاپلوس قاضیوں کی روایت قائم رکھی اور عسکری آمر کے آمرانہ احکام کی توثیق کر دی۔ اس وقت کسی سرکاری اہلکار نے سرکاری ملازمت سے یہ کہہ کر استعفیٰ نہیں دیا کہ ہم غیر آئینی اور غیر قانونی حکومت کا ساتھ نہیں دیں گے۔ میں بھی اس وقت سرکاری ملازم تھا مجھ کو بھی ایسا کرنے کی توفیق نہیں ہوئی۔

اکتوبر ۱۹۵۸ء سے پہلے اپریل ۱۹۵۳ء میں بھی ایسا ہی ہوا تھا۔ گورنر جنرل غلام محمد نے اسی آئین ساز اسمبلی کو جس کے صدر قائداعظم رہ چکے تھے، توڑ دیا تھا۔ اس وقت کے وزیراعظم خواجہ ناظم الدین اور ان کی حکومت کو برطرف کر دیا تھا۔ سپریم کورٹ نے گورنر جنرل کی اس حرکت کی بھی توثیق کر دی تھی اور کسی سرکاری ملازم نے گورنر جنرل کی اطاعت اور فرماں برداری سے گریز نہیں کیا تھا، میں اس وقت بھی سرکاری ملازم تھا۔

سرکاری اہلکاروں اور سیاست دانوں کو جو مدبرانہ اور دانشمندانہ مشورہ قائداعظم نے ۱۴ اپریل ۱۹۴۸ء کو گورنمنٹ ہاؤس پشاور میں دیا تھا وہ صدا بہ صحرا ثابت ہوا۔ حصول آزادی اور قیام پاکستان کے وقت ۱۴ اگست ۱۹۴۷ء کو جو سروس پاکستان کو برطانیہ سے ورثہ میں ملی تھی وہ اپنی دیانتداری، انصاف پسندی اور غیر جانبداری کے لئے مشہور تھی، لیکن اب اس کا کیا حال ہے؟

اس کا حوصلہ پست کر دیا گیا ہے، اس کو نحیف و نزار کر دیا گیا ہے، اس کو سیاست میں ملوث کر دیا گیا ہے، اس کو بے ایمانی، بددیانتی، بدعنوانی میں مبتلا کر دیا گیا ہے۔ غرض یہ کہ اس کا چہرہ اتنا مسخ کر دیا گیا ہے کہ اب وہ پہچانی بھی نہیں جاتی۔ اب تو وہ بس اپنے پرانے قالب کا سایہ بن کر رہ گئی ہے۔ اب تو آپ چراغ لے کر ڈھونڈیں تب بھی آپ کو شاید ہی ایسے سرکاری اہلکار ملیں جو اپنے آپ کو پاکستانی عوام اور پاکستانی مملکت کا سچا خادم سمجھتے ہوں، جو اپنے فرائض دیانتداری، ایمانداری، بے باکی، بے خوفی، حق انصاف کے تقاضوں کو پوری طرح ملحوظ خاطر رکھ کر ادا کرتے ہوں، جو کسی سیاست داں، کسی سیاسی پارٹی کا ناجائز دباؤ، اثرورسوخ قبول نہ کرتے ہوں، جن کا ذاتی مفاد کسی سیاسی لیڈر یا کسی سیاسی پارٹی سے وابستہ نہ ہو۔

اب تو نوبت بہ اینجار سید کہ سرکاری اہلکار، عوام کے خدمت گار کہلانے کے حق دار بھی نہیں رہے، ہر حکومت نے سرکاری ملازموں کو گھریلو ملازموں کا سا حقیر درجہ دیدیا ہے۔ پبلک سروس کمشنوں کو نظر انداز

کر کے ہزاروں سیاسی کارکنوں کو پارٹی سے وفاداری کے عوض سرکاری ملازمتوں میں بھرتی کر لیا گیا ہے۔ بلکہ حد تو یہ ہے کہ ہر وزیر، ہر ممبر قومی اسمبلی، ہر ممبر صوبائی اسمبلی، ہر پبلک عہدیدار کا کوٹہ مقرر کر دیا گیا ہے کہ تم فلاں فلاں گریڈ میں اتنے اتنے سرکاری ملزم بھرتی کروا سکتے ہو۔ تم سے اس بارے میں کوئی پوچھ گچھ نہیں، کوئی سوال جواب نہیں۔ چنانچہ کیا عجب کہ اب سرکاری محکموں میں نظم وضبط مفقود ہے کیونکہ اب سرکاری اہلکار اپنی تقرری، ترقی، تبادلے کے معاملات کے لئے اپنے اعلیٰ افسر کی طرف نہیں بلکہ اپنے سیاسی سرپرستوں کی طرف دیکھتے ہیں۔

قائداعظم محمد علی جناح، بانی پاکستان، سربراہ مملکت پاکستان نے ۱۴ اپریل ۱۹۴۸ء کو گورنمنٹ ہاؤس پشاور میں سرکاری افسروں سے جو بات چیت کی تھی وہ غیر رسمی تھی۔ اس کے ۴۸ سال بعد سردار فاروق احمد خان لغاری صدر پاکستان نے ۲ جولائی ۱۹۹۶ء کو جو تقریر سول سروسز اکیڈمی لاہور میں کی تھی، وہ رسمی تھی موقعہ ۲۳ ویں مشترک تربیتی کورس کی تکمیل کی تقریب کا تھا، نوجوان سرکاری افسروں سے خطاب کرتے ہوئے سردار فاروق لغاری صدر پاکستان نے کہا تھا:

"مجھے امید ہے کہ اکیڈمی کی تربیت نے آپ کو فلاح عامہ کا کام کرنے، انصاف کرنے، عجز وانکسار سے پیش آنے، عوام اور ان کے منتخب نمائندوں کا احترام کرنے کے لئے تیار کر دیا ہے۔"

"میں آپ کو خبردار کرنا چاہتا ہوں کہ جمہوری نظام میں منتخب حکومت کی پالیسیوں کے مقاصد و اہداف عوام کے نمائندے متعین کرتے ہیں، ہر منتخب حکومت اپنے ووٹروں سے کچھ وعدے کر کے اقتدار میں آتی ہے، لہذا پالیسیاں بنانا منتخب نمائندوں کا کام ہے۔ سرکاری اہلکاروں کا کام یہ ہے کہ وہ منتخب حکومت کو مشورہ دیں کہ اس کی پالیسیوں پر دانشمندی سے، سہولت سے، موثر انداز سے، عملی جامہ کیسے پہنایا جاسکتا ہے اور پھر ان پالیسیوں پر عملدرآمد کے عمل میں حکومت سے تعاون کریں۔ پاکستان اور اس جیسے دوسرے ترقی پذیر ملکوں میں سرکاری اہلکار قومی تعمیر نو میں اپنا مثبت کردار ادا کر سکتے ہیں اور اس طرح تغیر و ترقی کا ہراول دستہ بن سکتے ہیں۔"

"سرکاری اہلکار، ملک میں جمہوریت کے فروغ میں رکاوٹ بھی بن سکتے ہیں اور مدد و معاون بھی۔ مجھے آپ کے ڈائریکٹر جنرل کی اس رائے سے اتفاق ہے کہ ہم ایک نہایت نازک دوراہے پر کھڑے ہیں، اگر ہم لکیر کے فقیر بنے رہے، اگر ہم اسی تن آسانی اور رعونت میں پڑے رہے جس کے لئے نوکرشاہی بدنام ہے تو نہ نوکرشاہی کا کوئی مستقبل ہے، نہ جمہوریت کا، نہ ملک کا۔ اکیسویں صدی میں داخل ہونے سے پہلے ہمیں سرکاری اہلکاروں سیاسی اداروں اور منتخب لیڈروں کے درمیان توازن اور ہم آہنگی کو پیدا کرنا ہوگا۔ میرا ایمان ہے کہ استحکام جمہوریت کے لئے پیشہ ورانہ اعتبار سے اہل اور مستعد اور خدمت عوام کے جذبہ سے سرشار سرکاری اہلکاروں کا وجود بے حد ضروری ہے۔ آپ جب اس اکیڈمی کی تربیت

سے فارغ ہو کر عملی زندگی میں قدم رکھیں گے تو آپ کو جمہوریت کے استحکام میں اپنا کردار ادا کرنا ہوگا۔ یہ آپ کے لئے چیلنج بھی ہوگا اور موقعہ بھی، آپ چیلنج کو قبول کیجئے گا، آپ موقعہ سے فائدہ اٹھایئے گا۔ آپ جمہوری اداروں اور جمہوری عمل کو تقویت پہنچایئے گا اور پاکستان کو ۲۱ ویں صدی میں ترقی اور خوش حالی کے ساتھ لے جایئے گا۔"

"دنیا بھر میں جمہوری انقلابات رونما ہو رہے ہیں، معیشت، عالمی معیشت بنتی جارہی ہے، اسی لئے دنیا بھر کے سرکاری اہلکار اس بات پر مجبور ہیں کہ وہ نئے زمانے کے نئے تقاضوں سے نمٹنے اور ان سے ہم آہنگ ہونے کے لئے اپنے رویوں اور اپنے طریقوں میں مناسب اور مطلوبہ تبدیلیاں پیدا کریں۔ پاکستان دنیا میں باقی دنیا سے الگ تھلگ نہیں رہ سکتا، لہذا پاکستان کے سرکاری اہلکاروں، خصوصاً اعلیٰ افسروں کے لئے لازم ہے کہ وہ عصر جدید کے بدلتے ہوئے تقاضوں کو مہارت و ذہانت، لیاقت و ذکاوت، فہم و فراست سے پورا کرنے کے لئے اپنے آپ کو ایک نئے سانچے میں ڈھالیں۔"

"مجھے امید ہے کہ پاکستان کو اپنے مسائل سے نمٹنے کے لئے جس جرات و ہمت، جس دور اندیشی و بُردباری، جس متانت و سنجیدگی کی ضرورت ہے وہ سب صلاحیتیں اس اکیڈمی کی تربیت نے آپ میں پیدا کردی ہونگی۔"

"مجھے اعتماد ہے کہ آپ نہ صرف جمہوری اقدار کو فروغ دیں گے، بلکہ خدمت عوام اور فلاح عامہ کے اپنے فرائض بھی خاکساری اور دیانتداری سے سرانجام دیں گے۔ بدقسمتی سے عام تاثر یہ ہے کہ سرکاری اہلکار، خصوصاً سرکاری افسر مغرور ہوتے ہیں، اگرچہ میں ذاتی طور پر ایسے سرکاری افسروں کو جانتا ہے جو نہایت محنت سے، دیانت سے اور لگن سے اپنا کام کرتے ہیں اور ان کا مقابلہ دنیا کے اعلیٰ ترین سرکاری افسروں سے کیا جاسکتا ہے، تاہم یہ بھی حقیقت ہے کہ عوام سرکاری اہلکاروں، خصوصاً سرکاری افسروں کے بارے میں اچھی رائے نہیں رکھتے۔ اب یہ آپ کا کام ہے کہ آپ اپنی اچھی کارکردگی، محنت، خدمت اور لگن سے اس بری رائے کو اچھی رائے میں بدل دیں۔ آپ اپنے آپ کو مفاد عامہ کی خدمت کے لئے وقف کردیجئے اور قائداعظم کی اس نصیحت کو ہمیشہ یاد رکھیئے جو انہوں نے ۲۵ مارچ ۱۹۴۸ء کو چٹاگانگ میں سرکاری افسروں سے خطاب کرتے ہوئے کی تھی۔ انہوں نے کہا تھا:

"آپ حاکم نہیں ہیں، آپ خادم ہیں۔ آپ لوگوں کو احساس دلایئے کہ آپ ان کے خدمت گزار ہیں، ان کے بہی خواہ ہیں، ان کے دوست ہیں اور ایسا آپ اسی وقت کرسکیں گے جب آپ وقار و عظمت، دیانت و امانت، عدل و انصاف، راست بازی اور شرافت کا اعلیٰ سے اعلیٰ معیار قائم کریں گے۔ صرف اسی طرح آپ عوام کا اعتماد حاصل کرسکیں گے اور وہ آپ کو اپنا دوست اور سچا خیر خواہ سمجھنے لگیں گے۔"

''آپ کو یہ بھی یاد رکھنا چاہیئے کہ آپ وفاق پاکستان کی علامت ہیں، سرکاری ملازمت آپ کو پاکستان کے جس گوشے میں بھی لے جائے، وفاق پاکستان کے مفادات کی حفاظت آپ کا فرض رہے گا۔ آپ اپنے ہر عمل کو آئین پاکستان کے تقاضوں کے مطابق رکھیئے گا۔ آپ فلاح عامہ کی خاطر ملک کے دور افتادہ سے دور افتادہ گوشے میں بھی خدمت کے لئے تیار رہئے گا، کیونکہ آپ نے وفاق پاکستان اور عوام پاکستان کی خدمت کا پیشہ چنا ہے، چاہے آپ کی اپنی شخصیت، آپ کا رنگ، آپ کا مذہب، آپ کا علاقائی پس منظر کچھ بھی ہو۔ یہ کبھی نہ بھولئے گا کہ وفاق پاکستان اور عوام پاکستان کی خدمت ہی آپ کا فرض اولیں ہے، اسی کی ادائیگی سے آپ پہچانے جائیں گے، اسی کی وفاداری کی بدولت آپ جانے جائیں گے۔''

ایک مرتبہ پھر میں آپ کے سامنے بانی پاکستان، بابائے قوم، قائداعظم کے وہ الفاظ دہرانا چاہتا ہوں جو انہوں نے ۱۴ فروری ۱۹۴۸ء کو سبی بلوچستان میں سرکاری افسروں سے خطاب کرتے ہوئے کہے تھے۔ انہوں نے کہا تھا:

''دیانت اور خلوص سے کام کیجئے، حکومت پاکستان سے مخلص اور وفادار رہئے، یقین مانئے دنیا میں آپ کے ضمیر سے زیادہ وقیع اور قیمتی شئے اور کوئی نہیں (اس کی حفاظت کیجئے تاکہ) جب آپ خالق حقیقی کے سامنے پیش ہوں تو آپ یہ کہہ سکیں کہ آپ نے اپنا فرض (دنیا میں) حددرجہ دیانتداری، ایمانداری، وفاداری اور ذمہ داری سے ادا کیا تھا۔''

صدر فاروق احمد خان لغاری کا مندرجہ بالا خطاب جو انہوں نے سول سروسز اکیڈمی میں ۲ جولائی ۱۹۹۶ء کو دیا اقوالِ زریں سے بھرا پڑا ہے۔ لیکن غور طلب بات یہ ہے کہ انہوں نے اپنے اس خطاب میں قائداعظم کی اس تقریر کا ذکر کیا ہے جو انہوں نے سبی بلوچستان میں سرکاری افسروں سے خطاب کرتے ہوئے ۱۴ فروری ۱۹۴۸ء کو کی تھی۔ صدر لغاری نے قائداعظم کی اس تقریر کا ذکر بھی کیا ہے جو انہوں نے چٹاگانگ میں مشرقی پاکستان میں سرکاری افسروں سے خطاب کرتے ہوئے ۲۵ مارچ ۱۹۴۸ء کو کی تھی۔ لیکن صدر لغاری کی تقریر میں قائداعظم کی اُس تقریر کا ذکر نہیں جو انہوں نے گورنمنٹ ہاؤس پشاور، سرحد میں سرکاری افسروں سے خطاب کرتے ہوئے ۱۴ اپریل ۱۹۴۸ کو کی تھی۔ قائداعظم نے اپنی پشاور والی تقریر میں کہا تھا کہ سرکاری افسروں کو ہرگز کسی سیاست داں یا کسی پارٹی کے جائز وناجائز اثر رسوخ میں نہیں آنا چاہئے۔ قائداعظم نے اپنی اسی تقریر میں یہ بھی کہا تھا کہ سیاست دانوں اور سیاسی پارٹیوں کو بھی سرکاری اہلکاروں کے کام میں مداخلت اور ان پر ناجائز اثر رسوخ دباؤ ڈالنے سے گریز کرنا چاہیے کیونکہ ایسا کرنے کا نتیجہ سوائے بدعنوانی، رشوت ستانی اور اقربا پروری، اور کچھ نہیں ہوتا، جس سے پاکستان کو نقصان اور صرف نقصان ہی پہنچ سکتا ہے۔ قائداعظم نے اپنی اس تقریر میں سرکاری افسروں سے یہ بھی کہا تھا کہ سیاسی اثرو

رسوخ اور دباؤ ہرگز قبول نہ کیجئے چاہے ایسا کرنے میں آپکو قربانی ہی کیوں نہ دینی پڑے۔

سوال یہ ہے کہ صدر فاروق کی لاہور میں دی گئی ۲ جولائی ۱۹۹۶ء والی تقریر میں قائداعظم کی پشاور میں دی گئی ۱۴ اپریل ۱۹۴۸ والی اہم تقریر کا ذکر حذف کیسے ہو گیا؟ کیا قائداعظم کی پشاور والی تقریر صدر فاروق لغاری کے علم میں نہیں تھی؟ یا ان کے علم میں لائی نہیں گئی؟ کیا ایسا سہواً ہوا یا قصداً؟ کیا کہیں ایسا تو نہیں کہ حکومت وقت قائداعظم کی پشاور میں دی گئی نصیحت کو فرسودہ از کار رفتہ سمجھنے لگی ہے؟ کیا اب حکومت یہ تو نہیں سمجھنے لگی کہ قائداعظم کا زمانہ گذر چکا، آج کل کے حالات وواقعات پر اس کا اطلاق نہیں ہو سکتا؟ کیا اس کا مطلب یہ تو نہیں کہ سرکار و اہلکار کے باہمی روابط کے بارے میں حکومت وقت کی رائے، قائداعظم کی مذکورہ رائے سے مختلف ہے؟ بابائے قوم نے اس بارے میں جو رہنما اصول دیئے تھے آخر ان سے روگردانی کیوں؟ کیا اس کا مطلب یہ تو نہیں کہ اب اس بارے میں سرکاری پالیسی بدل گئی ہے؟ اگر ایسا ہے تو پھر یہ کوئی تعجب کی بات نہیں کہ قائداعظم کی پشاور والی تقریر کے مندرجات سے بہت کم لوگ واقف ہیں۔ واقف ہوں بھی تو کیسے ہوں کیونکہ نہ سیاست داں یہ چاہتے ہیں کہ انہیں قائداعظم کی پشاور والی تقریر یاد دلائی جائے کیونکہ اس تقریر میں قائداعظم نے سیاست دانوں اور سیاسی پارٹیوں کو سرکاری کام میں ناجائز مداخلت اور سرکاری اہلکاروں پر ناجائز اثر رسوخ اور دباؤ ڈالنے سے سختی سے منع کیا تھا۔ نہ سرکاری اہلکار یہ چاہتے ہیں کہ انہیں قائداعظم کی پشاور والی تقریر یاد دلائی جائے کیونکہ انہوں نے اس تقریر میں سرکاری اہلکاروں کو ناجائز سیاسی اثر رسوخ اور دباؤ کا مقابلہ مردانگی اور ثابت قدمی سے کرنے کی تلقین کی تھی اور یہ بھی کہا تھا کہ ایسا کرنے میں آپ کو سزا بھی مل سکتی ہے، پریشانی بھی ہو سکتی ہے لیکن ملکی مفاد اور ملکی عظمت کی خاطر انہیں یہ قربانی دینا ہو گی۔

ہر ذی روح میں زندہ رہنے اور اپنے مفاد کی حفاظت کرنے کی خواہش فطری ہوتی ہے چنانچہ اکثر و بیشتر سرکاری اہلکاروں نے اپنے گردوپیش سے سمجھوتہ کر لیا ہے، چنانچہ اب سرکاری اہلکاروں اور منتخب نمائندوں میں من تراحاجی بگویم تو مراحاجی بگو کے مصداق گٹھ جوڑ ہو گیا ہے۔ سیاستدانوں نے سرکاری اہلکاروں سے کہا کہ اگر آپ ہمارے حامی نہیں تو ہم آپ کو اپنا مخالف سمجھیں گے۔ سرکاری اہلکاروں نے سوچا کہ اگر ہم سیاستدانوں کی مزاحمت نہیں کر سکتے تو ان سے مل جانے میں کیا مضائقہ ہے، ہم خرما و ہم ثواب ہم کو پریشانی بھی نہیں ہو گی اور منفعت بھی ملے گی۔ بہت سے سرکاری افسر جو اس وقت اعلیٰ عہدوں پر ہیں بعض اوقات مجھ سے شکایت کرتے ہیں کہ وزیراعظم (بے نظیر) کے شوہر (آصف علی زرداری) ہمارے کاموں میں بے جا اور ناجائز مداخلت کرتے ہیں۔ میں ان سے کہتا ہوں: آپ یہ سب وزیراعظم کے نوٹس میں کیوں نہیں لاتے؟ مجھے یقین ہے کہ وہ صورتِ حال کی اصلاح کے لئے مناسب کارروائی ضرور کریں گی۔ اکثر احباب تو میری سادہ لوحی پر خاموش رہے لیکن ان میں سے ایک سے خاموش نہ رہا گیا اور اس نے مجھ سے

صاف صاف کہا:

"جب پہلی مرتبہ میں وزیراعظم سے ان کے شوہر کی شکایت کروں گا'

وہ کہیں گی: 'شکریہ:

جب دوسری مرتبہ وزیراعظم سے ان کے شوہر کی شکایت کروں گا' تو وہ جھنجھلا کر پکاریں گی: کوئی ہے؟ جو مجھے اس احمق سے نجات دلا سکے؟ اور پھر یقیناً کوئی نہ کوئی ان کو مجھ سے نجات دلا ہی دیگا!"

سوائے چند کے، باقی اکثر و بیشتر سرکاری اہلکاروں نے سیاست دانوں سے ملی بھگت کرلی ہے، چنانچہ اب سیاست دان اور سرکاری اہلکار دونوں عوام دشمن جرائم میں ایک دوسرے کے ساتھی بن گئے ہیں، وہ دونوں مل کر دن دہاڑے نہایت دیدہ دلیری اور بے حیائی سے لوٹ مار مچاتے ہیں۔ انہیں قطعاً اس بات کا ڈر نہیں ہوتا کہ ان کا احتساب بھی ہو سکتا ہے ان سے باز پرس بھی ہو سکتی ہے۔ ہر شخص پر کم سے کم وقت میں زیادہ سے زیادہ دولت جمع کرنے کا جنون سوار ہو چکا ہے چاہے دولت جمع کرنے میں کتنے ہی اور کیسے ہی ناجائز اور بد دیانت طریقے استعمال کیوں نہ کرنے پڑیں، لہذا سرکاری اہلکار بالعموم اگر عوام میں بدنام ہیں تو اس میں حیرت کی کیا بات ہے؟ لوگوں کو ان کی اہلیت، قابلیت، صلاحیت، لیاقت، دیانت، امانت پر قطعاً اعتماد نہیں رہا۔ اب ایسی سرکاری مشنری، بانی پاکستان کے سنہرے اور عظیم پاکستان کے خواب کو کیا خاک شرمندۂ تعبیر کرے گی!

باب۔ ۱۳

اسلام میں سیاسی جانشینی کا مسئلہ

For forms of government let fools contest,
What is administered best, is best.
Alexander Pope

حکومتوں کی ہیئت کے بارے میں بیوقوفوں کو بحث کرنے دیجئے۔
وہی حکومت بہترین ہے جس کا انتظام ہے بہترین۔

الیگزانڈر پوپ

پاکستان سمیت پوری دنیا میں، کیا ماضی میں کیا حال میں، مسلم حکومتوں کے عدم استحکام کی ایک بڑی وجہ یہ رہی ہے کہ اسلام میں سیاسی جانشینی کا کوئی مسلمہ قانون نہیں اور اس وجہ سے تاریخ اسلام بے یقینی، خانہ جنگی، جانشینی کی لڑائیوں وغیرہ وغیرہ کی داستانوں سے بھری پڑی ہے۔ محمد رسول اللہ صلی اللہ و آلہ وسلم نے اپنے وصال کے وقت اپنا جانشین مقرر نہیں فرمایا تھا، چنانچہ دین کی حفاظت اور دنیوی امور کے انصرام و انتظام کے لئے خلافت کا قیام ضروری سمجھا گیا۔ امتِ مسلمہ کی اتفاق رائے سے امام کا تقرر ضروری تھا لیکن اس زمانے میں کوئی ایسی مشنری موجود نہ تھی نہ وضع کی جاسکتی تھی جس کے ذریعہ جب جب مسلمان حکمران بدلتے لاکھوں مسلمانوں کے ووٹ لئے جاسکتے اور پھر مسلماں حکمران بدلتے بھی تو بہت جلدی جلدی تھے۔
اکثریت نے ابو بکر صدیقؓ کو خلیفہ اول چنا لیکن کچھ کا خیال تھا کہ رسول اللہؐ اپنے چچازاد اور داماد حضرت علی

ابن ابو طالبؓ کو ترجیح دیتے، اگرچہ حضرت علیؓ ابن ابو طالبؓ نے خود تو حضرت ابو بکر صدیقؓ کی خلافت کو تسلیم کر لیا تھا لیکن وہ اگلے چند سالوں تک پہلے تین خلفائے راشدین کی پالیسیوں کے مخالفین کی وفاداری کا مرکز بنے رہے۔ اگرچہ حضرت علیؓ، حضرت ابو بکر صدیقؓ، حضرت عمر فاروقؓ، اور حضرت عثمان غنیؓ کے بعد چوتھے خلیفہ تھے لیکن بعد میں شیعانِ علیؓ نے انہیں امام اول یا امیر المومنین کا خطاب دے دیا۔ رسول اللہ صلی اللہ علیہ وسلم کے نواسے امام حسینؓ کی امامت میں، شیعانِ علیؓ نے بنوامیہ کی خلافت کو تسلیم کرنے سے انکار کر دیا جو حضرت علیؓ کی شہادت کے بعد بنوامیہ میں آگئی تھی۔

امیر حسن صدیقی اپنی کتاب "خلافت اور سلطنت" (۱۹۶۳) میں کہتے ہیں :

"بنوامیہ کے اقتدار میں آتے ہی خلافت سے انتخابی جہت تو بالکل ختم ہی ہو گئی، اور خلفاء اپنے جانشینوں کو حسب ونسب کی بنیادوں پر نامزد کرنے لگے"

خلیفہ ء وقت کی زندگی میں ہی لوگوں کو نامزد جانشین سے حلف وفاداری اٹھانا پڑتا تھا، اور جب وہ نامزد جانشین خلیفہ بن جاتا تو لوگوں کو اپنے حلف وفاداری کی تجدید کرنا پڑتی تھی۔ حلف وفاداری کے معاملہ میں مقتدر ہستیوں مثلاً فوجی جرنیلوں، قاضیوں کے حلف کو زیادہ اہمیت دی جاتی تھی، اجتماع عام سے بہت پہلے خلیفہ کو چن لیا جاتا تھا۔ اسلام میں نہ بادشاہت کی کوئی حیثیت عرفی ہے نہ اسلام حسب ونسب پر مبنی حق جانشینی کو تسلیم کرتا ہے، لہذا ہر مسلمان جس میں کوئی عذر شرعی نہ ہو، خلیفہ بن سکتا ہے۔ کہنے کو ہر مسلمان کا حق ہر دوسرے مسلمان کے حق کے برابر تھا لیکن عملاً خلیفہ بننے کا براہ راست انحصار اس کی تلوار کی لمبائی اور اس تلوار کی دھار کی کاٹ پر تھا۔

فوج میں ترک عنصر کی آمد سے فوجی جرنیل، خلیفہ گر بن گئے۔ ترکی جرنیل، خلفاء پر کس قدر حاوی ہو گئے تھے اس کا اندازہ ابن الطقطقہ مصنف کتاب الفخری کے بیان کردہ ایک واقعہ سے ہو سکتا ہے، وہ کہتا ہے :

"جب معتز کو خلیفہ مقرر کیا گیا تو اس کے درباریوں نے ایک جلسہ کیا اور اسمیں جوتشیوں کو بلا کر پوچھا کہ خلیفہ کتنے عرصے زندہ رہے گا اور کتنی مدت مسند خلافت پر برقرار رہے گا؟ ایک مسخرا بھی جلسہ میں موجود تھا وہ بولا : مجھ کو اس کا جواب جوتشیوں سے بھی بہتر معلوم ہے۔ جب اس سے پوچھا گیا کہ بتلاؤ تمہیں کیا معلوم ہے؟ تو وہ بولا :جب تک ترک چاہیں گے."

اس جواب پر سب حاضرین مجلس ہنسنے لگے۔

اس واقعہ کے کچھ ہی عرصہ بعد ترکی فوج نے خلیفہ معتز (۸۵۳ / ۸۵۵ تا ۸۶۶ / ۸۶۹) کو ٹانگوں سے گھسیٹا، اسکے بدن سے اسکی قمیض پھاڑ کر اسے برہنہ کر دیا، اور اسے جلتی دھوپ میں کھڑا کر دیا۔ جب گرم زمین کی حدت سے پریشان ہو کر وہ کبھی ایک ٹانگ اور کبھی دوسری زمین سے اٹھاتا تو ترک فوجی اسکو تھپڑ مارتے، اور بالآخر انہوں (ترک فوجیوں) نے اس (خلیفہ معتز) کو موت کے گھاٹ اتار دیا، (ملاحظہ ہو تارتخ

طبری صفحہ ۱۰۷۱)۔ یہ روایت آج تک زندہ ہے فرق صرف یہ ہے کہ اس کا مظاہرہ مختلف ممالک میں مختلف شکلوں میں ہوتا ہے۔

پاکستان کو آج بھی اسی مسئلہ کا سامنا ہے یعنی یہ کہ جانشین کیسے پرامن اور منظم طریقے سے چنا جائے؟ آزادی (۱۴ اگست ۱۹۴۷) سے لیکر اب تک ہم نے آئین کے بارے میں، حکومت کے بارے میں، ریاست کے بارے میں بہت سے تجربات کئے ہیں۔ ۱۴ اگست ۱۹۴۷ (قیام پاکستان) سے لیکر اب تک افواج پاکستان نے تین مرتبہ حکومت سنبھالی ہے: ایوب خان نے اکتوبر ۱۹۵۸ سے مارچ ۱۹۶۹ تک، یحییٰ خان نے مارچ ۱۹۶۹ سے دسمبر ۱۹۷۱ تک، اور ضیاء الحق نے جولائی ۱۹۷۷ سے اگست ۱۹۸۸ تک۔ اس طرح وہ قومی زندگی میں تقریباً نصف عرصہ تک، بلاواسطہ یا بالواسطہ، اقتدار پر حاوی رہی ہیں۔ آئین پاکستان میں سیاسی جانشینی کا طریقہ تو درج ہے لیکن اس پر عملدرامد کم ہوتا ہے اور اس کی خلاف ورزی زیادہ ہوتی ہے۔ جب قوت نافذہ چاہتی ہے آئین کو منسوخ کر دیتی ہے، جب چاہتی ہے اسے معطل کر دیتی ہے، جب چاہتی ہے منتخب حکومت کو برطرف کر دیتی ہے جب چاہتی ہے بحال کر دیتی ہے، یہ صحیح ہے کہ آج ہمارے پاس منتخب حکومت ہے لیکن کوئی نہیں جانتا کہ یہ کب تک رہے گی اور جب یہ جائے گی تو کوئی اسکے لئے آنسو بہائے گا کیونکہ یہ سراسر بدعنوان و بددیانت ہے اور لوگ جھوٹی جمہوریت سے بیزار اور بددل ہو چکے ہیں، جمہوریت سے لگن یا تو بالکل مفقود ہے اور اگر ہے بھی تو نہایت ضعیف و نحیف۔ ماضی میں پاکستان کئی مرتبہ جمہوریت اور آمریت کے درمیان جھولتا رہا ہے اور یہ نہیں معلوم کہ ہمارا سیاسی پنڈولم ان دو سروں کے درمیان جھولنا کبھی بند بھی کرے گا یا نہیں۔ دریں اثنا ملک خوف، بے یقینی اور خلفشار میں مبتلا ہے، ترقی کا عمل سست پڑ جاتا ہے اور نقصان عوام کا ہوتا ہے۔ جمہوریت کے مستقبل بلکہ پاکستان کے مستقبل کا انحصار اس پر ہے کہ ملکی سیاست میں افواجِ پاکستان کا کردار کیا رہتا ہے اور سیاسی جانشینی کے مسئلے کو کیسے حل کیا جاتا ہے۔

ڈونلڈ کیگن، شہرہ آفاق ییل یونیورسٹی میں قدیم علوم پڑھاتے ہیں، انہوں نے ۱۹۹۱ء میں ایک تصنیف شائع کی ہے جس کا نام ہے: ایتھنز کا پیریکلز اور ولادتِ جمہوریت۔ انہوں نے اپنی اس کتاب میں جمہوریت کے بارے میں چند اصول بیان کئے ہیں جو آج بھی اتنے ہی سچے ہیں جتنے کہ آج سے اڑھائی ہزار سال پہلے رہے ہوں گے۔ پروفیسر ڈونلڈ کیگن کہتے ہیں:

پہلا اصول تو یہ ہے کہ ادارے مضبوط اور اچھے ہونے چاہئیں۔

دوسرا اصول یہ ہے کہ شہری بالعموم جمہوریت کے اصولوں کو سمجھتے ہوں یا انکا کردار جمہوری طریق زندگی سے مطابقت رکھتا ہو۔

تیسرا اصول ہے کہ قیادت اعلیٰ پائے کی ہو کم از کم قومی زندگی کے نازک مرحلوں میں۔

کیا آج ان تینوں تقاضوں میں سے ہم پاکستان میں ایک تقاضہ بھی پورا کر سکتے ہیں ؟

آج پاکستان جمہوری ملک ہے تو سہی لیکن صرف برائے نام۔ وقفہ وقفہ سے کثیر الجماعتی عام انتخابات انعقاد اور بنیادی انسانی حقوق کی ضمانت آزاد خیال جمہوریت کی نشانیاں ہیں اور بظاہر پاکستان میں یہ دونو نشانیاں نظر آتی ہیں۔ لیکن بہت کم پاکستانی اس رائے سے اختلاف کریں گے کہ انتخابی مشنری کی غ جانبداری، عدلیہ کی خودمختاری، قانون کی بالادستی بلکہ پورے جمہوری عمل پر سے عوام کا اعتماد اٹھ ہے۔ اب ایسی صورت حال میں، جب کہ معاشرہ کی اکثریت ناخواندہ ہے اور جب کہ مارشل لا کی تلوار ہر سر پر لٹکتی رہتی ہے، یہ سوچنا کہ آزاد خیال جمہوریت، بلکہ کسی قسم کی جمہوریت پاکستان میں زیادہ عرصہ تک باقاعدہ کام کرتی رہے گی یا قائم رہے گی محض ایک خیال خام ہے۔

۳ جنوری ۱۹۹۷ کو روزنامہ ڈان، کراچی میں معروف صحافی اردشیر کاؤس جی نے ایک کالم لکھا تھا اس کا کا ایک اقتباس مندرجہ ذیل ہے :

"جن لوگوں کو یہ خام خیالی ہے کہ یہ ملک ایک "جمہوریت" ہے میں اُن سے حسب ذیل سوالات کرتا ہوں :

- کیا کوئی جمہوری ملک سولہ سال تک بغیر عام مردم شماری کے رہ سکتا ہے ؟ جس کا نتیجہ یہ ہے کہ تما (میں دوبارہ کہتا ہوں : تمام) اعداد و شمار (خواہ ان کا تعلق مالیات سے ہو، تجارت سے ہو، حلقہ ہائے انتخا سے ہو یا کسی اور مد سے ہو) غلط ہو چکے ہیں ؟

- عوامی دولت کے جانے پہچانے ڈاکو، رہزن اور لٹیرے، بیواؤں، یتیموں کی بیت المال، زکوٰۃ اور اقر فنڈز کی امانتوں میں خیانت کرنے والے، کس قسم کی جمہوریت کے تحت کس ملک کی پارلیمنٹ کے انتخابا میں حصہ لے سکتے ہیں ؟

- کس قسم کی جمہوریت میں ملک کی بحریہ کا سربراہ، بظاہر تفریحی سیرگاہ بنانے کے نام پر ایک بحر اڈے کی پوری ساحلی زمین، ایک سیاسی اعتبار سے مقتدر شخصیت کے لنگوٹیا یار کو دیدیگا ؟

- کس قسم کی جمہوریت میں کسی ملک کی بری فوج کا سربراہ ایک بدعنوان بینکر (جسے بعد میں قید کی سز ملی) علانیہ کروڑوں روپے وصول کرے گا اور پھر اس رقم کو مشتبہ انداز میں اور مبنی بر مصلحت طریقہ سے سیاست دانوں میں تقسیم کروادے گا ؟

- کس قسم کی جمہوریت میں محض ملک کی بحریہ کے سربراہ کی اولاد کی شادی کی تقریب میں شمولیت کی خاطر اس ملک کے صدر، وزیر اعظم، دوسرے وزراء اور اعلیٰ افسر خصوصی اور عمومی پروازوں کے ذریعہ سرکاری خرچہ پر شامل ہوں گے ؟

یہاں مجھے کین۔ سارو۔ ویوا کا وہ آخری سوال یاد آتا ہے جو اس نے مرتے وقت کیا تھا :

"یہ کس قسم کی قوم ہے ؟ یہ کس قسم کی قوم ہے جو اس قسم کی حرکت کی اجازت دیتی ہے ؟ یہ کس قسم کی

قوم ہے۔ جس میں مجھ ایسے فرد بشر کا وجود ممکن ہے ؟"

لہذا کیا یہ کوئی حیرت کی بات ہے کہ جمہوریت اپنی تڑی مڑی اور مخصوص پاکستانی شکل میں، پاکستان کے عوام کو سیاسی اعتبار سے اپنی طرف مائل کرنے یا متاثر کرنے میں قطعاً ناکام رہی ہے ؟

آج صورتِ حال یہ ہے کہ پاکستان کے سامنے اپنی سیاسی یا معاشی تنظیم کے مختلف امکانات، روز بروز کم سے کم ہوتے جارہے ہیں۔

اس وقت عالم اسلام میں دنیا کی مجموعی آبادی کا پانچواں حصہ رہتا ہے۔ عالم اسلام میں پاکستان سمیت، اسلام اپنے مخصوص اور منفرد نظام کے ساتھ جو مساوات، اخلاقیات، سیاسی، معاشی اور سماجی عدل کے نظریات کے ساتھ آزاد خیال جمہوریت، تنگ نظر قومیت، اور دوسری اشکال حکومت کو چیلنج کر رہا ہے۔ مسلم ممالک میں آزاد خیال جمہوریت اور عسکری آمریت، دونوں طرح کے تجربات ہوئے ہیں اور دونوں ناکام رہے ہیں۔

مفاد و مراعات یافتہ ٹولوں کو مروجہ نظام کے لئے سب سے بڑا خطرہ اسلام سے محسوس ہوتا ہے، اس اسلام سے نہیں جو ملائیت زدہ ہے، مقید رسم ورواج ہے، فرسودہ اور از کار رفتہ ہے، بلکہ اس اسلام سے جو سچا ہے، متحرک ہے، خالص ہے، انقلابی ہے جیسا کہ تاریخ اسلام کے قرون اولیٰ میں ہوا کرتا تھا جب سارا زور مساوات پر، سماجی عدل اور احتساب پر ہوا کرتا تھا۔ عوام خصوصاً غریب عوام کو حسرت ہے کہ ایک سچا اسلامی معاشرہ قائم ہو جہاں بقول شریعتی کے، لٹنے والے، اذیت سہنے والے، ظلم برداشت کرنیوالے، ناانصافی کا شکار بننے والے محرومین کو جائے امن و تحفظ نصیب ہو۔ اور مظلومین کے لئے جو امید تحفظ دامن ہے وہی ظالموں جابروں کے لئے جائے خطر ہے۔

۱۹۵۸ء اور ۱۹۹۷ء کے درمیان کا عرصہ پاکستان کی تاریخ میں جلد جلد تلون اور کبھی اِدھر کبھی اُدھر ادوبدل کا عرصہ ہے۔ اس عرصہ میں پاکستان میں متعدد آئین آئے، متعدد حکمران آئے لیکن سب کا انجام پاکستان کے غریب اور پامال عوام کے لئے سوائے خرابی اور تباہی کے کچھ اور نہ ہوا۔ پاکستانی تاریخ کی چند ہی دہائیوں میں ہم نے کیا کچھ نہ دیکھ لیا؟ ہم نے بانی پاکستان قائد اعظم محمد علی جناح کا شاندار زمانہ بھی دیکھا، ہم نے بعد میں ناپسندیدہ سیاسی رقابتوں اور درباری ریشہ دوانیوں کا دور بھی دیکھا، ہم نے پے در پے مارشل لا حکومتوں کی ہولناک تباہ کاریاں بھی دیکھیں، ہم نے سقوط مشرقی پاکستان کا المیہ بھی دیکھا، ہم نے ذوالفقار علی بھٹو کے جھوٹے وعدوں اور ان کے ٹوٹنے کا زمانہ بھی دیکھا، اور ہم نے بے نظیر اور ان کے شوہر کے دربار کی لوٹ کھسوٹ اور شاہ خرچیاں بھی دیکھیں۔ یہاں مجھے بالزاک کے وہ الفاظ یاد آتے ہیں جو انیسویں صدی کے فرانس کی حالت زار بیان کرتے وقت وہ استعمال کرتا ہے اور جو پاکستان کے کروڑوں عوام کی حالت زار پر بھی صادق آتے ہیں۔ بالزاک کہتا ہے۔

"ہمیں بھوک سے مرنے کی آزادی ہے، ہمیں اپنی حالت زار کے اعتبار سے مساوات حاصل ہے، اور گلیوں کے گوشے ہماری اخوت کے ضامن ہیں"۔

میرے پاس پاکستان کے مسائل کے حل کا کوئی نسخہ تو نہیں ہے لیکن اگر ہمیں پاکستان کا وقار بر قرار رکھنا ہے تو کیا وہ وقت نہیں آگیا کہ ہم ملک میں ایک ایسا نظامِ حکومت قائم کریں جو عدل و مساوات پر مبنی ہو، جو پائیدار ہو، تاکہ وقتاً فوقتاً پاکستانیوں کی جان و مال و عزت مختصراً پاکستان کا مقدر، خطرے میں نہ پڑ جایا کرے؟

اپریل ۱۹۴۳ء میں قائداعظم نے معاشرتی عدل اور معاشرتی مساوات کا ان کے خیال میں پاکستان میں کیا مقام ہو گا، اس کے بارے میں اپنے خیالات کا اظہار کیا تھا انہوں نے کہا تھا:

"یہاں میں بڑے بڑے زمینداروں اور سرمایہ داروں کو تنبیہ کرنا چاہتا ہوں کہ عامتہ الناس کا استحصال ان کے رگ وپے میں رچ بس گیا ہے، وہ اسلام کی دی ہوئی تعلیم کو بھول بیٹھے ہیں۔ کیا آپ تصور کر سکتے ہیں کہ کروڑوں بندگان خدا کا استحصال ہو رہا ہو اور انہیں دن میں ایک وقت پیٹ بھر کر کھانا بھی نصیب نہ ہو، اگر پاکستان کا مطلب یہی ہے تو مجھے ایسا پاکستان نہیں چاہیے۔"

عامتہ الناس کی قسمت نے تو اسی روز مسکرانا چھوڑ دیا تھا جس دن قائداعظم کے دل نے دھڑکنا چھوڑ دیا تھا۔ اگر قوم کی قسمت کو پھر مسکرانا ہے تو ہمیں پھر وہیں سے دوبارہ اپنا سفر شروع کرنا ہو گا جہاں قائداعظم ہمیں چھوڑ گئے تھے۔

باب۔ ۱۴

سپریم کورٹ کا دوسرا جنم؟

If there is no power of dissolution anywhere, the only means to get rid of an unrepresentative Assembly would be a Revolution.

Chief Justice Munir

"اگر اسمبلی توڑنے کا اختیار کسی کے پاس نہ ہو تو پھر ایک غیر نمائندہ اسمبلی سے نجات کا واحد طریقہ انقلاب رہ جائے گا۔"

چیف جسٹس منیر

جب خلیفہ قاہر کو خلافت سے ہٹایا جارہا تھا تو ایک قاضی کو خلیفہ کے پاس بھیجا گیا کہ وہ خلیفہ سے خلافت سے دست برداری کے کاغذات پر دستخط کرالے اور پھر ان کی تصدیق کردے۔ جب قاضی، خلیفہ کے پاس پہنچا تو خلیفہ نے دست برداری کے کاغذات پر دستخط کرنے سے انکار کر دیا۔ قاضی اس پر بہت برافروختہ ہوا اور بولا: "ہمیں ایسے آدمی کے پاس بلانے کا کیا فائدہ جسے مغلوب و مجبور نہیں کر لیا گیا؟" یہ سن کر علی ابن عیسیٰ نے کہا۔ "اس کی حرکتیں بدنام زمانہ ہیں اس لئے اسے خلافت سے علیحدہ کرنا ضروری ہے۔" اس پر قاضی نے جواب دیا۔ "ہمارا کام شاہی خاندانوں کا قیام نہیں۔ ہمیں تو صرف اسی وقت بلایا جاتا ہے جب مصلحت کا تقاضہ ہوتا ہے اور ہم سے صرف تصدیق کے لئے کہا جاتا ہے۔" اگلی صبح معلوم ہوا کہ خلیفہ قاہر سے بینائی چھینی جاچکی تھی۔

یہ نہایت گہرے افسوس کی بات ہے کہ قیام پاکستان سے لیکر اب تک اکثر و بیشتر ہمارے قضاۃ کی کارکردگی بھی مذکورہ قاضی کی کارکردگی سے نہ مختلف رہی نہ بہتر۔

"قیام پاکستان کے بعد کی پہلی دہائی سے ہی ججوں نے اپنے آئینی نظریات اور قانونی زبان کو سیاست وقت کی مصلحتوں کے مطابق ڈھالنے کی کوشش کی ہے۔ اکثر وبیشتر فیصلوں میں عدلیہ نے حکومت وقت کی تائید کی ہے، غالباً اس کی غرض یہ رہی ہو گی کہ آئندہ عدلیہ کی خود مختاری قائم رہے۔ انہوں نے اپنے لئے یہ راستہ چنا۔ ۱۹۵۰ء کی دہائی میں بھی جب کوئی دستور نہ تھا، ۱۹۶۰ء کی دہائی میں بھی جب مارشل لاء کا دور دورہ تھا اور جب آئین نشانے کی زد میں جان بچاتا پھرتا تھا، اور ۱۹۷۰ء کی دہائی میں بھی جب ذوالفقار علی بھٹو کے ملے جلے آئینی زمانے میں جمہوریت کے بارے میں خوش فہمی حقیقت پر غالب تھی۔ عدالتوں نے اپنے احاطہ کار کے گرد ایسی حدود و قیود مان لیں جو ان کے اپنے فیصلوں کی نظریاتی اساس سے مطابقت نہیں رکھتی تھیں اور آج تک یہ عدم مطابقت جاری ہے۔ اس کی مصلحت محض یہ رہی ہو گی کہ عدالتیں حدود و قیود کے اندر ہی سہی مگر کام تو کرتی رہیں۔"

البتہ عاصمہ جیلانی کے مقدمے میں سپریم کورٹ نے فیصلہ دیا کہ یحییٰ خان اقتدار کے غاصب تھے اور یہ کہ ان کے غصب اقتدار کو اس نظریئے سے جواز نہیں ملتا کہ "کامیاب انقلاب خود اپنا جواز ہے۔" اور یہ کہ یحییٰ خان کا مارشل لاء خلاف قانون تھا۔ کم وبیش ایوب خان کے لفظ دہراتے ہوئے جسٹس یعقوب علی خان نے یہ نتیجہ اخذ کیا کہ تمیز الدین خان کے مقدمے، ۱۹۵۵ء کے ریفرنس اور دوسو کے مقدمے میں جو فیصلے دیئے گئے انہوں نے "ایک نہایت اچھے ملک کو ہدف تضحیک بنادیا، ملک کو مطلق العنانیت کے تحت کر دیا اور آخر کار اسے عسکری آمریت بنادیا۔" یعقوب علی خان نے خاص طور پر ۱۹۵۶ء کے آئین کی تنسیخ پر نکتہ چینی کی اور کہا کہ "اسکندر مرزا اور ایوب خان دونوں غداری کے جرم کے مرتکب ہوئے اور انہوں نے مشرقی اور مغربی پاکستان کے مابین نمائندگی کی اساس کو تباہ کر دیا۔"

غاصبوں کے دنیا سے رخصت ہو جانے کے بعد ججوں کے لئے اپنی دس سالہ مایوسی کا اظہار آسان ہو گیا، یحییٰ خان کو ہدف ملامت بنایا جاسکتا تھا کیونکہ وہ غریب اب ایبٹ آباد کے گورنمنٹ ہاؤس میں نظر بند تھا۔

"۶ اگست ۱۹۹۰ء کو صدر نے قومی اسمبلی کو توڑ دیا۔ اس صدارتی حکم کے خلاف مقدمہ لاہور ہائی کورٹ میں پیش ہوا، اس کورٹ نے بھی وہی کیا جو ماضی میں دوسری کورٹ کرتی آئی تھیں یعنی اپنا رخ اسی طرح رکھا جس طرف سیاست کی ہوا چل رہی تھی اور بغیر اس بات کا جائزہ لئے کہ آیا صدارتی استدلال میں وزن ہے یا نہیں، اور یہ کہ صدارتی دعاویٰ کی بنیاد معتبر ہے یا نہیں، صدارتی حکم کی توثیق کر دی۔"

لیکن اپریل ۱۹۹۳ء میں جب صدر نے قومی اسمبلی کو توڑا تو صدر کو یہ احساس نہ رہا کہ معروضی صورت

ل اصالتہً بدل چکی تھی، سپریم کورٹ نے وہی رخ اختیار کیا جدھر سیاست کی ہوا چل رہی تھی اور صدارتی رمان کو نا قابلِ قبول قرار دیدیا۔

۱۹۹۵ء میں آکسفورڈ یونیورسٹی پریس نے ولیم ای لیوٹن برگ کی ایک کتاب چھاپی ہے جس کا عنوان ہے "سپریم کورٹ کی حیات نو" اس کتاب کے صفحہ ۴۴ پر مصنف کہتا ہے:

"امریکہ میں متعدد ججوں کے ذہن میں یہ خیال رہتا ہے کہ ممکن ہے انہیں صدر کے عہدے کے لئے نامزد کر دیا جائے۔ یہ کوئی مناسب صورت حال نہ تھی کیونکہ کوئی بھی شخص ذہن اور کردار کے اعتبار سے کتنا ہی توانا کیوں نہ ہو اگر اس کے دل میں ہوس جاہ ہو گی تو وہ اس کی کارکردگی پر کسی نہ کسی طور اثر انداز ہو سکتی ہے اور بانیانِ مملکت اسی حرص و ہوس جاہ کو سپریم کورٹ کے ججوں کے ذہنوں سے باہر رکھنا چاہتے تھے، تاکہ سپریم کورٹ کا جج بن جانے کے بعد وہ ہر قسم کی حرص و ہوس سے آزاد ہو جائیں اور یہ جان لیں کہ اب ان کے لئے باقی ماندہ زندگی میں سوائے عدالتی کام کے اور کچھ نہیں رہا۔"

اس کے برعکس پاکستان میں یہ حال ہے کہ بعض ججوں کے لئے تو زندگی شروع ہی ہوتی ہے ججی سے ریٹائرمنٹ کے بعد سے۔ یہ کس کو نہیں معلوم کہ اعلیٰ عدالتوں کی ججی سے کم اعلیٰ لیکن زیادہ منفعت بخش سرکاری اسامیوں پر تقرری کی ہوس نے ہمارے کئی ججوں کی کارکردگی کو متاثر کیا ہے۔

بانیِ پاکستان کے خواب و خیال میں بھی یہ بات نہ آئی ہو گی کہ پاکستان پر ایسا وقت بھی آئے گا کہ جب ججوں کا تقرر ان کی قابلیت اور اعلیٰ کارکردگی کی بنا پر نہیں بلکہ انتظامیہ سے ان کی وفاداری اور سیاسی وابستگیوں کی بنیاد پر کیا جایا کرے گا۔ چنانچہ انتظامیہ نے کورٹس میں محدود علم اور تجربے کے حامل پارٹی کارکنوں کو ججوں کے عہدوں پر مقرر کر کے عدالتوں کو اپنے حامیوں سے بھر دیا۔ اگر مدعا یہ تھا کہ سپریم کورٹ کو بعض بدترین ججوں سے بھر کر اس کی وقعت کو کم کیا جائے تو اس مقصد میں تو ہماری بعض حکومتوں نے نہایت شاندار کامیابی حاصل کی ہے۔ اس میں کوئی تعجب نہیں کہ بعض اعلیٰ عدالتی تقرریوں سے عوام حد درجہ بے زار ہیں۔ ان ججوں کی کارکردگی صفر رہیگی اور آئندہ کبھی انہیں کسی نے یاد رکھا تو وہ شاید ان کے پوتے نواسے ہی ہوں گے۔

خدا کرے کہ اب سب باتیں قصہ پارینہ ہو چکی ہوں۔ پاکستان کی سپریم کورٹ کی تاریخ میں کسی واقعہ کے اتنے دور رس نتائج نہیں بر آمد ہوں گے جتنے کہ ججوں کے مقدمے میں ۲۰ مارچ ۱۹۹۶ء کو دیئے گئے فیصلے کے۔ مجھے یقین ہے کہ مستقبل کے مورخ اس فیصلے کو ۱۹۹۶ء کے آئینی انقلاب سے موسوم کریں گے۔ جب کبھی پاکستان کی سپریم کورٹ کی تاریخ لکھی جائے گی اس کو دو ادوار میں تقسیم کیا جائے گا انقلاب سے ایک دور ماقبل ۱۹۹۶ء کا ہو گا اور دوسرا دور مابعد ۱۹۹۶ء کا ہو گا۔ آئندہ اعلیٰ عدالتوں یعنی سپریم کورٹ اور ہائی کورٹس کے ججوں کے تقرر کے سلسلے میں صدر مملکت یا متعلقہ گورنر جو بھی مشورہ بالترتیب کریں

گے وہ موثر ہو گا، بامعنی ہو گا، بامقصد ہو گا، اتفاق رائے سے ہو گا جس میں کوئی گنجائش من مانی یا ناانصافی کی شکایت کے لئے نہیں ہو گی۔ سپریم کورٹ کے ججوں کے تقرر کے سلسلے میں صدر پاکستان اور ہائی کورٹ کے ججوں کے تقرر کے سلسلے میں گورنر متعلقہ، بالترتیب چیف جسٹس آف پاکستان اور متعلقہ ہائی کورٹ کے چیف جسٹس کی رائے کو کسی بھی امیدوار کے جج بننے کی اہلیت اور موزونیت کے بارے میں ضرور قبول کریں گے۔ اگر کسی امیدوار کے خلاف جسے سپریم کورٹ کے چیف جسٹس یا ہائی کورٹ متعلقہ کے چیف جسٹس نے ججی کیلئے نامزد کیا ہے، صدر کو یا گورنر متعلقہ کو کوئی اعتراض ہو گا تو اس اعتراض کو ضبط تحریر میں لایا جائے گا۔ اگر صدر پاکستان یا کوئی گورنر کسی ایسے شخص کو سپریم کورٹ یا ہائی کورٹ کا جج مقرر کریں گے جو سپریم کورٹ کے چیف جسٹس یا متعلقہ ہائی کورٹ کے چیف جسٹس کی رائے میں ججی کے عہدے کیلئے نااہل اور ناموزوں ہے، تو صدر یا گورنر کا ایسا کرنا آئین کی متعلقہ دفعہ کے تحت اختیارات کا موزوں و مناسب استعمال نہیں ہو گا اور آخر میں اگر ہائی کورٹ کے کسی جج کو اس کی مرضی کے خلاف وفاقی شرعی عدالت کا جج مقرر کیا گیا تو ایسا کرنا آئین کی دفعہ ۲۰۹ کی خلاف ورزی ہو گا۔

ہماری سپریم کورٹ کے مذکورہ بالا ۲۰ مارچ ۱۹۹۶ء کے فیصلے سے مجھے فرینکلین روزویلٹ صدر امریکہ کی وہ تجویز یاد آگئی جب ۱۹۳۷ء میں وہ امریکی سپریم کورٹ کو اپنی پسند کے ججوں سے بھر دینا چاہتے تھے لیکن بھر نہ پائے تھے۔ اب ہماری سپریم کورٹ میں بھی ناتجربہ کار، غیر تربیت یافتہ، نااہل، مشتبہ دیانت والے پارٹی حواریوں کی بھرتی ناممکن ہو جائے گی۔ لہٰذا ۱۹۹۶ء کا سال، پاکستان کی آئینی قانون دانی اور سپریم کورٹ کے فیصلوں کے فلسفہ کے اعتبار سے حد فاصل کا سال ہے۔ ۱۹۹۶ء کے آئینی انقلاب سے کاروبار عدالت کی نوعیت بالکل بدل جائے گی۔ اس کے فیصلوں کی ماہیت بدل جائے گی اور اس کی خود مختاری اور معروضیت (غیر جانبداری) پر عوام کا اعتماد بحال جائے گا۔ ۲۰ مارچ ۱۹۹۶ء کو ریاست کے تین بنیادی ستونوں کے درمیان رشتہ ڈرامائی انداز سے بدل گیا، وہ زمانہ ختم ہوا جب عدلیہ، انتظامیہ کے سامنے زانوئے ادب تہہ کرتی تھی اور وہ زمانہ شروع ہو گیا جب عدلیہ اگر بالادست نہیں تو خود مختار ضرور ہے، ہماری عدالتی تاریخ میں حد فاصل کھنچ گئی ہے۔ ۲۰ مارچ ۱۹۹۶ء کو سپریم کورٹ کی کایا سرے سے پلٹ گئی۔ سپریم کورٹ اب کبھی ویسی نہیں ہو گی جیسی پہلے تھی۔ اس نے ایک بڑے آئینی معاملے میں اپنی رائے بدلی ہے اور یہ اسی لئے ممکن ہوا کہ اب اسے رائے عامہ کی تائید حاصل ہے۔ سالہا سال کی نیاز مندی کے بعد اب یہ پھر اپنے پاؤں پر کھڑی ہو گئی ہے اور اس کا سر فخر سے بلند ہے، آپ کہہ سکتے ہیں کہ ۲۰ مارچ ۱۹۹۶ء کو سپریم کورٹ کو دوسرا جنم ملا ہے۔

کتنا زبردست تغیر ہے ان دنوں کے مقابل میں جب جج کو اعلیٰ ترین عدالتی منصب پر فائز ہونے کے لئے بھاگ دوڑ کرنی پڑتی تھی، اچھی چال ڈھال، کی یقین دہانی کرانی پڑتی تھی۔ مقرر کنندہ اتھارٹی کی تعریف و

ستائش میں زمین و آسمان کے قلابے ملانے پڑتے تھے، ''پوشیدہ قوت'' سے ہدایات لینی پڑتی تھیں، اور سیاسی ہواؤں کا رخ دیکھ کر اپنا رخ بدلنا پڑتا تھا۔

''جب ججوں کا مقدمہ زیر سماعت تھا تو چیف جسٹس کی بیٹی کے گھر پر دھاوا بولا گیا، اور ان کے داماد سید پرویز علی شاہ کو جو ایک سرکاری ملازم تھے، ان کو ملازمت سے معطل کر دیا گیا۔ جب اس مقدمے میں مختصر عدالتی فیصلہ سنا دیا گیا تو کراچی میں چیف جسٹس کی سرکاری کلغی دار گاڑی کو زبردستی چھین لیا گیا، اس کے ڈرائیور کو گاڑی سے باہر سڑک پر دھکیل دیا گیا اور ڈرائیور سے کہا گیا کہ مسٹنڈوں غنڈوں کو معلوم ہے کہ یہ کس کی کار ہے اور اس کی بھی اسی طرح مرمت کی جائے گی۔ چیف جسٹس کے ٹیلی فونوں پر چوری چھپے باتیں سنی گئیں، ان کے دفاتر اور ان کی رہائش گاہوں میں ایسے آلے نصب کر دیئے گئے جن کی مدد سے وہاں ہونے والی باتیں چوری چھپے سنی جا سکیں، حکومت نے اپنی سی پوری کوشش کی کہ کسی نہ کسی طرح مجاز اتھارٹی کے ذریعہ چیف جسٹس کو اپنے منصب سے علیحدہ کروادے۔ بعد ازاں چیف جسٹس کو جان سے مار دینے کی دھمکیاں بھی دلوائی گئیں۔

''ایک سابق جج کو قتل کیا جا چکا ہے، وہ جو عدلیہ کی خود مختاری کے شدومد سے داعی تھے انہیں ان کے بیٹے سمیت دن دہاڑے کراچی میں ان کے گھر کے باہر قتل کر دیا گیا۔ ناصر اسلم زاہد جو ۱۹۹۴ء میں سندھ ہائی کورٹ کے چیف جسٹس تھے انہیں سزا کے طور پر وفاقی شرعی عدالت میں بھیج دیا گیا۔ سپریم کورٹ کے جج جسٹس فضل الٰہی جو اس بینچ کے رکن تھے جس نے ججوں کا مقدمہ سنا تھا، وہ بھی حکومت وقت کے غیظ و غضب کا شکار بنے، ان کے بیٹے کو جو صوبہ سرحد کی حکومت میں ملازم ہے اس کا چترال کے ضلع مستوج کی ایک دور افتادہ چوکی بونی نامی پر تبادلہ کر دیا گیا، غرض یہ کہ ہراساں کرنے پریشان کرنے کا سلسلہ جاری ہے۔''

(کراچی کے روزنامے ڈان، مورخہ ۳ جنوری ۱۹۹۷ء میں اردشیر کاوس جی کے کالم ''احتساب یا انتخاب'' سے اقتباس)

سپریم کورٹ کے سامنے آئین میں آٹھویں ترمیم جو اب منسوخ ہو چکی ہے اس کی قانونی حیثیت کو چیلنج کرتے ہوئے ایک درخواست پیش ہوئی۔ اس عرضداشت کو سپریم کورٹ کی ایک سات رکنی بینچ نے سنا اور سماعت کے بعد ایک مفصل فیصلہ سنایا۔ اس فیصلے میں سپریم کورٹ نے کہا:

''آئین پاکستان کی دفعہ ۲۳۹ کے تحت پارلیمنٹ کو اختیار ہے کہ وہ آئین کی آٹھویں ترمیم کی جس شق کو چاہے اس میں ردوبدل کر سکتی ہے۔ شرط صرف یہ ہے کہ ۱۹۷۳ء کے آئین کی قرارداد مقاصد / تمہید میں (جو اب دفعہ ۲ (الف) کی شکل میں آئین کا جزو لاینفک بن چکی ہے) جو وفاقیت، پارلیمانی جمہوریت اور اسلامی دفعات کے خدوخال دیئے گئے ہیں، ان میں کوئی ردوبدل نہ کیا جائے۔''

سپریم کورٹ نے اپنے فیصلے میں یہ بھی کہا کہ آئین کی دفعہ ۵۸ کی شق (۲) کی ذیلی شق (ب) نے اقتدار کا توازن بالواسطہ منتخب شدہ صدر کے حق میں نہیں جھکایا ہے۔ سپریم کورٹ نے کہا کہ آئین کی دفعہ ۵۸ کی شق (۲) کی ذیلی شق (ب) کے خلاف بہت کچھ کہا گیا ہے، یہ بھی کہا گیا ہے کہ اس نے طرز حکومت کو پارلیمانی سے صدارتی میں بدل دیا ہے، اور اختیارات کو صدر کے ہاتھوں میں مرتکز کر دیا ہے حالانکہ صدر بالواسطہ منتخب ہوتا ہے اور وزیر اعظم بلاواسطہ، اس پر سپریم کورٹ نے کہا کہ:

"آئین کو جوں کا توں پڑھا جائے تو ظاہر ہوتا ہے کہ ایسا نہیں ہے اور یہ کہ اس بارے میں خدشہ بے بنیاد ہے۔"

کورٹ نے یہ بھی کہا کہ:

"آئین کی دفعہ ۵۸ کی شق (۲) کی ذیلی شق (ب) میں کوئی غیر معمولی بات نہیں، صدر مملکت کو اس قسم کے اختیارات دینے والی دفعات دنیا کے بہت سے پارلیمانی آئینوں مثلاً آسٹریلوی، اطالوی، بھارتی فرانسیسی اور پرتگیزی آئینوں میں ملتی ہے۔ امر واقعہ یہ ہے کہ آئین کی دفعہ ۵۸ کی شق (۲) کی ذیلی شق (ب) نے مارشل لاء کا راستہ مسدود کر دیا ہے ہمیشہ کے لئے، جس کا کوئی حملہ ہم پر ۱۹۷۷ء کے بعد سے نہیں ہوا۔"

کورٹ نے یہ بھی کہا کہ اگرچہ آئین میں آٹھویں ترمیم ایک ایسی پارلیمنٹ نے منظور کی تھی جو غیر جماعتی بنیادوں پر منتخب ہوئی تھی لیکن اس پارلیمنٹ کے بعد تین پارلیمنٹ اور آئیں (۱۹۸۸ء کی، ۱۹۹۰ء کی اور ۱۹۹۳ء کی) وہ تینوں جماعتی بنیادوں پر منتخب ہوئی تھیں۔ ان میں سے کسی نے آٹھویں ترمیم کو نہیں چھوا جس سے ظاہر ہوتا ہے کہ انہیں اس پر کوئی اعتراض نہ تھا۔ گویا انہوں نے کنایتہً اس کی توثیق کر دی تھی۔"

اب جبکہ آئین کی آٹھویں ترمیم منسوخ ہو چکی ہے، صدر مملکت سے سب اختیارات چھینے جا چکے ہیں، وہ واحد ادارہ جو اب شہریوں کی شہری آزادی کی حفاظت کر سکتا ہے اور انتظامیہ کی مطلق العنانیت کا انسداد کر سکتا ہے، وہ صرف سپریم کورٹ ہے۔ لیکن اگر خدانخواستہ کبھی سپریم کورٹ مغلوب یا مفلوج ہو گئی تو پھر ملک کا خدا حافظ۔

جب ہمارے شب گرفتہ زمانے کی تاریخ لکھی جائے گی تو یہ ضرور نوٹ کیا جائے گا کہ ضرورت کے وقت جس ادارے نے قوم کی نہایت شاندار خدمت انجام دی وہ نشاۃ ثانیہ کے بعد کا سپریم کورٹ تھا۔ اگر پاکستان میں قانون کے تحت آزادی زندہ رہتی ہے تو وہ سپریم کورٹ کی جرأتمندانہ اور دلیرانہ خود مختاری کی وجہ سے رہیگی۔ بقول پالکھی والا کے، اگر آئین میں آہنی سانچے میں ڈھلی ضمانتیں شہریوں کی شہری آزادی کے بارے میں نہ بھی ہوں تب بھی جب تک تند و تیز عدلیہ موجود ہے، اس وقت تک شہریوں کی شہری

آزادی محفوظ ہے، لیکن اگر ایک مرتبہ عدلیہ، انتظامیہ کے تابع ہو جائے، اور برسر اقتدار پارٹی کے فلسفہ کی ہاں میں ہاں ملانے لگے، تو پھر آئین میں کتنے ہی بنیادی حقوق کا ذکر کیوں نہ ہو، ان سے کچھ فائدہ نہ ہوگا کیونکہ پھر انصاف کی عدالتیں سرکاری عدالتیں بن جائیں گی۔ تاریخ ہمیں یہی سبق دیتی ہے کہ جب قانون و عدل کے پشتے ٹوٹتے ہیں تو انقلاب کے سیلاب اُمڈتے ہیں۔

باب۔ ۱۵

آزادی کے پچاس سال

"The best lack all conviction while the worst are full of passionate intensity."
W. B. Yeats

"بہترین لوگوں میں یقین کُلی کا فقدان ہوتا ہے جبکہ بدترین لوگوں میں شدید جذبات کی انتہا ہوتی ہے۔"
ڈبلیو بی یےٹس

آج سے تقریباً نصف صدی پہلے، ۳ جنوری ۱۹۴۸ء کو بین الاقوامی سیاست کے ماہر، پروفیسر دانیال شومین نے نیویارک میں اپنے ایک لیکچر میں کہا تھا:

"جنوب مشرقی ایشیا میں پاکستان نام کی ایک مملکت معرضِ وجود میں آئی ہے یہ ایک ایسی ریاست ہے جس کے راستے میں ایسے بڑے بڑے گڑھے ہیں جو صرف اسی سے مختص ہیں، وقت ہی بتلائے گا کہ اس کا وجود کس قدر غیر محفوظ ہے۔ نصف صدی سے کم کے عرصہ میں یہ ریاست ختم ہو جائے گی کیونکہ جو لوگ غلامی کی زنجیریں پہنے جنم لیتے ہیں، جن کے خیالات میں حب الوطنی رچی بسی نہیں ہوتی اور جن کے ذہنوں کی رسائی خود غرضی اور مفاد پرستی سے آگے نہیں جاتی، مجھے معلوم ہے اندر سے وہ کیسے ہوتے ہیں۔"

آج پاکستان اپنے لمحہ حق سے دوچار ہے۔ لوگوں کا اعتماد ملک کے مستقبل اور اس کے سیاسی اداروں پر سے اٹھ گیا ہے۔ بظاہر ہمارے ہاں نمائندہ جمہوریت ہے، اسمبلیاں ہیں، سیاسی جماعتیں ہیں، کابینائیں ہیں، آزاد پریس ہے اور جمہوریت کی دیگر علامات ہیں لیکن اہم پالیسی ساز فیصلوں کی تشکیل پر ان کا اثر معدوم ہے۔ عملاً

یہ سب فضول اور بے سود بن چکے ہیں۔ بانی پاکستان نے پاکستان کے لئے ایک بدعنوان سول حکومت کے پیچھے پوشیدہ عسکری ریاست کا خواب تو نہیں دیکھا تھا، جیسا کہ ملیحہ لودھی نے کہا ہے کہ :

"ہمارا جمہوری نظام اپنی تمام پارلیمانوں، کابیناؤں اور سیاسی جماعتوں کے باوجود کتنا بامعنی ہے جبکہ حقیقی فیصلے کہیں اور ہوتے ہوں ؟"

آج کی صورت حال تو یہ ہے کہ پارلیمانی رکنیت کا مطلب مادی کامیابی اور لوٹ کھسوٹ کا پاسپورٹ اور لائسنس ہے۔ کیا عجب کہ پارلیمنٹ کبھی انتظامیہ کی مطلق العنانیت کو نہیں روک سکی ؟ ہم پوری دنیا میں، نائیجیریا کے بعد، سب سے زیادہ کرپٹ ملک ہیں، معیشت تباہ حال ہے، ایک رپورٹ کے مطابق ۱۲۳ ارب روپوں کے قرضے نادہندگان کے ذمے واجب الادا ہیں لیکن وصول نہیں ہو پا رہے۔

دوسرے ممالک میں بعض لوگ اپنے اصولوں کی خاطر اپنی پارٹی بدل لیتے ہیں۔ بعض دوسرے لوگ اپنی پارٹی کی خاطر اپنے اصول بدل لیتے ہیں۔ پاکستان میں، یہ دونوں باتیں نہیں ہوتیں۔ نہ کوئی اپنے اصولوں کی خاطر اپنی پارٹی بدلتا ہے نہ کوئی اپنی پارٹی کی خاطر اپنے اصول بدلتا ہے۔ یہاں سب اپنی پارٹیاں اور اپنے اصول (اگر کسی کے کوئی اصول ہوں تو) اپنی ذاتی منفعت کی خاطر بدلتے ہیں، لوگ اسے "لوٹا کریسی" کے نام سے جانتے ہیں اور اس نے اب ایک نظریئے کی حیثیت اختیار کر لی ہے جس کی اپیل کی مزاحمت ناممکن ہے اور جو ہمارے پارٹی سسٹم اور پورے جمہوری ڈھانچے کے لئے خطرہ عظیم بن گیا ہے۔

برطانوی راج سے جو چیزیں ہمیں ورثے میں ملیں، ان میں ایک نہایت عمدہ ترکہ "قانون کی بالادستی" کا تھا اور یہی قائداعظم کے پاکستان کی اساس تھا لیکن بانی پاکستان کی وفات کے بعد ہی یہ نظریہ معدوم ہو گیا کیونکہ ہمارے حکمران چاہے ماضی کے چاہے حال کے، قانون کی بالادستی پر یقین نہیں رکھتے۔ یہ نظریہ ان کے طریق و طرز فکر سے خارج ہے۔ قانون کی بالادستی نافذ کرنے کا سیاسی عزم سرے سے مفقود ہے۔

لاہور ہائی کورٹ کے جج جسٹس عبدالمجید ٹوانہ نے کہا ہے :

"بدقسمتی سے ہمارے عدالتی نظام کی یہ حالت ہو گئی ہے کہ مراعات یافتہ طبقے کے کسی فرد کے کسی عمل کا احتساب ملک میں کوئی بھی نہیں کر سکتا چاہے وہ عمل کتنا ہی خلاف قانون اور غیر ذمہ دارانہ کیوں نہ ہو۔ وجہ اس کی یہ ہے کہ ہمارا نظام عدل کم نصیب، کمزور اور بے سہارا لوگوں کو تو سزا دے سکتا ہے لیکن دولت مند، طاقتور اور بااثر لوگوں کو سزا دینا تو کجا، ان سے پوچھ بھی نہیں سکتا۔"

اگر ملک میں موجودہ سیاسی، سماجی اور معاشی نظام قائم رہا تو اس میں قانون کی بالادستی کبھی قائم نہ ہو گی۔ آج کا پاکستان ایک ایسے ملک کا منظر پیش کرتا ہے جو سیاسی، نسلی، فرقہ وارانہ خانوں میں بٹا ہوا ہے، ملک کے مستقبل میں عوام کا اعتماد شاید ہی اتنا کم کبھی ہوا ہو جتنا آج ہے۔ لوگوں میں بیزاری اور مایوسی پھیلی ہوئی ہے

اور روز بروز بڑھتی جارہی ہے۔ مجموعی طور پر ملک بس چلے جارہا ہے بغیر اپنے مستقبل میں خود اعتمادی کے۔ ملک میں کوئی لیڈر اِس قابل نظر نہیں آتا جو اسے اکیسویں صدی میں کامیابی اور سرخروئی کے ساتھ داخل ہونے کے لئے تیار کرسکے، جو اسکی رہنمائی اور رہبری کرسکے۔ بغیر موثر قیادت کے کسی کو نہ معلوم ہے نہ پرواہ ہے کہ یہ کدھر جارہا ہے۔

میرا ایک دوست کراچی میں رہتا ہے، اس نے مجھ سے کہا:

"میرا سامنا موت سے دن میں دوبار ہوتا ہے، ایک مرتبہ اس وقت جب میں اپنے فلیٹ سے باہر جاتا ہوں، دوسری مرتبہ اس وقت جب میں واپس آتا ہوں۔ ورنہ میں اپنے کاروبار میں بظاہر حسب معمول مشغول رہتا ہوں اس کے علاوہ چارہ ہی کیا ہے۔ چاہے دہشت گرد ہیں یا نہیں، میرا تو یہی ایک وطن ہے۔ ہمارے پاس کوئی فاضل فالتو وطن تو ہے نہیں، دل میں ہر وقت خوف وہراس رہتا ہے لیکن زندگی تو گزارنی ہی ہے۔"

ایسا لگتا ہے کہ جیسے ہم کسی خیالی ریل گاڑی میں سوار ہیں جس کی رفتار لحہ بہ لحہ بڑھتی جارہی ہے لیکن ہم اس ٹرین سے اتر نہیں سکتے۔

ایسا لگتا ہے کہ جیسے خداوند کریم نے بھی ناراض ہوکر ہم سے منہ پھیر لیا ہے۔ اگر اس کی مثال تاریخ سے لی جائے تو ہندوستان پر تیمور لنگ کے حملے سے ذرا پہلے ہندوستان میں جو افراتفری اور طوائف الملوکی تھی، اس سے ملتی جلتی ہوگی کیونکہ اس وقت بھی ہندوستان کے لوگ یہی کہہ رہے تھے کہ ہندوستانیوں سے ذات باری ناراض ہے اور ہندوستانیوں کے سنت، مہنت، صوفی، بزرگ، اولیاء، صوفیا محوخواب ہیں۔

جب میرے صوبے سرحد میں ۱۹۴۷ء میں ریفرنڈم ہوا تھا یہ طے کرنے کے لئے کہ صوبہ پاکستان میں شامل ہوگا یا ہندوستان میں اور جب میں نے اس ریفرنڈم میں پاکستان کے حق میں ووٹ دیا تھا تو میرے تصور میں آج کل کا پاکستان تو نہ تھا۔ اس کی جو موجودہ شکل ہے اس میں تو میں یہاں شاید مرنا بھی پسند نہ کروں۔ مجھے تو ایسے پاکستان کی شدید آرزو ہے جس کے دفاع میں، میں شامل ہوں، جس کی قومیت پر میں فخر کروں، جس کے لئے میں لڑسکوں اور مرسکوں۔

آج کل ہمارا ملک اپنے ہی اندر دھنستا چلا جارہا ہے۔ اعلیٰ سے اعلیٰ سطح پر جو بدعنوانی اور رشوت کا بازار گرم ہے اس کے تازیانوں سے ہمارے عوام کے لئے کوئی راہ فرار نہیں۔ بچنے کا کوئی طریقہ نہیں۔ خطرہ ہے کہ جرائم کی افراط ملک کا گلہ ہی نہ گھونٹ دے، جرائم اور بدعنوانیاں اس قدر پھیل چکی ہیں اور پاکستانی عوام میں ناامیدی اور بے زاری اتنی شدید ہو چکی ہے کہ اس کا اندازہ لگانا ناممکن ہے۔ ہمارا انتظامی سسٹم طویل عرصے سے سیاست میں ملوث کئے جانے کے باعث راہ راست سے اس قدر بھٹک چکا ہے کہ لوگ اب اس پر بھروسہ نہیں کرتے، اب سرکاری ملازم بجائے اپنا فرض ادا کرنے کے سیاسی پارٹیوں کی

خوشنودی حاصل کرنے میں لگے رہتے ہیں، نتیجہ اس کا یہ ہے کہ لوگوں کے دلوں سے ان کا وقار احترام اور رعب داب جاتا رہا ہے۔

آزادی کی پچاسویں سالگرہ تو جشن و مسرت کا موقعہ ہونا چاہیئے لیکن آج کوئی خوش ہو تو کس بات پر! پاکستان تو آج کل آماجگاہ بن گیا ہے بد عنوان، بے ایمان اور بے اصولے سیاستدانوں کا، بد عنوان اور بد دیانت سرکاری اہلکاروں کا، اسمگلروں اور ٹیکس چوروں کا، جن کے نام مغرب کے بینکوں میں بڑی بڑی رقوم جمع ہیں، بڑی بڑی کوٹھیاں، بڑے بڑے محل اور پر تعیش فلیٹس ہیں۔ ایسے لوگوں اور ان کے کم نصیب ہم وطنوں کے درمیان ایک زبردست حد فاصل حائل ہے۔ ایک وسیع شگاف ہے، ایک چوڑی خلیج ہے جو دونوں کو ایک دوسرے سے جدا کرتی ہے۔ ایک طرف امیروں، دولت مندوں، مراعات یافتہ لوگوں کی عیش و عشرت، آرام و آسائش سے بھری زندگی ہے اور دوسری طرف غریبوں مفلسوں محروموں کی گھناؤنی، حیوانی، اور مختصر، زندگی ہے! چونکہ طبقہ امرا کے لوگ پاکستان کی صعوبت زدہ زندگی سے فرار حاصل کر سکتے ہیں اور طبقہ غربا کے لوگ نہیں کر سکتے لہذا امراء، اپنے آپ کو غرباء سے مختلف جنس تصور کرتے ہیں، حالات کے جوں کے توں رہنے یا ان کے الفاظ میں سسٹم کے بدستور چلتے رہنے سے ان کا مفاد وابستہ ہے، لہذا وہ ہر اس کوشش کی مزاحمت کرتے ہیں، اس کی راہ میں روڑے اٹکاتے ہیں جو موجودہ فرسودہ نظام حیات کو جہان تازہ میں بدلنے کے لئے کی جاتی ہے۔ طبقہ امراء کی زندگی تو سہل سے سہل تر ہوتی چلی جاتی ہے جب کہ لاکھوں کروڑوں بیروزگاروں اور معاشرہ کے پامال لوگوں کو زندگی گزارنے کے لئے جرائم، منشیات اور آوارہ گردی کا سہارا لینا پڑتا ہے، ان میں سے بہت سے تو ملک چھوڑ کر جا رہے ہیں۔ بہت سے مشرق وسطیٰ جا رہے ہیں بہت سے مغربی ممالک میں جا رہے ہیں یہ سمجھ کر کہ شاید وہاں انہیں جنت ارضی مل جائے لیکن ان کا یہ خواب بھی اکثر و بیشتر خواب ہی ثابت ہوتا ہے۔ امیروں کی امارت بڑھ رہی ہے اور غریب مفلسی اور معاشی ناہمواری کے تاریک اور گہرے گڑھے میں اور زیادہ نیچے کی طرف گرتے چلے جا رہے ہیں۔ متوسط طبقے شکست خوردہ نظر آتے ہیں۔ ایک زمانہ تھا جب یہ طبقے ملک کی خوش حالی اور قومی استحکام کی اساس سمجھے جاتے تھے، اب ایسا لگتا ہے کہ جیسے انہوں نے روز بروز گرتے ہوئے معیار زندگی کے سامنے گھٹنے ٹیک دیئے ہیں۔ لیکن یہ نہیں بھولنا چاہیئے کہ خاموش فاقہ مستی تلخ غیظ و غضب کو بھی جنم دے سکتی ہے، جس سے ایک نیا معاشرتی بحران پیدا ہو سکتا ہے۔ جس کا نتیجہ خطرناک محاذ آرائی کی شکل میں نکل سکتا ہے، یہ محاذ آرائی ہولناک جھگڑ کی شکل اختیار کر سکتی ہے اور وہ جھگڑ کسی وقت مہیب طوفان میں تبدیل ہو سکتا ہے، اگر حکومت افراطِ زر اور مہنگائی پر قابو نہیں پا سکتی اور آمدنی اور ادائیگی میں توازن پیدا نہ کر سکی، اگر معیشت کی بدانتظامی یونہی چلتی رہی اور روز افزوں گرتی ہوئی معیشت کو سنبھالا نہ گیا، تو اس سے ایک نہایت سنگین قسم کا اقتصادی اور مالیاتی بحران پیدا ہو سکتا ہے جس

سے پورا معاشرہ افراتفری کا شکار ہو کر درہم برہم ہو سکتا ہے۔

ایک خونی خانہ جنگی میں جو ۱۹۷۱ میں ہوئی تھی، ہم آدھا ملک تو کھو چکے ہیں، جس سے مجھے جارج لوئیس بورجیس کے پژمردگی میں ڈوبے یہ الفاظ یاد آتے ہیں:

"ایک زمانہ تھا ہمارا ایک ملک ہوا کرتا تھا۔ کیا تمہیں یاد ہے؟ اور اب ہم وہ ملک گنوا چکے ہیں"۔ بانی پاکستان قائداعظم محمد علی جناح کے ذہن میں کراچی کا مستقبل روشن، تابناک اور شاندار تھا۔ آج اسی کراچی کی یہ حالت ہے کہ اس کے پاس اپنے معمول کے مقامی شہری معاملات نمٹانے کے لئے ایک منتخب کارپوریشن تک نہیں۔ ایسا لگتا ہے کہ جیسے بہت سی مختلف قوتیں ملک کی بنیادوں تک کو ہلا دینے کی مذموم کوشش میں مصروف ہیں۔ روز بروز ان لوگوں کی تعداد میں اضافہ ہوتا جارہا ہے جو اب اپنے ملک کے مستقبل سے مایوس نظر آتے ہیں۔

پاکستان بنے پچاس سال گذر گئے لیکن افسوس کہ ابھی تک ایک مستحکم سیاسی نظام کے لئے اس کی تلاش کامیاب نہیں ہو سکی۔ ۱۴ اگست ۱۹۴۷ سے لیکر اب تک یہ عدم استحکام کا شکار ہی رہا اور بار بار عسکری حکومت پھر افراتفری پھر تقسیم و تفرقہ کے پے درپے چکروں میں ہی پھنسا رہا۔

ملک کو جس چیز کی ضرورت ہے وہ یہ نہیں ہے کہ ایک بدعنوان و بددیانت حکومت جائے اور اس کی جگہ دوسری بدعنوان اور بددیانت حکومت آجائے، ملک کو محض مصنوعی جعلی تغیر کی ضرورت نہیں بلکہ ملک کو ایسے مصفی آپریشن کی ضرورت ہے جو ملک کو تمام بدعنوان عناصر اور صاحبِ جاہ و ثروت لٹیروں سے نجات دلا کر اسے پاک صاف کردے، پھر ایسی اساسی تبدیلیاں، بنیادی اصلاحات بروئے کار لائے اور ایسے اقدامات کرے جن سے جمہوری اداروں اور قانون کی بالادستی پر لوگوں کا کھویا ہوا اعتماد بحال ہو جائے۔ اگر یہ نہ ہوا تو پاکستان بحران کے بعد بحران میں پے درپے پھنسا رہے گا، نہ اس کی کوئی سمت متعین ہو گی، نہ اس میں آنے والے بڑے بڑے چیلنجوں کا مقابلہ کرنے کا عزم ہو گا نہ وسائل۔

ہماری پر آشوب سیاسی تاریخ سے جہاں اور سبق ملتے ہیں وہاں ایک یہ بھی ہے کہ جب بھی عوام یہ محسوس کرتے ہیں کہ ان کے منتخب نمائندوں نے انہیں دھوکہ دیا ہے ان کے ساتھ غداری کی ہے تو پھر وہ ہنگامہ آرائی پر اتر آتے ہیں اور ہنگامے فرو کرنے کے لئے، فوجی جرنیل، ملک کی سیاسی تقدیر کا فیصلہ کرنے کے لئے بطور ثالث آخر سامنے آجاتے ہیں۔ تاریخ پاکستان میں یہ عجب ستم ظریفی ہے کہ جب بھی ملک میں مارشل لا لگا ہے، لوگوں نے ہمیشہ، کم از کم شروع میں، مارشل لاء کا خیر مقدم کیا ہے۔ وجہ اس کی یہ ہوتی تھی کہ لوگ بدعنوان، نااہل، اور نامقبول سیاسی حکومتوں سے سخت نالاں ہو چکے ہوتے تھے اسلئے ایسی حکومتوں سے نجات (چاہے ان کی جگہ مارشل لا ہی کیوں نہ آجائے) انہیں بھلی لگتی تھی۔ ہم اپنی تاریخ کو ایک جملے میں بیان کر سکتے ہیں:

"زینے کے اوپر چڑھتے ہوئے بھاری بھرکم بوٹوں کی آواز اور زینے سے اترتے ہوئے نرم ونازک ریشمی جوتوں کی سرسراہٹ"!

کیا کبھی ایسا ممکن ہوگا کہ پاکستان بدعنوان سیاسی حکومتوں اور پھر انقلابی سماجی معاشی ایجنڈے سے محروم عسکری حکومتوں کے چکر سے نکل آئے؟ بات یہ نہیں ہے کہ اس چکر کے باہر دوسرے راستے نہیں ہیں، سوال یہ ہے کہ آیا پاکستان میں دیگر ممکنہ راستوں میں سے کسی ایک کو اپنی گرفت میں لے لینے کی صلاحیت بھی ہے یا نہیں؟ پاکستان کا پچاس سالہ جشنِ آزادی مناتے ہوئے ہمیں سوچنا چاہیے کہ آیا یہ حکومت بھی اپنی پیشتر حکومتوں کی طرح پاکستان کی سیاسی زندگی اس حقیقت کے سامنے سر تسلیم خم کردیگی جو پاکستان کے پہلے وزیراعظم لیاقت علی خان کی شہادت (۱۶ اکتوبر ۱۹۵۱) سے لیکر آج تک بغیر کسی ردوبدل قائم و دائم اور جاری و ساری ہے۔ اور وہ لازوال حقیقت یہ ہے کہ تمام اہم قومی فیصلے عسکری قوت کرتی ہے اور حکومت وقت ان پر اپنا ٹھپہ لگادیتی ہے، کیا نواز شریف ملک کی تقدیر کو بدلنے کی کوشش کریں گے؟ کیا وہ غیر عسکری سول حکومت کی بالادستی قائم کرکے ایک نئی تاریخ ترتیب دیں گے؟

باب۔١٦

تفکّر و تدبّر

The soil of common life was at that time
Too hot to tread upon; oft said I then, and not then
only, what a mockery this
Of history; the past and that to come!
Now do I feel how I have been deceived.
Reading of Nations and their works, in faith,
Faith given to vanity and emptiness
Oh! Laughter for the Page that would reflect
To future times the face of what now is!
Wiliam Wordsworth
(1770-1850)

A people that has lost faith in its rulers is lost indeed.
Confucius

زمین عام جیون کی تھی اُس سمے
(یعنی انقلابِ فرانس کے سمے)
اتنی گرم
کہ ممکن نہ تھا اُس پہ رکھنا قدم:
کہا میں نے اکثر تب
اور نہ صرف تب:
کہ ہے اِس (انقلاب) سے اُڑا

مذاق کیسا تاریخ کا:
گذری ہوئی اور آنیوالی کا؛
یہ محسوس ہوتا ہے اب
کہ میں تو کھا گیا دھوکہ کھلا؛
کر لیا تھا میں نے تو تاریخ میں مذکور
اقوامِ عالم کے کارناموں پر یقیں
پر وہ تو نکلے شیخی سے بھرے اور کھوکھلے!
ہائے! آتی ہے ہنسی مجھ کو تو اُس قرطاس پر
رقم ہوگی جس پر
عہدِ مستقبل کے لئے دورِ حاضر کی شبیہ
(ولیم ورڈزورتھ: ۱۷۷۰ تا ۱۸۵۰ء)

مفہوم:

انقلابِ فرانس (۱۷۸۹ء) نے پُرانے استحصالی اور استبدادی نظامِ اقدار کو تہ و بالا کر کے آزادی، مساوات اور اخوت پر مبنی نئے نظامِ حیات کے قیام کی شمعِ امید روشن کر دی تھی لیکن بعد کے واقعات نے اُس شمع کو بجھا دیا۔

شاعر کا خیال ہے کہ
جیسے ماضی کے اندازے حال میں غلط نکلے
ویسے ہی حال کے اندازے مستقبل میں غلط نظر آئیں گے۔

وہ قوم جو اپنے حکمرانوں پر اعتماد کھو دے وہ قوم یقیناً قومِ گم گشتہ ہے۔
کنفیوشس

رابرٹ سدے اپنی ادھیڑ عمر میں یاد کرتا ہے کہ انقلاب فرانس (۱۷۸۹) کے اس کی نسل کے نزدیک کیا معنی تھے۔ وہ لکھتا ہے کہ اس وقت بجز ان لوگوں کے جو جواں تھے، بہت کم لوگوں کو یہ اندازہ تھا کہ انقلاب فرانس نے کیسے ایک تصوراتی دنیا کے دروازے کھول دیئے ہیں، وہ کہتا ہے:

"نقش کہن مٹ رہا تھا، اور بجز نسل انسانی کی نشأۃ الثانیہ کے اور کوئی خواب نظر نہیں آتے تھے، برطانیہ کے انقلابی نوجوانوں کی ساری امنگیں، امیدیں اور آرزوئیں انقلاب فرانس سے وابستہ ہوگئی تھیں"۔

میں جب ستمبر ۱۹۲۳ میں ہوتی مردان میں پیدا ہوا تو میرا ملک برطانوی سامراج کا غلام تھا لہذا میں بھی پیدائش کے وقت غلام پیدا ہوا لیکن ۱۴ اگست ۱۹۴۷ء کو میں آزاد ہو گیا، میں ایک آزاد، خود مختار اور مقتدر ملک کا باعزت و باوقار شہری تھا۔ اب میرا ایک ملک تھا جسے میں اپنا کہہ سکتا تھا، جس کے لئے میں جی سکتا تھا جس پر میں اپنی جان نثار کر سکتا تھا۔ میں جوان تھا، ۲۴ سال میری عمر تھی، مجھ میں ولولہ تھا، جوش تھا، میرے خواب تھے، میری امیدیں تھیں، میری امنگیں تھیں، میرے لئے اور میری نسل کے دوسرے نوجوانوں کے لئے پاکستان ہماری تمناؤں ہماری آرزوؤں کا مرکز و محور تھا، ہمارے خوابوں کی تعبیر تھا، سنہرے مستقبل کی علامت تھا، ترقی و خوش حالی کی ضمانت تھا، ہم سب میں یقین محکم ایک قدر مشترک تھی، ہمیں پاکستان پر ایمان تھا، بقول ولیم ورڈز ورتھ :

"اس صبح، زندگی ایک نعمت تھی
لیکن جوانی! وہ تو رحمت تھی"

اس روز ہم نے بالائے کوہسار جگمگ جگمگ کرتے شہر کا سپنا دیکھا تھا اور ہمیں دور آسمان میں جھلمل جھلمل کرتے روشن ستارے نظر آئے تھے، اور آج ہم کیا دیکھ رہے ہیں؟ بد عنوانی، جرم اور مایوسی سے بھرپور بھیانک خواب۔ کیا یہ کوئی اچنبھے کی بات ہے کہ اب بہت کم لوگوں کو امید ہے کہ سچے پاکستان کا سہانا خواب کبھی شرمندہ تعبیر ہو بھی سکے گا؟ ان دنوں ہمارا خیال تھا کہ ہمیں غلامی کے بدلے آزادی مل گئی ہے لیکن یہ نام نہاد آزادی تو ایک اور قسم کی غلامی کا دوسرا نام ہے۔ ہم اپنے ملک کے ماضی کی ضائع شدہ دہائیوں پر نظر ڈالتے ہیں تو کتنے افسوس کی بات ہے کہ ہمیں یہ عرصہ زوال ہی زوال کا نظر آتا ہے اور سچے پاکستان کا خواب بکھرا بکھرا اور پریشان نظر آتا ہے۔ ایک زمانہ تھا کہ ترقی پذیر ملک ہمیں رشک کی نگاہ سے دیکھتے تھے، اب وہ ماضی کا قصہ پارینہ ہو چکا ہے، اب تو ایسا لگتا ہے جیسے تکان سے ہمارے اعضا شل ہو چکے ہیں، جیسے ہم ایک ایسی کشتی میں سوار ہوں جس میں پتوار نہ ہو، جیسے ہمیں یہ بھی نہ معلوم ہو ہمیں کس سمت میں کس رخ جانا ہے، جہاں ہم کبھی کبھی عظمت و بڑائی کے خواب دیکھا کرتے تھے اب خوف و ہراس، بے یقینی اور مایوسی کے غم میں گھلے جا رہے ہیں۔ طبقہ امرا کے لوگ یوں داد عیش دے رہے ہیں کہ اس کا تصور بھی مشکل ہے اور انکے عیش و عشرت کا جو حال ہے ویسا انہیں کبھی نصیب نہ ہوا تھا۔ متوسط طبقے کے لوگ دن رات اسی فکر میں سرگرداں رہتے ہیں کہ سر کو چڑھتی گرانی کے سیلاب سے اوپر رکھ کر ڈوبنے سے کیسے بچا جائے۔ اور غریب نچلے طبقے کے لوگ تو مٹتے ہی جا رہے ہیں۔ ایوب خان، یحییٰ خان، ذوالفقار علی بھٹو اور ضیاء الحق چاروں اپنے زمانے میں طاقتور سربراہ ریاست اور با اختیار سربراہ حکومت تھے، لیکن انہوں نے اپنے پیچھے

یک ایسا ملک چھوڑا ہے جو پاش پاش ہے اور تباہ و برباد ہے، جو باہمی تنازعات کی کشمکش میں گرفتار ہے، جسے ٹھگوں اور امیروں لٹیروں نے اغوا کر لیا ہے اور جس کا مستقبل مشتبہ ہے اور مخدوش ہے، ہر ایک نے جب اپنا دور حکومت شروع کیا اور لوگوں نے ہر ایک کو غیر مشروط وفاداری دی اور عوامی جوش و خروش کا کورا چیک دیا لیکن جب ان میں سے ہر ایک کا دور حکومت ختم ہوا تو ہر ایک عوام کی اخلاقی اور سیاسی تائید کلیتہً کھو چکا تھا، ان میں سے ہر ایک نے ملک کو اس سے بدتر حالت میں چھوڑا جیسا کہ اسے اپنے عہد کے آغاز میں ملا تھا، ایک اچھا خاصہ بھلا چنگا ملک دنیا میں مذاق بن کر رہ گیا ہے۔

معروف دانشور اور ماہر معاشیات و سیاسیات جان کینتھ گالبرانتھ اپنی کتاب ''بے یقینی کا دور'' (مطبوعہ بی بی سی لندن ۱۹۷۳) میں کہتے ہیں:

''سب بڑے لیڈروں میں ایک وصف مشترک ہوتا ہے، وہ اپنے زمانے کے لوگوں کی بڑی بڑی الجھنوں کا سامنا غیر مبہم انداز میں کرنے کی جرأت و عزم رکھتے ہیں، بس یہی (اور اس سے زیادہ کچھ نہیں) روحِ قیادت ہے۔''

موہن داس کرم چند گاندھی اور جواہر لال نہرو نے جس مسئلے کا سامنا کیا وہ ہندوستان کی آزادی کا مسئلہ تھا۔ محمد علی جناح نے جس مسئلے کا سامنا کیا وہ آزاد برصغیر میں مسلمانوں کے مستقبل کا مسئلہ تھا، مارٹن لوتھر کنگ نے جس مسئلے کا سامنا کیا وہ سیہ فام لوگوں کے لئے امریکہ میں عدل و مساوات کا مسئلہ تھا، ان میں سے ہر ایک نے اپنے اپنے زمانے میں اپنے اپنے لوگوں کی بڑی بڑی الجھنیں دور کرنے اور ان کے بڑے بڑے مسائل حل کرنے کے لئے اپنی تمام تر توانائیاں بالکل وقف کر دی تھیں۔ بہت کم پاکستانیوں کو اس رائے سے اختلاف ہوگا کہ ان کے بڑے بڑے مسائل کا پوری تندہی سے سامنا سوائے بانی پاکستان محمد علی جناح کے اور کسی سیاسی لیڈر نے نہیں کیا۔ ہمارے لیڈروں میں جو قدر مشترک ہے وہ حب الوطنی کا فقدان اور عوام کے مسائل (مثلاً ان کی مفلسی، ان کی معاشی زبوں حالی، ان کی صحت، تعلیم، امن و امان و مال کی حفاظت وغیرہ وغیرہ) سے بے اعتنائی اور لاپرواہی ہے۔

بدقسمتی سے صرف یہی قدر ان میں مشترک نہیں، سوائے چند کے باقی سب کے سب عوام کو لوٹنے میں مگن ہیں، وہ عوام کو لوٹ کر خود بے حساب دولت کے مالک بن بیٹھنا چاہتے ہیں۔

میں پھر جان کینتھ گالبرانتھ کی مذکورہ کتاب سے ایک اقتباس پیش کرتا ہوں:

''اب ہم دیکھتے ہیں کہ دولت مندوں کو کامیابی کیوں کر ملی۔ امریکہ میں پچھلی صدی میں اور اس صدی میں اب تک کسی چیز نے اتنے کثیر لوگوں کو دفعتاً امیر نہیں بنا دیا جتنا کہ امریکہ یا کینیڈا کی ریلوے نے۔ وہ ٹھیکیدار جنھوں نے اسے بنایا، وہ لوگ جن کی زمینوں پر سے یہ گزرتی تھی، وہ لوگ جو اس کے مالک تھے، وہ لوگ جو اس کے ذریعے نقل و حمل کرتے تھے وہ لوگ جو اس پر رہزنی کرتے تھے، سب کے سب بہت

کم عرصے میں (ان میں سے کچھ تو ایک ہفتہ میں) امیر بن گئے۔ ریلوے بن گئی، اس کے بنانے اور چلانے میں بہت سے دیانتدار لوگوں کی کوششیں بھی یقیناً شامل تھیں لیکن ریلوے کی طرف بہت سے بدقماش اور بدمعاش لوگ بھی کھنچ کر آگئے۔ یہ بدقماش لوگ سب سے زیادہ مشہور معروف بھی تھے اور غالباً مال و دولت جمع کرنے کے معاملے میں سب سے زیادہ کامیاب بھی تھے۔ ان غنڈوں کے حق میں ہربرٹ اسپنسر کا فطری چناؤ کا اصول (جو سب سے زیادہ طاقتور ہوگا وہی زندہ رہے گا) نہایت مفید ثابت ہوا۔ بعض وقت یہ اصول غنڈوں کے ایک گروہ کا مقابلہ غنڈوں کے دوسرے گروہ سے کروا کر انہیں آزماتا تھا۔"

جہاں تک پاکستان کا تعلق ہے تو یہاں کسی چیز نے راتوں رات اتنے لوگوں کو امیر نہیں بنادیا جتنا کہ سیاسی اثرورسوخ اور اقتدار نے، کہاوت تو یہ ہے کہ "مایا کو مایا ملے کر کر لمبے ہاتھ" لیکن پاکستان میں "سیاسی اقتدار کو مایا اور مایا کو سیاسی اقتدار ملے، کر کر لمبے ہاتھ۔" سیاست کے کاروبار میں اب معاشرہ کا فضلہ آتا ہے اور بے شمار بدقماش افراد، جمہوریت کے نام پر ناگفتہ بہ گناہ کئے جاتے ہیں۔ یہ دن دہاڑے چوری کرنے، ڈاکہ ڈالنے، رہزنی کرنے کے فن کے پیشہ ور ماہر ہیں، انہیں احتساب کا کوئی ڈر نہیں، کوئی خوف نہیں، انہیں دیکھ کر ہندوستان کے انیسویں صدی کے اوائل کے وہ رہزن پیشہ ور ڈکیت، خفیہ قاتل اور ٹھگ یاد آتے ہیں جو گروہ در گروہ پورے ہندوستان میں گھومتے پھرتے تھے۔ جب بھی موقعہ ملتا وہ بھولے بھالے مسافروں کی گردن میں اچانک رومال ڈال کر ان کا (مسافروں کا) گلا گھونٹ دیتے، ان کو لوٹ لیتے اور پھر انہیں دفنا دیتے۔ ملک کو اس مصیبت سے نجات اُس وقت ملی جب کپتان سلی مین نے ڈاکوؤں، راہزنوں کے اس ٹولے کے چار سو سے زیادہ ممبروں کو پھانسی دیدی۔ ہندوستان کے باشندوں نے اطمینان کا سانس لیا اور برطانوی راج کو اچھا سمجھنے لگے۔ ہمارے ہاں جو بات اور زیادہ پریشان کن اور افسوسناک ہے وہ یہ ہے کہ یہ سیاسی لٹیرے معاشرے میں معزز اور ممتاز بھی سمجھے جاتے ہیں:

کبھی کبھی اپنی آنکھوں میں شوخ چمک اور اپنے ہونٹوں پر شرارت آمیز مسکراہٹ لئے بے نظیر مجھے یاد دلاتی ہے کہ میں نے اس گھناؤنے ڈرامے کے بعض اہم کرداروں کو کتنا غلط سمجھا، جس کا انجام بے نظیر کی اقتدار میں واپسی کی شکل میں رونما ہوا۔ میں تکلیف دہ صاف گوئی، احساس جرم اور مغموم دل کے ساتھ اعتراف کرتا ہوں کہ واقعات نے واقعی بے نظیر کو صحیح اور مجھ کو غلط ثابت کر دیا حالانکہ اس وقت میں جو کچھ کر رہا تھا مجھے یقین تھا کہ میں صحیح کر رہا تھا، بہرحال اسی کا نام دنیا ہے۔ یہاں انسان جیتا جاتا ہے اور سیکھتا جاتا ہے۔

میری سب سے بڑی غلط فہمی تو بے نظیر کے اپنے بارے میں تھی۔ قدرت نے بے نظیر کو ایک ایسی خوبی سے نوازا تھا جو پاکستان کے کسی دوسرے حکمران میں نہ تھی۔ سیموئل جانسن کہتا ہے:

"فطرت نے عورت کو پہلے سے اتنی قدرت دیدی ہے کہ اب قانون اسے مزید کچھ نہیں دے سکتا۔"

لیکن بے نظیر نے اپنے دل آویز اور مسحور کن حسن و جمال، اپنی مغربی تعلیم، اپنے فطری اور موروثی

خصائص اور اپنے مبہوت کن اوصاف کے باوجود بحیثیت وزیر اعظم کے مایوس کیا۔ بجائے اس کے کہ بطور وزیر اعظم وہ عوام کی گہری معاشی مشکلات اور لوگوں کے دیگر بڑے بڑے مسائل سے نمٹنے کی سنجیدہ کوشش کرتیں وہ ان مسائل سے فرار اختیار کرتیں اور جب بھی موقع ملتا جہاز کے جہاز اپنے خوشامدیوں سے بھر کر کثیر سرکاری خرچ پر بیرون ملک ایسے ملکوں کے سرکاری دوروں پر نکل جاتیں جو پاکستان کے لئے یا تو بہت کم اہمیت رکھتے تھے یا بالکل نہیں۔ یہ کہ بے نظیر کو اپنی اس مہنگی اور مصروف سیر و سیاحت سے پاکستانی مسائل کو بہتر طور پر سمجھنے میں مدد ملی ہو، اس کا کوئی اظہار ہمیں نظر نہیں آتا۔ جب بے نظیر کی وزارت عظمیٰ کی تاریخ لکھی جائے گی (اور مورخ کے فیصلے کے نمایاں خدوخال کچھ کچھ ابھی سے ابھرنے لگے ہیں) تو ان کی دوسری وزارت عظمیٰ کو مالیاتی اداروں کی تباہی، چار سو پھیلی بدعنوانی، لوٹ مار، ہر طرف پھیلی بدامنی، سیاسی کینہ پروری اور سب سے آخر میں (لیکن سب سے کم نہیں) اعلیٰ عدلیہ اور صدر پاکستان سے بلاوجہ محاذ آرائی کے لئے یاد رکھا جائے گا۔ لاطینی میں ایک کہاوت ہے کہ دیوتا جسے تباہ کرنا چاہتے ہیں پہلے اس کے ہوش حواس گم کر دیتے ہیں۔ یہ کہاوت بے نظیر کی سیاسی بربادی پر بالکل صادق آتی ہے۔ جب بے نظیر دوبارہ ایوان وزیر اعظم میں داخل ہوئیں تو میں نے انہیں مبارک باد دی تھی، اگرچہ اس وقت بھی مجھے بے نظیر سے بڑے کارہائے نمایاں سرانجام دینے کی امید تو نہیں تھی لیکن مجھے یہ اندازہ بھی نہ تھا کہ ان کی کارکردگی اس قدر مایوس کن رہے گی اور یہ کہ وہ سراسر مجسم تباہی بن جائیں گی۔ پاکستان میں ہر سیاسی لیڈر کو ایک ہی مرتبہ اقتدار نصیب ہوا، بے نظیر وہ واحد خوش نصیب تھیں جنہیں وزیر اعظم بننے کا موقعہ دو مرتبہ ملا۔ تاریخ انہیں کبھی معاف نہیں کرے گی کہ انہوں نے ایسا منفرد عطیہ یوں ضائع کر دیا۔ فرانس کے بوربون بادشاہوں کے بارے میں ٹیلی رینڈ نے کہا تھا: "نہ انہوں نے کچھ بھلایا ہے نہ انہوں نے کچھ سیکھا ہے۔"

بوربون بادشاہوں کی طرح بے نظیر نے اپنے پہلے تباہ کن دور وزارت عظمیٰ سے کوئی سبق نہ سیکھا اور ان کا دوسرا دور تو پہلے دور سے بھی زیادہ تباہ کن ثابت ہوا، شاید ہماری تاریخ کا سب سے زیادہ تباہ کن دور۔ دنیا بھر میں ان کی خود نما سیر و سیاحت سے اگر انہوں نے پاکستان کے لئے کوئی بین الاقوامی کارنامہ سرانجام دیا تو وہ صرف یہ تھا کہ پاکستان کو ایشیا کا سب سے زیادہ کرپٹ ملک تسلیم کرا لیا۔

ایشیائی وال اسٹریٹ جرنل نے اپنی اشاعت مورخہ ۲۳ ستمبر ۱۹۹۶ء کے اداریئے میں بے نظیر کے بھائی میر مرتضیٰ بھٹو کے کراچی میں پولیس کے ہاتھوں مارے جانے کے موقع پر لکھا تھا:

"(بے نظیر کی) فرعونی رعونت اسے سیاسی تباہی کی طرف لے جا رہی ہے، (بے نظیر کو) متحدہ مخالف پارٹیوں کا سامنا ہے چاہے یہ اتحاد عارضی ہی کیوں نہ ہو۔ بین الاقوامی مالیاتی فنڈ انہیں قرض دینے سے ہچکچا رہا ہے، اندرون ملک اور بیرون ملک پاکستان کو دنیا کے رشوت زدہ ملکوں کی لسٹ میں سرفہرست رکھا جا رہا ہے، بے نظیر کی جگہ کوئی اور لیڈر ہوتا تو وہ اپنے طور طریق اور طرز عمل کی اصلاح کرتا، لیکن

اپنی اصلاح کے بجائے پاکستانی مصائب کے لئے ہر ایک کو مورد الزام گردان رہی ہیں سوائے اپنے آپ کے۔ حال ہی میں، بے نظیر نے اپنے شوہر کو سرمایہ کاری کا وزیر مقرر کیا ہے۔ پاکستان کی پبلک نے بے نظیر کے شوہر کو "مسٹر دس فیصد" کا لقب دیا ہے اور یہ پبلک ان کے شوہر کو بدعنوانی اور رشوت کی علامت سمجھتی ہے چاہے ایسا سمجھنے میں وہ حق بجانب ہو یا نہ ہو لیکن وہ ایسا سمجھتی ضرور ہے۔ آج جبکہ بے نظیر خود سے ناراض بھائی کی موت کا سوگ منا رہی ہیں، پاکستان کے عوام اپنے آپ سے کروڑویں مرتبہ یہ پوچھ رہے ہیں کہ آخر ان کے ادھ موئے ملک کو اور کتنی چوٹیں اور کتنے صدمے برداشت کرنے ہوں گے اور آخر سماجی و سیاسی نظام کی مکمل تباہی کے کیا نتائج برآمد ہوں گے۔"

کیا ایک ایسی ریاست کو جس کے حکمرانوں نے پے در پے اپنی رعایا کو لوٹا ہے یہ حق پہنچتا ہے کہ وہ اپنے شہریوں سے وفاداری طلب کرے؟ کیا عجب کہ حاکم و محکوم کے مابین کا سماجی معاہدہ ٹوٹ چکا ہو اور حالت فطری میں واپس پہنچ چکے ہیں جہاں فطرت کے دانت اور پنجے خون سے سرخ ہو رہے ہیں۔ انجیل میں ایک جگہ لکھا ہے۔ "ایسے وقت میں دانا بینا لوگ چپ رہیں گے چونکہ یہ وقت بدی کا زمانہ ہے۔"

چنانچہ پاکستان میں بھی دانا بینا افراد تو چپ چاپ بیٹھے ہیں اور فضلہ ابھر کر اعلیٰ عہدے ہتھیاتا ہے اور ملک پر حکمرانی کرتا ہے، کیا وہ ایڈمنڈ برک نہیں تھے جنھوں نے ایک مرتبہ کہا تھا۔

"بدی کے غلبہ کے لئے نیک لوگوں کی خاموشی کافی ہے۔"

صورت حال اس قدر ناقابل برداشت ہو گئی ہے اور لوگ اس گومگو اور تذبذب کی کیفیت سے اس قدر گھبرا گئے ہیں کہ اب تو آر ہو یا پار ہو، کچھ نہ کچھ ہو ہی جانا چاہئے۔ ہم نے بیسویں صدی تو ضائع کر ہی دی۔ کیا ہم چاہتے ہیں کہ ہماری آئندہ نسلیں اکیسویں صدی سے بھی محروم رہ جائیں؟ کسی قوم کے لئے اس سے زیادہ ندامت اور خفت کا مقام اور کیا ہو گا کہ اس پر چوروں، لٹیروں اور ڈاکوؤں کا گٹھ جوڑ حکمرانی کرے؟ ریمنڈ کارور کی لکھی ہوئی ایک کہانی میں ایک کردار پوچھتا ہے۔ "ہم تو اچھے بھلے نیک مردوں کی طرح چلے تھے۔ آخر ہمیں ہو کیا گیا؟" جواب ملتا ہے۔ "احتجاج کے وقت خاموشی کا گناہ مردوں کو بزدل بنا دیتا ہے۔"

پادری مارٹن نی موئلر کو نازیوں کی مخالفت کے جرم میں ڈاچہ بھیجا گیا۔ مذکورہ پادری نے ہم ایسے لوگوں کی حالت زار (جو ضرورت کے وقت بھی بوجوہ خاموش رہتے ہیں) کا نقشہ اپنے ان یادگار الفاظ میں کھینچا ہے۔

"پہلے نازی، کمیونسٹوں کو پکڑنے آئے، میں کچھ نہ بولا کیونکہ میں کمیونسٹ نہ تھا، پھر وہ یہودیوں کو پکڑنے آئے، میں کچھ نہ بولا، کیونکہ میں یہودی نہ تھا، پھر وہ ٹریڈ یونین کے کارکنوں کو پکڑنے آئے، میں کچھ نہ بولا کیوں کہ میں ٹریڈ یونین کا کارکن نہ تھا، پھر وہ رومن کیتھولکس کو پکڑنے آئے، میں کچھ نہ بولا کیونکہ میں تو پروٹسٹنٹ تھا، پھر وہ مجھے پکڑنے آئے اور اس وقت تک کوئی بولنے والا باقی نہ رہا تھا۔"

ژوچانگ نے کنفیوشس سے حکومت کے بارے میں پوچھا استاد نے کہا:

”حکومت کے لئے ضروری ہے کہ خوراک کافی ہو، فوجی ساز و سامان کافی ہو اور لوگوں کو اپنے حکمرانوں پر اعتماد ہو۔“

ژو چانگ نے کہا: ”اگر تینوں میسر نہ ہوں اور تینوں میں سے ایک کو چھوڑنا پڑے تو سب سے پہلے کس کو چھوڑا جائے؟“

گورو نے جواب دیا۔ ”فوجی ساز و سامان کو۔“

ژو چانگ نے پوچھا: ”اگر باقی دو میں سے بھی ایک کو چھوڑنا پڑے تو پھر کس کو چھوڑا جائے؟“

گورو نے جواب دیا۔ ”پھر خوراک کو چھوڑ دو کیونکہ ہمیشہ سے مرنا تو ہر ایک کو ہے ہی، لیکن جس قوم کا اعتماد اپنے حکمرانوں پر سے چلا جائے وہ قوم تو بلا شبہ تباہ و برباد ہو گئی۔“

(کنفیوشس (۴۹ قبل مسیح) منتخب ادبی شذرات)

ہمارا اپنا یہ حال ہے کہ ہمارا اعتماد تو اپنے حکمرانوں پر سے کب کا اٹھ چکا، اب ہمارا اعتماد اپنے مستقبل پر سے بھی اٹھ گیا اور اب وہ منزل آگئی ہے کہ اپنے آپ پر سے بھی اعتماد اٹھنے کا خدشہ پیدا ہو چکا ہے۔ ہم اپنے نوجوانوں کو کیا بتلائیں جن کے اذہان تازہ نوعمری میں جلد اثر قبول کر لیتے ہیں؟ انہیں کون یہ یقین دلا سکتا ہے کہ ملک میں کوئی ایسا بھی ہے جس کے ہاتھ صاف ہیں (یعنی دیانتدار ہے) اگر ملک کے وزرائے اعظم، ارکان پارلیمان، پبلک عہدیدار، اعلیٰ سرکاری افسر (غرض یہ کہ پورے کا پورا حکمران طبقہ) یعنی آوے کا آوا ہی بگڑا ہوا ہے۔ اس حمام میں سب ہی ننگے ہیں، اگر سب کے چہروں پر بدعنوانی اور رشوت ستانی کی سیاہی ملی ہوئی ہے تو ہمارے نوجوان پھر کہاں سے رشد و ہدایت کا فیض حاصل کریں؟ ہمارے سیاسی اور عدالتی نظاموں کی راست بازی اور ایمانداری میں سے کچھ بھی باقی رہا ہے یا نہیں؟ یا سب بھسم ہو چکا؟

تاریخ سے ہمیں جو سبق ملتے ہیں ان میں سے ایک یہ بھی ہے کہ:

........جب عوام کا اعتماد اپنے حکمرانوں سے اٹھ جاتا ہے۔

........جب لوگوں کا اعتماد بیلٹ بکس کی حرمت سے جاتا رہتا ہے۔

........جب انتخابات میں دھاندلی ہوتی ہے اور ووٹ خریدے جاتے ہیں۔

........جب جج اپنے آئینی نظریات کو رواں سیاسی مصلحتوں کے مطابق ڈھالنے کی کوشش کرنے لگتے ہیں، اور جب وہ اپنی سمت سیاسی ہوا کا رخ دیکھ کر اسی طرف کر لیتے ہیں۔

........جب عدلیہ عدل و انصاف کے تقاضوں کے مطابق فیصلہ کرنے کی جگہ حکومت وقت کی خواہش کے مطابق فیصلے کرنے لگے اور شہریوں کے خلاف اپنے آپ کو آلہ کار بننے کی اجازت دیدے۔

........جب حکومت وقت خود سپریم کورٹ پر انبوہ سے یلغار کروائے۔

........جب حاکموں اور محکوموں میں فاصلے بڑھ جائیں۔

.........جب خوف، جبر اور زبردستی سے مبرا فضا میں وقتاً فوقتاً عوام الناس کو اپنی سیاسی ترجیحات کے اظہار کا موقعہ نہ ملے۔

.........جب جانے پہچانے معروف بدعنوان لوگ، ٹیکس چور اور اسمگلر زبردستی غریب، ناخواندہ انتخاب کنندگان کے سروں پر مسلط کر دیئے جائیں اور پھر انہیں وزیر بھی بنوادیا جائے، حالانکہ ناخواندگی اور غربت کے باعث انتخاب کنندگان صحیح نمائندہ چننے کی اہلیت بھی نہ رکھتے ہوں۔

.........جب انتخابات کے ذریعہ سب سے بہتر، سب سے شریف، سب سے اہل، سب سے مستحق لوگ ابھر کر سامنے نہیں آتے بلکہ معاشرہ کا فضلہ، بدقماشوں کا جم غفیر سامنے آتا ہے کیونکہ وہ سب سے امیر ہیں۔ جیسا کہ آج کل پاکستان میں ہو رہا ہے۔

.........جب بھوک اور غیض و غضب یکجا ہو جائیں جیسا کہ پاکستان میں مارچ اپریل ۱۹۹۷ء میں ملک کے بہت سے حصوں میں آٹے کی قلت اور نایابی کے باعث جگہ جگہ بلوے ہوئے۔

.........جب یہ سب کچھ ہوتا ہے تو پھر عوام گلیوں میں اور سڑکوں پر نکل آتے ہیں اور لینن کے اس مقولہ کی صداقت کو ثابت کرتے ہیں کہ:

"اس قسم کی صورتوں میں شہریوں کا گلیوں کوچوں میں احتجاجاً باہر پاپیادہ نکلنا، انتخابات میں ووٹ ڈالنے سے زیادہ موثر ہوتا ہے۔"

پال کنیڈی نے اپنی کتاب "عظیم طاقتوں کا عروج وزوال" (مطبوعہ رینڈم ہاؤس نیویارک ۱۹۸۷ء) کے صفحہ ۱۳ پر لکھا ہے:

"بادی النظر میں ایسا لگتا ہے جیسے مغل امپائر اس لئے زوال پذیر ہوئی کہ وہ جنوب سے مرہٹوں کی یلغار، شمال سے افغانوں کے حملوں اور مشرق سے ایسٹ انڈیا کمپنی کے بڑھتے ہوئے جارحانہ اثرورسوخ کا مقابلہ نہ کر سکی لیکن اصل حقیقت یہ ہے کہ اس کے انحطاط کے اسباب خارجی کم اور داخلی زیادہ تھے۔"

اگر خدانخواستہ کبھی پاکستان زوال پذیر ہوا تو یہ اس لئے نہیں ہوگا کہ وہ بھارت کی ابھرتی ہوئی اور بڑھتی ہوئی طاقت کا مقابلہ نہ کر سکا۔ تاریخ کا فیصلہ یہی ہوگا کہ اس کے اسباب انحطاط بھی خارجی کم اور داخلی زیادہ تھے جیسا کہ ماضی میں سلطنت مغلیہ اور سلطنت عثمانیہ کے ساتھ ماجرا گزرا ہے۔ سلطنتوں کے عروج وزوال کی تاریخ بتلاتی ہے کہ کوئی ملک یا کوئی سلطنت راتوں رات صفحہ ہستی سے نہیں مٹ جاتی۔ انحطاط کا عمل اس کے مٹنے سے بہت پہلے شروع ہو جاتا ہے۔

مشہور تاریخ دان پرسیول سپیر کی کتاب "مغلوں کا وقت غروب" (مطبوعہ اوکسفرڈ یونیورسٹی پریس، نیویارک، ۱۹۸۰ء) میں صفحات ۱۰۔۱۱ پر سلطنت دہلی کے آخری سالوں (۱۷۸۲ تا ۱۸۰۳) کا ذکر ہے، پرسیول سپیر لکھتا ہے۔

"سماجی انہدام کی علامات ہیں، پبلک اور پرائیویٹ معیار اخلاق میں بتدریج گراوٹ، اور مرکز جو قوتوں کے مقابلے میں مرکز گریز قوتوں کا زیادہ زور پکڑ لینا، جب قانون اور حکومت کا احترام کم ہوتا ہے تو جبر و زبردستی کا عفریت جھپٹ کر قانون و حکومت کی جگہ لے لیتا ہے کیونکہ اس کے علاوہ اس کا کوئی متبادل نظر بھی نہیں آتا اور پھر اس کے بعد جو جنگ و جدل جو لڑائی جھگڑا جو دنگا فساد جو افراتفری شروع ہوتے ہیں تو رفتہ رفتہ تمام ضابطہ ہائے اخلاق و شرافت دریا برد ہو جاتے ہیں، آدمی حقیقت پسندی سے ابتدا کرتے ہیں اور شیطان پرستی پر انتہا۔ کبھی آمیزش و ترکیب کا عمل داخلی ہوتا ہے اور کبھی خارجی یعنی باہر سے مسلط کیا جاتا ہے۔ اگر حکومت کا ابتدائی انہدام خیالات و نظریات کے ہیجان اور کھلبلی کے سبب ہو تو حقیقی انقلاب، انقلاب فرانس جیسا رونما ہوتا ہے لیکن اگر حکومت کی ٹوٹ پھوٹ شکست و ریخت محض اس کی ضعیفی ناتوانی اور درماندگی کے باعث ہو تو پھر حل یہی ہے کہ پرانی حکومت کی جگہ نئی حکومت آئے اب رہا یہ سوال کہ نئی متبادل حکومت خارجی ہو گی یا داخلی، اس کا انحصار مقامی حالات پر ہو گا۔"

سلطنت دہلی کے آخری سالوں کے حالات میں اور آج کل کے پاکستان کے حالات میں اضطراب انگیز و پریشان کن حد تک مشابہت و مماثلت ہے۔ تاریخ میں تغیر و تبدل و انقلابِ عظیم سے پہلے بالعموم جو علامات نمودار ہوا کرتی ہیں وہ عہدِ حاضر کے پاکستان میں بدرجہ ءِ اتم موجود ہیں بلکہ روزافزوں ہیں۔ سمندر میں طوفان و تلاطم ہے، کشتی کمزور ہے، ملاح ناتجربہ کار ہیں، ناخدا کے پاس نہ کمپاس ہے نہ اپنی سمت کا اندازہ۔ کیا ہماری ریاست کا سفینہ برف کی منجمد چٹان سے ٹکرانے کے قریب تو نہیں؟ کیا ہم حقیقی اور سچے انقلاب کی طرف بڑھ رہے ہیں جیسا کہ ۱۷۸۹ میں فرانس میں وقوع پذیر ہوا تھا، یا ہم محض حکومت وقت کی ناتوانی اور ضعیفی کے عمل کا مشاہدہ کر رہے ہیں، اور کیا موجودہ حکومت کی جگہ کوئی تازہ حکومت لے گی یا خدانخواستہ کہیں قائداعظم محمد علی جناح کا پاکستان نزع میں تو نہیں؟ واللہ اَعلم بالصّواب۔

آج ہم معاشی اور سماجی تباہی کے دہانے پر کھڑے ہیں، طرفہ تماشہ یہ ہے کہ صرف اور صرف عساکر پاکستان نے ملک کو شکست و ریخت کے گہرے تاریک گڑھے میں گرنے سے روکا ہوا ہے لیکن تاریخ کا ایک سبق یہ بھی ہے کہ کوئی فوج خواہ وہ کتنی ہی طاقتور کیوں نہ ہو، کسی ملک کو داخلی بدامنی، سماجی افراتفری اور تاراج سے نہیں بچا سکی اور نہ اس کو ٹکڑے ٹکڑے ہونے سے روک سکی۔ سرخ فوج سے زیادہ تو کوئی طاقتور فوج نہ رہی ہو گی جس نے ۱۹۴۱ء میں جرمن فوج کے بھرپور حملے کا مقابلہ کیا جبکہ جرمن فوج کے ۱۸۰ ڈویژنوں میں چالیس لاکھ سپاہی تھے۔ اس فوج کے پاس ۳۳۵۰ ٹینک تھے، ۷۲۰۰ توپیں تھیں، ۲۰۰۰ طیارے تھے، لیکن سرخ فوج نے کامیابی سے جرمن فوج کا مقابلہ کر کے انہیں نہ صرف روس کی سرزمین سے نکال دیا بلکہ برلن تک انکا پیچھا کیا، لیکن یہی زبردست طاقتور سرخ فوج ۱۹۸۹ء میں سوویت یونین کو ٹوٹنے سے نہ بچا سکی، جو کل تک سپرپاور تھی آج دنیا میں ہدف تضحیک ہے!

کلامِ آخر

صبح آزادی ۱۴ اگست ۱۹۴۷ء

یہ داغ داغ اجالا یہ شب گزیدہ سحر
وہ انتظار تھا جس کا یہ وہ سحر تو نہیں
یہ وہ سحر تو نہیں جس کی آروز لے کر
چلے تھے یار کہ مل جائے گی کہیں نہ کہیں
فلک کے دشت میں تاروں کی آخری منزل
کہیں تو ہوگا شب ست موج کا ساحل
کہیں تو جا کے رکے گا سفینۂ غم دل

فیض احمد فیض

سال ۱۹۹۶ء ہے، مہینہ نومبر ہے، تاریخ ۴ ہے اور جگہ اسلام آباد، میں اپنی گاڑی میں اپنے گھر سے ایوان صدر جارہا ہوں۔ وہاں مجھے، صدر پاکستان سردار فاروق احمد خاں لغاری سے ملنا ہے، میں بروقت ایوان صدر پہنچ جاتا ہوں اور وقت مقررہ پر صدر مملکت کے دفتر میں داخل ہوتا ہوں تو دیکھتا ہوں کہ ان کی میز پر کاغذ کا ایک پرزہ تک نہیں، وہ بظاہر خاصے پر سکون اور مطمئن نظر آرہے ہیں لیکن معمول کی علیک سلیک کے بعد میں جلد ہی محسوس کر لیتا ہوں کہ اندر سے وہ متفکر اور مضطرب ہیں۔

''ملک میں سیاسی حالات کیسے ہیں؟'' وہ مجھ سے پوچھتے ہیں۔

''بہت خراب'' میں جواب دیتا ہوں، ''اتنے خراب کہ اس سے پہلے شاید ہی کبھی ہوئے ہوں۔ لوگ بد دل ہیں، اپنے لیڈروں پر سے ان کا بھروسہ اٹھ گیا ہے، وہ ناراض بھی ہیں اور بے زار بھی۔''

''یہ سن کر صدر مملکت کہتے ہیں۔ ''میں نے وزیر اعظم کو بار بار سمجھایا کہ آپ کی حکومت میں بے ایمانی، بد عنوانی اور رشورت ستانی کا دور دورہ ہے۔ یہ زہر دور دور تک پھیل چکا ہے، فوراً اس کا سدباب کیجئے۔ معیشت زبوں حال ہے اس کی بہتری کی طرف فوری توجہ دیجئے کیونکہ مجھے نظر آرہا ہے کہ اگر معاشی بد نظمی یونہی جاری رہی تو ملک سنگین مالیاتی بحران کا شکار ہو جائے گا۔ میں نے وزیر اعظم سے یہ بھی کہا کہ وزیر اعظم کے آئینی اختیارات آپ کے ہیں اور انہیں استعمال آپ کے شوہر آصف علی زرداری کر رہے ہیں۔ اس قطعی غیر تسلی بخش صورت حال کی اصلاح کیجئے، لیکن میرے یہ سب مشورے صدا بہ صحرا ثابت ہوئے اور وزیر اعظم بدستور اپنی ڈگر پر چلتی رہیں۔''

میں حالات کے اس ڈرامائی تغیر سے ششدر رہ گیا، میرا ذہن آج سے سوا چھ سال پہلے کی طرف پلٹ گیا۔ اگست ۱۹۹۰ء کا پہلا ہفتہ تھا، یہی ایوان صدر تھا یہی کمرہ تھا، اسی بے نظیر کی حکومت تھی، فرق صرف یہ تھا کہ کرسی صدارت پر اس وقت فاروق لغاری کی جگہ غلام اسحٰق خان بیٹھے تھے، وہ بھی بے نظیر سے اور اس کی حکومت کی کارکردگی سے مایوس تھے۔ میں نے فاروق لغاری کی گفتگو سے اندازہ لگالیا کہ اب ان کا اور بینظیر کا ساتھ ساتھ چلنا ناممکن ہے۔ مجھے یہ بھی لگا کہ جیسے بے نظیر کی حکومت کو برطرف کرنے اور قومی اسمبلی توڑنے کے بنیادی فیصلے کئے جا چکے ہیں، میں سوچنے لگا۔ یا میرے خدا! کیا تاریخ پھر اپنے آپ کو دہرانے والی ہے!

جب میں کچھ دیر پہلے صدر مملکت کے کمرے میں داخل ہوا تھا، میرے وہم و گمان میں بھی نہ تھا کہ بے نظیر کی حکومت کا تختہ الٹنے والا ہے لیکن میں جب کمرے سے باہر نکلا تو مجھے یقین ہو چکا تھا کہ بے نظیر حکومت اب گھڑیوں کی مہمان ہے اور یہ کہ بے نظیر جلد ''موجودہ وزیر اعظم'' سے ''سابقہ وزیر اعظم'' بننے والی ہیں۔

سردار فاروق احمد خان لغاری، پاکستان پیپلز پارٹی کے پرانے، مخلص اور سرگرم کارکن رہے تھے، وہ پارٹی کے دیرینہ وفادار حلیف تھے۔ ان تمام باتوں کے باوجود انہیں ۵ نومبر ۱۹۹۶ء کو آدھی رات کے لگ بھگ، آئین پاکستان کی دفعہ ۵۸ کی شق (۲) کی ذیلی شق (ب) کے تحت، اپنے اختیارات بحیثیت صدر مملکت، استعمال کر کے پاکستان پیپلز پارٹی کی حکومت کو برطرف اور قومی اسمبلی کو توڑنا پڑا تھا، لیکن یہ کرتے وقت انہوں نے ساتھ ہی یہ اعلان بھی کر دیا تھا کہ نئے انتخابات ۳ فروری ۱۹۹۷ء کو ہوں گے۔

اسی روز یعنی ۵ نومبر ۱۹۹۶ء کو ایک دس رکنی نگراں وفاقی کابینہ بنادی گئی اور ملک معراج خالد اس کابینہ

میں وزیر اعظم مقرر ہوئے۔ انہوں نے اپنے عہدے کا حلف اٹھانے کے بعد جلد ہی اعلان کر دیا کہ بنیادی طور پر نگراں حکومت کا ایجنڈا دو نکاتی ہے۔ ایک انتخاب اور دوسرا احتساب۔ انتخاب کا مطلب تھا اسمبلیوں کے لئے ممبر چننے کے لئے عام انتخابات کا عمل، اور احتساب سے مراد تھی بددیانت، رشوت ستاں، بدعنوان سیاست دانوں اور سرکاری عمال کا مواخذہ۔ میں احتساب کے سلسلے میں نگراں حکومت کی کارگزاری کا ذکر پہلے کروں گا اور انتخابات کے انعقاد و نتائج کا بعد میں۔

صدر مملکت نے احتساب آرڈیننس ۱۹۹۶ء، ۱۸ نومبر ۱۹۹۶ء کو جاری کر دیا۔ اس آرڈیننس کی موٹی موٹی باتیں یہ تھیں۔

(۱) ایک احتساب کمیشن قائم ہوگا جس کا سربراہ سپریم کورٹ کا موجودہ یا سابقہ جج ہوگا۔

(۲) احتساب کمیشن نمائندہ عہدیداروں اور سرکاری عمال کے خلاف بداعمالی کے الزامات کی چھان بین کرے گا۔

(۳) ایسے معاملات کمیشن کے پاس حکومت بھیج سکے گی یا کوئی شہری بھی پیش کر سکے گا یا کمیشن از خود اپنی صوابدید کے مطابق شروع کر سکے گا۔

(۴) کمیشن ایسے معاملات کو ۳۰ دن کے اندر اندر متعلقہ ہائی کورٹ کو بھیجنے کا پابند ہوگا۔

(۵) ہائی کورٹ کے تین ججوں پر مشتمل ایک خصوصی بینچ ایسے مقدمات کی سماعت کرے گا اور ۳۰ دن کے اندر اندر اپنا فیصلہ سنادے گا۔

(۶) ہائی کورٹ کے فیصلے کے خلاف اپیل سپریم کورٹ میں دائر کی جا سکے گی۔

(۷) ایسے مقدمات میں جرم ثابت ہونے کی صورت میں یہ سزائیں دی جا سکیں گی:

سات سال تک کی قید، مجرم اگر سرکاری ملازم ہے تو ملازمت سے برطرفی، مجرم اگر عوامی نمائندہ ہے تو پانچ سال تک نمائندہ نہ بن سکنے کی پابندی۔

احتساب آرڈیننس ۱۹۹۶ء کے اجراء نے ۱۹۷۷ء کے دو فرمان منسوخ کر دیئے۔ (۱) نمائندہ عہدیداروں کے لئے سزا برائے بداعمالی کا فرمان ۱۹۷۷ء (۱۹۷۷ء کا پی پی او ۱۶) (۱۱) پارلیمنٹ اور صوبائی اسمبلیوں کی رکنیت سے نااہلی کا فرمان ۱۹۷۷ء (۱۹۷۷ء کا پی پی او ۱۷) یہاں ایک بات قابل ذکر اور قابل غور ہے۔ ۱۹۷۷ء کے پی پی او ۱۷ میں بداعمالی کی جو تعریف کی گئی تھی اس میں دلالی، بے جا جانبداری، اقربا پروری، دانستہ بدانتظامی اور اختیارات کا ناجائز استعمال، یہ سب شامل تھے لیکن ۱۹۹۶ء کے احتساب آرڈیننس کے تحت ایسا نہیں کیونکہ اس آرڈیننس میں صرف بدعنوانی اور بدعنوان حرکتوں کا ذکر ہے۔ اسکا مطلب یہ ہوا کہ اب کوئی نمائندہ عہدیدار، دلالی، بے جا جانبداری، اقربا پروری، دانستہ بدانتظامی، اختیار یا حیثیت کے ناجائز استعمال کی بنا پر نمائندہ اسمبلیوں کی رکنیت کا نااہل قرار نہیں دیا جا سکتا۔ اسے سزا

صرف اس صورت میں دی جاسکتی ہے جب وہ بد عنوانی یا بد عنوان حرکتوں کا مرتکب پایا جائے اور تجربہ شاہد ہے کہ ہمارے موجودہ عدالتی نظام میں ضوابط مروجہ کے تحت کسی پر بد عنوانی یا بد عنوان حرکت کا الزام ثابت کرنا، تقریباً ناممکن ہے۔ گویا بد دیانت نمائندہ عہدیداروں کو اسمبلیوں کی رکنیت کا نااہل قرار دیئے جانے کا امکان کم و بیش ختم ہوگیا۔ سوال یہ ہے کہ ایسا آخر کیوں کیا گیا؟ کیا اس کا مقصد بد دیانت نمائندہ عہدیداروں کو مواخذہ اور سزا سے بچانا ہے؟ کیا ایسا سہواً ہوا ہے یا قصداً؟ ؎ پردہ اٹھنے کی منتظر ہے نگاہ!

احتساب کے سلسلے میں نگراں حکومت کی پیش رفت کا حال یہ ہے کہ بے نظیر حکومت کی برطرفی کے چھ ہفتے بعد بھی، نگراں وزیر اعظم ملک معراج خالد، برملا اپنی حکومت کی ناکامی کا اعتراف کرتے ہوئے پاکستانی عوام اور پاکستانی ووٹروں سے کہتے ہیں کہ ہم تو پاکستان کے چوٹی کے سیاست دانوں مثلاً بے نظیر بھٹو، آصف علی زرداری، نواز شریف وغیرہ وغیرہ اور ان کے حواریوں کے خلاف ایسی شہادتیں اور ایسا مواد اکٹھا کرنے میں ناکام ہوگئے ہیں کہ جس کی بنیاد پر مقدمات چلا کر سزائیں دلوائی جاسکیں اب یہ آپ کا کام ہے کہ آپ ایسے بد دیانت بد معاملہ لوگوں کو ووٹ نہ دیکر انہیں سزا دیں!

میرا اپنا اندازہ ہے کہ یا تو نگراں حکومت نے اس سلسلے میں اتنی محنت نہیں کی جتنی کہ ضروری تھی یا (اور اس کا امکان زیادہ ہے) پہلے سے ہی یہ طے کرلیا گیا ہے کہ بڑے بڑے سیاسی لیڈروں کے خلاف کارروائی نہیں کی جائے گی۔

احتساب کے معاملے میں نگراں حکومت کی علانیہ ناکامی پر لوگ بیحد برہم بھی ہیں اور نکتہ چیں بھی۔ اب تو بہت سے ایسے بھی ہیں جنھوں نے شروع شروع میں بے نظیر حکومت کی برطرفی کا خیر مقدم کیا تھا لیکن اب وہ یہ محسوس کررہے ہیں کہ ان کے ساتھ دھوکا ہوا ہے۔ وہ پوچھ رہے ہیں اگر بے نظیر اور ان کی حکومت کے خلاف کافی شہادتیں اور مواد موجود نہیں تھا تو پھر حکومت کو برطرف کیوں کیا گیا؟ اسمبلی کو توڑا کیوں گیا؟ قومی سیاست میں ایک نئی روشن راہ استوار کرنے کا سنہری موقع کیوں گنوایا گیا؟ صدر فاروق لغاری کی ساکھ تباہ ہوگئی ہے۔

بدنام زمانہ بد عنوان، بد معاملہ سیاست دانوں کے خلاف کارروائی شروع نہ کرنے کی ذمہ داری اب فاروق لغاری کے کاندھوں پر ڈالی جارہی ہے میں پوچھتا ہوں کہ کہیں اس کی وجہ یہ تو نہیں کہ اب جبکہ بے نظیر کو اقتدار سے الگ کیا جاچکا ہے بے نظیر اور نواز شریف دونوں کے خلاف کارروائی کرنا فاروق لغاری کے سیاسی مفاد میں نہیں؟ کہیں ایسا تو نہیں کہ فاروق لغاری کارروائی نہ کرکے، اپنی سیاسی تنہائی ختم کرنے کی قیمت چکارہے ہوں؟ جواب جو بھی ہو، واقعہ یہ ہے کہ نگراں حکومت کے علانیہ اعتراف ناکامی سے فاروق لغاری کی ساکھ اتنی گر گئی ہے کہ اس سے پہلے شاید ہی کبھی گری ہو۔

خیر فاروق لغاری کی ساکھ اور ان کے رتبے کو تو جو دھچکا لگا سو لگا، اصلی نقصان تو وطن عزیز کا ہوا۔ کیونکہ

مجھے تو نظر آرہا ہے کہ ۳ فروری ۱۹۹۷ء کو بھی عام انتخابات میں مقابلہ بد عنوان، بد معاملہ سیاست دانوں کے دو دھڑوں کے درمیان ہو گا، یعنی ایک طرف بے نظیر اور بے نظیر کی پاکستان پیپلز پارٹی، دوسری طرف نواز شریف ہوں گے اور ان کی پاکستان مسلم لیگ ہو گی۔ بہت سے پاکستانیوں کو جو یہ امید ہو چلی تھی کہ بے نظیر اور نواز شریف اور ان دونوں کے بد دیانت حواریوں کو عام انتخابات میں حصہ لینے سے نااہلی کی بنا پر روک دیا جائے گا! وہ امید پوری ہوتی نظر نہیں آتی۔ ایسا لگتا ہے کہ جیسے وہی پرانے بد قماش لوگ جنہوں نے ملک کو لوٹا تھا، ملک کا دیوالہ نکالا تھا، دوبارہ منتخب ہو کر انتخاب کنندگان کے سر پر سوار ہو جائیں گے اور پھر اپنے تازہ "پاپولر" مینڈیٹ کے بل بوتے پر ملک لوٹنے کے اسی پروگرام کی تکمیل میں لگ جائیں گے جو بیچ میں رہ گیا تھا۔

۶ جنوری ۱۹۹۷ء کو ایک کونسل برائے سلامتی و قومی تحفظ کی تشکیل کا اعلان کیا گیا اور اس کے دو فوائد بتلائے گئے، ایک تو یہ کہ مسلح افواج پاکستان کے سپریم کمانڈر کی حیثیت سے صدر مملکت کا کردار زیادہ بامعنی ہو جائے گا اور دوسرے یہ کہ آئندہ صدر مملکت اور وزیر اعظم کے درمیان غلط فہمی اور ناچاقی کے امکانات ختم ہو جائیں گے۔ سیاسی حلقے اس طرز استدلال سے مطمئن نہیں ہیں، وہ کونسل کی تشکیل خصوصاً اس کے چوری چھپے بنائے جانے پر پریشان بھی ہیں اور برہم بھی۔ عام تاثر یہی ہے کہ اس کونسل کا سہارا لیکر صدر مملکت، وزیر اعظم اور کابینہ کو نظر انداز کر کے دوررس قومی اہمیت کے فیصلے خود کرنا چاہتے ہیں اور چونکہ ایسے فیصلوں کو افواج پاکستان کے سربراہوں کی تائید حاصل ہو گی تو ان کی عدم تعمیل یا خلاف ورزی کی جرات کون کر سکتا ہے؟ میرے نزدیک اس کوتاہ بینی میں جس پہلو پر غور نہیں کیا جا رہا وہ یہ ہے کہ اقتدار کی مثلث میں زیادہ نقصان مثلث کے دو سب سے زیادہ بلند پایہ غیر عسکری ستونوں یعنی صدر مملکت اور وزیر اعظم کا ہو گا، کیونکہ کونسل کے فیصلوں میں افواج کے سربراہان کی بھاری بھر کم رائے ہی دوسری رائے پر حاوی رہا کرے گی۔ اب دیکھنا یہ ہے کہ آیا آئین میں آٹھویں ترمیم کی تنسیخ کے بعد بھی یہ کونسل برقرار رہتی ہے یا نہیں؟

۵ نومبر ۱۹۹۶ء کو صدر مملکت نے قومی اسمبلی توڑنے اور حکومت برطرف کرنے کا جو فرمان جاری کیا تھا، بے نظیر نے اسے سپریم کورٹ میں چیلنج کیا تھا اور اپنی حکومت کی بحالی کی درخواست کی تھی، ۲۸ جنوری ۱۹۹۷ء کو سپریم کورٹ نے اس درخواست پر اپنا فیصلہ سنا دیا۔ درخواست مسترد کر دی اور مذکورہ صدارتی فرمان کی توثیق کر دی۔

سپریم کورٹ نے بے نظیر حکومت پر عائد کردہ نو الزامات میں سے سات کی توثیق کر دی۔ توثیق شدہ الزامات میں بد عنوانی کا الزام، بغیر مقدمہ چلائے کراچی کے لوگوں کو مارنے کا الزام، آئین کی مختلف دفعات کی خلاف ورزی کرنے کے الزامات، شامل تھے۔

سپریم کورٹ کے اس فیصلے کے ایک ہفتہ کے اندر ہی بے نظیر کو ایک اور ذلت آمیز ہزیمت اٹھانا پڑی۔ ۳ فروری ۱۹۹۷ء کے عام انتخابات میں بے نظیر اور ان کی پیپلز پارٹی کو نواز شریف اور ان کی مسلم لیگ کے مقابلے میں شکست فاش ہوئی۔ ان عام انتخابات میں نواز شریف اور انکی مسلم لیگ کو ایسی زبردست کامیابی ہوئی جس کا کسی کو حتیٰ کہ نواز شریف کو وہم گماں بھی نہ تھا۔ قومی اسمبلی میں نواز شریف کی مسلم لیگ کو دو تہائی اکثریت حاصل ہو گئی۔ پنجاب اسمبلی میں اسے ۲۱۱ نشستیں ملیں، سرحد اسمبلی میں ۳۱ اور سندھ اسمبلی میں ۱۵۔ پنجاب اسمبلی میں اس کو دو تہائی اکثریت حاصل ہو گئی جبکہ سرحد اسمبلی میں وہ سب سے بڑی پارٹی بن کر ابھری، قومی سطح پر بے نظیر پستہ قد پارٹی کی پستہ قامت لیڈر بن کر رہ گئیں۔ پنجاب اسمبلی میں انہیں نواز شریف مسلم لیگ کی ۲۱۱ نشستوں کے مقابلے میں صرف ۲ نشستیں ملیں، گویا پنجاب میں تو وہ اور ان کی پارٹی تقریباً غائب ہی ہو گئیں۔ صوبہ سرحد میں ان کی پارٹی کو بہت مار پڑی۔ حتیٰ کہ انہیں اپنے آبائی صوبے سندھ میں بھی کافی زخم کھانے پڑے۔ اب وہ اپنے زخم چاٹ رہی ہیں انہیں پتہ نہیں چل رہا کہ زمانہ ان کے ساتھ کیا چال چل گیا۔

''آسمانی مختار نامہ'' اب بے نظیر سے نواز شریف کی طرف زبردست عوامی مینڈیٹ کی شکل میں منتقل ہو چکا ہے، نواز شریف کے اقتدار کا سورج طلوع ہو چکا ہے لیکن اس کے باوجود نواز شریف کو بہت محتاط رہنا ہو گا۔ کیونکہ ان کے لئے ان کی غیر معمولی کامیابی کی گھڑی، ہیبت کی گھڑی بھی ہے کیونکہ بقول سر ونسٹن چرچل۔

''اقتدار کی عظمت کے ساتھ احتساب کی ہیبت بھی جڑی ہوتی ہے۔''

اب جبکہ نواز شریف کو اتنا زبردست عوامی مینڈیٹ مل چکا ہے انہیں مضبوط، محفوظ اور مستحکم حکومت بنانے میں کوئی دقت نہیں ہونی چاہئے، نواز شریف اب جو قانون چاہیں منظور کروا سکتے ہیں۔ جو قانون چاہیں منسوخ کروا سکتے ہیں حتیٰ کہ اگر وہ چاہیں تو آسانی سے آئین میں ترامیم بھی کروا سکتے ہیں، البتہ انہیں یہ نہیں بھولنا چاہئے کہ سیاست میں دو جمع دو ہمیشہ چار نہیں ہوتے، ہر چمکدار چیز سونا نہیں ہوتی۔ پاکستان کی تاریخ میں شیخ مجیب الرحمٰن اور ذوالفقار علی بھٹو دو قوی ہیکل، سحر آگیں سیاسی لیڈر گزرے ہیں۔ ان دونوں کو بھی دسمبر ۱۹۷۰ء کے عام انتخابات میں عوام کی طرف سے بڑا زبردست مینڈیٹ ملا تھا، خصوصاً مجیب کو مشرقی پاکستان میں، ذوالفقار علی بھٹو کو مغربی پاکستان میں، لیکن نتیجہ کیا نکلا؟ ایک نیشنل ٹریجڈی، ایک قومی المیہ، ملک دولخت ہو گیا۔ مجیب کو اگست ۱۹۷۵ء میں اسی کے ساتھیوں نے گولی مار دی۔ ذوالفقار علی بھٹو کو فوج نے جولائی ۱۹۷۷ء میں معزول کر کے اپریل ۱۹۷۹ء میں سولی چڑھا دیا۔ سر ونسٹن چرچل کہتے ہیں:

''اگر کوئی شخص اپنے اقتدار کو اپنی ہی جیسی مخلوق پر حکم چلانے کے لئے استعمال کرتا ہے تو وہ فعل قبیح ہے، لیکن اگر کوئی صاحب اقتدار اپنے اختیار کو قومی بحران میں صائب فیصلے صادر کرنے کے لئے استعمال

کرتا ہے تو وہ فال نیک ہے۔"

۱۹۹۰ء میں بھی نواز شریف اور ان کے حواریوں کو قومی اسمبلی میں دو تہائی اکثریت حاصل تھی لیکن بہت جلد انہوں نے اپنے لئے نہایت سنگین مسائل کھڑے کر لئے۔ مثلاً پہلے انہوں نے بلاوجہ چیف آف آرمی اسٹاف سے ٹکر لی، اس کے بعد صدر مملکت سے، نتیجہ کیا نکلا؟ پہلے وہ بر طرف ہوئے، پھر وہ بحال ہوئے اور پھر انہیں مستعفی ہونا پڑا۔

بے نظیر اس سے پہلے بھی ۱۹۹۰ء تا ۱۹۹۳ء اقتدار سے محروم رہ چکی ہیں لیکن اقتدار سے محروم صحرا نوردی سے انہوں نے کچھ سیکھا نہیں، سوال یہ ہے کہ آیا ان کی خوش بختی کا سورج تیسری مرتبہ طلوع ہو سکتا ہے؟ یا وہ ہمیشہ کے لئے غروب ہو چکا؟ کیا وہ عوامی مینڈیٹ ہمیشہ ہمیشہ کے لئے کھو چکیں؟ کیا ان کی سیاسی اہمیت ہمیشہ کے لئے ختم ہو چکی؟ کیا ان کی سیاست کا مرثیہ لکھنے کا وقت آگیا!

بے نظیر کی حکومت کے دور میں بدعنوانی، بدانتظامی اور چاپلوسی کی لعنتیں ملک میں اس قدر عام ہو گئی تھیں کہ اس سے پہلے کبھی ایسی صورت دیکھی نہ گئی تھی، اسی وجہ سے بے نظیر کی حکومت، تاریخ پاکستان کی سب سے زیادہ ناپسندیدہ اور نامقبول حکومت بن گئی۔ اس ناپسندیدگی اور نامقبولی کو بعض خارجی عوامل سے بھی تقویت ملی، (جو دنیا بھر کے ممالک میں بدعنوانی رشوت ستانی کا تقابلی جائزہ ہر سال شائع کرتی ہے) اس نے پاکستان کو ایشیا کا سب سے زیادہ کرپٹ ملک قرار دیدیا۔ علاوہ ازیں حکومت پاکستان کے تعلقات عالمی بینک اور بین الاقوامی مالیاتی فنڈ سے بھی خراب ہو گئے!

بے نظیر کو سب سے بڑا اور تباہ کن سیاسی دھچکا البتہ اس وقت لگا جب ۲۰ ستمبر ۱۹۹۶ء کو سندھ پولیس (جو بے نظیر کے ماتحت اور کنٹرول میں تھی) نے بے نظیر کے سگے بھائی لیکن سیاسی مخالف میر مرتضیٰ بھٹو کو ۷۰۔ کلفٹن کراچی سے چند قدموں کے فاصلے پر قتل کر دیا۔ یہ ۷۰۔ کلفٹن کراچی بھٹوؤں کا آبائی پشتی جدی گھر تھا، یہیں کبھی ذوالفقار علی بھٹو رہا کرتے تھے اور یہ پیپلز پارٹی کے فدائیوں کے نزدیک قابل صد احترام درگاہ کا درجہ رکھتا تھا۔ سندھ پولیس کے ہاتھوں میر مرتضیٰ بھٹو کے قتل اور خصوصاً جن حالات میں وہ قتل ہوئے، اس کی خبر سن کر لوگ غم و غصہ سے از خود رفتہ ہو گئے، خصوصاً بے نظیر کے آبائی صوبے سندھ کے لوگ غیظ و غضب سے بپھر گئے۔ عام شبہ یہی تھا کہ میر مرتضیٰ بھٹو کو بے نظیر کے شوہر آصف علی زرداری کے اشارے اور ایماء پر قتل کیا گیا ہے، لوگ بے نظیر سے اس قدر برہم اور سیخ پا تھے کہ انہوں نے بے نظیر کو اپنے بھائی، میر مرتضیٰ بھٹو کی تجہیز و تکفین و تدفین کی آخری رسوم میں شامل ہونے تک سے روک دیا تھا۔ کہنے والے کہتے ہیں کہ بھٹو خاندان پر آسیب کا سایہ ہے، وہ یہ بھی کہتے ہیں کہ میر مرتضیٰ بھٹو کی ناگہانی اور دردناک موت اسی آسیب کے اثر کا تازہ ترین کھلا ثبوت ہے۔

سوال یہ ہے کہ اب تقدیر کو بدلنے کے لئے کس زارینہ کو مرنا ہو گا؟ اس مرتبہ بازی پہلے سے زیادہ

خطرناک ہے۔

میر مرتضیٰ کے قتل سمیت بے نظیر کے سیاسی مسائل کیا کم تھے کہ ان کے لئے اپنے ہی آبائی صوبے سندھ میں ایک اور غیر متوقعہ سیاسی مسئلہ کھڑا ہوگیا۔ ان کی اپنی بھاوج، میر مرتضیٰ بھٹو کی بیوہ، غنویٰ بھٹو نے بے نظیر کو سیاسی چیلنج دے دیا جو بے نظیر کے لئے ایک نیا اضافی سیاسی دردسر بن گیا۔

نواز شریف نے قومی اسمبلی میں اپنی دو تہائی سے زیادہ اکثریت سے پورا پورا فائدہ اٹھاتے ہوئے، آئین کی دفعہ ۵۸ کی شق (۲) کی ذیلی شق (ب) کو منسوخ کروالیا ہے۔ اسی شق کے تحت صدر مملکت کو اسمبلی توڑنے، حکومت برطرف کرنے اور مسلح افواج پاکستان کے سربراہ مقرر کرنے کے اختیارات حاصل تھے۔ ان اختیارات کے چھن جانے سے گویا صدر مملکت کے پر قینچ ہوگئے ہیں اور عملاً وہ بے اثر ہوکر رہ گئے ہیں۔ کونسل برائے سلامتی و قومی تحفظ کے باوجود اب وہ پارلیمنٹ کے لئے خطرہ نہیں رہے۔ آئین کی دفعہ ۵۸ کی شق (۲) کی ذیلی شق (ب) کی تنسیخ کو نواز شریف کی تاریخ ساز کامیابی گردانا جارہا ہے، کچھ اسے سیاسی انقلاب کا نام بھی دے رہے ہیں لیکن میرے نزدیک پاکستان میں پارلیمانی بالادستی کی بحالی کی جدوجہد ابھی ختم نہیں ہوئی بلکہ اب تو شروع ہوئی ہے، کیونکہ پاکستان میں اقتدار اعلیٰ (یعنی ماورائے قانون لوگوں سے احکام کی تعمیل کروانے کی سکت) اب تک ''قوتِ نافذہ'' میں مرکوز ہے۔ یہ صحیح ہے کہ آئین کی دفعہ ۵۸ کی شق (۲) کی ذیلی شق (ب) منسوخ ہوچکی ہے، لیکن اس تنسیخ سے ''قوتِ نافذہ'' کی طاقت کم نہیں ہوئی۔ وہ اب بھی پارلیمنٹ توڑ سکتی ہے، منتخب حکومت برطرف کرسکتی ہے، پاکستان کے سیاسی کھیل میں ریفری کا اپنا روایتی رول زور زور سے سیٹی بجا کر ادا کرسکتی ہے، جیسا کہ اس نے پاکستان کی ستم زدہ تاریخ میں باربار کیا ہے۔ مارشل لاء کا سیاہ سایہ ابھی تک ہمارے جمہوری اداروں کے سر سے غائب نہیں ہوا۔ نواز شریف کے لئے آنے والے دنوں میں سب سے بڑا چیلنج یہ ہوگا کہ وہ اس پس پردہ مقتدر اعلیٰ، اس قوتِ نافذہ سے اپنے تعلقات استوار کیسے رکھیں، کیونکہ لوگوں سے بات منوانے کی آخری سکت صرف اسی قوتِ نافذہ کے پاس ہے۔

۵ نومبر ۱۹۹۶ء کو قومی اسمبلی ٹوٹی، بے نظیر حکومت برطرف ہوئی، ۳ فروری ۱۹۹۷ء کو عام انتخابات ہوئے، ۱۷ فروری ۱۹۹۷ء کو نواز شریف نے وزیراعظم کے عہدے کا حلف اٹھایا۔ ادھر انہوں نے حلف اٹھایا ادھر لوگوں نے ان سے معجزات کی مبالغہ آمیز اور غیر حقیقت پسندانہ امیدیں وابستہ کرلیں۔ جس قسم کے سبز باغ لوگوں کو عام انتخابات کے دوران انتخابی مہم میں دکھائے گئے تھے، ان کے پیش نظر لوگوں کا جنت ارضی کے خواب دیکھنا کچھ عجب بھی نہ تھا لیکن جیسے جیسے شب سرور کے سحر کا اثر زائل ہورہا ہے لوگوں کو صبح دم کی سنجیدہ حقیقت کی تلخیوں کا ادراک بھی ہوتا جارہا ہے وہ سوچ رہے ہیں کہ انتخابی مہم کے دوران کئے گئے وعدوں کے پورا ہونے کے آثار تو نظر نہیں آرہے۔ ہماری توقعات تو پوری نہیں ہورہی، چنانچہ

رجائیت کی جگہ مایوسی لے رہی ہے۔ ووٹرز ایک بار پھر سیاست سے، سیاست دانوں سے بلکہ پورے جمہوری عمل سے بددل، بے زار اور مایوس ہو رہے ہیں لیکن یہ کوئی ایسی حیرت کی بات بھی نہیں نواز شریف کی اپنی مجبوریاں ہیں کچھ خارجی کچھ داخلی، خارجی تو یہ کہ بین الاقوامی مالیاتی فنڈ، حکومت کے چھوٹے چھوٹے معاملات کو بھی اپنی نظر میں رکھتا ہے، داخلی یہ کہ پس پردہ قوتِ نافذہ قدم قدم پر نواز حکومت پر نظر رکھے ہوئے ہے۔ علاوہ ازیں نواز شریف کے ساتھیوں میں اکثریت جاگیرداروں اور سرمایہ داروں کی ہے، اگرچہ انتخابی مہم کے دوران انہوں نے ببانگ دہل اعلان کیا تھا کہ وہ پاکستان کو ایشیائی ٹائیگر بنا کر ہی دم لیں گے، لیکن بظاہر پاکستان کو ایشیائی ٹائیگر بنانے کا نواز شریف کا خواب پورا ہوتا نظر نہیں آتا۔

طرفہ تماشا یہ ہے کہ جن لوگوں نے نواز شریف کو زبردست عوامی مینڈیٹ دیا ہے، انہوں نے خود نواز شریف پر ایفائے عہد سے بچنے کے تمام دروازے بند کر دیئے ہیں۔

لوگ آس لگائے بیٹھے ہیں کہ نواز شریف اپنے وعدے پورے کریں گے بلکہ ان کی ساری امیدیں نواز شریف کی ذات پر مرکوز ہو گئی ہیں اور اس طرح نواز شریف اپنے ہی کئے ہوئے وعدوں کے بیچ گھر کر یرغمال بن گئے ہیں۔ اب اگر خدانخواستہ وہ مہیب مسائل جن سے ملک دوچار ہے، حل نہیں ہوتے یا ان میں بہتری یا اصلاح کی نمایاں صورت پیدا نہیں ہوتی یا وہ سیاہ بادل جو پاکستان کی سیاسی و معاشی فضا میں منڈلا رہے ہیں، نہیں چھٹتے، تو نواز شریف کا اللہ ہی حافظ ہے۔

نیویارک ٹائمز نے نواز شریف حکومت کے بارے میں لکھا ہے:

"مسلح افواج کی وجہ سے، نئی حکومت کی آزادی عمل محدود رہے گی کیونکہ اگرچہ عساکر پاکستان نے دس سال پہلے اقتدار بظاہر سول حکومت کے حوالے کر دیا تھا لیکن اب بھی پس پردہ ان کا فیصلہ کن اثر باقی ہے۔ لوگوں کو نہ نواز شریف کے وعدوں پر بھروسہ ہے نہ ان کی صلاحیتوں پر، لوگوں کو یہ یقین بھی نہیں کہ نئی حکومت وہ گمبھیر مسائل حل کر لے گی جو ان سے پہلے کی حکومتیں نہ کر سکیں مثلاً منشیات کی ترسیل اور خرید و فروخت، اسلحہ کا کلچر جس سے عدالتی نظام اور پولیس مذاق بن کر رہ گئے ہیں، اور ہر سو پھیلی بدعنوانی اور رشوت ستانی جس سے سرکار کا دیوالہ نکل گیا ہے۔"

یہ عجب ستم ظریفی ہے کہ پاکستان کی پوری پچاس سالہ تاریخ میں کوئی پاکستانی مرکزی حکومت (چاہے اس کا مینڈیٹ کیسا ہی رہا ہو) مقننہ میں اپنے خلاف عدم اعتماد کی تحریک کامیاب ہونے سے نہیں گری۔ جب بھی گری خارجی عوامل کی وجہ سے گری۔ یہ ہماری پستہ قد، زردرو، لاغر جمہوریت کا منفرد اور یکتا پہلو ہے کہ اس میں پارلیمانی اکثریت بھی حکومت وقت کو قائم نہیں رکھ پاتی۔

حال ہی میں واشنگٹن میں کچھ سیاسی دانشوروں اور مبصروں کا ایک اجلاس ہوا جس میں "پاکستان کا مستقبل" زیر بحث تھا۔ اس اجلاس میں معاون وزیر خارجہ، روبن رافیل نے موضوع زیر بحث پر اپنی رائے

دیتے ہوئے کہا۔

"پاکستان میں مقنّنہ صحیح طور پر اپنے فرائض سرانجام نہیں دے پا رہی، وجہ یہ ہے کہ وہ حکومت کو ہٹانے کی سکت نہیں رکھتی۔" (اخبار روزنامہ 'ڈان' کراچی، مورخہ یکم مارچ ۱۹۹۷ء)

لہٰذا اگر نواز شریف اپنے زبردست عوامی مینڈیٹ کے باوجود (یا اس کے باعث) کامیاب نہیں ہو پاتے یا بقول فرائیڈے ٹائمز "مقدر سے ان کی ملاقات" بے نتیجہ رہتی ہے تو کسی کو حیرت نہیں ہونی چاہئے۔

چین، جنوبی کوریا، تائیوان اور دوسرے ایشیائی ٹائیگروں کی ماضی قریب کی تواریخ پر نظر ڈالیں تو معلوم ہوتا ہے کہ مفلس ملک کی مفلسی سے نجات اور اس کی معاشی ترقی ایک بابصیرت حاکم کے بغیر ممکن نہیں اور یہ کہ ایک بااختیار موثر حاکم ہی مفلس و منتشر ملک کو افلاس و انتشار کی دلدل سے نکال سکتا ہے۔

ہمارا اپنا پاکستانی تجربہ یہ بتلاتا ہے کہ ترقی پذیر ملک میں (خواہ اس کے لیڈر نیک نیت ہی کیوں نہ ہوں) بیلٹ بکس پر مبنی جمہوریت اس وقت تک کامیاب نہیں ہو سکتی جب تک اس ملک میں ناخواندگی کا قلع قمع نہ ہو جائے، بنیادی سماجی اور معاشی اصلاحات نہ ہو جائیں، ایسی معاشی ترقی نہ ہو جائے جس کا فائدہ ملک کے سب طبقوں کو پہنچتا ہو اور احتساب کا عمل بے دریغ جاری نہ ہو جائے۔ بیلٹ بکس پر مبنی جمہوریت کے بارے میں اسٹالین کہا کرتے تھے:

"فرق اس سے نہیں پڑتا کہ کون ووٹ ڈالتا ہے اور کون نہیں، نہ اس سے فرق پڑتا ہے کہ کتنوں نے ووٹ ڈالے اور کتنوں نے نہیں اصل فرق اس سے پڑتا ہے کہ ووٹروں کی گنتی کون کرتا ہے!"

امریکیوں کا ایمان ہے کہ چونکہ امریکی جمہوریت، امریکہ کے لئے مناسب و مفید ہے لہٰذا اسی نمونے کی جمہوریت تمام بنی نوع انسان کے لئے، ہر ملک میں ہر زمانے میں ہر قسم کے حالات میں مفید و مناسب ہے۔ امریکیوں کے لئے یہ کلیہ اس قدر اظہر من الشمس ہے کہ وہ اس بارے میں کسی قسم کی بحث تمحیص فضول اور غیر ضروری سمجھتے ہیں، لیکن ہم پاکستانیوں کے نزدیک، امریکیوں کا یہ نظریہ اور اس پر مبنی ان کا رویہ، ناقابل فہم ہے۔ ہماری تو سوچی سمجھی رائے یہ ہے کہ امریکی جمہوری تجربہ دنیا بھر کے گوناگوں اور متنوع سماجی اور معاشی حالات پر محیط نہیں، اس لئے اس تجربہ کا اطلاق ہر قسم کی صورت حال پر کرنا بعید از دانش بھی ہے اور خطرناک بھی۔

میں ہرگز یہ نہیں کہہ رہا کہ آمریت تلے رہنا ہماری فطرت ہے یا یہ کہ غیر جمہوری محکومیت ہی ہمارا مقدر ہے یا یہ کہ ہم جمہوریت کے لائق ہی نہیں، یا یہ کہ ہمارے اسلامی کلچر میں یہی ہے۔ میں صرف یہ کہہ رہا ہوں کہ پاکستان میں جمہوری اقدار کی تبلیغ و ترویج کی راہ میں بہت سی رکاوٹیں ہیں، پہلے انہیں دور کیا جائے، مہذب معاشرے کے ارتقا کے لئے ماحول سازگار بنایا جائے۔ تائیوان اور جنوبی کوریا میں جمہوریت کی کونپل اس وقت پھوٹی جب وہاں سالانہ فی کس اوسط آمدن چھ ہزار امریکی ڈالر کے مساوی یا اس سے زیادہ

ہو گئی۔ چین میں یہ معاشی کیفیت ۲۰۱۵ء میں پیدا ہو گی، چنانچہ معروف سیاسی تجزیہ نگار، ہنری ایس راون کی پیش گوئی ہے کہ یہی وہ زمانہ ہے جب چین میں جمہوریت جنم لے گی۔

اب اگر یہ درست ہے کہ سیاسی جمہوریت، معاشی ترقی سے پیدا ہوتی ہے تو ہمیں پاکستان میں پہلے معاشی ترقی کی کم سے کم مطلوبہ سطح پر پہنچنا ہو گا جس کے لئے ضروری ہو گا کہ ملک میں جمہوری اقدار پر ایمان رکھنے والے ان پر عمل کرنے والے کافی تعداد میں موجود ہوں۔ سیاسی قیادت اعلیٰ پائے کی ہو اور کلچر جمہوری ہو۔ یہ شرائط پوری کر کے ہی ہم جمہوریت کے فروغ اور جمہوری نظام کے قیام کی امید کر سکتے ہیں، ورنہ جیسا کہ پاکستان کی پچاس سالہ تاریخ پریشاں میں ہوتا رہا ہے ہمارا سیاسی پنڈولم جھوٹی جمہوریت اور ننگی آمریت کے درمیان جھولتا رہے گا، اگر ہم اس سے بچنا چاہتے ہیں اور اپنی آئندہ نسلوں کو بھی اس سے بچانا چاہتے ہیں تو پھر ہمارے لئے مذکورہ راستہ کے علاوہ اور کوئی راستہ نہیں۔

مستقبل میں تو جو ہو، سو ہو، آئندہ حالات چاہے جو رخ اختیار کریں، موجودہ صورت حال تو یہ ہے کہ پاکستان یاس کی تاریکی میں ڈوبا، امید کی قندیل روشن کرنے والے کسی ایسے ہادی کا منتظر ہے جو اپنے دل میں روشن حب الوطنی کی شمع سے پورا ملک منور کر دے، جو مایوسوں کو مایوسی سے نکالے، جو ہماری قومی امنگوں، آرزوؤں کی تکمیل کا ضامن ہو، جو نیم جاں قوم کو حیات تازہ بخشے، جو ذاتی مفاد پر قومی مفاد کو فائق و بالا سمجھے، جو قوم کی نشاۃ ثانیہ کا آغاز کرے، جو ملک کو صاف ستھری سیاست کا ایجنڈا پیش کرے، جو ہمیں اکیسویں صدی میں نئے جوش و جذبے نئی امید و امنگ کے ساتھ لے جانے کا سچا وعدہ کرے، جو ملک میں چار سو پھیلی منافرتوں اور فاصلوں کو محبتوں اور قربتوں میں بدل دے، جس کا دل نیک ہو اور نیک رہے، جس کے ہاتھ صاف ہوں اور صاف رہیں، جو قانون کی بالادستی پر صدق دل سے ایمان رکھے اور اسے قائم کرے، جو شہریوں کی جان و مال کی حفاظت کر سکے، جو بدعنوانی کی بیخ کنی کا عزم مصمم رکھے، جو ملک کو بدعنوان سیاست دانوں اور بددیانت سول اور عسکری افسروں سے پاک کر دے، جو پاکستان کے سچے خواب کو حقیقت نہ بننے دینے والوں کو قرار واقعی سزائیں دلوائے، جو ملک میں شرافت و شائستگی کو دوبارہ زندہ و رائج کرے، جو لوگوں کو ایسی زندہ تمنا دے جو قلب کو تڑپا دے، روح کو گرما دے، جو لوگوں کا اعتماد اپنے آپ میں، اپنے لیڈروں میں اپنے وطن میں بحال کر دے جو بقول ایڈمنڈ برک:

"لوگوں کو اس منزل کا پتہ نہ دے جہاں وہ جانا چاہتے ہیں بلکہ اس منزل کا پتہ دے جہاں انہیں جانا چاہئے۔"

جو مرسیر کے الفاظ میں "زہریلے، مہلک پھوڑے کو جڑ سے نکال کر" ملکی سیاست و معیشت کو غلاظت سے پاک کر دے، جو جمہوری عمل کی احیاء و بقا کا ضامن ہو، جو وقت کے اہم قومی تقاضے پورے کرے، جو قوم کو ایک نیا عزم ایک نیا ولولہ دے کر اسے حیات اجتماعی کی رفعتوں تک پہنچا دے، جو نحیف و لاغر قوم کو پھر

سے اپنے پاؤں پر کھڑا کر دے۔
آپ کہیں گے یہ تو ناممکن ہے! میرا جواب ہو گا "ناممکن کو ممکن بنانے کا خواب اور اس خواب کو حقیقت بنانے کا عزم ہی تو انقلاب ہے" ہم پستہ قدوں اور بونوں کے دور میں رہتے ہیں، ملک کے سیاسی اسٹیج پر نیم جاں، کم ہمت اور بزدل چھٹ بھیوں، نیم حکیموں اور عطائیوں کی بھیڑ ہے، ستم بالائے ستم یہ کہ وہ بد بخت بھی ہیں اور بد عنوان بھی، اور جو بقول پر سیول سپیر:
"جب طوفان بادوباراں آتا ہے اور گھر گرنے والا ہوتا ہے تو وہ رات کی تاریکی میں غائب ہو جاتے ہیں۔"
کیا اندھیری اور لمبی رات ختم ہونے والی ہے؟ کیا مایوسی کی گھاٹی سے نکل کر کوہ امید کی چوٹی پر چڑھنے کا وقت آگیا ہے جہاں سے ایک نئی صبح تابناک کا اجالا دیکھا جا سکے؟ جس طرح رات میں سب سے گہرا اندھیرا، پو پھٹنے سے ذرا پہلے ہوتا ہے، اسی طرح تاریخ میں اکثر ایسا ہوا ہے کہ مایوسی کے گھٹاٹوپ اندھیرے میں جب امید کا ٹمٹماتا دیا بھی بجھنے کو تھا، اچانک ایک چمکدار ستارہ افق پر نمودار ہوا اور اسی نے پورے ماحول کو منور کر دیا۔
جب کوئی قوم بحران میں گرفتار ہوتی ہے تو وہ اپنے نجات دہندہ کو پکارتی ہے:
"آپ ایسے نجات دہندہ کو پیدا نہیں کرتے،
آپ ایسے نجات دہندہ کو دریافت نہیں کرتے،
آپ ایسے نجات دہندہ کو صرف پہچانتے ہیں۔"
ہر دور، ہر عہد، ہر زماں اپنے نجات دہندہ کو آواز دیتا ہے اور اپنے وقت مقررہ پر امام العصر، ہادی دوراں، مسیحائے زماں نمودار ہو جاتا ہے۔ پاکستان کو بھی اس کا امام العصر، ہادی دوراں، مسیحائے زماں ضرور ملے گا، جس میں پاکستان کے سچے خواب کو شرمندہ تعبیر کروانے کی نیت بھی ہو گی اور ہمت بھی صلاحیت بھی ہو گی اور سکت بھی، حق و صداقت ہمیشہ آگے بڑھتے ہیں، ان کی پیش قدمی کو کوئی روک نہیں سکتا۔ یہی قانون قدرت ہے اور اٹل ہے۔ مارگریٹ میڈ معروف تاریخ داں کہتی ہے:
"کبھی یہ مت خیال کیجئے گا کہ چند صاحب فکر، دھن کے پکے، لگن میں سچے افراد کا ٹولہ دنیا کی تقدیر نہیں بدل سکتا، بلکہ سچ تو یہ ہے کہ صرف ایسے ہی اولوالعزم، مخلص اور باہمت چھوٹے چھوٹے گروہوں نے تاریخ عالم بدلی ہے۔"
۱۹۲۱ء میں سینٹ سائر میں ڈیگال نے فرانسیسی زیر تربیت نوجوان فوجی افسروں کو خطاب کرتے ہوئے کہا تھا:
"ہمیشہ یاد رکھنا کہ تاریخ ہمیں انسان کے مجبور محض ہونے کا سبق نہیں دیتی۔ وہ یہ سبق نہیں سکھلاتی کہ "جو ہونا ہے، وہ ہو کر رہے گا، مقدر کے لکھے کو کوئی مٹا نہیں سکتا" تاریخ میں بہت سی مثالیں ایسی

موجود ہیں کہ مٹھی بھر باہمت اولوالعزم افراد نے انہونی کو ہونی کر دکھایا، ناامیدی کو امید میں بدل دیا اور بند راستے کھول ڈالے۔یاد رکھنا کہ ہر قوم کو وہی تاریخ ملتی ہے جس کی وہ مستحق ہوتی ہے۔"

آپ پانی کی سطح کو بند کے پیچھے جتنا زیادہ دیر تک اونچا ہونے دیں گے وہ بند جب بھی ٹوٹے گا انقلاب کا ایسا تباہ کن سیلاب اُمڈ آئے گا جو سب کو بہالے جائے گا۔ میری چھٹی حس مجھے بتلاتی ہے کہ ہمارا لمحہ حق اور یومِ حساب آن پہنچا ہے جیسے دوستووسکی نے انقلاب روس (۱۹۱۷) سے پہلے پیغمبرانہ پیشین گوئی کرتے ہوئے کہا تھا:

"مجھے لگتا ہے کہ قرعہ نکلنے کو ہے اور شاید حساب کتاب اتنی جلد چکانا پڑے کہ ہمارے وہم وگماں میں بھی نہ ہو۔"

میں نے اپنے اس کلام آخر کو فیض احمد فیض کے ایک حسرت آمیز بند سے شروع کیا تھا اب میں اس کلام کو بلکہ اپنی اس کتاب کو عمر خیام کی اس پر امید رباعی پر ختم کرتا ہوں۔

ہائے محبوب! کاش کر سکتے تم اور میں تقدیر سے کچھ ساز باز
اور لے لیتے اپنی مٹھی میں اس عالم دردو الم کو تمام
پھر کرنہ دیتے اس کو ہم ٹکڑے ٹکڑے اور پھر
ان ہی ٹکڑوں سے بنالیتے، ایک دنیا نئی اور دل پسند!

ضمیمہ ۱

ذوالفقار علی بھٹو کی طرف سے پیش کی جانیوالی رحم کی درخواست پر سمری

حکومت پاکستان

وزارت داخلہ

موضوع : قیدی ذوالفقار علی بھٹو بیٹا سر شاہنواز بھٹو کا، سزائے موت یافتہ کی طرف سے دی گئی رحم کی درخواست۔

۱. اس سمری کا تعلق رحم کی ان درخواستوں سے ہے جو ذوالفقار علی بھٹو ولد سر شاہنواز بھٹو کی طرف سے دی گئی ہیں، جنھیں سزائے موت کا حکم سنایا جا چکا ہے اور جو آجکل راولپنڈی کی ضلع جیل میں بند ہیں۔

۲. وقوعہ کے روز سزائے موت یافتہ قیدی ذوالفقار علی بھٹو پاکستان کے وزیر اعظم کے عہدے پر فائز تھا، اس نے اپنے زبردست نکتہ چیں، اور ممبر قومی اسمبلی، احمد رضا قصوری کو وفاقی سلامتی فورس (حال معدوم) کے ذریعہ قتل کروانے کی مجرمانہ سازش تیار کروائی، اس مجرمانہ سازش میں جو اور لوگ تھے، وہ یہ تھے :

---۔ مسعود محمود۔ ڈائریکٹر جنرل، وفاقی سلامتی فورس۔

---۔ میاں محمد عباس۔ ڈائریکٹر آپریشنز اور سراغرسانی، وفاقی سلامتی فورس۔

---۔ غلام مصطفےٰ۔ انسپکٹر، وفاقی سلامتی فورس۔

---۔ ارشد اقبال۔ سب انسپکٹر، وفاقی سلامتی فورس۔

---۔ رانا افتخار احمد، اسسٹنٹ سب انسپکٹر، وفاقی سلامتی فورس۔

۳. وقوعہ لاہور میں شادمان شاہ جمال والے چکر چوک کے نزدیک، ۱۰اور ۱۱ نومبر ۱۹۷۴ کی شب ساڑھے بارہ بجے پیش آیا۔ احمد رضا خان اس وقت ایک شخص بشیر حسین شاہ کی شادی کی تقریب میں شامل ہو کر شادمان کالونی سے اپنے گھر ماڈل ٹاؤن واپس لوٹ رہے تھے۔ وہ اپنی کار نمبر ایل ای جے۔ ۹۴۹۵، خود چلا رہے تھے، احمد رضا قصوری کے والد نواب محمد احمد خان قصوری (مرحوم) کار کی اگلی نشست پر، احمد رضا قصوری کے ساتھ بیٹھے ہوئے تھے۔ احمد رضا خان قصوری کی والدہ اور خالہ کار کی پچھلی نشستوں پر بیٹھی ہوئی تھیں۔ جب احمد رضا خان قصوری، شادی کی جگہ سے سو گز سے بھی کم فاصلے پر چکر چوک سے گزر رہے تھے تو ان پر ساتھی ملزم غلام حسین اور سزائے موت یافتہ قیدی ارشاد اقبال اور رانا افتخار نے خودکار اسلحے سے گولی چلادی۔ گولیاں کار کی روشنیوں کو لگیں، کار کے دوسرے حصوں پر لگیں اور احمد رضا خان قصوری کے والد کو بھی لگیں، کار کی بتیاں بجھ گئیں لیکن کسی نہ کسی طرح احمد رضا خان قصوری کار چلاتے رہے اور اپنے والد کو یونائیٹڈ کرسچین ہسپتال تک لے جانے میں کامیاب ہو گئے، اس ہسپتال میں نواب محمد احمد خان مرحوم زخموں کی تاب نہ لا کر اسی رات کے ۲ بجکر ۵۵ منٹ پر چل بسے۔

۴. سزائے موت یافتہ قیدی (ذوالفقار علی بھٹو) اور اس کے ساتھی ملزم غلام مصطفےٰ پر لاہور ہائی کورٹ میں مقدمہ چلا، ہائی کورٹ اگر چاہے تو کسی مقدمہ کو ذیلی عدالتوں کی سماعت کے بغیر شروع سے خود سن سکتا ہے، یہ مقدمہ بھی لاہور ہائی کورٹ نے اسی خصوصی اختیار کے تحت خود سنا۔ دونوں ملزموں پر الزام یہ تھا کہ انہوں نے احمد رضا خان قصوری کے قتل کی مجرمانہ سازش تیار کی اور اسی سازش کے تحت ۱۰اور ۱۱ نومبر ۱۹۷۴ کی درمیانی شب میں احمد رضا خان قصوری کی کار پر گولیوں سے قاتلانہ حملہ کیا اور اس حملے میں نواب محمد احمد خان قصوری کی موت واقع ہو گئی۔ سزائے موت یافتہ قیدی (ذوالفقار علی بھٹو) اور اس کے ساتھی ملزمین (میاں محمد عباس، ارشد اقبال، رانا افتخار احمد اور غلام حسین) کو تعزیرات پاکستان کی دفعہ ۱۲۰۔ب بشمول دفعہ ۱۱۵ کے تحت مجرم پایا گیا اور انہیں پانچ پانچ سال کی قید بامشقت کی سزائیں دی گئیں۔ سزائے موت یافتہ قیدی (ذوالفقار علی بھٹو) اور اس کے ساتھی ملزمین (میاں محمد عباس اور غلام مصطفےٰ) کو تعزیرات پاکستان کی دفعہ ۳۰۷ بشمول دفعہ ۱۰۹ کے تحت بھی مجرم پایا گیا اور سات سات سال قید بامشقت کی سزائیں دی گئیں اور بقیہ (ارشد اقبال اور رانا افتخار احمد) کو تعزیرات پاکستان کی دفعہ ۳۰۷ بشمول دفعہ ۳۴ کے تحت مجرم پایا گیا اور انہیں بھی سات سات سال قید بامشقت کی سزائیں دی گئیں۔ سزائے موت یافتہ قیدی (ذوالفقار علی بھٹو) اور ساتھی ملزمین (میاں محمد عباس اور غلام مصطفےٰ) کو تعزیرات پاکستان کی دفعہ ۳۰۲ بشمول دفعات ۳۰۱، ۱۰۹ اور ۱۱۱ کے تحت بھی مجرم پایا گیا اور ان میں سے ہر ایک کو سزائے موت دی گئی، باقی دو ساتھی ملزمین (ارشد اقبال اور رانا افتخار) کو بھی تعزیرات پاکستان کی دفعہ ۳۰۲ بشمول دفعات ۳۰۱ اور ۳۴ کے تحت سزائے موت دی گئی۔ سزائے موت یافتہ قیدی (ذوالفقار علی بھٹو) کو ضابطہ فوجداری کی دفعہ

۵۴۴۔ا کے تحت مزید ہدایت کی گئی ہے کہ وہ مقتول کے ورثاء کو پچیس ہزار روپے کی رقم ادا کرے، نہ دینے کی صورت میں چھ مہینے مزید قید بامشقت میں گذارے۔ قید کی سزائیں ساتھ ساتھ چلیں گی اور اسی صورت میں نافذالعمل ہوں گی اگر سزائے موت پر عملدرآمد نہ ہو۔ مسعود محمود اور غلام حسین بھی ملزمین کی فہرست میں شامل تھے لیکن بعد میں وہ سلطانی گواہ بن گئے اور انہوں نے مقدمے میں بطور سلطانی گواہ، گواہی دی اور انہیں معافی دیدی گئی۔

۵. ہائی کورٹ کے فیصلوں کے خلاف اپیل سپریم کورٹ میں دائر کی گئی، سپریم کورٹ نے ۶ فروری ۱۹۷۹ء کو ہائی کورٹ کے مذکورہ فیصلوں کی توثیق کردی۔ سپریم کورٹ کے فیصلوں کے بارے میں سپریم کورٹ سے ریویو کی درخواست کی گئی۔ لیکن ۲۴ مارچ ۱۹۷۹ء کو سپریم کورٹ نے ریویو کی درخواست پر جو فیصلہ دیا اس میں اپنا ۶ فروری ۱۹۷۹ء کا فیصلہ برقرار رکھا۔

۶. سزائے موت یافتہ قیدی (ذوالفقار علی بھٹو) نے خود رحم کی کوئی درخواست نہیں دی البتہ اس کی طرف سے اور متعدد اشخاص نے درخواستیں دیں جن پر صوبائی حکومت (پنجاب) نے غور کیا، گورنر پنجاب نے رحم کی التجا نا منظور کردی ہے اور اب معاملہ کو صدر کے پاس احکام کے لئے بھیج دیا ہے۔

۷. عام طور پر رحم کی درخواستوں پر غور کرتے وقت جن عوامل کو مد نظر رکھا جاتا ہے وہ یہ ہیں :

---۔ مجرم کی عمر کیا ہے ؟

---۔ مجرم کی جنس کیا ہے ؟

---۔ قتل حالت اشتعال میں تو نہیں ہوا؟

---۔ قتل کا منصوبہ پہلے سے تو نہیں بنایا گیا تھا؟

---۔ قتل بالارادہ تھا یا بلا ارادہ ؟

---۔ مجرم قتل کے وقت نشہ سے چور تو نہیں تھا؟

---۔ کیا قتل کے ثبوت میں شہادت کافی ہے ؟

---۔ کیا مقدمہ قتل میں تاخیر تو وقوع پذیر نہیں ہوئی ؟

ہماری رائے یہ ہے کہ معاملہ زیر غور کے واقعات اور حالات کو مد نظر رکھا جائے تو ان پر مندرجہ بالا رہنما اصولوں میں سے کسی اصول کا اطلاق نہیں ہوتا۔

۸۔ البتہ جب سپریم کورٹ، ریویو کی درخواست کی سماعت کر رہا تھا، تو اس کے سامنے سزائے موت یافتہ قیدی (ذوالفقار علی بھٹو) کی طرف سے اس کے وکیل نے مندرجہ ذیل گزارشات سپریم کورٹ کے غور کے لئے پیش کی تھیں :

”بہر حال اگر اکثریتی فیصلے میں بدیہی غلطیوں اور خامیوں کے باوجود ملتجی کو مرتکب جرم ہی سمجھا جاتا

ہے، تب بھی تعزیرات پاکستان کی دفعہ ۳۰۲ بشمول دفعات ۱۰۹ اور ۱۱۱ کے تحت آنے والے جرم مذکور کے لئے سزائے موت سے کم درجہ کی سزا موزوں اور مناسب رہے گی۔ اس نقطہ نظر کی تائید میں دلائل مندرجہ ذیل ہیں :

۔۔۔ ملتجی زیادہ سے زیادہ اعانت جرم کا مرتکب ہوا ہے کیونکہ قتل کے وقت وہ جائے واردات پر موجود نہ تھا :

۔۔۔ اگر کوئی سازش تھی بھی تو وہ احمد رضا خان قصوری کو مارنے کی تھی، ان کے والد تو محض حادثہ میں مارے گئے :

۔۔۔ ملتجی کو مجرم محض سلطانی گواہوں کی گواہی پر قرار دیا گیا ہے :

۔۔۔ سپریم کورٹ کے ججوں میں ملتجی کے مجرم ہونے یا نہ ہونے کے بارے میں اتفاق رائے نہیں بلکہ اختلاف رائے ہے :

۔۔۔ ۱۲ ربیع الاول ۱۳۹۹ ہجری (مطابق ۱۰ فروری ۱۹۷۹ء) سے ملک میں اسلامی شرعی قوانین کا نفاذ ہو چکا ہے اور شرعی قوانین سلطانی گواہ کے تصور کو تسلیم نہیں کرتے، مزید برآں اسلامی شرعی قانون شہادت میں کسی گواہ کی شہادت کے قابل قبول ہونے کے لئے ضروری ہے کہ گواہ دیانت و امانت اور اعلیٰ کردار کی کڑی شرائط پوری کرتا ہو :

۔۔۔ یہ امر کہ ملتجی کو دورانِ مقدمہ، مجبوراً کارروائی کا بائیکاٹ کرنا پڑا تھا، سزا کے معاملہ پر اثر رکھتا ہے۔

۹۔ ریویو کی عرضداشت مسترد کرتے ہوئے، سپریم کورٹ نے البتہ مندرجہ ذیل رائے کا اظہار کیا ہے :

"اگرچہ ہمارے لئے تو یہ ممکن نہیں ہو سکا کہ یحییٰ بختیار صاحب کے پیش کردہ دلائل کی بنا پر ہم اپنا سزائے موت کا فیصلہ بدل دیں البتہ حکومتِ وقت خصوصی اختیار معافی کے حوالے سے ان دلائل پر غور کر سکتی ہے۔

۱۰۔ رحم کی التجاؤں میں یہ موقف اختیار کیا گیا ہے کہ مقدارِ سزا کے بارے میں سپریم کورٹ کی مندرجہ بالا رائے کا مفہوم یہ نکلتا ہے کہ انہوں نے سزائے موت کو اس سے ہلکی کسی دوسری سزا میں بدلنے کی سفارش کی ہے اور یہ کہ ماضی میں سپریم کورٹ کی اس قسم کی سفارشوں کا انتظامیہ نے احترام کیا ہے۔ یہ موقف غلط فہمی پر مبنی ہے اور غلط ہے۔ رہنما اصولوں کے مطابق سزائے موت کو کسی دوسری سزا میں بدلنے کی جو سفارش عدالت، انتظامیہ کے پاس بھیجتی ہے انتظامیہ اس کی پابند نہیں ہے، نہ یہ ضروری ہے کہ ہر معاملہ میں اس قسم کی سفارش کو منظور کر لیا جائے۔ ہر معاملہ میں اس قسم کی سفارش پر غور اس معاملے کے اپنے مخصوص واقعات و حالات کو مدِ نظر رکھ کر کیا جاتا ہے اور جب غور کیا بھی جاتا ہے تب بھی انتظامیہ کی مداخلت کا دائرہ نہایت محدود ہوتا ہے۔ معاملہ زیر غور میں اپنے فیصلے میں مقدارِ سزا کے بارے میں یہ لکھا ہے :

"رہا سزا کا سوال تو اس مرحلہ پر میں سب سے پہلے مرافعہ گذار (اپیل کنندہ) ذوالفقار علی بھٹو کا معاملہ زیر غور لاؤں گا۔ اس سے پہلے کے پیراگرافوں میں جن حقائق و واقعات کو مختصراً بیان کیا گیا ہے ان سے، ہر شک و شبہ سے بالا، یہ ظاہر ہوتا ہے کہ اپیل کنندہ نے سرکاری مشنری، یعنی وفاقی سلامتی فورس کو سیاسی انتقام کے لئے استعمال کیا، ایسا کرنا یعنی کسی سربراہ انتظامیہ کا اختیار حکومت کے آلہ جات کو سیاسی بدلے چکانے کے لئے استعمال کرنا، ایک شیطانی عمل تھا، پاکستان کے شہریوں کے جان و مال کی حفاظت کرنے کی بجائے اپیل کنندہ نے اپنے سیاسی مخالف کو وفاقی سلامتی فورس کی طاقت سے راستے سے ہٹانا چاہا۔ وفاقی سلامتی فورس کے ڈائریکٹر جنرل کی، اپیل کنندہ کے تحت ایک خاص حیثیت تھی۔ احمد رضا قصوری کا اسلام آباد اور لاہور میں بے رحمی سے پیچھا کیا گیا حتیٰ کہ احمد رضا قصوی کے والد، مجرمانہ سازش کی نذر ہو گئے، البتہ احمد رضا قصوری معجزانہ طور پر بچ گئے۔ اس کے بعد احمد رضا قصوری پر دباؤ ڈالا گیا کہ وہ پاکستان پیپلز پارٹی میں دوبارہ شامل ہو جائیں۔ ان تمام حقائق سے ظاہر ہوتا ہے کہ مقدمے میں کوئی ایسے حالات نہیں ہیں جو اپیل کنندہ کے حق میں جاتے ہوں اور جن کی بنا پر اس کے جرم کی نوعیت میں تخفیف کی جاسکتی ہو لہٰذا ہائی کورٹ نے قتل اور اعانتِ قتل کے لئے مقررہ قانونی سزا کا صحیح فیصلہ کیا ہے۔"

۱۱۔ رحم کی التجا میں ایک دلیل یہ بھی دی گئی ہے کہ مذکورہ سزائے موت کو کسی دوسری سزا میں بدلنا اسلامی شرعی قانون کے مطابق ہوگا، وزارت قانون نے اس نکتہ کا مفصل جائزہ لیا ہے۔ ان کی رائے لف ہے ملاحظہ لف "ا"

۱۲۔ لہٰذا ملتجی کی سزا کے بارے میں سپریم کورٹ کے فیصلے، وزارت قانون کے مشورے اور ہمارے نقطہ نظر کے پیش نظر تو سزائے موت میں تخفیف کا کافی وشافی جواز پیش نہیں کیا جاسکا۔

۱۳۔ البتہ رحم کی التجا پر غور کرتے ہوئے ان حالات سمیت (جو ملتجی کے ارتکاب جرم سے براہ راست متعلق نہ ہونے کے باعث، عدالت کے سامنے نہ رہے ہوں) تمام حالات پر غور کرنا ہوتا ہے۔ سزائے موت پر عملدرآمد کروانا ایک بہت بڑی ذمہ داری ہے اس لئے اس فیصلہ کن مرحلے میں مقدمے کے تمام عوامل پر بھرپور غور و فکر کیا جائے اس سے پہلے کہ کسی ایسے فیصلے کی ذمہ داری قبول کی جائے جو ناقابل تغیر اور ناقابل تنسیخ ہو۔ معافی کے اختیار خصوصی کے استعمال کا انحصار نہ تو عدل وانصاف کے تمام اصولوں پر ہے اور نہ واضح معین قواعد پر ہے، یہ تو ہر معاملہ میں حکمت عملی اور فہم و فراست کا معاملہ ہے، اور ایسے معاملات میں فیصلہ کرنے سے پہلے متضاد عوامل ودلائل، حقائق وکوائف میں توازن قائم کرنا ضروری ہے۔

۱۴۔ یہ ایک ایسا مقدمہ ہے جس کی نظیر ہماری تاریخ میں نہیں، اس کی وجہ سے ملک میں بے حد تشویش ہے اور بیرون ملک بھی اس میں خاصی دلچسپی لی جارہی ہے۔ عام ردعمل خصوصاً امریکہ اور مغربی یورپ میں سزائے موت پر عملدرآمد کے خلاف منفی اور شدید ہوگا، اس کو ناپسندیدگی کی نظر سے دیکھا جائے گا اور اس

سے بیرون ملک پاکستان کی شہرت کو سخت صدمہ پہنچے گا۔ رہنما اصولوں کے مطابق:

"ایسے معاملات پر (جن کے خصوصی یا سیاسی مضمرات ہوں) ہر معاملہ کی اپنی مخصوص کیفیت کو مد نظر رکھ کر غور کیا جائے، بعض اوقات شدید رائے عامہ کو پیش نظر رکھ کر سزائے موت میں تخفیف قرین مصلحت ہو سکتی ہے تاکہ کہیں ایسا نہ ہو کہ سزائے موت پر عملدر آمد سے عوام کی عام ہمدردیاں بجائے مقتول اور سزا کے حق میں ہونے کے، قاتل کے ساتھ ہو جائیں۔"

۱۵۔ بہر حال آئین کی دفعہ ۴۰ کے تحت صدر کے اختیارات غیر محدود ہیں اور وہ اپنی صوابدید پر جو احکام چاہیں، صادر کر سکتے ہیں۔

۱۶۔ وزیر داخلہ نے یہ سمری ملاحظہ کر لی ہے۔

۱۷۔ برائے احکام پیشِ خدمت ہے۔

(روئیداد خان)

سیکریٹری

ملاحظہ

صدر کے چیف آف سٹاف، سی ایم ایل اے سیکریٹریٹ، راولپنڈی

وزارت داخلہ کا غیر سرکاری مراسلہ مورخہ ۱۹ر مارچ ۱۹۷۹ء معروضات مورخہ یکم اپریل ۱۹۷۹ء

۱۸۔ جیسا کہ مندرجہ بالا سمری کے پیراگراف ۶ میں کہا گیا ہے صوبائی حکومت میں موصول ہونے والی رحم کی التجائیں حکومت پنجاب کے زیر غور آئی ہیں، گورنر پنجاب نے انہیں نامنظور کر دیا ہے۔ کچھ عرضداشتیں سی ایم ایل اے سیکریٹریٹ میں بھی موصول ہوئی ہیں انہیں بھی وزارت داخلہ کو برائے غور بھیج دیا گیا تھا، وہ سب بھی اس میں موجود ہیں، ان میں جو نکات اٹھائے گئے ہیں وہ قواعد کی رو سے ایک سے ہیں اور سمری میں مذکور ہیں۔

۱۹۔ جو مشورہ وزارت قانون نے دیا ہے (نشانی الف) وہ بھی دیکھا جا سکتا ہے۔

(خالد محمود عارف)

صدر کے چیف آف اسٹاف

التجا نامنظور کی جاتی ہے

جناب صدر (ضیاء الحق) صدر

ضمیمہ ۲

سابق وزیر اعظم بے نظیر بھٹو کے خلاف دائر کئے گئے ریفرنس

ریفرنس نمبر ا   جناب جسٹس محمد امیر ملک کی خصوصی عدالت میں

(صدر اسلامی جمہوریہ پاکستان کی طرف سے پارلیمنٹ اور صوبائی اسمبلی (کی رکنیت سے نااہلی) کا حکم ۱۹۷۷
(پی پی او نمبر ۱۷ مجریہ، ۱۹۷۷ء)

بنام
مسماۃ بے نظیر بھٹو، زوجہ آصف علی زرداری،
سابق وزیر اعظم پاکستان
بلاول ہاؤس، کراچی

مدعا علیہ

عزت مآب خصوصی عدالت کی خدمت میں ۱۹۷۷ کے پی پی او ۱۷ کی دفعہ ۴ کے تحت مندرجہ ذیل ریفرنس برائے مناسب کارروائی پیش کیا جاتا ہے:

ا۔ مدعا علیہ مسماۃ بے نظیر بھٹو، اسلامی جمہوریہ پاکستان کے دستور کے تحت جو عام انتخابات ۱۶ نومبر ۱۹۸۸ء کو ہوئے تھے ان میں حلقہ انتخاب این اے ۱۶۶ الاڑکانہ۔ ااا سے قومی اسمبلی کی رکن منتخب ہوئی تھی اور ۲ دسمبر ۱۹۸۸ تا ۶ اگست ۱۹۹۰ وزیر اعظم پاکستان کے منصب پر فائز رہی۔

۲۔ اپنی وزارت عظمیٰ کے دوران مدعا علیہ نے یا خود ایسی بداعمالیاں کیں یا دوسروں سے کروائیں جو مذکورہ ۱۹۷۷ء کے پی پی او ۱۷ میں دی گئی تعریف بداعمالی کے زمرے میں آتی ہیں، منجملہ دیگر امور، ان

بداعمالیوں کے مختصر کوائف درج ذیل ہیں :

مجمل بیان حقائق وکوائف

(۱) حکومت پاکستان کا انٹیلی جنس بیورو (ادارہ سراغرسانی) براہ راست وزیر اعظم کے تحت کام کرتا ہے اور انٹیلی جنس بیورو کا ڈائریکٹر براہ راست وزیراعظم کو رپورٹ کرتا تھا اور وزیراعظم کو ہی جوابدہ تھا۔

(۲) اسلامی جمہوریہ پاکستان کے آئین کے تحت ۲۶ اکتوبر ۱۹۸۹ کو مدعا علیہ، سابق وزیر اعظم پاکستان، کے خلاف قومی اسمبلی میں عدم اعتماد کی تحریک پیش کی گئی تھی۔ یہ بات بھی ضبط تحریر میں موجود ہے کہ آزاد کشمیر میں عام انتخابات ۲۱ مئی ۱۹۹۰ کو ہوئے اور آزاد کشمیر کے وزیراعظم کا انتخاب ۱۹ جون ۱۹۹۰ کو تھا، اس سے پہلے اپریل سے جون ۱۹۸۹ تک صوبہ سرحد کی حکومت کو صوبائی اسمبلی کے ممبروں کی طرف سے مشکلات کا سامنا تھا۔

(۳) مدعا علیہ اور اس کے ایما، اجازت اور اختیار کے تحت، اس کے پارٹی ممبروں، اس کے ماتحت اور سرکاری اہلکاروں نے وزیراعظم کے انتخاب کے لئے اپنی سی ہر ممکنہ کوشش کی کہ قومی اسمبلی، آزاد کشمیر اسمبلی اور اس سے پہلے صوبہ سرحد کی اسمبلی کے زیادہ سے زیادہ ممبروں کو سرکاری خزانے کی رقوم (موجودہ ریفرنس کے حوالے سے خفیہ کاموں کے لئے مختص رقوم) کو قصداً ناجائز استعمال کر کے جیتا جائے گویا سرکاری فنڈ کو عملاً ایسے اغراض ومقاصد کے لئے استعمال کیا گیا جسکے لئے وہ مختص نہ تھے اور اس طرح اور دیگر طریقوں سے مدعا علیہ نے اپنی وزارت عظمیٰ کی حیثیت سے ناجائز فائدہ اٹھایا۔ بہرحال مذکورہ سرکاری رقوم کو مدعا علیہ نے ناجائز طور پر استعمال کیا یا خرچ کیا یا دیگر اقسام کی بداعمالی کا ارتکاب کیا کیونکہ خفیہ کاموں کے لئے مختص فنڈ کو ''صرف'' معلومات خریدنے کے لئے استعمال رخرچ کیا جاسکتا ہے اور اس کے علاوہ کسی دوسرے کام یا مقصد کے لئے استعمال یا خرچ نہیں کیا جاسکتا اور اس طرح خفیہ کاموں کے لئے مختص فنڈ'' کی رقوم کے استعمال کے لئے جو طریق کار مقرر کیا گیا ہے اس کی صریحاً خلاف ورزی کی گئی۔ ''خفیہ کاموں کے لئے مختص فنڈ'' کے انتظام وانصرام، جائز اور مناسب استعمال، اور حساب کتاب رکھنے کے بارے میں مفصل ہدایات کی ایک نقل لف ہے۔ ان ہدایات میں منجملہ دیگر امور کے یہ کہا گیا ہے کہ :

''خفیہ کاموں کے لئے فنڈ کا مقصد صرف معلومات خریدنا ہے اور اس کے علاوہ اور کچھ نہیں۔ اس فنڈ سے کوئی ایسا خرچہ ہرگز نہیں ہونا چاہیے۔ جسے 'ہنگامی مصارف' یا 'اتفاقیہ اخراجات' کی مد میں یا کسی اور مد میں جائز طور پر ڈالا جاسکتا ہو۔ تمام وصولیوں کو درج کیا جائے گا، کارروائی کی نوعیت کی تفاصیل کے ساتھ ادائیگیوں کے بارے میں ہر اندراج ایسا ہونا چاہیے جس سے ادائیگی کی نوعیت واضح ہوسکے۔''

(۴) ۸۹۔۱۹۸۸ سال کے منظور شدہ بجٹ (میزانیہ) میں خفیہ کاموں کے فنڈ کے لئے ۳۲ لاکھ روپے کی رقم رکھی گئی تھی، لیکن اپریل تا جون ۱۹۸۹ء کی سہ ماہی میں ضمنی گرانٹس کی شکل میں ایک کروڑ باون لاکھ چوراسی ہزار (۱۵۲۸۴،۰۰۰) روپے مزید منظور کئے گئے، اس اضافی منظور شدہ رقم میں سے ۴۰ لاکھ چوراسی ہزار روپے کی رقم سراغرسانی کے کاموں کے لئے تھی، باقی ایک کروڑ بارہ لاکھ روپے جیسے تقسیم ہوئے اس کی تفصیل یہ ہے :

تاریخ	جسے رقم دی گئی اس کا نام	رقم (روپے)	تفصیل
۱۵ جون ۱۹۸۹	وزیراعلیٰ صوبہ سرحد توسط ایم۔اکرم	۵۰۰۰۰۰۰ (پچاس لاکھ)	وزیراعلیٰ سرحد کی طرف سے موصولہ رسید لف ہے
۱۴ اپریل ۱۹۸۹	محب اللہ شاہ، ایڈیشنل سیکریٹری، وزیراعظم سیکریٹریٹ توسط میجر (ریٹائرڈ) مسعود شریف خان	۴۰۰۰۰۰۰ (چالیس لاکھ)	انٹلی جنس بیورو کے مراسلے نمبر ۸۱(۲۰)۸۱/ بجٹ/ ۷ مؤرخہ ۱۱/ ستمبر ۱۹۹۰ بنام مسعود شریف اور اس کے جوابی مراسلے مؤرخہ ۱۲ ستمبر ۱۹۹۰ کی نقول لف ہیں، ملاحظہ ہو لف E

(۵) سال ۹۰۔۱۹۸۹ کے بجٹ (میزانیہ) میں انٹیلی جنس بیورو کے لئے باضابطہ خفیہ کاموں کے فنڈ کی مد میں ۵۸ لاکھ روپے کی رقم رکھی گئی تھی، اکتوبر ۱۹۸۹ تا جون ۱۹۹۰ کے عرصہ میں مذکورہ بالا سیاسی صورتِ حال کے پیش نظر خفیہ کاموں کے فنڈ کو ضمنی گرانٹس کے ذریعہ بارہ کروڑ ۴۳ لاکھ روپے کی مندرجہ ذیل رقوم مزید دی گئیں :

نمبر شمار	تاریخ	خصوصی گرانٹ نمبر	رقم
۱۔	۱۶/ اکتوبر ۱۹۸۹	خصوصی گرانٹ I	دو کروڑ روپے
۲۔	۲۶/ اکتوبر ۱۹۸۹	خصوصی گرانٹ II	پانچ کروڑ روپے
۳۔	۱۰/ فروری ۱۹۹۰	خصوصی گرانٹ III	پچیس لاکھ روپے
۴۔	۱۹/ مارچ ۱۹۹۰	خصوصی گرانٹ IV	ایک کروڑ تیس لاکھ روپے
۵۔	۱۰/ اپریل ۱۹۹۰	خصوصی گرانٹ V	دو کروڑ روپے
۶۔	۶/ مئی ۱۹۹۰	خصوصی گرانٹ VI	ایک کروڑ روپے
۷۔	۱۴/ جون ۱۹۹۰	خصوصی گرانٹ VII	اٹھاسی لاکھ روپے
		میزان =	بارہ کروڑ تینتالیس لاکھ روپے

(۶) بارہ کروڑ ۴۳ لاکھ روپے کی مذکورہ بالا رقم میں سے دو کروڑ اٹھاسی لاکھ روپے کی ضمنی گرانٹس نمبر VII اور V انٹیلی جنس بیورو کے معمول کے کاموں کے لئے حاکم مجاز کی منظوری سے دی گئی تھیں، لیکن باقی تمام رقومات مساوی ۹ کروڑ پچپن لاکھ روپے وزیر اعظم کے سیکریٹریٹ کے احکام کے تحت فنڈ سے نکالی گئیں حالانکہ ان رقوم کے لئے انٹیلی جنس بیورو کی طرف سے نہ کوئی درخواست آئی تھی نہ کوئی مطالبہ موصول ہوا تھا۔

(۷) خفیہ کاموں کے فنڈ سے نکالی جانی والی مذکورہ رقوم مساوی ۹ کروڑ پچپن لاکھ روپے میں سے مندرجہ ذیل موٹی موٹی ادائیگیاں کی گئیں:

تاریخ	جس کو رقم دی گئی اس کا نام	رقم (روپے)	توضیح/رسید
۲۵/اکتوبر ۱۹۸۹	ملک وارث خان	ایک کروڑ	انٹیلی جنس بیورو کا مراسلہ نمبر ا۔(۲۰)۸۱/بجٹ/۷ مؤرخہ ۱۱/ستمبر ۱۹۹۰ بنام مسعود شریف خان اور ان کا جوابی مراسلہ مؤرخہ ۱۲/ستمبر ۱۹۹۰ لف 'R' اور 'S'
۲۵/اکتوبر ۱۹۸۹	آفتاب احمد خان شیرپاؤ	ایک کروڑ	انٹیلی جنس بیورو کا مراسلہ نمبر ا۔(۲۰)۸۱/بجٹ/۷ مؤرخہ ۱۱/ستمبر ۱۹۹۰ بنام مسعود شریف خان اور ان کا جوابی مراسلہ مؤرخہ ۱۲/ستمبر ۱۹۹۰ لف 'R' اور 'S'
۲۶/اکتوبر ۱۹۸۹	میجر جنرل (ریٹائرڈ) نصیر اللہ بابر وزیر اعظم کے معاون خصوصی معرفت مسعود شریف خان سابق جوائنٹ ڈائریکٹر (انٹیلی جنس بیورو)	تین کروڑ	انٹیلی جنس بیورو کا مراسلہ نمبر ا۔(۲۰)۸۱/بجٹ/۷ مؤرخہ ۱۱/ستمبر ۱۹۹۰ بنام مسعود شریف خان اور ان کا جوابی مراسلہ مؤرخہ ۱۲/ستمبر ۱۹۹۰ لف 'R' اور 'S'
۲۸/اکتوبر ۱۹۸۹	اس وقت کی وزیر اعظم معرفت میجر (ریٹائرڈ) مسعود شریف خان سابق جوائنٹ ڈائریکٹر (انٹیلی جنس بیورو)	دو کروڑ	انٹیلی جنس بیورو کا مراسلہ نمبر ا۔(۲۰)۸۱/بجٹ/۷ مؤرخہ ۱۱/ستمبر ۱۹۹۰ بنام مسعود شریف خان اور ان کا جوابی مراسلہ مؤرخہ ۱۲/ستمبر ۱۹۹۰ لف 'R' اور 'S'
۱۲/جون ۱۹۹۰	حنیف خان وزیر برائے امور کشمیر	ایک کروڑ +۸۰ لاکھ	رسیدات لف ہذا

		۲۰ لاکھ	رسید لف ہذا
۱۶؍ جون ۱۹۹۰	حنیف خان وزیر برائے امور کشمیر	ایک لاکھ بارہ ہزار	رسید لف ہذا
۱۸؍ جون ۱۹۹۰	حنیف خان وزیر برائے امور کشمیر	ایک لاکھ	رسید لف ہذا
۱۹؍ جون ۱۹۹۰	مس ناہید خان	پانچ لاکھ	ڈائریکٹر انٹیلی جنس بیورو کا نوشتہ
۲۵؍ جون ۱۹۹۰	مس ناہید خان	پانچ لاکھ	رسید لف ہذا
۲۵؍ جون ۱۹۹۰	مس ناہید خان	پانچ لاکھ	رسید لف ہذا
۱۲؍ جون ۱۹۹۰	مس ناہید خان	ایک لاکھ	ڈائریکٹر جنرل انٹیلی جنس بیورو کا نوشتہ
۳۰؍ جون ۱۹۹۰	مس ناہید خان	دس لاکھ	رسید لف ہذا

(۸) مندرجہ ذیل حلف نامے مذکورہ بالا ادائیگیوں کی تصدیق کے طور پر پیش کئے جاتے ہیں یہ ۸۹۔۱۹۸۸ اور ۹۰۔۱۹۸۹ کے سالوں میں تحریر ہوئے تھے:

(i) مسعود شریف خان، جوائنٹ ڈائریکٹر، انٹیلی جنس بیورو کا حلف نامہ

(ii) غلام مجتبیٰ، کیشیر (ملیم) انٹیلی جنس بیورو کا حلف نامہ

(iii) کرنل ریٹائرڈ محمد اکرام الحق، ڈپٹی ڈائریکٹر، ایڈمنسٹریشن، انٹیلی جنس بیورو کا حلف نامہ

واضح رہے کہ وزیراعظم کے سیکریٹری کے مراسلے مؤرخہ ۲۲ فروری ۱۹۸۹ اور سیکریٹری کابینہ کے مراسلے مؤرخہ ۲۶؍ فروری ۱۹۸۹ء کی رو سے میجر جنرل (ریٹائرڈ) نصیر اللہ خان بابر، سابق وزیراعظم کے سابق معاون خصوصی کو وزیراعظم کے انتظامی نوعیت کے زبانی احکام کی ترسیل کا اختیار دیدیا گیا تھا۔

۳۔ مذکورہ بالا حقائق اور جن حالات کے تحت خفیہ کاموں کے فنڈ سے ۸۹۔۱۹۸۸ اور ۹۰۔۱۹۸۹ میں بھاری رقوم انٹیلی جنس بیورو کو دی گئیں اور پھر مدعا علیہ کے اپنے احکام سے اور ؍ یا اس کی اجازت سے مندرجہ ذیل افراد کو دی گئیں:

--- محبّ اللہ شاہ، ایڈیشنل سیکریٹری (ای اور ایف) وزیراعظم سیکریٹریٹ

--- میجر جنرل ریٹائرڈ نصیر اللہ خان بابر، وزیراعظم کے معاون خصوصی۔

--- ملک وارث خان، اس وقت کے وفاقی وزیر مملکت برائے سرحدی علاقہ جات،

--- آفتاب احمد خان شیرپاؤ، اس وقت کے وزیراعلیٰ صوبہ سرحد،

--- حنیف خان، اس وقت کے وفاقی وزیر برائے امور کشمیر و شمالی علاقہ جات،

--- مس ناہید خان، وزیراعظم کی اس وقت کی سیاسی سیکریٹری،

--- اور سب سے زیادہ مدعا علیہ اس وقت کی وزیراعظم بے نظیر بذات خود

ان سب حقائق و حالات سے صاف ظاہر ہوتا ہے کہ سرکاری خزانے کے پیسے کو اس وقت کی وزیراعظم کے تحت جان بوجھ کر ایسے مقاصد کے لئے استعمال کیا گیا یا خرچ کیا گیا جو جائز نہ تھے، اور اس طرح مدعا علیہ بدعنوانی اور بدمعاملگی کے جرم کی مرتکب ہوئی۔ سردار نور الٰہی لغاری ۵ر ستمبر ۱۹۸۹ء سے ۹ر اگست ۱۹۹۰ تک ڈائریکٹر انٹیلی جنس بیورو رہے، انہوں نے اپنے ایک دفتری نوٹ میں، مجملہ دیگر امور کے، مندرجہ ذیل بات بھی لکھی:

"خفیہ کاموں کا خاص فنڈ

ضمنی گرانٹس کے طور پر انٹیلی جنس بیورو کو جتنی رقوم موصول ہوتی ہیں وہ چیف ایگزیکٹو جو انٹیلی جنس بیورو میں اس کے حساب کتاب کے افسر مجاز بھی ہیں، کی ہدایات کے تحت تقسیم کی جاتی ہیں"

(نوٹ: اس بیان میں ۲۰ر اکتوبر ۱۹۸۹، اور ۱۹ر اپریل ۱۹۹۰ کی تاریخیں غلطی سی لکھی گئی ہیں، دراصل یہ تاریخیں ۲۶ر اکتوبر ۱۹۸۹، اور ۱۰ اپریل ۱۹۹۰ ہیں)

مدعا علیہ کی بدعنوانی اور بدمعاملگی اور بھی زیادہ سنگین ہو جاتی ہے اگر یہ مدِنظر رکھا جائے کہ مدعا علیہ کے خلاف عدم اعتماد کی تحریک قومی اسمبلی میں ۲۶ اکتوبر ۱۹۸۹ کو پیش کی گئی اور سابقہ وزیراعظم کو دی گئی دو کروڑ روپوں سمیت، سات کروڑ روپے کی مجموعی رقم، انٹیلی جنس بیورو کے خفیہ کاموں کے خصوصی فنڈ سے ۲۵ر اور ۲۸ اکتوبر ۱۹۸۹ کے دوران دی گئی۔ حقیقی وصول کنندگان سے حاصل کردہ رسیدوں میں موجود نہیں۔ مدعا علیہ کی بدعنوانی اور بدمعاملگی سے ۸۹۔۱۹۸۸ اور ۹۰۔۱۹۸۹ کے سالوں میں سرکاری خزانہ کو نو کروڑ ۵۱ لاکھ روپے کا خطیر نقصان ہوا۔

۴۔ لف ہذا مواد کی بنا پر صدر پاکستان مطمئن ہیں کہ یہ یقین کرنے کے معقول اور وقیع شواہد موجود ہیں کہ مدعا علیہ نے ایسی بدعنوانی اور بدمعاملگی کا ارتکاب کیا ہے جو ۱۹۷۷ کے پی پی او ۱۷ کی دفعہ ۴ کے تحت مذکور بداعمالی کے ذیل میں آتی ہیں، لہٰذا مندرجہ بالا ریفرنس معزز خصوصی عدالت میں پیش کیا جاتا ہے اور یہ گذارش کی جاتی ہے کہ مدعا علیہ کی بداعمالی کے معاملہ کی تحقیق کی جائے، تحقیقات کے نتائج کو ضبط تحریر میں لایا جائے، قانون کے مطابق مناسب احکام صادر کئے جائیں اور اس معاملہ کا فیصلہ کیا جائے۔

۵۔ چونکہ اس ریفرنس کا تعلق خصوصی خفیہ فنڈ سے ہے اس لئے ریفرنس صیغہ راز کا ریفرنس ہے لہٰذا مودبانہ گذارش کی جاتی ہے کہ جو مواد اس ریفرنس کے ساتھ پیش کیا جا رہا ہے اس کو اور جو مواد آئندہ اس سلسلے میں پیش کیا جائے یا خصوصی عدالت کو موصول ہو، اس سب کو صیغہ راز میں رکھا جائے۔

بہ حکم جناب صدر پاکستان
(فضل الرحمٰن خان)
صدر کے سیکریٹری

ریفرنس۔۲ جسٹس رشید عزیز خان کی خصوصی عدالت میں

پارلیمنٹ اور صوبائی اسمبلیوں (کی رکنیت سے نااہلی) کا حکم مجریہ ۱۹۷۷ (۱۹۷۷ کے پی پی او ۱۷)
کی دفعہ ۴ کے تحت اسلامی جمہوریہ پاکستان کے صدر کی طرف سے ایک ریفرنس

مسماۃ

بنام مسماۃ بے نظیر زوجہ آصف علی زرداری،

سابقہ وزیر اعظم پاکستان،

بلاول ہاؤس، کلفٹن، کراچی

مدعا علیہ

یہ ریفرنس ۱۹۷۷ کے پی پی او ۱۷ کی دفعہ ۴ کے تحت خصوصی عدالت کو پیش کیا جاتا ہے

۱۔ اسلامی جمہوریہ پاکستان کے آئین کے تحت ۱۶ ر نومبر ۱۹۸۸ کو ہونے والے عام انتخابات میں مدعا علیہ مسماۃ بے نظیر زوجہ آصف علی زرداری حلقہ نمبر ۱۶۶ لاڑکانہ۔ III سے قومی اسمبلی کی رکن منتخب ہوئی تھی اور وزارت عظمیٰ کے منصب پر فائز ہوئی۔

۲۔ اس ریفرنس کے ساتھ جو دستاویزات پیش کی جارہی ہیں ان کے مطالعہ کے بعد صدر پاکستان مطمئن ہیں کہ یہ باور کرنے کے لئے معقول وجوہ موجود ہیں کہ مدعا علیہ نے اپنی حیثیت کا ناجائز فائدہ اٹھاتے ہوئے بداعمالی کا ارتکاب کیا ہے، اس نے تمام قواعد و ضوابط کو بالائے طاق رکھ کر دارالحکومت کے ترقیاتی ادارے (سی ڈی اے) سے ہیر پھیر اور چالاکی سے ایک خط جاری کروایا جس میں یہ ارادہ ظاہر کیا گیا تھا کہ سی ڈی اے ۲۸۷ ایکڑ کے برابر درجہ اول کی زمین ایک ہوٹل اور اس سے متعلقہ سہولتوں کے لئے الاٹ کرنا چاہتا ہے۔ اس مراسلہ کا مقصد انٹر نیشنل گارنٹی ٹرسٹ کمپنی کو ناجائز فائدہ پہنچانا تھا حالانکہ یہ زمین سی ڈی اے کے ماسٹر پلان میں قومی کسرتی اور ورزش مرکز (نیشنل ایتھلیٹک سنٹر) کے لئے مختص تھی۔

۳۔ مختصر بیان حقائق درج ذیل ہے:

(i) اسلام آباد میں بندوبست آراضی کے بارے میں سی ڈی کے ریگولیشنز مجریہ ۱۹۸۸ کے پیرا ۱۶ میں درج ہے، کہ

"تجارتی اور کاروباری قطعات: صدفیصد نیلام عام کے ذریعے دیئے جائیں گے بجز ان قطعات کے جو یونیورسٹی یا کسی سرکاری ادارے کے لئے مختص ہوں یا مخصوص کئے جائیں۔ نیلام عام میں بولی دینے والا نیلام پر رکھے گئے کسی بھی قطعے کے لئے بولی دے سکتا ہے، البتہ سی ڈی اے اپنا یہ حق محفوظ رکھتا ہے کہ وہ بغیر

وجہ بتلائے کسی بھی بولی کورد کر سکتا ہے، یا اگر بولی میں ریزرو قیمت سے بھی کم قیمت آئے اور ہر بولی نامنظور ہو جائے تو سی ڈی اے بر ملا گفت و شنید بھی کر سکتا ہے۔" واضح رہے کہ اسلام آباد میں ایک پانچ ستاروں والے ہوٹل کے لئے پانچ ایکڑ کا رقبہ مقرر ہے۔

(ii) ۱۷/ اکتوبر ۱۹۸۹ کو لندن کی ایک فرم انٹر نیشنل گارنٹی ٹرسٹ کمپنی نے (جسے ہوٹل چلانے یا عمارتیں بنانے کا کوئی تجربہ نہ تھا) براہ راست مسماۃ بے نظیر کو درخواست دی کہ اس کو اسلام آباد میں راول جھیل کے شمال میں ۲۸.۷ ایکڑ رقبہ پر محیط قطعہ زمین الاٹ کر دیا جائے جہاں وہ کمپنی ۳۵۰ بستروں کا ہوٹل مع متعلقہ سہولتوں کے بنائے گی۔ در حقیقت اسلام آباد کے ماسٹر پلان میں یہ رقبہ قومی ورزشی مرکز (نیشنل ایتھلیٹک سنٹر) کے لئے مخصوص ہے، جن کسرتوں اور ورزشوں اور کھیلوں کے لئے یہ علاقہ خاص طور پر مختص کیا گیا ہے انمیں بجرے چلانا، چھوٹی بڑی کشتیاں چلانا اور کشتی رانی کے مقابلے شامل ہیں۔ اس رقبہ میں معیاری سائز کا ایک گولف کورس بھی شامل ہے اور

(iii) انٹر نیشنل گارنٹی ٹرسٹ کمپنی نے اپنا جو پتہ دیا ہے وہ یہ ہے : ۱۱، وائٹ ہاوس اسٹریٹ، مے فیئر لندن ساؤتھ ویسٹ۔ دراصل اس پتہ پر کلب رائلے کے نام سے ایک نائٹ کلب / ڈسکو موجود ہے، مدعا علیہ کا ایک قریبی عزیز (پھوپی زاد) مظفر مصطفیٰ خان نامی اس کلب کا ڈائریکٹر ہے، موصوف کے تعارفی کارڈ پر کلب رائلے کا نام، امتیازی نشان اور لندن کا وہی پتہ، وہی ٹیلی فون نمبر اور وہی فیکس نمبر درج ہیں جو اس درخواست میں درج ہیں جو مظفر مصطفیٰ خان نے مدعا علیہ کو اراضی کی الاٹمنٹ کے لئے دی تھی۔ مذکورہ پتہ پر انٹر نیشنل گارنٹی ٹرسٹ کمپنی کا کوئی علیحدہ دفتر نہیں ہے۔

(iv) ۸/ نومبر ۱۹۸۹ کو وزیراعظم کے ایڈیشنل سیکریٹری نے انٹر نیشنل گارنٹی ٹرسٹ کمپنی کی مذکورہ بالا تجویز کے بارے میں

"گذارش کی کہ سیکریٹری کابینہ، چیئرمین سی ڈی اے اور وزیراعظم کی منصوبہ پرکھ کمیٹی کے صدر نشین جاوید پاشا، ازراہ کرم (مصطفیٰ خان کی) تجویز کا جائزہ لیں اور بعد میں ایک اجلاس کی تاریخ اور اس کے وقت کی اطلاع وزیراعظم کے ملٹری سیکریٹری دیں گے جنہیں اس بارے میں علیحدہ مطلع کیا جارہا ہے۔

(v) سی ڈی اے کے ممبر پلاننگ شفیع محمد شہوانی نے اپنے نوٹ مؤرخہ ۲۳/ نومبر ۱۹۸۹ میں تجویز کی مخالفت کی اور مندرجہ ذیل امور کی نشاندہی کی :

۔۔۔ مجوزہ جگہ، سی ڈی اے کے ماسٹر پلان میں ہوٹلوں کے لئے نہیں بلکہ محفوظ علاقہ ہے۔

۔۔۔ ایسی پارٹیوں کی فہرست جو ہوٹلوں کے لئے مختص جگہوں پر پانچ سٹار ہوٹل بنانے کی خواہش مند ہیں، وزیراعظم کی خدمت میں پہلے ہی بھیجی جا چکی ہے : اس فہرست مین انٹر نیشنل گارنٹی ٹرسٹ کمپنی کے نام کا اضافہ کا جا سکتا ہے۔

(vi) مذکورہ مراسلہ مؤرخہ ۸ / نومبر ۱۹۸۹ میں جس کمیٹی کی تشکیل کا ذکر کیا گیا تھا اس کمیٹی کا پہلا اجلاس ۳۰ نومبر ۱۹۸۹ کو ہوا۔ اس اجلاس میں سیکریٹری کابینہ، قائم مقام چیئرمین سی ڈی اے، جاوید پاشا اور مس سیما علیم شامل ہوئے اور انہوں نے فیصلہ کیا کہ کس زمین کو کس مقصد کے لئے استعمال کیا جائے اور اس سلسلہ میں منصوبہ بندی کیسے کی جائے، ان امور پر غور و فکر اگلے تین چار دنوں کے اندر کر لیا جائے۔ چونکہ سی ڈے اے کے باقاعدہ اور مستقل چئیر مین رخصت پر تھے اسلئے کابینہ ڈویژن کے ایڈیشنل سیکریٹری انعام الحق کے پاس غیر رسمی طور پر چیئرمین سی ڈی اے کی اضافی ذمہ داریاں بھی تھیں۔

(vii) اس سے پہلے کہ مذکورہ کمیٹی کا دوسرا اجلاس ہوتا مدعا علیہ بے نظیر نے چیئرمین سی ڈی اے کے عہدے کا چارج ۳ / دسمبر ۱۹۸۹ کو جعفر اقبال کو دیدیا جو اس وقت وزیراعظم کے سیکریٹریٹ میں ایڈیشنل سیکریٹری تھے۔

(viii) چند ہی دنوں بعد ۹ / دسمبر ۱۹۸۹ کو سی ڈی اے کے قائم مقام چیئرمین جعفر اقبال نے حکم دیا کہ مذکورہ ہوٹل پروجیکٹ کے بارے میں وزیراعظم کو پیش کرنے کے لئے ایک نوٹ تیار کیا جائے۔

(ix) چنانچہ سی ڈی اے نے ایک نوٹ کا مسودہ ۱۱ / دسمبر ۱۹۸۹ کو تیار کر کے پیش کر دیا۔ یہ مسودہ انہی خطوط پر تھا جن پر کہ سی ڈی اے کے ممبر / پلاننگ (شفیع محمد شہوانی) نے اپنا نوٹ مؤرخہ ۲۳ / دسمبر ۱۹۸۹ تیار کیا تھا۔ اس نوٹ (مورخہ ۱۱ دسمبر ۱۹۸۹) پر کوئی عمل نہیں کیا گیا۔ ۲۷ دسمبر ۱۹۸۹ کو جعفر اقبال کو سی ڈی اے کا مستقل چئیرمین مقرر کر دیا گیا۔ نئے چئیرمین سی ڈی اے جعفر اقبال نے ۲ جنوری ۱۹۹۰ کو اپنی طرف سے ایک نوٹ وزیراعظم کے سیکریٹریٹ کو بھیجا اور اس نوٹ میں انٹرنیشنل گارنٹی ٹرسٹ کمپنی کی طرف سے موصولہ تجویز کی مکمل حمایت کی گئی تھی بجز چند معمولی معمولی تبدیلیوں کے۔ اس سے پہلے اگر کبھی اسلام آباد کے ماسٹر پلان میں درج استعمال آراضی کی نوعیت بدلنے کی کوئی تجویز زیر غور آتی تھی تو اسے کابینہ کے سامنے برائے فیصلہ پیش کیا جاتا تھا، لیکن موجودہ معاملے میں معمول کے مقررہ طریق کار سے انحراف کیا گیا اور تجویز کو کابینہ کے سامنے پیش نہیں کیا گیا۔

(x) دریں اثناء ۱۴ / جنوری ۱۹۹۰ کو شفیع محمد شہوانی کو سی ڈی اے کے ممبر منصوبہ بندی کے عہدے سے ہٹا دیا گیا۔ اس کے بعد سی ڈی اے کے نئے چیئرمین (جعفر اقبال) نے ۱۳ فروری کو اسی معاملہ پر انٹرنیشنل گارنٹی ٹرسٹ کمپنی کے نمائندے رفیع الدین سے تبادلہ خیال کیا اور اسی روز ایک نوٹ وزیراعظم کی منصوبوں کو پرکھنے اور پیش رفت پر نظر رکھنے والی کمیٹی کے چیئرمین جاوید پاشا کو بھیج دیا۔ جاوید پاشا کے جواب کا انتظار کئے بغیر معاملہ کو جلدی جلدی نمٹانے کی خاطر، اسی روز (یعنی ۱۳ / فروری ۱۹۹۰ کو) سی ڈے اے کے چیئرمین جعفر اقبال نے اس معاملہ کو وزیراعظم کے سامنے براہِ راست پیش کر دیا اور چوبیس گھنٹے کے اندر اندر ۱۴ / فروری ۱۹۹۰ کو مندرجہ ذیل نوٹ تحریر کیا:

"میں نے اپنے مراسلے مؤرخہ ۱۳ فروری ۱۹۹۰ بنام جاوید پاشا میں جو تجویز دی تھی، اسکو اسی روز وزیر اعظم کے سامنے زبانی پیش کر دیا، وزیر اعظم نے میرے مذکورہ خط میں دی ہوئی تجویز کو بالعموم منظور کر لیا۔ لہذا اب سپانسروں (انٹر نیشنل گارنٹی ٹرسٹ کمپنی) کے نام ایک مراسلہ نیت جاری کر دیا جائے جس میں میری تجویز (مؤرخہ ۱۳ر فروری ۱۹۹۰) (یعنی اراضی متعلقہ کو پٹے پر دینے کی) درج ہو۔"

(xi) چنانچہ انہی خطوط پر مراسلہ نیت تیار کیا گیا اور چیئر مین سی ڈی اے (جعفر اقبال) کے دفتر میں رفیع الدین کے حوالے کر دیا گیا۔ یہ عمل بھی ۲۴ گھنٹے کے اندر اندر ۱۵ فروری ۱۹۹۰ کو طے پا گیا۔

(xii) اگلے کاروباری روز، رفیع الدین کے کہنے پر، چیئر مین سی ڈی اے (جعفر اقبال) کی منظوری سے سی ڈی اے کے ڈائریکٹر (پی ای اینڈ سی) عبد الوحید نے اراضی کی قیمت کا تخمینہ بھی تیار کر لیا۔ انٹر نیشنل گارنٹی ٹرسٹ کمپنی کو رفیع الدین کی معرفت ایک مراسلے مؤرخہ ۱۷ فروری ۱۹۹۰ (جس پر ڈائریکٹر سی ڈی اے قناعت علی کے دستخط تھے) مندرجہ ذیل شرحوں کی اطلاع دی گئی:

(ا)	ہوٹل، میناروں اور عمارات تلے اراضی	=ایک ہزار آٹھ روپے فی مربع گز
(ب)	اراضی برائے تفریح و دیگر مقاصد	=چار سو روپے فی مربع گز
(ج)	سرسبز علاقہ ر گولف کورس کی زمین	=سترہ روپے فی مربع گز
(د)	سالانہ کرایہ زمین	=پچیس پیسے فی مربع گز

پہلے کی قائم شدہ نظیروں سے انحراف اور اختلاف کرتے ہوئے، مجوزہ ہوٹل کی حدود میں واقع زمین کے لئے دو شرحیں مقرر کی گئیں۔ ایک شرح اس زمین کے لئے جس پر عمارت بنے گی دوسری شرح اس زمین کے لئے جس پر عمارت نہیں بنے گی بلکہ کھلا رہے گا۔ علاوہ ازیں مجوزہ قیمتیں ان ریزرو قیمتوں سے بھی کہیں کم تھیں جو سی ڈی اے نے تجارتی اراضی کو فروخت کرنے کے لئے مقرر کی تھیں. امر واقعہ یہ ہے کہ ۱۹۸۷ میں نیلام کے ذریعے فروخت ہونے والی اراضی کی اس وقت کی شرح قیمت تقریباً پندرہ ہزار روپے فی مربع گز تھی، یعنی سرکاری خزانے کو اسطرح اربوں روپوں کے نقصان کا امکان تھا۔

(xiii) حالانکہ سی ڈی اے کے قواعد و ضوابط کے تحت، اس قسم کے معاملات میں، سی ڈے اے کے افسر قانون سے مشورہ لازم ہے، لیکن ایسا نہیں کیا گیا۔ شعبہ منصوبہ بندی (پلاننگ) کے مشورے کو قطعا نظر انداز کر دیا گیا، اور سی ڈی اے کے دوسرے شعبوں کو بھی اپنا اپنا مقررہ کردار ادا کرنے کا موقعہ نہیں دیا گیا۔

(xiv) پھر، یکم مارچ ۱۹۹۰ کو چیئر مین سی ڈی اے کے پاس ایک الاٹمنٹ کے مراسلے کا مسودہ پیش کیا گیا، لیکن اس اثناء میں ۲۶ر فروری ۱۹۹۰ کو یہ معاملہ اخباروں میں آگیا، بعد میں ۲۱ مارچ ۱۹۹۰ کو لفٹننٹ جنرل

ریٹائرڈ عبدالمجید ملک (رکن قومی اسمبلی) نے یہ معاملہ ایک تحریک التوا کے ذریعے قومی اسمبلی میں بھی اٹھادیا۔

(xv) دریں اثناء ۱۰ مارچ ۱۹۹۰ کو سیکریٹری کابینہ نے ایک سمری وزیراعظم کو بھیجی اور سمری کے ساتھ ایک الاٹمنٹ لیٹر کا مسودہ بھی لف کردیا، اس سمری میں کہا گیا تھا کہ مسودہ پیش کیا جارہا ہے اسکے مندرجات بھی کم و بیش وہی ہیں جیسے کہ مجوزہ پروجیکٹ کے لئے ۲۸۷ء۵ ایکڑ اراضی کے بارے میں مراسلہ نیت کے تھے۔

(xvi) پھر مذکورہ الاٹمنٹ لیٹر کے مسودہ پر وزیراعظم کے سیکریٹریٹ کے ایڈیشنل سیکریٹری محمد نواز ملک نے کارروائی کی اور مجوزہ الاٹمنٹ اراضی کے خلاف مجملہ دیگر باتوں کے مندرجہ ذیل رائے متعلقہ فائل میں تحریر کی:

"قومی پارک کے لئے مختص علاقے میں ایک بہت بڑا رقبہ ہوٹل کے لئے الاٹ کرنے کی تجویز ہے، اس فائل میں موجودہ دستاویزات سے کہیں یہ ظاہر نہیں ہوتا کہ آیا اسلام آباد کا منظور شدہ ماسٹر پلان (نیشنل پارک کے لئے مختص رقبے کو) اس طرح (یعنی ہوٹل کے لئے) استعمال کرنے کی اجازت بھی دیتا ہے یا نہیں؟ اور اگر نہیں تو آیا اس قسم کے انحراف کے لئے حاکمِ مجاز سے مطلوبہ اجازت بھی لے لی گئی ہے یا نہیں؟

"مجوزہ ہوٹل کے لئے (جو رقبہ مانگا جارہا ہے) وہ نہایت اعلیٰ اور الگ تھلگ علاقہ میں ہے جس کے شمال میں شارع دستور اور سفارتی علاقہ ہے اور جنوب میں راول جھیل ہے۔ اس علاقہ میں سب کو معلوم ہے کہ اراضی نہایت قیمتی ہے، قیمت کی جو شرحیں الاٹمنٹ لیٹر کے مسودے میں تجویز کی گئی ہیں اور فائل میں دوسری جگہوں پر درج ہیں، ان سے یہ پتہ نہیں چلتا کہ آیا وہ مروجہ قیمتوں کے مقابلے میں برابر برابر ہیں یا نہیں؟ یہ نتیجہ بہ آسانی نکالا جاسکتا ہے کہ اگر اراضی زیرِذکر کو نیلام کیا جائے تو آمدن، مجوزہ شرحوں کے مطابق ملنے والی آمدن سے کہیں زیادہ ہوگی"۔

(xvii) محمد نواز ملک کے مذکورہ نوٹ کو پڑھنے کے بعد، مدعا علیہ (بے نظیر) نے لکھا:

"سی ڈی اے کی رائے بھی معلوم کرلی جائے اور پھر دوبارہ پیش کیا جائے۔

جب سی ڈی اے کی رائے آجائے تو پھر سی ڈی اے کا چیئرمین یہ معاملہ (محمد نواز ملک کے) مندرجہ بالا تحفظات کے ساتھ ایک کمیٹی کے سامنے لے جائے جس کے ممبر ہوں گے:

۔۔۔وزارت آب و برق کا نمائندہ:

۔۔۔وزارت ریلوے کا نمائندہ:

۔۔۔وزیراعظم کی منصوبوں کو پرکھنے والی کمیٹی کے چیئرمین"

مذکورہ کمیٹی کا اجلاس ۶ مئی ۱۹۹۰ کو ہوا، اس تاخیری مرحلہ پر اس کمیٹی نے پہلی مرتبہ سپانسروں سے کہا

کہ وہ اپنی مالی کیفیت اور دیگر متعلقہ امور کے بارے میں مجملہ دیگر کاغذات کے، دستاویزات پیش کریں، اس کے بعد پھر اس کمیٹی کا کوئی اجلاس نہیں ہوا۔

(xvii) سی ڈی اے کے بندوبست اراضی کے قواعد مجریہ ۱۹۸۸ میں یہ کہا گیا ہے کہ تمام تجارتی زمینوں کو صرف عام نیلام کے ذریعے فروخت کیا جائیگا لیکن چونکہ انٹر نیشنل گارنٹی ٹرسٹ کمپنی کو اراضی مذکورہ کو خاص مراعات کے تحت دینا مقصود تھا جن مراعات کی پیش کش اس کمپنی کو پہلے سے کی جاچکی تھی لہذا زمین کو نیلام عام کے ذریعہ فروخت کرنے کی شرط سے بچنے کے لئے سی ڈی اے کے قواعد برائے بندوبست اراضی مجریہ ۱۹۸۸ میں مدعا علیہ (بے نظیر) کی منظوری سے ترمیم کردی گئی اور ۱۰ مئی ۱۹۹۰ کو قواعد میں ایک قاعدہ کا اضافہ کردیا جس میں مجملہ دیگر باتوں کے، کہا گیا تھا:

"ان قواعد کے مندرجات کے باوجود، مناسب معاملات میں، اتھارٹی اپنی زیر ملکیت زمین کو حکومت کی طرف سے تشکیل کردہ کمیٹی کی سفارشات کی بناپر، الاٹ کرسکتی ہے"

(xix) مدعا علیہ (بے نظیر) کی حرکات شروع سے لیکر آخر تک مفاد عامہ کے خلاف تھیں۔

(xx) اُس وقت کی قومی اسمبلی کے دوممبروں، سیدہ عابدہ حسین اور لفٹنٹ جنرل ریٹائرڈ عبدالمجید ملک نے لاہور ہائی کورٹ کی راولپنڈی بینچ کے سامنے اپنی ایک رٹ درخواست نمبر ۱۹۹۰/ ۳۲ ۴ پیش کی اور مذکورہ ہائی کورٹ بینچ نے ۵/ جون ۱۹۹۰ کو برائے سماعت منظور کرلیا، اور حکم صادر کیا کہ آراضی متعلقہ کو حسب سابق رہنے دیا جائے اور اسکی حیثیت عرفی میں تا فیصلہ کوئی ردّو بدل نہ کیا جائے۔ چنانچہ اس طرح مدعا علیہ (بے نظیر) کی تمام کوشش آراضی مذکورہ کو سی ڈی اے کی معرفت انٹر نیشنل گارنٹی ٹرسٹ کمپنی کو رعایتی نرخوں پر دلانے کی، ناکام ہوگئیں۔

(xxi) مدعا علیہ (بے نظیر) میسرز انٹر نیشنل گارنٹی ٹرسٹ کمپنی کو، سی ڈے اے کو نقصان پہنچا کر، ناجائز فائدہ پہنچانا چاہتی تھی، اپنا یہ مقصد حاصل کرنے کے لئے اس نے سی ڈی اے کے اس وقت کے چیئر مین کو اور اس وقت کے ممبر (پلاننگ) شفیع محمد شہوانی کو اپنے اپنے عہدوں سے ہٹادیا، اور پھر ان دونوں کو ہٹانے کے بعد، سی ڈے اے کے قواعد برائے بندوبست اراضی مجریہ ۱۹۸۸ میں ترمیم کردی۔ مدعا علیہ (بے نظیر) نے تجارتی زمین کو نیلام عام کے ذریعے فروخت کرنے کے اس طریق کار کو ختم کردیا جو عرصہ سے چلا آرہا تھا اور اراضی مذکورہ کی الاٹمنٹ کے لئے ایک کمیٹی بنادی، جو مدعا علیہ (بے نظیر) چاہ رہی تھیں اگر وہ ہو جاتا تو سی ڈے اے کو اور سرکاری خزانے کو سینکڑوں کروڑوں روپوں کا نقصان ہو جاتا اور انٹر نیشنل گارنٹی ٹرسٹ کمپنی کو اتنے ہی سینکڑوں کروڑوں روپوں کا ناجائز فائدہ ہو جاتا۔

(xxii) مندرجہ بالا کوائف و حقائق سے ظاہر ہوتا ہے کہ مدعا علیہ (بے نظیر) نے سی ڈی اے کے آرڈ نینس اور قواعد و ضوابط کو قطعاً نظر انداز کردیا، سی ڈی اے کے ماسٹر پلان کی دھجیاں بکھیر دیں اور سی ڈے

اے کے ماہرانہ مشوروں سے پہلو تہی کی، اور اس طرح میسرز انٹر نیشنل گارنٹی ٹرسٹ کمپنی کے نام سی ڈی اے کی وسیع و عریض اراضی (۲۸۷ ایکڑ) کو نہایت کم نرخوں پر الاٹ کرنے کے لئے، مراسلہ نیت جاری کروایا، اس کے بعد مدعا علیہ (بے نظیر) نے کوشش کی کہ کمپنی کو سی ڈی اے کی طرف سے الاٹمنٹ کا مراسلہ بھی جاری ہو جائے، لیکن ہائی کورٹ کے حکم مورخہ ۵ جون ۱۹۹۰ برائے 'بر قراری حالت سابقہ'، کی وجہ سے مدعا علیہ کی یہ کوشش کامیاب نہ ہو سکی۔ لہٰذا مدعا علیہ (بے نظیر) ۱۹۷۷ کے پی پی او ۱۷ کے تحت بد اعمالی کی مرتکب ہوئی۔

۴۔ مندرجہ بالا ریفرنس خصوصی عدالت میں پیش کیا جاتا ہے اور گذارش کی جاتی ہے کہ عدالت عالیہ، مدعا علیہ کی بد اعمالی کے معاملے کی چھان بین کرے، جن نتائج پر پہنچے ان کو ضبط تحریر لائے، قانون کے مطابق، مناسب احکام صادر فرمائے اور معاملہ کا فیصلہ کرے۔

۵۔ اگر آئندہ اس ریفرنس سے متعلق کوئی مزید مواد ملا تو وہ بھی معزز خصوصی عدالت کے سامنے ادب کے ساتھ، پیش کر دیا جائے گا۔

بہ حکم صدر مملکت
(فضل الرحمٰن خان)
صدر کے سیکریٹری

ریفرنس۔ ۳ مسٹر جسٹس محمد امیر ملک کی خصوصی عدالت میں

پارلیمنٹ اور صوبائی اسمبلیوں (کی رکنیت سے نا اہلی) کے حکم مجریہ ۱۹۷۷ء (۱۹۷۷ء کے پی پی او ۱۷) کی دفعہ ۴ کے تحت اسلامی جمہوریہ پاکستان کے صدر کا ریفرنس

بنام
مسماۃ بے نظیر زوجہ آصف علی زرداری
سابقہ وزیر اعظم پاکستان،
بلاول ہاؤس، کلفٹن، کراچی

مدعا علیہ

یہ ریفرنس ۱۹۷۷ء کے پی پی او ۱۷ کی دفعہ ۴ کے تحت خصوصی عدالت کے سامنے پیش کیا جاتا ہے۔

اسلامی جمہوریہ پاکستان کے آئین کے تحت ۱۶نومبر ۱۹۸۸ء کو ہونے والے عام انتخابات میں حلقہ انتخاب نمبر ۱۶۶۔ لاڑکانہ۔ III سے مدعا علیہ (بے نظیر) قومی اسمبلی کی رکن منتخب ہوئی اور پھر پاکستان کی وزارت عظمیٰ کے منصب جلیلہ پر فائز ہوئیں۔

۲۔اس ریفرنس کے ساتھ جو حقائق بیان کئے جارہے ہیں اور جو دستاویزات پیش کی جارہی ہیں ان کے مطالعہ کے بعد صدر مملکت مطمئن ہیں کہ یہ باور کرنے کے لئے معقول وجوہ موجود ہیں کہ ۱۹۷۷ء کے پی پی او ۱۷ کے تحت مدعا علیہ نے بداعمالی کی حرکت کا ارتکاب کیا ہے اور اپنی وزارت عظمیٰ کے دوران اپنے اختیار اور اپنی حیثیت کو ناجائز طور پر استعمال کیا ہے۔

حقائق وکوائف کا مختصر بیان

۳۔ ۲۳اکتوبر ۱۹۸۹ء کو متحدہ حزب مخالف نے (قومی اسمبلی میں) وزیراعظم (بے نظیر) کے خلاف عدم اعتماد کی تحریک کا نوٹس دیا، ۲۴اکتوبر ۱۹۸۹ء کو قومی اسمبلی کے سیکریٹری نے وہ نوٹس قومی اسمبلی کے ایوان میں بھجوادیا، ۲۶اکتوبر ۱۹۸۹ء کو ایوان نے عدم اعتماد کی قرارداد / تحریک پیش کئے جانے کی اجازت دیدی، یکم نومبر ۱۹۸۹ء کو تحریک عدم اعتماد پر ایوان میں ووٹ ڈالے جانے تھے۔

۴۔عدم اعتماد کی تحریک کے نوٹس کا نتیجہ یہ ہوا کہ سیاسی سرگرمیاں زوروشور سے شروع ہوگئیں۔وفاقی کابینہ کے ارکان اور پاکستان پیپلزپارٹی سے تعلق رکھنے والے اراکین قومی اسمبلی نے سابقہ وزیراعظم (مدعا علیہ ،بے نظیر) کی زیرقیادت بیان بازی اور الزام تراشی شروع کردی اور یہ کہنا شروع کردیا کہ عدم اعتماد کی تحریک غیر آئینی بھی ہے اور غیر جمہوری بھی۔

۵۔جب عدم اعتماد کی تحریک کے حق میں اور اس کے خلاف تائید حاصل کرنے کے عمل میں تیزی آگئی اور جب قومی اسمبلی کے ممبروں اور دوسرے سرگرم کارکنوں میں اجلاس اور ملاقاتیں کثرت سے ہونے لگیں تو مدعا علیہ (بے نظیر) نے ایک انوکھی ترکیب سوچی۔ترکیب یہ تھی کہ اراکین قومی اسمبلی کو پہلے پشاور لے جایا جائے اور پھر سیدو شریف، تاکہ حزب اختلاف کے اراکین، پاکستان پیپلزپارٹی کے اراکین سے) آسانی سے نہ مل سکیں، اس طرح مدعا علیہ (بے نظیر) نے سیاسی لیڈروں اور قومی اسمبلی کے ممبروں کو آزادی سے ملنے جلنے، تبادلہ خیال کرنے اور عدم اعتماد کی تحریک کے حق میں یا خلاف آزادانہ اور معروضی رائے قائم کرنے کے موقعے سے محروم کردیا۔

۶۔اسکیم یہ تھی کہ پاکستانی فضائیہ کے فوجی جہازوں کی خصوصی نان آپریشنل پروازیں غیر عسکری مقصد کے لئے ۲۶اکتوبر تا یکم نومبر ۱۹۸۹ء تک چلائی جائیں اور قطع نظر ہر پرواز کی مقررہ گنجائش کے جیسے جیسے اراکین قومی اسمبلی آتے جائیں ویسے ویسے انہیں اسلام آباد سے باہر بھجوادیا جائے۔شروع شروع میں ارکان قومی اسمبلی کو پاک فضائیہ کے چکلالہ کے فوجی اڈے سے پاک فضائیہ کے پشاور کے فوجی اڈے تک لے جایا

گیا۔ ۲۶ اکتوبر ۱۹۸۹ء کو پاک فضائیہ کے بوئنگ ۷۰۷ کی ایک خصوصی پرواز، اور پاک فضائیہ کے فوکر کی ایک اور خصوصی پرواز چک لالہ سے پشاور تک گئیں۔ اراکین قومی اسمبلی کو پشاور پہنچا کر وزراء حنیف خان، فاروق لغاری، افتخار گیلانی، احمد سعید اعوان اور میر باز خان کھیتران پاک فضائیہ کی فوکر پرواز سے پشاور سے چکلالہ واپس آگئے۔ اس وقت تک اسکیم میں تبدیلی کر دی گئی تھی اور یہ فیصلہ کر لیا گیا تھا کہ اراکین قومی اسمبلی کو پشاور کی بجائے سیدو شریف میں رکھا جائے گا، چنانچہ ان اراکین اسمبلی کو جو پشاور پہنچ چکے تھے، انہیں فوج کے جہاز سی۔۱۳۰ کی دو پروازوں میں پشاور سے سیدو شریف پہنچایا گیا، پہلی پرواز میں ۸۸ ممبر قومی اسمبلی تھے اور دوسری میں ۴۳، قومی اسمبلی کے باقی ممبر جو ابھی تک چک لالہ کے فضائی اڈے پر موجود تھے اور جن میں مدعا علیہ (بے نظیر) بھی شامل تھیں، انہیں ۲۸ اکتوبر ۱۹۸۹ء کو اور ۳۰ اکتوبر ۱۹۸۹ء کو پاک فضائیہ کے فوکر جہاز کی دو پروازوں کے ذریعے سیدو شریف پہنچایا گیا، تمام وقت چکلالہ، سیدو شریف میں ایک ایک جہاز کو کسی بھی غیر متوقع صورت حال سے نمٹنے کے لئے تیار رکھا گیا۔ سی۔۱۳۰ / ۴۴ جہاز سے سفر کرنے والے ۶۶ اراکین اسمبلی کی فہرست جو سیدو شریف سے چکلالہ گئے، سردست نہیں مل سکی۔ اسی طرح پاک فضائیہ کے قواعد و ضوابط کی صریحاً خلاف ورزی کرتے ہوئے، ۱۱۳ اراکین قومی اسمبلی، صوبائی اسمبلی، عملے/خاندان کو لے جانے لانے کے لئے ۱۲ پروازیں چلائی گئیں اور ان میں پاک فضائیہ کے سی۔۱۳۰، بوئنگ ۷۰۷ اور فوکر جہاز استعمال کئے گئے۔

۷۔ ممتاز شخصیتوں نے اخباروں میں اراکین قومی اسمبلی کو چکلالہ سے پشاور، پشاور سے سیدو شریف اور چکلالہ سے سیدو شریف لے جانے کے عمل کی شدید مذمت کی تھی۔

۸۔ پاک فضائیہ کے عمل کا دفاع کرتے ہوئے پاک فضائیہ کے سربراہ کو وضاحت کرنا پڑی کہ پاک فضائیہ حکومت وقت کے احکام کی تعمیل کی پابند ہے اور پروازوں کے اغراض و مقاصد کی توضیح خود حکومت کو کرنا تھی۔ ۱۱۳ اراکین قومی اسمبلی کو سیدو شریف میں عملاً نظر بند رکھنے کے بعد پھر مدعا علیہ (بے نظیر) نے پاک فضائیہ کے تین طیارے سی۔۱۳۰، ۱۱۳ اراکین قومی اسمبلی کو سیدو شریف سے چکلالہ لانے کے لئے مخصوص کروالئے، ان میں سے دو جہازوں کو تو واقعی پروازوں کے لئے استعمال کیا گیا اور ایک کو غیر متوقع ہنگامی صورت حال سے نمٹنے کے لئے احتیاطاً رکھا گیا، چکلالہ کے ہوائی اڈے سے انہیں سیدھا پارلیمنٹ ہاؤس لے جایا گیا۔ عدم اعتماد کی تحریک پر ووٹنگ کی تاریخ یکم نومبر ۱۹۸۹ء مقرر تھی اور اسی روز یہ ۱۱۳ اراکین اسمبلی چکلالہ سے پارلیمنٹ ہاؤس پہنچے۔

۹۔ پاک فضائیہ کے جہازوں کو پاک فضائیہ کی ہدایت مجریہ ۱۹۷۵ء کی خلاف ورزی کرتے ہوئے استعمال کیا گیا، اس ہدایت کا تعلق فوجی جہازوں میں مسافر برداری کے نظم سے ہے، اس ہدایت کی رو سے:

(الف) "خصوصی پرواز" کی تعریف یہ کی گئی ہے کہ خصوصی پرواز وہ پرواز ہے جس کے ذریعے کسی خاص

فرد یا افراد کو کسی پرواز سے غیر عسکری مقصد کے لئے ایک جگہ سے دوسری جگہ لے جایا جائے، قواعد کے پیرا ۳ میں ان اشخاص کی فہرست ہے جو خصوصی پروازوں سے سفر کا حق رکھتے ہیں، یہ اشخاص مندرجہ ذیل ہیں۔

صدر مملکت، وزیر اعظم، صوبوں کے گورنر، صوبوں کے وزرائے اعلی، قومی اسمبلی کے اسپیکر، چیئرمین سینیٹ، ڈپٹی چیئرمین سینیٹ، وفاقی حکومت کے سیکریٹری، صوبائی حکومتوں کے چیف سیکریٹری، پاک بری فوج کے چیف آف اسٹاف، پاک بحریہ کے چیف آف اسٹاف، پاک فضائیہ کے چیف آف اسٹاف، بیرون ملک سے پاکستان آنے والی مقتدر ہستیاں، اور سول محکمے۔

انہی قواعد کے پیرا ۴ میں خصوصی پروازیں حاصل کرنے کا طریقہ درج ہے، جن میں کہا گیا ہے۔

"صدر پاکستان، وزیر اعظم پاکستان، وزیر دفاع پاکستان، صوبائی گورنروں / وزرائے اعلیٰ، تینوں افواج (بری، بحری، فضائی) کے سربراہوں کے علاوہ تمام خصوصی پروازوں کے مطالبے وزارت دفاع کے توسط سے پاک فضائیہ کو بھیجے جائیں گے۔"

انہی قواعد کے پیرے ۵ میں وہ طریق کار درج ہے جس کے تحت خصوصی پروازوں کے چارجز کا مالی ایڈجسٹمنٹ ہوگا، اس پیرے کی رو سے۔

"بجز صدر پاکستان، وزیر اعظم پاکستان، وزیر دفاع پاکستان، تینوں افواج (بری، بحری، فضائی) کے سربراہوں کے، تمام خصوصی پروازوں کے چارجز کو محکمہ متعلقہ کے ذمے واجب الادا دکھلایا جائے گا اور چارجز کا حساب ان شرحوں کی بنا پر لگایا جائے گا جو حکام فضائیہ کے مشیر مالیات سے مشورے کے بعد، وقتاً فوقتاً مقرر کریں گے۔

(ب) اس خاص معاملے میں، اراکین قومی اسمبلی (و صوبائی اسمبلی) اور دوسرے بہت سے افراد جنہوں نے ان خفیہ پراسرار پروازوں سے سفر کیا، اس سفر کا حق نہیں رکھتے تھے، پھر جہازوں کا استعمال بھی نہایت بے رحمی سے کیا گیا۔ جہازوں میں جتنی گنجائش تھی، خصوصی پروازوں میں مسافروں کی تعداد اس گنجائش سے بہت کم ہوتی تھی کیونکہ جہازوں کو استعمال ان کی آپریشنل اہمیت کی بنا پر نہیں بلکہ "جتنے ملے اتنے بٹھاؤ اور چل پڑو" کی بنیاد پر کیا گیا۔ پروازوں کا مطالبہ وزارت دفاع کی معرفت فضائیہ کے صدر دفتر نہیں بھیجا گیا جیسا کہ مقررہ ضوابط کا تقاضہ تھا بلکہ مدعا علیہ (بے نظیر) کی طرف سے مدعا علیہ (بے نظیر) کے عملے نے زبانی احکام فضائیہ کے دفتر کو پہنچائے کہ خصوصی پروازوں کا بندوبست کیا جائے، پورے آپریشن کو وفاقی وزراء نے عملی جامہ پہنچایا اور انہوں نے ہی اس کی نگرانی کی۔ ان خصوصی پروازوں پر اٹھنے والے اخراجات کا بار پاک فضائیہ کے بجٹ پر ڈالا گیا اور اس طرح پاک فضائیہ کو دس لاکھ روپے سے زائد کا نقصان اٹھانا پڑا حالانکہ مذکورہ خصوصی پروازوں کا کوئی تعلق پاک فضائیہ کے اپنے مقررہ کام سے دور پرے کا بھی نہ تھا۔

علاوہ ازیں مدعا علیہ (بے نظیر) کے سیاسی اغراض و مقاصد کی خاطر پاک فضائیہ کے ہوائی جہازوں اور اس کے عملے پر بلاوجہ بوجھ ڈالا گیا اور انہیں دن رات کام کرنا پڑا اور ۲۶ اکتوبر ۱۹۸۹ء تا یکم نومبر ۱۹۸۹ء کے دوران ہر روز تقریباً ایک پرواز یا دو پروازیں خصوصی چلانا پڑیں۔ اس آپریشن کی وجہ سے قیمتی عسکری ساز و سامان کی مفید زندگی کے بہت سے گھنٹے کم ہو گئے حالانکہ اس عسکری ساز و سامان کا اولیں مقصد پاک فضائیہ کے اپنے عسکری مقاصد کے لئے استعمال ہونا تھا اور یہ سب محض اس لئے کیا گیا تاکہ مدعا علیہ (بے نظیر) کی حکومت اپنے اور اپنی حکومت کے خلاف لائی گئی تحریک عدم اعتماد کی وجہ سے گرنے نہ پائے، حالانکہ وہ تحریک قطعاً آئینی تھی۔

۱۰۔ مندرجہ بالا حقائق و بیانات سے ظاہر ہے کہ مدعا علیہ (بے نظیر) نے قومی مفاد کو بالائے طاق رکھ کر پاک فضائیہ کے عسکری ساز و سامان کو اپنی سیاسی غرض یعنی اپنی حکومت کو گرنے سے بچانے کے سلسلے میں استعمال کیا حالانکہ ایسا کرنے سے پاک فضائیہ کے قواعد و ضوابط کی صریحاً خلاف ورزی ہوئی، لیکن مدعا علیہ (بے نظیر) کو اس کی پرواہ نہ تھی، وہ تو بس اپنے اختیار اور اپنی حیثیت کا ناجائز استعمال کر کے قومی اسمبلی کے ممبروں کی وفاداریاں اپنے ساتھ رکھنا چاہتی تھیں۔ چنانچہ مدعا علیہ (بے نظیر) نے یہ منصوبہ چلایا کہ وہ قومی اسمبلی کے ممبروں کو دوسروں سے دور اپنی ذاتی اور براہ راست تحویل میں رکھے اور ان ممبروں کو پارلیمنٹ ہاؤس میں تحریک عدم اعتماد پر بحث کے آغاز سے صرف چند منٹ پہلے لائے، اور اس طرح مدعا علیہ (بے نظیر) تحریک عدم اعتماد کو محض بارہ ووٹوں کی اکثریت سے ناکام بنانے میں کامیاب ہو گئی۔

۱۱۔ مدعا علیہ (بے نظیر) کا مذکورہ بالا عمل بداعمالی کے ذیل میں آتا ہے کیونکہ اس بداعمالی کی وجہ سے دانستہ بدانتظامی ہوئی، دانستہ سرکاری خزانے اور سرکاری وسائل کو ناجائز طور پر ان مقاصد کے لئے استعمال کیا گیا جو جائز نہ تھے اور اس طرح اس بداعمالی پر ۱۹۷۷ء کے پی پی او ۱۷ کا اطلاق ہوتا ہے۔

۱۲۔ صدر مملکت کو اطمینان ہے کہ یہ یقین کرنے کی معقول وجوہ موجود ہیں کہ مدعا علیہ ۱۹۷۷ء کے پی پی او ۱۷ کی دفعہ ۴ کے تحت بداعمالی کی مرتکب ہوئی ہے لہذا یہ ریفرنس معزز عدالت کے سامنے پیش کیا جاتا ہے اور یہ گزارش کی جاتی ہے کہ عدالت مدعا علیہ کی بداعمالی کے معاملہ کی چھان بین کرے، جن نتائج پر پہنچے انہیں ضبط تحریر میں لائے، قانون کے مطابق احکام صادر کرے اور اس معاملہ کا فیصلہ کرے۔

۱۳۔ اگر مندرجہ بالا ریفرنس کی تائید میں کوئی مزید مواد آئندہ ملا تو وہ بھی معزز عدالت کے سامنے پیش کر دیا جائے گا۔

بحکم

(فضل الرحمان خان)

صدر کے سیکریٹری

ریفرنس۔ ۴ مسٹر جسٹس رشید عزیز خان کی خصوصی عدالت میں

پارلیمنٹ اور صوبائی اسمبلیوں (کی رکنیت سے نااہلی) کے حکم مجریہ ۱۹۷۷ء
(۱۹۷۷ء کے پی پی او ۱۷) کی دفعہ ۴ کے تحت، اسلامی جمہوریہ پاکستان،
کے صدر کا ریفرنس

بنام
مسماۃ بے نظیر زوجہ آصف علی زرداری
سابقہ وزیر اعظم پاکستان،
ساکن بلاول ہاؤس (کلفٹن) کراچی۔

مدعا علیہ

۱۹۷۷ء کے پی پی او ۱۷ کی دفعہ ۴ کے تحت یہ ریفرنس خصوصی عدالت کے حضور پیش کیا جاتا ہے۔

۱۔ گزارش کی جاتی ہے کہ اسلامی جمہوریہ پاکستان کے آئین کے تحت ۱۶ نومبر ۱۹۸۸ء کو ہونے والے عام انتخابات میں مدعا علیہ بے نظیر زوجہ آصف علی زرداری، ساکن بلاول ہاؤس کلفٹن روڈ، کراچی حلقہ انتخاب این اے۔ ۱۶۶ لاڑکانہ۔ III سے قومی اسمبلی کی رکن منتخب ہوئی اور ۲ دسمبر ۱۹۸۸ء سے ۶ اگست ۱۹۹۰ء تک پاکستان کی وزیر اعظم رہی۔

۲۔ اس ریفرنس کے ساتھ جو حقائق و کوائف اور دستاویزات پیش کئے جارہے ہیں انکے مطالعے کے بعد صدر پاکستان مطمئن ہیں کہ یہ باور کرنے کے قوی اور معقول اسباب موجود ہیں کہ مدعا علیہ (بے نظیر) نے اپنی وزارت عظمیٰ کے دوران اپنے اختیار اور اپنی حیثیت کو ناجائز طور پر استعمال کیا اور اس طرح ۱۹۷۷ء کے پی پی او ۱۷ کے تحت بد اعمالی کا ارتکاب کیا۔

۳۔ حقائق و کوائف کا مجمل بیان درج ذیل ہے۔

(ا) ۱۹۸۹ء کے وسط تک مائع پیٹرولیم گیس (ایل پی جی) کی پیداوار ۳۲۴ ٹن یومیہ تھی۔

(II) یہ پیداوار چھ مارکیٹنگ کمپنیوں کے توسط سے فروخت کی جاتی تھی یعنی برشین، لائف لائن (یہ دونوں نجی شعبے میں تھیں) فاؤنڈیشن گیس، سوئی نادرن گیس پائپ لائنز لمیٹڈ، سدرن گیس کمپنی لمیٹڈ، پاکستان اسٹیٹ آئل کمپنی لمیٹڈ (PSO) (یہ چاروں سرکاری شعبے میں تھیں)

(iii) جولائی۔اگست ۱۹۸۹ء تک ادھی سے ۶۰ ٹن یومیہ اور دکھنی فیلڈ سے ۲۵ ٹن یومیہ مزید پیداوار کی توقع تھی۔

(iv) پٹرولیم اور قدرتی وسائل کی وزارت نے ان دو نئے ذخائر سے اضافی ایل پی جی کی تقسیم اور فروخت کرنے کے لئے ۲۶ درخواستوں پر غور کیا اور اکتوبر ۱۹۸۸ء میں فیصلہ کیا گیا کہ ایل پی جی (مائع پٹرول گیس) کی تقسیم وفروخت میں کسی نئی کمپنی کو شامل نہیں کیا جائے گا۔

(v) نومبر ۱۹۸۸ء میں فیصلہ کیا گیا کہ ادھی کی اضافی پیداوار (۶۰ ٹن) کو اس وقت موجود پانچ مارکیٹنگ کمپنیوں میں برابر برابر بانٹ دیا جائے گا اس شرط پر کہ وہ اضافی فراہمی کا ۱۵ فیصد آزاد کشمیر میں، ۲۰ فیصد کوہستانی علاقوں میں اور ۱۵ فیصد صوبہ سرحد اور وفاق کے زیر انتظام قبائلی علاقوں میں تقسیم کریں گی۔ اکتوبر ۱۹۸۸ء میں انسانی ہمدردی کی بنیادوں پر یہ فیصلہ کیا جا چکا تھا کہ دکھنی کی تمام اضافی پیداوار (۲۵ ٹن) الشفاء ٹرسٹ کو دیدی جائے۔ الشفاء ٹرسٹ ایک خیراتی اسپتال راولپنڈی میں چلاتا ہے اور ایل پی جی کی تقسیم و فروخت کے سلسلے میں اس ٹرسٹ کا اشتراک پی ایس او اور او جی ڈی سی کے ساتھ ہے۔ جیسا کہ پہلے کہا جا چکا ہے ادھی سے ملنے والی تمام اضافی ایل پی جی کو باقی پانچ کمپنیوں یعنی فون گیس، برشین، لائف لائن، سدرن گیس اور سوئی نادرن میں برابر برابر (یعنی بارہ ٹن فی کمپنی) دینے کا فیصلہ کیا گیا۔

(vi) چنانچہ اسی کے مطابق الشفاء ٹرسٹ کو ایک مراسلہ ۳۰ اکتوبر ۱۹۸۸ء کو بھیجا گیا اور باقی مذکورہ پانچ کمپنیوں کو ایک مراسلہ ۲۸ نومبر ۱۹۸۸ء کو بھیجا گیا۔

(vii) بعد میں جب دسمبر ۱۹۸۸ء میں مدعا علیہ (بے نظیر) وزیراعظم بن گئی اور پاکستان پیپلز پارٹی کی حکومت قائم ہو گئی تو ۷ فروری ۱۹۸۹ء کو وزارت پٹرولیم کے سیکریٹری کی صدارت میں ایک اجلاس ہوا جس میں مائع پٹرولیم گیس کی تقسیم و فروخت کے کوٹوں پر نظر ثانی کی گئی اور فیصلہ کیا گیا کہ مذکورہ بالا کمپنیوں کو جو اضافی کوٹے دیئے گئے ہیں (یعنی پانچ کمپنیوں کو بارہ ٹن فی کمپنی اور الشفاء ٹرسٹ ر پی ایس او ر او جی ڈی سی کو ۲۵ ٹن) وہ منسوخ کر دیئے جائیں۔ چنانچہ ۱۵ فروری ۱۹۸۹ء کو ۳۰ اکتوبر ۱۹۸۸ء اور ۲۸ نومبر ۱۹۸۸ء کے مراسلوں میں دیئے گئے کوٹے کو تازہ مراسلوں کے ذریعے منسوخ کر دیا گیا۔

(viii) اس کے بعد پٹرولیم اور قدرتی وسائل کے وزیر کی زیر صدارت ایک اور اجلاس ہوا جس میں ۳۰ اکتوبر ۱۹۸۸ء اور ۲۸ نومبر ۱۹۸۸ء کو دیئے گئے کوٹوں پر دوبارہ غور کیا گیا اور اس اجلاس میں فیصلہ کیا گیا کہ نجی شعبے کی دو کمپنیوں (لائف لائن اور برشین) کے کوٹے تو منسوخ کر دیئے جائیں لیکن سرکاری شعبے کی چار کمپنیوں کو آٹھ سے دس ماہ تک کے لگ بھگ کے عرصے کے لئے عبوری اجازت دیدی جائے۔ وہ اپنی اساسی ڈھانچے کی مشکلات پر قابو پانے کے لئے اپنے تعمیر و ترقی کے منصوبوں پر کام جاری رکھیں۔

(ix) ۳ اپریل ۱۹۸۹ء کو وزارت پٹرولیم نے ایک سمری وزیراعظم کو بھجوائی جس میں ایل پی جی کی

تقسیم و ترسیل کے انتظامات اور کوٹوں کا پس منظر بیان کیا گیا تھا اور پیرا ۷ اور پیرا ۸ میں دو تجاویز دی گئی تھیں:

۱۔ دکھنی کے ۲۵ اضافی ٹنوں میں سے نصف ایک نئی پارٹی لب گیس (پرائیویٹ) لمیٹڈ کو دیدیئے جائیں۔

۲۔ اور اگر وزیراعظم چاہیں تو دکھنی / ادھی کی باقی ماندہ اضافی سپلائی کے کوٹے جو سرکاری شعبے کی چار کمپنیوں کو دیئے گئے ہیں ان میں ردوبدل کیا جاسکتا ہے۔

(x)۔ جب مدعا علیہ (بے نظیر) کے پاس سیکریٹری وزارت پٹرولیم کی سمری مورخہ ۳ اپریل ۱۹۸۹ء ایل پی جی کی تقسیم و فروخت کے بارے میں پہنچی تو مدعا علیہ (بے نظیر) نے بحیثیت وزیراعظم پاکستان، اس سمری پر ۱۰ اپریل ۱۹۸۹ء کو یہ حکم صادر کیا:

"ایئر مارشل ذوالفقار علی خان، گلزار خان، طارق اکبر خان، میاں اسد خان نے بھی مائع پٹرولیم گیس کی تقسیم و فروخت کی اجازت چاہی ہے، انہیں بھی مائع پٹرولیم گیس کی تقسیم و فروخت کے کوٹے ترجیحی بنیادوں پر دیدیئے جائیں کیونکہ انہوں نے ماضی کی آمرانہ حکومت کے زمانے میں بلاوجہ اور بلاجواز بہت صعوبتیں اٹھائی ہیں۔"

(دستخط) ب ب (بے نظیر بھٹو)
۱۰ اپریل ۱۹۸۹ء

(xi) مذکورہ بالا چار استفادہ کنندگان (ایئر مارشل ذوالفقار، گلزار، طارق اکبر اور اسد احسان) کے ناموں کے حق میں اجازت کی نہ تو سمری میں سفارش کی گئی تھی نہ سمری میں انہیں درخواست دہندگان کی فہرست میں دکھلایا گیا تھا، اس کے باوجود مدعا علیہ (بے نظیر) نے از خود بغیر مناسب پوچھ گچھ کے انہیں اجازت کی رعایت دیدی تاکہ انہیں مالی فائدہ پہنچے۔

(xii) بعد میں، وزارت پٹرولم اور قدرتی وسائل کے ریکارڈ کے مطابق مذکورہ بالا چار ناموں میں سے طارق اکبر خان کا نام حذف کر دیا گیا، اور اس نام کی جگہ لب گیس لمیٹڈ کا نام ڈال دیا گیا۔ لب گیس لمیٹڈ ایک پرائیویٹ کمپنی ہے اور مدعا علیہ (بے نظیر) کے پھوپھی زاد بھائی طارق اسلام کی ملکیت ہے۔ یہ ردوبدل (یعنی طارق اکبر کی جگہ طارق اسلام) اس وقت کے وزیر پٹرولیم کی زیر صدارت ایک اجلاس منعقدہ ۱۵ اپریل ۱۹۸۹ء میں ہوا۔ وزارت کی سمری مورخہ ۳ اپریل ۱۹۸۹ء میں تجویز کیا گیا تھا کہ لب کمپنی (پرائیویٹ) لمیٹڈ کو ساڑھے بارہ ٹن کا کوٹہ دکھنی فیلڈ سے دیدیا جائے لیکن ۱۵ اپریل ۱۹۸۹ء والے اجلاس میں اس کوٹے کو بڑھا کر ۱۵ ٹن کر دیا گیا۔ چاروں افراد / کمپنیوں (یعنی ایئر چیف مارشل ذوالفقار علی خان، گلزار

خان، میاں اسد احسان اور لب گیس لمیٹڈ) کو وزیر موصوف نے مطلع کیا کہ پچاس فیصد ڈیلروں کو وہ خود مقرر کریں گے۔

(xiii) بعد ازاں میسرز لب گیس لمیٹڈ کی طرف سے ایک مراسلہ مورخہ ۱۰ مئی ۱۹۸۹ء موصول ہوا جس میں درخواست کی گئی تھی کہ ان کا پتہ اسپنسر اینڈ کمپنی (پاک) لمیٹڈ، اسماعیل ابراہیم چندریگر روڈ، کراچی سے بدل کر ۷، ایجرٹن روڈ، لاہور ہوگیا ہے۔ پتہ کی یہ تبدیلی نوٹ کرلی جائے اور یہ کہ آئندہ لب گیس پرائیویٹ کی طرف سے خط وکتابت پر اقبال زیڈ احمد یا انکا نامزد کوئی شخص دستخط کرنے کے مجاز ہوں گے۔

(xiv) سابقہ وزیر اعظم (مدعا علیہ، بے نظیر) کو اچھی طرح معلوم تھا کہ لب گیس (پرائیویٹ) لمیٹڈ ان کے پھوپھی زاد بھائی طارق اسلام کی ہے۔ لیکن انہوں نے اس علم کے باوجود نہ صرف اپنے پھوپھی زاد بھائی طارق اسلام کے لئے کوٹہ منظور کروایا بلکہ اپنی حیثیت اور اپنے اختیار کو ناجائز طور پر استعمال کرتے ہوئے، بلاجواز اور بلاوجہ وزارت پٹرولیم کے جاری کردہ مراسلوں مورخہ ۳۰ اکتوبر ۱۹۸۸ء اور ۲۸ نومبر ۱۹۸۸ء کو بھی منسوخ کروادیا جن کے تحت الشفاء ٹرسٹ راولپنڈی کو بہ اشتراک پی ایس او اور او جی ڈی سی، دکھنی فیلڈ سے ۲۵ ٹن کا کوٹہ اور برشین، لائف لائن، فون گیس، سوئی نادرن گیس اور سوئی سدرن گیس کو ادھی فیلڈ سے بارہ بارہ ٹن کا کوٹہ دیدیا جائے۔ اس کے علاوہ مدعا علیہ (بے نظیر) نے چاروں نوواردوں کو کوٹہ دلوادیا۔ یہ چاروں نووارد یا تو مدعا علیہ (بے نظیر) کے قریبی ساتھی تھے یا دوست تھے یا رشتہ دار تھے مثلاً

-- ایئر چیف مارشل ریٹائرڈ ذوالفقار علی خان (قریبی دوست جنہیں بعد میں ۱۲ جولائی ۱۹۸۹ء کو امریکہ میں پاکستان کا سفیر مقرر کیا گیا)

-- گلزار خان (دوست اور وزیر اعظم کے معاون خصوصی)

-- طارق اسلام (پھوپھی زاد بھائی)

-- میاں اسد احسان (دوست)

اور اس طرح مدعا علیہ نے اپنے اختیارات اور اپنی حیثیت کا ناجائز استعمال کرکے اپنے رشتہ دار اور اپنے دوستوں کو بلا استحقاق فائدہ پہنچوایا۔

(xv) اگرچہ مدعا علیہ (بے نظیر) نے ذوالفقار خان، گلزار خان اور اسد احسان کو کوٹہ دیئے جانے کے احکام وزارت پٹرولیم کی سمری مورخہ ۳ اپریل ۱۹۸۹ء پر ۱۰ اپریل ۱۹۸۹ء کو اور طارق اسلام کو کوٹہ دینے کے احکام ۱۵ اپریل ۱۹۸۹ء کو دیئے تھے، ان چاروں نے کوٹہ دیئے جانے کے لئے درخواستیں ان احکام کے بہت بعد میں دیں جیسا کہ مندرجہ ذیل سے ظاہر ہوگا،

-- گلزار خان۔ ۱۹ اپریل ۱۹۸۹ء (احکام کے نو دن بعد)

-- میاں اسد احسان۔ ۲ مئی ۱۹۸۹ء (احکام کے ۲۲ دن بعد)

-- لب گیس (طارق اسلام (مجوزہ) ۱۰ مئی ۱۹۸۹ء (احکام کے ۲۵ روز بعد)

-- ایئر چیف مارشل ذوالفقار علی خان۔ ۱۰ مئی ۱۹۸۹ء (احکام کے ۲۴ روز بعد)

اس عمل سے مدعا علیہ (بے نظیر) نے پبلک سیکٹر کی چار کمپنیوں اور ایک خیراتی ٹرسٹ کو جس کا دو پبلک سیکٹر کمپنیوں سے اشتراک تھا، ان پانچوں کو ان کے ملے ہوئے کوٹوں سے محروم کر دیا۔

(xvi) ۱۹۴۸ء میں مرکزی حکومت پاکستان نے ایک قانون مجلس قانون ساز سے منظور کروایا تھا جس کا نام تھا، کانوں، تیل کے کنوؤں اور معدنی ترقی کے نظم نسق پر (سرکاری کنٹرول) کا قانون مجریہ ۱۹۴۸ء (۱۹۴۸ء کا xxiv) اس قانون کی دفعہ ۲ کے تحت حکومت نے ۱۹۷۱ میں قواعد جاری کیے تھے جن کا نام تھا: مائع شدہ پٹرولیم گیس کی (پیداوار اور تقسیم) کے قواعد مجریہ ۱۹۷۱۔ لب گیس (پرائیویٹ) کے مالک طارق اسلام (مدعا علیہ سابقہ وزیر اعظم بے نظیر کے پھوپھی زاد بھائی) سمیت مذکورہ بالا افراد (گلزار خان، ذوالفقار خان، اسد احسان) کو مائع گیس کے کوٹے دیئے جانے سے مذکورہ قواعد کی صریح خلاف ورزی ہوئی جیسا کہ مندرجہ ذیل سے ظاہر ہوگا:

۱۔ مذکورہ قواعد میں درج قواعد نمبر ۳، ۴، ۵ (حصہ دوم) کی یوں خلاف ورزی ہوئی کہ ان میں مائع گیس کی تقسیم و فروخت کے لئے کوٹہ دیئے جانے والوں کے لئے جو شرائط اہلیت مقرر کی گئی ہیں، وہ مذکورہ چار افراد (یعنی ذوالفقار علی خان، گلزار خان، اسد احسان اور طارق اسلام) پوری نہیں کرتے تھے۔

۲۔ ۱۰ اپریل ۱۹۸۹ء کو جب مدعا علیہ (بے نظیر) نے مذکورہ بالا افراد کو مائع پٹرولیم گیس دیئے جانے کے بارے میں احکام دیئے تو مدعا علیہ کے سامنے ان افراد کی کوئی درخواست مائع پٹرولیم گیس کی تقسیم و فروخت کے لئے کوٹہ دیئے جانے کے لئے موجود نہ تھی (مذکورہ سمری مورخہ ۳ اپریل ۱۹۸۹ء پر مدعا علیہ (بے نظیر) کا یہ لکھنا کہ "انہوں نے بھی درخواستیں دی ہوئی ہیں۔" غلط تھا۔

۳۔ قواعد کے تحت درخواست کا مقرر کردہ طریقہ اور قواعد کے تحت مقررہ دیگر تقاضوں کی تعمیل نہیں ہوئی تھی جس وقت کہ مدعا علیہ (بے نظیر) نے مذکورہ افراد کے حق میں کوٹے دیئے جانے کا حکم تحریر کیا تھا۔

۴۔ وزارت پٹرولیم کی سمری مورخہ ۳ اپریل ۱۹۸۹ء کے ساتھ جن ۲۶ درخواست دہندگان کی فہرست نتھی کی گئی تھی اس میں مذکورہ چار افراد کے نام نہ تھے، لہذا قواعد کی رو سے ۱۰ اپریل ۱۹۸۹ء کو بوقت حکم ان کا کوئی وجود درخواست دہندگان کی حیثیت میں نہ تھا۔

۵۔ قواعد ۳ تا ۵ کے تحت مقرر کردہ انکوائری کا موقع نہیں دیا گیا اس سے پہلے کہ ان کو مائع پٹرولیم گیس کا کوٹہ تقسیم و فروخت کے لئے تفویض کیا جاتا۔

۶۔ سیکریٹری وزارت پٹرولیم کی سمری مورخہ ۳ اپریل ۱۹۸۹ء کا بہر حال تعلق مذکورہ بالا چار افراد کی

درخواست برائے کوٹہ الاٹمنٹ سے نہ تھا لہذا اس سمری پر ان چاروں کو کوٹہ دیئے جانے کے بارے میں کوئی احکام صادر نہیں کیئے جاسکتے تھے۔

۴۔ مندرجہ بالا حقائق واحوال کی روشنی میں یہ باور کرنے کی معقول وجوہ موجود ہیں کہ مدعا علیہ (بے نظیر) نے مذکورہ بالا عمل کر کے قوانین و قواعد کی خلاف ورزی کی ہے، اور یہ کہ انکے یہ اعمال من مانی تھے، غیر منصفانہ تھے اور بلا معقول جواز تھے، اور اس طرح یہ ۱۹۷۷ء کے پی پی او ۱۷ کی دفعہ ۴ کے تحت "بد اعمالی" کی تعریف کے ذیل میں آتے ہیں اور ان سے مدعا علیہ کی ناجائز جانبداری، اقربا پروری، دانستہ بدانتظامی اور اختیار وحیثیت کا ناجائز استعمال، یہ سب ظاہر ہوتا ہے۔

۵۔ خصوصی عدالت کی خدمت میں مندرجہ بالا ریفرنس پیش کیا جاتا ہے اور گزارش کی جاتی ہے کہ خصوصی عدالت اس ریفرنس کی چھان بین کرے، مدعا علیہ کی بداعمالی سے متعلق ریفرنس میں اپنی چھان بین کے نتائج کو ضبط تحریر میں لائے، قانون کے مطابق مناسب احکام صادر کرے اور اس ریفرنس کا فیصلہ کرے۔

۶۔ اگر آئندہ اس ریفرنس کی تائید میں مزید کوئی مواد میسر آگیا تو اس کو بھی معزز خصوصی عدالت کی خدمت میں ادب سے پیش کر دیا جائے گا۔

بہ حکم صدر پاکستان
(دستخط) فضل الرحمان
صدر کے سیکریٹری

ریفرنس۔۵ جناب جسٹس مختار احمد جونیجو کی خصوصی عدالت میں

پارلیمنٹ اور صوبائی اسمبلیوں (کی رکنیت سے نااہلی) کے حکم مجریہ ۱۹۷۷ء
(۱۹۷۷ء کے پی پی او ۱۷) کی دفعہ ۴ کے تحت، صدر، اسلامی جمہوریہ پاکستان،
کا ریفرنس

بنام
مسماۃ بے نظیر زوجہ آصف علی زرداری،
سابقہ وزیر اعظم، پاکستان،
بلاول ہاؤس، کلفٹن، کراچی

مدعا علیہ

۱۹۷۷ء کے پی پی او ۱۷ کی دفعہ ۴ کے تحت یہ ریفرنس خصوصی عدالت کی خدمت میں پیش کیا جاتا ہے۔

۱۔ اسلامی جمہوریہ پاکستان کے آئین کے تحت ۱۶ نومبر ۱۹۸۸ء کو ہونے والے عام انتخابات میں مدعا علیہ (بے نظیر) حلقہ انتخاب این اے ۱۶۶ لاڑکانہ۔III سے قومی اسمبلی کی رکن منتخب ہوئی تھیں اور (۲ دسمبر ۱۹۸۸ء تا ۶ اگست ۱۹۹۰ء) وزیر اعظم پاکستان کے عہدے پر فائز رہیں۔

۲۔ اس ریفرنس کے ساتھ پیش کی جانے والی دستاویزات کے مطالعہ کے بعد صدر مملکت مطمئن ہیں یہ باور کرنے کی معقول وجوہ موجود ہیں کہ مدعا علیہ (بے نظیر) جب وزیر اعظم تھیں اور جب وزارت خزانہ کا قلمدان بھی انہوں نے اپنے پاس رکھا ہوا تھا اور جب وہ بلحاظ عہدہ وزیر خزانہ کابینہ کی اقتصادی رابطہ کمیٹی کی صدر نشین بھی تھیں، اس دوران انہوں نے بد اعمالی کا ارتکاب کیا، یعنی انہوں نے رلی برادران نامی ایک فرم کو ایک ٹھیکے / سودے کی اجازت دی، انتظام کروایا، دلوایا اور اس طرح وزارت تجارت کے ماتحت کام کرنے والی، قانون کے تحت قائم شدہ سرکاری کارپوریشن یعنی کپاس برآمد ہونے والی کارپوریشن کو ۴۶ لاکھ امریکی ڈالر یعنی دس کروڑ روپوں سے زائد کا نقصان پہنچایا۔

۳۔ حقائق کا بیان مجمل درج ذیل ہے۔

(i) مئی ۱۹۹۰ء کے پہلے ہفتے میں میسرز رلی برادران کے منیجنگ ڈائریکٹر، پال ساؤتھ ورتھ اور لیورپول کے کونی نے اس وقت کے سیکریٹری وزارت خزانہ رفیق احمد اخوند کو ایک درخواست پاکستان کی کپاس برآمد کرنے والی کارپوریشن سے ۶ تا ۸ لاکھ گانٹھیں کپاس خریدنے کے لئے دی، درخواست پر کوئی تاریخ درج نہ تھی نہ اس پر یہ درج تھا کہ وہ کس کے نام ہے۔

(ii) ۱۰ مئی ۱۹۹۰ء کو سیکریٹری وزارت خزانہ (رفیق احمد اخوند) نے وہ درخواست وزارت تجارت کے سیکریٹری اور کپاس برآمد کرنے والی کارپوریشن کے چیئرمین کو بھیج دی کیونکہ درخواست پر کارروائی وزارت تجارت کے دائرہ کار میں آتی تھی۔

(iii) اس کے فوراً بعد زیر ہدایت، ۱۲ مئی ۱۹۹۰ء کو وزارت تجارت نے ایک سمری میسرز رلی برادران اور کونی کی سی ای سی سے ۶ تا ۸ لاکھ کپاس کی گانٹھیں خریدنے کی پیشکش کے بارے میں، کابینہ کی اقتصادی رابطہ کمیٹی کو بھیج دی تاکہ کمیٹی اس پر ۱۴ مئی ۱۹۹۰ء کو ہونے والے اجلاس میں غور کرے۔ ۱۳ مئی ۱۹۹۰ء کو مدعا علیہ (بے نظیر) نے حکم دیا کہ اگلے ہی روز یعنی ۱۴ مئی ۱۹۹۰ء کو ہونے والی اقتصادی رابطہ کمیٹی کے اجلاس کے سامنے کپاس کی برآمد کی پیش رفت کے بارے میں بھی ایک سمری لائی جائے۔

(iv) اقتصادی رابطہ کمیٹی کابینہ کے اجلاس منعقدہ ۱۴ مئی ۱۹۹۰ء کی صدارت کرتے ہوئے، مدعا علیہ (بے نظیر) نے دو سمریوں پر غور کیا۔

۔۔ ایک کا تعلق کپاس کی برآمد میں پیش رفت سے تھا۔

۔۔ اور دوسری کا تعلق میسرز ریلی برادران کو کپاس فروخت کرنے سے تھا۔

جہاں تک ریلی برادران کو کپاس فروخت کرنے کا معاملہ تھا، اس پر کپاس برآمد کرنے والی کارپوریشن کی رائے یہ تھی کہ ریلی برادران کی پیشکش ناقابل قبول ہے کیونکہ من جملہ دیگر امور کے۔

۔۔ غیر فروخت شدہ اسٹاک میں صرف چھ لاکھ سے بھی کم گانٹھیں تھیں اور جن کے سودے نہیں ہوئے تھے ان کی تعداد صرف دو لاکھ تھی وہ بھی اس صورت میں جبکہ نجی شعبہ جتنے سودے کر چکا ہے انہیں نبھانے میں کامیاب ہو سکے۔

۔۔ اگلے سال کے آغاز تک ذخیرہ میں کم از کم دو لاکھ گانٹھوں کا رہنا ضروری ہے۔

۔۔ ریلی برادران کو کپاس کی فروخت کا مطلب یہ ہوگا کہ پاکستانی برآمد کنندگان کا حصہ کپاس کی برآمدی تجارت میں اتنا ہی کم ہو جائے گا اور اس سے ایک نیا تنازعہ کھڑا ہو جائے گا۔

۔۔ کپاس کے پاکستانی برآمد کنندگان نے کپاس کی برآمد کے جتنے ایسے سودے کئے ہیں جن کو پورا کرنے کیلئے انہیں پاکستانی منڈی میں کپاس خریدنا باقی ہے، وہ سب سودے اوسطاً ۶۹ امریکی سنٹ فی پاؤنڈ کے نرخ پر ہوئے ہیں، اور کپاس کی بین الاقوامی قیمت بھی ۶۹ یا ۷۰ امریکی سنٹ فی پاؤنڈ کے آس پاس مستحکم تھی، جبکہ ریلی برادران جو قیمت آفر کر رہے ہیں وہ اوسطاً ۵ء۵۱ سنٹ فی پاؤنڈ ہے۔

۔۔ ریلی برادران کی پیش کش میں جو "منہائی یا کٹوتی" مقرر ہے وہ اوسطاً ۱۳ سنٹ فی پاؤنڈ ہے جس سے پاکستان کو اندازاً ۳۰ ملین امریکی ڈالر یعنی تقریباً ۵ء۶۶ کروڑ روپے کا نقصان ہوگا۔

۔۔ اگر بین الاقوامی خریداروں سے کوئی تھوک سودا کرنا ہی ہے جس میں لیٹر آف کریڈٹ کو ۳۰ جون ۱۹۹۰ء سے پہلے پہلے بھنا لینے کی شرط ہو تو پھر مقابلہ مسابقہ اور کھلے پن کے تقاضوں کو پورا کرنے کے لئے ضروری ہے کہ ایسی ہی پیشکش دینے کا موقعہ دوسرے خریداروں کو بھی دیا جائے اور بولیاں کھلی دعوت کے ذریعے منگوائی جائیں۔

وزارت تجارت نے کپاس برآمد کرنے والی کارپوریشن کی مندرجہ بالا آراء کی تائید کی اور اس کے ساتھ ساتھ یہ بھی لکھ دیا کہ اس طرح کا ایک معاہدہ ۱۹۸۸ء میں بھی ریلی برادران اور کپاس برآمد کرنے والی کارپوریشن کے درمیان ہوا تھا جو اس وقت سے بے ایمانی اور بدنیتی کے الزامات کی بنا پر وفاقی تحقیقاتی ادارے کے پاس زیر تفتیش ہے۔

(v) ۱۴ مئی ۱۹۹۰ء کو اقتصادی رابطہ کمیٹی (کابینہ) نے فیصلہ کیا کہ سیکریٹریوں کی ایک کمیٹی بنا دی جائے جو مختلف بین الاقوامی خریدار فرموں سے بات چیت کرے، ان میں ریلی برادران سے ضرور بات چیت کرے۔

(vi) سیکریٹریوں کی کمیٹی نے ۲۷ مئی ۱۹۹۰ء کو سات پارٹیوں کی پیشکش پر غور کیا اور کسی پیش کش کو تسلی بخش نہ پا کر میعاد ۲۹ مئی ۱۹۹۰ء تک بڑھا دی۔ ۲۹ مئی ۱۹۹۰ء کو موصول ہونے والی پیشکشوں کا تقابلی

جائزہ سیکرٹریوں کی کمیٹی کی رپورٹ کے صفحہ ۳ پر درج ہے۔اس رپورٹ سے ظاہر ہوتا ہے کہ کپاس کی ان سات قسموں میں سے جو اس وقت برائے فروخت موجود تھیں، ریلی برادران نے صرف ۳ کے لئے اپنی پیشکش دی تھی، اور ان میں سے بھی صرف ایک قسم کے لئے (مقدار ۶۳۰۰ گانٹھیں) انکی پیشکش سب سے زیادہ قیمت کی تھی مجملہ دیگر باتوں کے، سیکریٹریوں کی کمیٹی نے سفارش کی کہ:

۔۔ جلد بکنے والی اقسام کے لئے بولیاں منظور نہ کی جائیں کیونکہ کپاس کی برآمد کے لئے مقرر کردہ قیمت اور بولی دینے والوں کی پیش کردہ قیمتوں میں بہت زیادہ فرق ہے اور پیش کردہ قیمتوں سے زیادہ قیمت پر کپاس کی برآمد کے امکانات روشن ہیں۔

۔۔ آہستہ بکنے والی اقسام مثلاً آدنس ۱۲۱۰، ثمس وغیرہ کے لئے زیادہ سے زیادہ پیش کردہ قیمت پر فروخت منظور کرلی جائے بشرطیکہ خریدار کپاس برآمد کرنے والی کارپوریشن کی شرائط مانے یعنی:

ا۔ ثمس اکی ۶۳۰۰ گانٹھیں ۶۶ امریکی سنٹ فی پاؤنڈ کے حساب سے میسرز ریلی برادران کو بیچ دی جائیں۔

ب۔ آدنس اکی ۱۵۰۰۰ گانٹھیں ۶۱ امریکی سنٹ فی پاؤنڈ کے حساب سے میسرز اے ایم جونس کو بیچ دی جائیں۔

ج۔ ۱۲۱۰۔اکی ۱۵۰۰۰ گانٹھیں ۲۵ء۵۷ امریکی سنٹ فی پاؤنڈ کے حساب سے میسرز اے ایم جونس کو بیچ دی جائیں۔

د۔ بارام ۳۲/۱۱ کی ۳۲۰۰ گانٹھیں ۶۸ء۶ امریکی سنٹ فی پاؤنڈ کے حساب سے میسرز کونٹی کاٹن کو بیچ دیجائیں۔

(vii)اس وقت کے وزیر تجارت نے لکھا کہ تمام بولیاں کپاس کی کم سے کم مقررہ قیمت برآمد سے بہت زیادہ کم ہیں۔لہذا ان سب بولیوں کو رد کردینا چاہئے اور سارے معاملے پر از سر نو غور کیا جائے۔

(viii)وزارت تجارت نے کابینہ کی اقتصادی رابطہ کمیٹی کے سامنے ۳ جون ۱۹۹۰ء کو ایک سمری پیش کی اور اس میں تجویز کیا کہ چونکہ نیویارک کی قیمتوں میں دو امریکی سنٹ فی پاؤنڈ کا اضافہ ہو گیا ہے لہذا کپاس برآمد کرنے والی کارپوریشن کو ہدایت دی جائے کہ وہ اپنی معیاری شرائط پر کپاس کی ڈیڑھ لاکھ گانٹھیں برآمد کرے۔کسی مخصوص پارٹی یا پارٹیوں کی سفارش نہیں کی گئی تھی۔وزارت تجارت کی سمری مورخہ ۳ جون ۱۹۹۰ء پر غور کابینہ کی اقتصادی رابطہ کمیٹی کے اگلے اجلاس میں ہوا جو ۶ جون ۱۹۹۰ء کو ہوا، اور جس کی ہدایت مدعا علیہ (بے نظیر) نے کی۔اس اجلاس میں مدعا علیہ (بے نظیر) نے وزارت تجارت کی سمری میں دی گئی تمام تجاویز کو یکسر نظر انداز کر دیا اور اس کی بجائے وزارت تجارت کو حکم دیا کہ وہ ڈیڑھ لاکھ کپاس کی گانٹھیں بیچنے کے لئے خاص طور پر ریلی برادران سے گفت وشنید کرے اور اس گفت وشنید کی بنیاد ۶۶ امریکی

سنٹ فی پاؤنڈ کی وہ قیمت ہو جو اس پارٹی نے صرف ایک قسم نمس اکی ۶۳۰۰ گانٹھوں کے لئے پیش کی تھی اور اس طرح یہ حکم دے کر باقی تمام پارٹیوں کو اس سودے سے خارج کر دیا۔ مدعا علیہ (بے نظیر) نے وزیر اعظم اور کابینہ کی اقتصادی رابطہ کمیٹی کی چیئر پرسن کی حیثیت سے اپنا اثر و رسوخ ناجائز طور پر استعمال کر کے مذکورہ فیصلے کروائے اور ریلی برادران کو کپاس کی فروخت کا سودا مروجہ کم سے کم برآمدی قیمت سے بھی کم قیمت پر کروادیا۔

(ix) ریلی برادران سے کپاس بیچنے کا سودا ۱۳ جون ۱۹۹۰ء کو طے پایا، قیمت فروخت اوسطاً ۷۶۱ء۳ امریکی سنٹ فی پاؤنڈ طے ہوئی جبکہ اس وقت کی مروجہ مقررہ سے کم سے کم برآمدی قیمت ۸۷ء۶۹ امریکی سنٹ فی پاؤنڈ تھی اور کابینہ کی اقتصادی رابطہ کمیٹی کا اپنا فیصلہ یہ تھا کہ کپاس کی برآمدی کارپوریشن کو مقررہ کم سے کم برآمدی قیمت سے کم قیمت پر کپاس برآمد کرنے کی نہ اجازت دی جائے گی نہ اختیار۔ اس طرح سرکاری خزانے کو ۱۴۷۳۰۹ گانٹھوں کی فروخت پر ۴۶ لاکھ امریکی ڈالر مساوی دس کروڑ روپوں سے زائد کا نقصان پہنچا۔

(x) اس دوران، کراچی کاٹن ایسوسی ایشن اور آل پاکستان ٹکسٹائل اونرز ایسوسی ایشن دونوں زور و شور سے احتجاج کرتے رہے اور سودا رکوائے جانے کا مطالبہ کرتے رہے۔ اس سلسلہ میں اخباروں میں ایک اپیل بھی مشتہر ہوئی لیکن جب سودا نہ رکا اور طے ہو گیا تو حکومت سے مطالبہ کیا گیا کہ کپاس کی اتنی کثیر مقدار صرف ایک پارٹی کو فروخت کرنے کے سودے کے بارے میں پوری پوری اور تفصیلی تحقیقات کروائی جائیں۔ جون ۱۹۹۰ء کو کراچی کاٹن ایسوسی ایشن نے اخباروں میں ایک بیان شائع کروایا اور اس میں مذکورہ سودے پر مجملہ اور باتوں کے مندرجہ ذیل اعتراضات کئے۔

-- کپاس کی فروخت کو صرف ایک خریدار تک محدود رکھا گیا جبکہ کم از کم پندرہ اور ایسی پارٹیاں موجود تھیں جو بطور باقاعدہ خریدار کے طور پر رجسٹر شدہ تھیں اور جو ریلی برادرز کی قیمت سے زیادہ قیمت دینے کو تیار تھیں اور سب کی سب کپاس برآمد کرنے والی کارپوریشن کی شرائط ماننے کو بھی تیار تھیں۔

-- کراچی کاٹن ایسوسی ایشن اور آل پاکستان ٹکسٹائل مل اونرز ایسوسی ایشن نے حکومت کو آگاہ کر دیا تھا کہ بین الاقوامی منڈی میں کپاس کی قیمتیں بڑھ رہی ہیں اور یہ کہ اس وقت بڑی مقدار میں تھوک بکری قومی مفاد کے منافی ہو گی لیکن حکومت نے ان دونوں انجمنوں کے مشورے کو قطعاً نظر انداز کر دیا۔

-- حکومت نے کم سے کم برآمدی قیمت مقرر کرنے کا اپنا ہی نظام بالکل نظر انداز کر دیا۔

-- ۳۰ جون ۱۹۹۰ء تک صرف ۷۲۲۴ گانٹھیں برآمد ہوئی تھیں اور باقی ماندہ کثیر مقدار کا برآمد کیا جانا ابھی تک باقی ہے۔

۴۔ مندرجہ بالا حقائق ظاہر کرتے ہیں اور یہ باور کرنے کی معقول وجہ ہے کہ مدعا علیہ (بے نظیر) نے

بحیثیت وزیر اعظم اور کابینہ کی اقتصادی رابطہ کمیٹی کی چیئر پرسن کے اپنے اختیارات و اثر ورسوخ سے ناجائز فائدہ اٹھایا۔ کپاس برآمد کرنے والی کارپوریشن، سیکریٹریوں کی کمیٹی، وزارت تجارت کو نظر انداز کیا۔ سودے کے نامناسب ہونے کے بارے میں کراچی کاٹن ایسوسی ایشن اور آل پاکستان ٹکسٹائل مل اونرز ایسوسی ایشن کے احتجاجی شور و غوغا کو سنی ان سنی کر دیا۔ کپاس کی فروخت کے لئے مقررہ اور مسلمہ قواعد و ضوابط اور طریقوں کی صریحاً خلاف ورزی کی اور پہلے سے طے شدہ ایک فرم یعنی میسرز ریلی برادران کو ٹھیکہ / سودا دلوادیا، اور اس طرح خزانہ عامرہ کو چھیالیس لاکھ پچاس ہزار امریکی ڈالر یا دس کروڑ روپے سے زائد کا نقصان پہنچایا۔

۵۔ خصوصی عدالت کے سامنے مندرجہ بالا ریفرنس پیش کیا جاتا ہے اور درخواست کی جاتی ہے کہ خصوصی عدالت اس ریفرنس کی چھان بین کرے، چھان بین کے بعد جن نتائج پر پہنچے انہیں قلم بند کرے اور ان کے مطابق احکام صادر کرے اور اس معاملہ کا فیصلہ کرے۔

۶۔ اگر مندرجہ بالا ریفرنسوں کی تائید میں کوئی مواد مزید آئندہ دستیاب ہوا تو وہ بھی اس معزز خصوصی عدالت کی خدمت میں ادب کے ساتھ پیش کر دیا جائے گا۔

بہ حکم صدر پاکستان
(دستخط) فضل الرحمان خان
صدر کے سیکریٹری

ریفرنس۔۶ جناب جسٹس وجیہ الدین احمد کی خصوصی عدالت کی خدمت میں

پارلیمنٹ اور صوبائی اسمبلیوں (کی رکنیت سے نااہلی) کے حکم ۱۹۷۷ء
(۱۹۷۷ء کے پی پی او ۱۷) کی دفعہ ۴ کے تحت اسلامی جمہوریہ پاکستان
کے صدر کا ریفرنس

بنام
بے نظیر زوجہ آصف علی زرداری
سابقہ وزیر اعظم پاکستان،
بلاول ہاؤس، کلفٹن، کراچی

مدعا علیہ

۱۹۷۷ء کے پی پی او ۱۷ کی دفعہ ۴ کے تحت یہ ریفرنس خصوصی عدالت کے سامنے پیش کیا جاتا ہے۔

۱۔ اسلامی جمہوریہ پاکستان کے آئین کے تحت ۱۶ نومبر ۱۹۸۸ء کو ہونے والے عام انتخابات میں حلقہ این اے ۱۶۶۔ لاڑکانہ۔ III سے مدعا علیہ بے نظیر زوجہ آصف علی زرداری ساکن بلاول ہاؤس، کلفٹن کراچی، قومی اسمبلی کی رکن منتخب ہوی اور ۲ دسمبر ۱۹۸۸ء سے ۶ اگست ۱۹۹۰ء تک پاکستان کی وزیر اعظم رہی۔

۲۔ جو دستاویزات اس ریفرنس کے ساتھ پیش ہیں ان کے مطالعہ کے بعد صدر مملکت مطمئن ہیں کہ یہ باور کرنے کی معقول وجوہ موجود ہیں کہ مدعا علیہ (بے نظیر) نے اپنی وزارت عظمیٰ کے زمانے میں اپنے عہدے اور اپنی حیثیت کا ناجائز استعمال کیا اور اس طرح ۱۹۷۷ء کے پی پی او ۱۷ کے تحت تعریف شدہ ''بد اعمالی'' کی مرتکب ہوئی۔

۳۔ مجمل بیان حقائق درج ذیل ہے۔

(i) کراچی الیکٹرک سپلائی کارپوریشن (کراچی کو بجلی فراہم کرنے والا ادارہ) کا انتظام اور کنٹرول آب و برق کے ترقیاتی مقتدرہ (واپڈا) کے پاس ہے، واپڈا وفاقی وزارت آب و برق کے تحت ایک ادارہ ہے۔

(ii) کراچی الیکٹرک سپلائی کارپوریشن کے نظام ترسیل برق کی توسیع و اضافہ کے لئے ایشیائی ترقیاتی بینک نے حکومت پاکستان کو ایک سو ملین امریکی ڈالر کا قرضہ دیا تھا۔ اس قرضہ کے ساتھ ساتھ جاپان کے بر آمدی در آمدی بینک نے بھی اسی مقصد کے لئے حکومت پاکستان کو مزید ایک سو ملین امریکی ڈالر کا قرضہ دیا تھا۔

(iii) ایشیائی ترقیاتی بینک کے مقرر کردہ طریق کار اور رہنما ہدایتوں کے مطابق کراچی الیکٹرک سپلائی کارپوریشن کے لئے ضروری تھا کہ وہ ایک مستند مشاورتی فرم مقرر کرے جو کارپوریشن کو اس منصوبے کے سلسلے میں مطلوبہ ماہرانہ مشاورتی خدمات فراہم کر سکے۔

کراچی الیکٹرک سپلائی کارپوریشن نے مندرجہ ذیل کی مختصر فہرست بنائی:

- میسرز الیکٹر یسائٹ ڈی فرانس، فرانس
- میسرز فختنر مشاورتی انجینئر، مغربی جرمنی
- میسرز گلبرٹ کامن ویلتھ، ریاستہائے متحدہ امریکہ
- میسرز لیہ میر انٹر نیشنل، مغربی جرمنی
- میسرز الیکٹروکنسلٹ، اطالیہ

(iv) کراچی الیکٹرک سپلائی کارپوریشن نے مشاورتی فرم کے تقرر کے لئے دعوت نامے، حدود کار، جانچ پرکھ کے لئے معیار تیار کئے اور ایشیائی ترقیاتی بینک کی جانچ پڑتال کے بعد مندرجہ بالا فرموں کو بھیج دیئے۔ ایشیائی ترقیاتی بینک کی رہنما ہدایتوں کے تحت ضروری تھا کہ مشاورتی خدمات پیش کرنے والی فرمیں اپنی تکنیکی پیشکش اور اپنی مالیاتی پیشکش، دونوں کو الگ الگ دو لفافوں میں پیش کریں۔ یہی طریق کار اس معاملہ

میں بھی اختیار کیا گیا۔

(v) مندرجہ بالا پانچوں مشاورتی فرموں نے اپنی اپنی تکنیکی تجاویز کراچی الیکٹرک سپلائی کارپوریشن کے سامنے ۱۲ جون ۱۹۸۹ء کو پیش کیں، کراچی الیکٹرک سپلائی کارپوریشن کے اعلیٰ افسروں نے مندرجہ بالا پانچوں فرموں کی تکنیکی پیش کشوں کا جائزہ لیا۔ ان اعلیٰ افسروں کے تکنیکی جائزے کے مطابق میسرز لیہ میر کو نمبرون قرار دیا گیا اور میسرز فختنر کو نمبر ۲۔ کارپوریشن کے اعلیٰ افسروں کی اس جائزہ رپورٹ کو کراچی الیکٹرک سپلائی کارپوریشن کے بورڈ آف ڈائریکٹرز کی باضابطہ منظوری کے بعد ایشیائی ترقیاتی بینک بھیج دیا گیا، تکنیکی جائزہ رپورٹ کی ایک نقل وفاقی وزیر آب و برق کو بھی بھیج دی گئی۔ ایشیائی ترقیاتی بینک کی اپنی ایک کمیٹی ہے جو مشیروں کو چنتی ہے، اس کمیٹی کے ۳ مختلف ممبروں نے از سر نو پھر پیشکشوں کا آزادانہ جائزہ لیا اور تینوں نے اس بات سے اتفاق کیا کہ میسرز لیہ میر کی پیشکش تکنیکی اعتبار سے صائب ہے، مناسب ہے اور سب سے زیادہ پرکشش ہے۔

(vi) ایشیائی ترقیاتی بینک کی منظوری کے بعد سرفہرست فرم یعنی میسرز لیہ میر کو دعوت دی گئی وہ ۱۲ نومبر ۱۹۸۹ء کو کراچی الیکٹرک سپلائی کارپوریشن سے معاہدے کی جزئیات طے کرنے کے لئے گفت وشنید کا آغاز کریں۔ میسرز لیہ میر کا اب دوسرا لفافہ (جس میں ان کی مالیاتی پیش کش تھی) ایشیائی ترقیاتی بینک کے نمائندے کی موجودگی میں کھولا گیا، اور معلوم ہوا کہ میسرز لیہ میر کی مالیاتی پیش کش بھی باقی سب فرموں کی پیش کشوں سے ارزاں ہے اور یہ کہ اس کے بعد جو فرم دوسرے پر آتی ہے یعنی میسرز فختنر اس کی پیش کش، میسرز لیہ میر کی پیش کش سے دوگنی مہنگی ہے، جیسا کہ مندرجہ ذیل نقشے سے ظاہر ہوگا۔

فرم کا نام	غیر ملکیوں کے کام کے مہینے	پاکستانیوں کے کام کے مہینے	کل کام کے مہینے
نمبر ۱۔ میسرز لیہ میر انٹر نیشنل	۱۳۷	۳۴۹٫۳	۴۸۶٫۳
نمبر ۲۔ میسرز فختنر	۳۱۱	۸۱۵	۱۱۲۶٫۰

ایک آدمی کی ایک مہینے کی اوسط لاگت کے حساب سے میسرز لیہ میر کی پیش کش میسرز فختنر کی پیش کش کے معاملے میں دس کروڑ ۱۳ لاکھ روپے سستی تھی، چنانچہ میسرز لیہ میر سے معاہدے کے مذاکرات ۲۱ ستمبر ۱۹۸۹ء کو شروع کر دیئے گئے۔

(vii) یکم اگست ۱۹۸۹ء کو فختنر کے مقامی پارٹنر میسرز ایکٹن نے چیئرمین واپڈا، سیکریٹری وزارت آب و برق اور وزیر اعظم کو عرضداشت بھیجی کہ پیش کشوں کا جائزہ اور موازنہ دوبارہ کروایا جائے۔

(viii) مدعا علیہ (بے نظیر) نے وزیر اعظم کے سیکریٹریٹ میں ایک کمیٹی بنا رکھی تھی جس کے سپرد منصوبوں کے جائزے اور انکی پیش رفت کی نگرانی کا کام تھا، اس کمیٹی کے چیئر مین جاوید پاشا تھے۔ جاوید پاشا براہ راست مدعا علیہ (بے نظیر) کے تحت کام کرتے تھے اور ان (بے نظیر) سے ہی ہدایات حاصل کرتے تھے۔ جاوید پاشا نے اس معاملے کی جائزہ رپورٹ طلب کی اور حکم دیا کہ جب تک جائزہ رپورٹ کا دوبارہ جائزہ نہ لے لیا جائے، اس بارے میں مزید کوئی کارروائی نہ کی جائے۔

(ix) میسرز ایکلن لمیٹڈ کے پاکستانی شریک کار کا نام راؤ نسیم ہاشم ہے جو راؤ ہاشم خان کے بیٹے ہیں۔ راؤ ہاشم خان وہی ہیں جنہوں نے آئین پاکستان کے تحت ۱۶ نومبر ۱۹۸۸ء کے عام انتخابات میں پاکستان پیپلز پارٹی کے ٹکٹ پر انتخاب لڑا تھا لیکن ہار گئے تھے لیکن انہیں بعد میں وفاقی لینڈ کمیشن کا چیئر مین بنا دیا گیا تھا۔

(x) ۱۹ ستمبر ۱۹۸۹ء کو کراچی الیکٹرک سپلائی کارپوریشن کے مینجنگ ڈائریکٹر نے جائزہ رپورٹ وزیر اعظم کی کمیٹی برائے جائزہ و نگرانی کو بھجوادی، ۲۸ اکتوبر کو وزیر اعظم کی کمیٹی برائے جائزہ و نگرانی منصوبہ جات کے چیئر مین (جاوید پاشا) نے ایک غیر سرکاری نوٹ وزیر اعظم کے سیکریٹریٹ کے انچارج میجر جنرل ریٹائرڈ نصیر اللہ بابر کو بھیجا اور کہا کہ میسرز لیہ میر کی پیش کش ناقص ہے اور تجویز کیا کہ۔

ا۔ یا تو پیش کشوں کا دوبارہ جائزہ وزارت آب و برق میں کروایا جائے یا

ب۔ کراچی الیکٹرک سپلائی کارپوریشن میں (بشرطیکہ جائزہ کمیٹی میں وہ ممبر نہ ہوں جو پہلی جائزہ کمیٹی میں تھے۔)

(جاوید پاشا کے غیر سرکاری نوٹ کا نمبر تھا 75/PMPEMC/89 مورخہ ۲۸ اکتوبر ۱۹۸۹ء)

میجر جنرل ریٹائرڈ نصیر اللہ بابر کو موصول ہونے والی جاوید پاشا کی مندرجہ بالا رائے کو وزیر اعظم کے سیکریٹریٹ نے اپنے غیر سرکاری مراسلے نمبر 4(61)/89-EAF III مورخہ ۱۰ دسمبر ۱۹۸۹ء کے ساتھ وزارت آب و برق کو بھیج دیا۔

(xi) اسی دوران کراچی الیکٹرک سپلائی کارپوریشن کے مینجنگ ڈائریکٹر، ایس ٹی ایچ نقوی کو (جنہوں نے اب تک اس معاملہ کو اپنے ہاتھ میں رکھا تھا) بدل دیا گیا اور ان کی جگہ ۶ نومبر ۱۹۸۹ء کو کراچی الیکٹرک سپلائی کارپوریشن کے ایک ریٹائرڈ افسر بشیر احمد چوہدری کو کارپوریشن کا مینجنگ ڈائریکٹر لگا دیا گیا۔

(xii) ۱۸ دسمبر ۱۹۸۹ء کو وزارت آب و برق نے کراچی الیکٹرک سپلائی کارپوریشن کے نئے مینجنگ ڈائریکٹر (بشیر احمد چوہدری) کو ایک نیم سرکاری مراسلہ نمبر P-III-1(24)/89 مورخہ ۱۸ دسمبر ۱۹۸۹ء بھیجا اور ہدایت کی کہ پیش کشوں کے دوبارہ جائزہ کے لئے ایک نئی ٹیم تشکیل دی جائے جو پہلی جائزہ کمیٹی سے مختلف ہو۔

(xiii) اس وقت کے وفاقی وزیر آب و برق سردار فاروق احمد خان لغاری نے بہر حال وزیر اعظم کے لئے

اس معاملے کے بارے میں ایک مفصل کوائف نامہ تیار کیا اور پیش کشوں کے دوبارہ جائزہ کی تجویز کو ناپسند کیا۔ انہوں نے اپنا یہ بریف غیر سرکاری مراسلے نمبر P-III-1(24)/89 مورخہ ۷ جنوری ۱۹۹۰ء کے ساتھ مدعا علیہ (بے نظیر) وزیراعظم کو بھجوادیا۔ انہوں نے صاف صاف کھلے لفظوں میں کہا ایسا کرنا قرین دانش نہیں کیونکہ اس سے پورے نظام کی اساس مشکوک و مشتبہ ہو جائے گی انہوں نے یہ بھی سفارش کی کہ کراچی الیکٹرک سپلائی کارپوریشن کو مقررہ طریق کار کے مطابق، اہلیت و قابلیت کی بنا پر ٹھیکہ دینے کی اجازت دیدی جائے۔

(xiv) وفاقی وزیر آب و برق کی درج بالا رائے کے باوجود پیش کشوں کا جائزہ دوبارہ ایک کمیٹی سے کروایا گیا جس کے سربراہ کراچی الیکٹرک سپلائی کارپوریشن کے نئے منیجنگ ڈائریکٹر (بشیر احمد چوہدری) تھے اور جو اس کمیٹی سے مختلف تھی جس نے ان پیش کشوں کا جائزہ پہلے لیا تھا۔ پہلی جائزہ کمیٹی نے میسرز لیہ میر انٹر نیشنل کو سرفہرست رکھا تھا اس کو میسرز فخنر سے گیارہ نمبر زیادہ دیئے تھے۔ یعنی میسرز لیہ میر انٹر نیشنل کو ۹۷۵ نمبر دیئے تھے اور میسرز فخنر کو ۹۶۴ نمبر۔ نئی کمیٹی نے پہلی کمیٹی کا فیصلہ بدل دیا اور میسرز فخنر کو ۹۷۳ نمبر دیدیئے اور میسرز لیہ میر کو پانچ نمبر کم یعنی ۹۶۸ نمبر دیدیئے۔

(xv) چیئرمین واپڈا، کراچی الیکٹرک سپلائی کارپوریشن کے بورڈ آف ڈائریکٹرز کے چیئرمین بھی ہیں انہوں نے دوسری جائزہ رپورٹ کی جانچ کی اور اس کو رد کر دیا۔ انہوں نے دوسری جائزہ رپورٹ کو رد کرتے وقت ایک مفصل نوٹ لکھا اور کہا کہ کراچی الیکٹرک سپلائی کارپوریشن کے نئے منیجنگ ڈائریکٹر کی تیار کردہ دوسری جائزہ رپورٹ ”من مانی، غیر مدلل ہے اور ایشیائی ترقیاتی بینک کی رہنما ہدایتوں کے خلاف ہے،“ اور سراسر غیر جانبدارانہ ہے۔ چیئرمین واپڈا نے اپنی آراء ۱۲ فروری ۱۹۹۰ء کو ایک مراسلہ کے ذریعہ بھجوادیں اور اس کے ساتھ ساتھ یہ بھی لکھ دیا کہ منیجنگ ڈائریکٹر کے ای ایس سی نے دوسری جائزہ کمیٹی کی رپورٹ وزارت آب و برق کو کے ای ایس سی کے بورڈ آف ڈائریکٹرز سے منظوری لئے بغیر بھجوادی اور یہ کہ انہوں نے (چیئرمین واپڈا) نے بے قاعدگی کے اس فعل کو ناپسندیدگی کی نظر سے دیکھا ہے۔

(xvi) ۱۴ فروری ۱۹۹۰ء کو وفاقی وزارت آب و برق نے دوسری جائزہ رپورٹ وزیراعظم سیکریٹریٹ کو بھجوادی لیکن واشگاف الفاظ میں یہ کہہ دیا کہ کے ای ایس سی کی پہلی جائزہ رپورٹ، جسے کے ای ایس سی کے بورڈ آف ڈائریکٹرز نے اور ایشیائی ترقیاتی بینک دونوں نے منظور کر لیا تھا، صحیح ہے اور اس کو نہ بدلا جائے نہ اس معاملے کو دوبارہ اٹھایا جائے۔ وفاقی وزارت آب و برق نے یہ بھی تجویز کیا کہ کے ایس سی کو ہدایت دی جائے کہ وہ فی الفور بلا مزید تاخیر کے میسرز لیہ میر انٹر نیشنل کے ساتھ مشاورتی معاہدے کو طے کرے کیونکہ لیہ میر کو پہلی جائزہ رپورٹ میں نمبر ۱ قرار دیا گیا تھا، اس رپورٹ کو کے ای ایس سی کے بورڈ نے منظور کیا تھا، ایشیائی ترقیاتی بینک نے اس کی توثیق کی تھی، اور میسرز لیہ میر انٹر نیشنل کو مشاورتی ٹھیکہ دینے

پر سب کا اتفاق رائے موجود تھا۔

(xvii) وفاقی وزیر آب و برق نے ۷ جنوری ۱۹۹۰ء کو جو سمری (بریف) وزیر اعظم کو بھجوائی تھی (حوالہ پیرا ۳ کا ذیلی پیرا (xiii) بالا) اس کے جواب میں وزیر اعظم کے سیکریٹریٹ نے وزیر اعظم کی مندرجہ ذیل ہدایات وزارت آب و برق کو بھجوائیں:

"اگر کے ای ایس سی نے کوئی مشیر چن لیا ہے تو انہیں اس کے مطابق چلنے دیا جائے، در حقیقت کے ای ایس سی کو ہر ممکنہ حد تک خود مختار ادارہ کے طور پر کام کرنے دیا جائے تاکہ ان کے کام میں تاخیر والتواء نہ ہو اب مزید تاخیر نہیں ہونی چاہیے۔"

قدرتی طور پر وزیر اعظم کی مندرجہ بالا ہدایات کا مطلب یہ لیا گیا کہ وزیر اعظم نے وزیر آب و برق کی سمری مورخہ ۷ جنوری ۱۹۹۰ء کو منظور کر لیا ہے اور یہ کہ کے ای ایس سی کی پہلی جائزہ رپورٹ میں کوئی تبدیلی نہیں ہوگی اور کے ای ایس سی اب اس رپورٹ میں تجویز کردہ مشیر کو رکھنے میں آزاد ہے۔ چنانچہ سیکریٹری اور وزیر آب و برق کی منظوری سے کے ای ایس سی کے مینیجنگ ڈائریکٹر (بشیر احمد چوہدری) کو وزارت کی طرف سے ہدایات بھجوائی گئیں کہ وہ میسرز لیہ میر انٹرنیشنل کے ساتھ مشاورتی معاہدے کو آخری شکل دیدیں۔

(اس سلسلہ میں ملاحظہ ہو وزارت آب و برق کا ٹیلیکس نمبر P-III-1 (24)/89 مورخہ ۲۹ اپریل ۱۹۹۰ء بنام مینیجنگ ڈائریکٹر کے ای ایس سی)۔

(xviii) البتہ وزیر اعظم کے سیکریٹریٹ نے اپنے غیر سرکاری نوٹ نمبر 1929/DS-F1/90 مورخہ ۱۷ مئی ۱۹۹۰ء میں وزارت کے مذکورہ بالا ٹیلیکس مورخہ ۲۹ اپریل ۱۹۹۰ء پر سخت ناپسندیدگی کا اظہار کیا اور ہدایت دی کہ:

"صورت حال کی اصلاح فوراً کی جائے اور اس بارے میں رپورٹ پیش کی جائے کہ ہدایات بدلی کیسے گئیں اور جنھوں نے ہدایات بدلیں ان کے خلاف حکومت کو کیا کارروائی کرنا چاہیے۔ اس معاملے کو کابینہ کی اقتصادی رابطہ کمیٹی کے سامنے پیش کیا جائے اور مینجنگ ڈائریکٹر کے ای ایس سی کو بلوایا جائے تاکہ وہ اپنا معاملہ کمیٹی کے سامنے خود پیش کرے۔"

(xix) کابینہ کی اقتصادی رابطہ کمیٹی کے اجلاس منعقدہ ۲۵ مئی ۱۹۹۰ء میں یہ معاملہ زیر غور آیا۔ اس اجلاس میں وفاقی وزیر آب و برق نے اپنا نقطہ نظر نہایت تفصیل سے پیش کیا۔

(xx) مذکورہ اجلاس منعقدہ ۲۵ مئی ۱۹۹۰ء میں کے ای ایس سی کے مینیجنگ ڈائریکٹر نے مندرجہ ذیل بیان دے کر حقائق کو غلط پیش کیا (ملاحظہ ہو، روداد اجلاس کے ای سی سی منعقدہ ۵ مئی ۱۹۹۰ء)

"دوسری جائزہ رپورٹ کو پہلی جائزہ کمیٹی نے بھی دیکھا ہے اور اسے (یعنی پہلی جائزہ کمیٹی کو) دوسری

جائزہ رپورٹ سے اتفاق ہے اور وہ (یعنی پہلی جائزہ کمیٹی) یہ نہیں سمجھتی کہ دوسری جائزہ رپورٹ میں ایشیائی ترقیاتی بینک کی مقررہ رہنما ہدایتوں سے کوئی انحراف ہوا ہے۔ ایشیائی ترقیاتی بینک نے قرض منسوخ کرنے کی دھمکی اس لئے نہیں دی تھی کہ پیشکشوں کا جائزہ دوبارہ کیوں لیا گیا بلکہ اس کی دھمکی کی وجہ معاہدہ کی تکمیل میں تاخیر ہے۔ امر واقعہ یہ ہے کہ ایشیائی ترقیاتی بینک کو تو دوسری جائزہ رپورٹ دی ہی نہیں گئی تھی۔ منیجنگ ڈائریکٹر نے اصرار کیا کہ میسرز فختنر کی عرض داشت میں وقعت اور وزن ہے کیونکہ پہلا جائزہ مناسب طریقہ سے نہیں کیا گیا تھا۔"

(xxi) وفاقی کابینہ کی اقتصادی رابطہ کمیٹی کے مذکورہ اجلاس منعقدہ ۲۵ جون ۱۹۹۰ء میں تیسرا نقطہ نظر جو پیش کیا گیا وہ یہ تھا۔

"حقیقی جائزہ ایشیائی ترقیاتی بینک نے کیا تھا اور جن مشیروں کی تقرری کے لئے منظور کیا گیا ہے وہ نہایت اعلیٰ پائے کے ہیں اور یہ ایک بین الاقوامی عام طریقہ ہے کہ ایک دفعہ جائزہ ہو جائے تو دوبارہ نہیں کیا جاتا، اس بات پر بھی زور دیا گیا کہ معاہدے کے بارے میں فیصلہ جلد کرنے کی ضرورت ہے کیونکہ تاخیر کی صورت میں دو سو ملین (بیس کروڑ) امریکی ڈالر کا قرضہ خطرے میں پڑ سکتا ہے۔"

(xxii) مدعا علیہ (بے نظیر) جو وزیر اعظم بھی تھی اور وفاقی کابینہ کی اقتصادی رابطہ کمیٹی کی صدر نشیں بھی نے فیصلہ کیا کہ:

"چونکہ ایشیائی ترقیاتی بینک کے قرضے کو استعمال کراچی الیکٹرک سپلائی کارپوریشن اپنے ترسیلی نظام کی توسیع و ترقی کے لئے کرے گا لہذا مشاورتی خدمات کے معاہدوں کو آخری شکل دینے کے سوال کو بھی اسی پر چھوڑ دیا جائے، گفت و شنید ایک دو رکنی کمیٹی کرے جس کے ممبر سیکریٹری وزارت خزانہ اور منیجنگ ڈائریکٹر کے ای ایس سی ہوں۔ بہر حال اس بات کا خاص خیال رکھا جائے کہ پاکستان کو ایشیائی ترقیاتی بینک کی طرف سے جو قرضہ ملا ہے وہ ہر گز منسوخ نہ ہونے پائے، اگر ایشیائی بینک اپنے فیصلے پر نظر ثانی کے لئے تیار نہ ہو تو پھر جیسا کہ کے ای ایس سی کے بورڈ آف ڈائریکٹرز اور ایشیائی ترقیاتی بینک نے پہلے سے ہی میسرز لیہ میر کو منظور کیا ہوا ہے، مشاورتی معاہدہ انہی سے کر لیا جائے۔"

وفاقی کابینہ کی اقتصادی رابطہ کمیٹی کے فیصلے کی اطلاع وزارت آب و برق کو غیر سرکاری مراسلہ مورخہ ۲۶ جون ۱۹۹۰ء کے ذریعہ دی گئی۔

(xxiii) یکم جولائی ۱۹۹۰ء مذکورہ بالا دو رکنی ٹیم (جو سیکریٹری وزارت خزانہ اور منیجنگ ڈائریکٹر کے ای ایس سی پر مشتمل تھی) ایشیائی ترقیاتی بینک کے ریزیڈنٹ ڈائریکٹر سے اسلام آباد میں ملی لیکن اس نے ٹیم کو صاف صاف بتلا دیا کہ ایشیائی ترقیاتی بینک کسی صورت اپنے پہلے فیصلے پر ہر گز ہر گز نظر ثانی نہیں کرے گا۔ اس کی تصدیق ایشیائی ترقیاتی بینک کے صدر دفتر کے ٹیلیکس مورخہ ۲۳ جولائی ۱۹۹۰ء سے ہو گئی، جس میں

کہا گیا تھا کہ کے ای ایس سی کی سب سے پہلی سفارشات میں کسی قسم کی رد و بدل کی کسی تجویز پر غور نہیں کیا جائے گا۔ اس کے بعد کے ای ایس سی کے مینجنگ ڈائریکٹر نے خواہش ظاہر کی کہ انہیں ایشیائی ترقیاتی بینک کے صدر دفتر واقع منیلا میں اپنا نقطہ نظر خود بالمشافہ پیش کرنے کا موقع دیا جائے لیکن ایشیائی ترقیاتی بینک نے ان کی اس خواہش کو بھی رد کر دیا۔

(xxiv) ۶ اگست ۱۹۹۰ء کو قومی اسمبلی توڑے جانے کے بعد وفاقی کابینہ کی نئی اقتصادی رابطہ کمیٹی کا پہلا اجلاس ۹ اگست ۱۹۹۰ء کو ہوا۔ اس میں کمیٹی نے وزارت خزانہ کی طرف سے پیش کی گئی ایک سمری پر غور کیا جس کا تعلق کے ای ایس سی کے مشیر رکھنے سے تھا۔ کمیٹی نے اس سمری پر یہ فیصلہ کیا۔

"وفاقی کابینہ کی اقتصادی رابطہ کمیٹی نے وزارت خزانہ کی سمری مورخہ ۸ اگست ۱۹۹۰ء پر غور کیا اور کراچی الیکٹرک سپلائی کارپوریشن کو ہدایت دی کہ وہ چار دن کے اندر اندر میسرز زلیہ میر کے ساتھ معاہدہ طے کرے اور اس پر دستخط کرے۔"

۴۔ مذکورہ بالا حقائق اور حالات کی روشنی میں یہ باور کرنے کی معقول وجوہ موجود ہیں کہ مدعا علیہ نے اپنے وفاقی وزیر آب و برق کی رائے کی پرواہ نہ کی، کے ای ایس سی جو اس بارے میں فیصلہ کا مجاز تھا، اس کے فیصلے کو نظر انداز کیا۔ ایشیائی ترقیاتی بینک کی توثیق کو بھی درخور اعتناء نہ سمجھا اور اپنی سی ہر ممکنہ پوری پوری کوشش کی کہ سب سے ارزاں اور سب سے اہل پیش کش کرنے والی پارٹی یعنی میسرز زلیہ میر کو مشاورتی ٹھیکہ نہ ملے، بلکہ زیادہ مہنگے نرخوں پر میسرز فخنر کو ملے، اور اس طرح سرکاری خزانہ کو دس کروڑ تیرہ لاکھ روپے کا نقصان پہنچانے کی سعی مذموم کی۔ [ملاحظہ ہو پیرا (۳) بالا کا ذیلی پیرا (vi)] اور یہ کہ مدعا علیہ (بے نظیر) اس طرح ایشیائی ترقیاتی بینک کے قرضے کے استعمال میں تقریباً ایک سال کی تاخیر کا موجب بنی۔

۵۔ مندرجہ بالا تمام حقائق و کوائف سے یہ بھی ظاہر ہوتا ہے کہ یہ باور کرنے کی معقول وجوہ ہیں کہ مدعا علیہ (بے نظیر) نے جانبداری، دانستہ بدانتظامی اور سرکاری خزانے کے ناجائز استعمال کی کوشش کی۔ مدعا علیہ (بے نظیر) کی یہ سب حرکتیں ۱۹۷۷ء کے پی پی او ۱۷ کے تحت "بداعمالی" کی ذیل میں آتی ہیں۔

۶۔ اس ریفرنس کی تائید میں مندرجہ ذیل دستاویزات کا مطالعہ فرمایا جائے اور ان میں درج ذیل حقائق پر غور کیا جائے۔

۱۔ مشاورتی خدمات پیش کرنے والی فرموں کی فہرست۔

۲۔ کے ای ایس سی کی پہلی جائزہ رپورٹ جس میں میسرز زلیہ میر کو سر فہرست قرار دیا گیا اور جسے کے ای ایس سی کے بورڈ آف ڈائریکٹرز نے منظور کیا۔

۳۔ ایشیائی ترقیاتی بینک کا جائزہ جس میں پہلی جائزہ رپورٹ سے اتفاق کیا گیا۔

۴۔ میسرز زلیہ میر انٹر نیشنل کے نام دعوت نامہ کہ وہ آکر بات چیت کریں۔

۵۔ میسرز ایکٹن کی درخواست کہ جائزہ دوبارہ ہو۔

۶۔ وزارت آب و برق کی ہدایت کہ جائزہ رپورٹ بھجوائی جائے۔

۷۔ کے اے ایس سی کے نام وزیر اعظم کی پروجیکٹ جائزہ ونگرانی کمیٹی کی ہدایت کہ ابھی معاہدہ کو ملتوی کیا جائے۔

۸۔ وزیر اعظم کی کمیٹی برائے جائزہ ونگرانی منصوبہ جات کے چیئرمین کا مراسلہ میجر جنرل ریٹائرڈ نصیر اللہ بابر کے نام کہ جائزہ دوبارہ کروایا جائے۔

۹۔ کے ای ایس سی کو وزارت آب و برق کی ہدایت کہ دوسرا جائزہ مختلف کمیٹی سے کروایا جائے۔

۱۰۔ سابق وفاقی وزیر برائے آب و برق کا تیار کردہ وہ بریف جو انہوں نے سابقہ وزیر اعظم کو بھیجا اور جس میں انہوں نے دوبارہ جائزہ کی تجویز سے اپنی ناپسندیدگی کا اظہار کیا۔

۱۱۔ دوسری جائزہ رپورٹ جس میں میسرز فخنر کو نمبر ایک قرار دیدیا گیا۔

۱۲۔ دوسری جائزہ رپورٹ پر چیئرمین واپڈا کا تبصرہ جس میں انہوں نے دوسری جائزہ رپورٹ کو "من مانی قرار دیا اور یہ بھی کہا کہ اس کو کے ای ایس سی کے بورڈ آف ڈائریکٹرز کی منظوری حاصل نہیں۔

۱۳۔ سیکریٹری وزارت آب و برق کا مراسلہ وزیر اعظم کے سیکریٹریٹ کے نام جس میں سفارش کی گئی کہ کے ای ایس سی کو ہدایت کی جائے کہ وہ میسرز لیہ میر انٹر نیشنل کو مشاورتی ٹھیکہ دیدے کیونکہ اس فرم کو سب سے پہلی جائزہ رپورٹ میں سر فہرست مشیر قرار دیا گیا ہے۔

۱۴۔ یہ سمجھ کر کہ وفاقی وزیر آب و برق کی سمری مورخہ ۷ جنوری ۱۹۹۰ء کو وزیر اعظم نے منظور کر لیا ہے، وزارت آب و برق کی ہدایات کے ای ایس سی کے نام کہ وہ میسرز لیہ میر انٹر نیشنل کے ساتھ مشاورتی معاہدے کو آخری شکل دیدے۔

۱۵۔ وزیر اعظم کے سیکریٹریٹ کا نوٹ جس میں وزارت کی طرف سے کے ای ایس سی کو دی جانے والی ہدایات پر اظہار برہمی ہے، اصلاحی عمل کی ہدایات، احکام میں ردوبدل کے ذمہ دار افسروں کی طلبی ہے اور معاملہ کو وفاقی کابینہ کی طرف سے وفاقی کابینہ کی اقتصادی رابطہ کمیٹی کے سامنے پورے معاملہ پر ایک تفصیلی رپورٹ ہے۔

۱۶۔ وفاقی وزیر آب و برق کی طرف سے وفاقی کابینہ کی اقتصادی رابطہ کمیٹی کے سامنے پورے معاملے پر ایک تفصیلی رپورٹ۔

۱۷۔ وفاقی کابینہ کی اقتصادی رابطہ کمیٹی کے اس اجلاس کی روداد سے اقتباس جس میں کے ای ایس سی کے منیجنگ ڈائریکٹر نے غلط بیانی سے کام لیا۔

۱۸۔ کابینہ ڈویژن کا وہ نوٹ جس میں وفاقی کابینہ کی اقتصادی رابطہ کمیٹی کا فیصلہ کے ای ایس سی کو بھیجا گیا۔

۱۹۔ ایشیائی ترقیاتی بینک کا وہ ٹیلیکس جس میں کہا گیا ہے کہ کے ای ایس سی کی پہلی سفارش میں کسی قسم کی ردوبدل کی تجویز پر غور نہیں کیا جائے گا۔

۲۰۔ کے ای ایس سی کے نئے مینجنگ ڈائریکٹر (بشیر احمد چوہدری) کی تجویز کہ انہیں ایشیائی ترقیاتی بینک کے صدر دفتر واقع منیلا میں دوسری جائزہ رپورٹ میں کی گئی سفارش کا بالمشافہ جواز پیش کرنے کا موقعہ دیا جائے۔

۲۱۔ ایشیائی ترقیاتی بینک کی طرف سے موصولہ ٹیلیکس جس میں مینجنگ ڈائریکٹر کی مذکورہ خواہش کو رد کردیا گیا۔

۷۔ ریفرنس بالا خصوصی عدالت کی خدمت میں پیش کیا جاتا ہے اور گزارش کی جاتی ہے کہ وہ مدعا علیہ (بے نظیر) کے خلاف اس ریفرنس کی چھان بین کرے، جن نتائج پر پہنچے، ان کو قلم بند کرے، قانون کے مطابق احکام صادر کرے اور اس طرح اس ریفرنس کا فیصلہ کرے۔

۸۔ اگر ریفرنس بالا کی تائید میں مزید کوئی مواد میسر آگیا تو اس کو بھی ادب کے ساتھ خصوصی عدالت کی خدمت میں پیش کردیا جائے گا۔

بہ حکم صدر پاکستان
(دستخط) فضل الرحمان خان
صدر کے سیکریٹری

نوٹ: پیراگراف۔ ۶ بالا میں مذکور دستاویزات اس مطبوعہ میں شامل نہیں کی جارہی ہیں۔

حوالہ جات

ابتدائیہ

۱۔ ضلع پشاور کا گزٹیر بابت سال ۱۸۹۷۔۹۸ (لاہور : سنگِ میل پبلی کیشنز، ۱۹۸۹) ص ۱۱

۲۔ روی دیال، We Fought Together for Freedom (نئی دہلی : انڈین کونسل آف ہسٹاریکل ریسرچ، اوکسفرڈ یونیورسٹی پریس، ۱۹۹۵) ص ۱۸۷

۳۔ ایضاً۔ ص ۱۸۷

۴۔ لال بہا، NWFP Administration Under British Rule (اسلام آباد : نیشنل کمیشن برائے ہسٹاریکل اینڈ کلچرل ریسرچ، ۱۹۷۸) ص ۲۱۶

۵۔ ولیم شاکراس، The Shah's Last Ride (اوکسفرڈ یونیورسٹی پریس، ۱۹۸۹) ص ۴۶ اور ۴۷

۶۔ گل حسن خان، Memoirs of Lt-General Gul Hasan (کراچی : اوکسفرڈ یونیورسٹی پریس، ۱۹۹۳) ص ۳۴۲

۷۔ ڈیوڈ آئزن ہاور، Eisenhower at War 1943-45 (نیویارک : رینڈم ہاؤس، ۱۹۸۶) ص ۸۰۱ اور ۸۰۲

۸۔ مارٹن گلبرٹ، First World War (نیویارک : ہنری ہولٹ اینڈ کمپنی، ۱۹۹۴) ص ۵۰۰

باب ۱: ایوب

۱۔ محمد ایوب خان، Friends, Not Masters (کراچی : اوکسفرڈ یونیورسٹی پریس، ۱۹۶۷) ص ۷۰

۲۔ ایضاً۔ ص ۷۱

۳۔ ایضاً۔ ص ۷۱

۴۔ الطاف گوہر: Ayub Khan: Pakistan's First Military Ruler (لاہور: سنگ میل پبلی کیشنز، ۱۹۹۴) ص ۴۸۸ اور ۴۸۹

۵۔ ایضاً۔ ص ۴۷۹

۶۔ ایضاً۔ ص ۲۷۷ اور ۲۷۸

۷۔ ایضاً۔ ص ۲۷۸

۸۔ ایضاً۔ ص ۴۸۵

باب ۳: یحییٰ

۱۔ الطاف گوہر، ایوب خان، ص ۴۸۰

۲۔ جی۔ ڈبلیو۔ چودھری، The Last Days of United Pakistan (کراچی: اوکسفرڈ یونیورسٹی پریس، ۱۹۹۳) ص ۱۲۴

۳۔ ڈان کک، Charles de Gaulle (نیویارک: جی پی پٹ نم اینڈ سنز، ۱۹۸۳) ص ۳۲۴

۴۔ ایضاً۔ ص ۳۲۵

۵۔ ایضاً۔ ص ۳۲۷ اور ۳۲۸

باب ۴: بھٹو۔ عروج وزوال

۱۔ جنرل خالد محمود عارف، Working with Zia (کراچی: اوکسفرڈ یونیورسٹی پریس، ۱۹۹۵) ص ۱۱۱

۲۔ ایضاً۔ ص ۱۱۰

۳۔ اسٹینلے ولپرٹ: Zulfi Bhotto of Pakistan: His Life and Time (نیویارک: اوکسفرڈ یونیورسٹی پریس، ۱۹۹۳) ص ۲۸۸

۴۔ رابرٹ اے ولسن، (مدیر) Character Above All (نیویارک، سائمن اینڈ شوسٹر، ۱۹۹۵) ص ۱۰۶

۵۔ ایضاً۔ ص ۱۰۶

۶۔ ایضاً۔ ص ۱۰۶

۷۔ ایضاً۔ ص ۱۰۶ اور ۱۰۷

۸۔ ایضاً۔ ص ۱۰۸

۹۔ سٹیفن ای امبروز Nixon (نیویارک: سائمن اینڈ شوسٹر ۱۹۸۹)ص ۱۰
۱۰ ایضاً

باب ۵: ضیاء الحق

۱۔ ولسن Character ص ۳۸
۲۔ الطاف گوہر :روزنامہ ڈان کراچی
۳۔ کک :de Gaulle ص ۳۰۲
۴۔ کریگ بیکسٹر ،Zia's Pakistan (بولڈر اینڈ لنڈن، ویسٹ ویو پریس، ۱۹۸۵)ص ۲
۵۔ سر مورس جیمس، پاکستان کرانیکل، (کراچی :اوکسفرڈ یونیورسٹی پریس، ۱۹۹۳)ص ۲۰۹
۶۔ ڈیگو کارڈوویز اور سلگ ہیریسن، Out of Afghanistan (نیویارک : اوکسفرڈ یونیورسٹی پریس، ۱۹۹۵)ص۔ ۵۶
۷۔ ایضاً۔ ص ۲۵۰
۸۔ ایضاً۔ ص ۲۰

باب ۶: غلام اسحٰق خان

۱۔ رونلڈ ریگن، Ronald Reagan Autobiography (نیویارک : سائمن اینڈ شوسٹر، ۱۹۹۰) ص ۱۹

باب ۷: تصادم کی جانب

۱۔ Pakistan Political Perspective(اسلام آباد :انسٹی ٹیوٹ آف پالیسی سٹڈیز، اسلام آباد : مارچ ۱۹۹۳)ص ۶
۲۔ ایضاً۔ ص ۱۲
۳۔ ایضاً۔ جولائی ۱۹۹۳
۴۔ ایضاً۔ اگست ۱۹۹۳
۵۔ جیمز کینن۔ Character میں، ص ۱۴۶
۶۔ پیگی نونن۔ Character میں، ص ۲۱۷
۷۔ ڈیوڈ میکلا۔ Character میں، ص ۴۲

باب ۱۰: کرداور صداقت

۱۔ پیگی نونن، Character میں، ص ۲۰۲
۲۔ الطاف گوہر، ایوب خاں، ص ۴۹۳
۳۔ پیگی نونن، Character میں، ص ۲۰۳
۴۔ الطاف گوہر، ایوب خاں، ص ۴۷۹ تا ۴۸۱
۵۔ سائمن شاما، Citizen (نیویارک: الفریڈ اے ناپ، ۱۹۸۹) ص ۶۶۸
۶۔ ایضاً۔ ص ۶۶۹
۷۔ ایضاً۔ ص ۸۲۰
۸۔ جنرل خالد محمود عارف، Working With Zia ص ۲۰۸ اور ۲۰۹
۹۔ ڈورس کرنز گڈون، Charater میں، ص ۲۰

باب ۱۱۔ طاقت کا سرچشمہ: ظاہری اور حقیقی

۱۔ مخدوم علی خاں، Introduction to the Consitution of the Islamic Republic of Pakistan (پاکستان لامینوئل ۱۹۸۶) ص xxxvii
۲۔ ایضاً
۳۔ پالا آر نیوبرگ، Judging the State (کیمبرج: کیمبرج یونیورسٹی پریس، ۱۹۹۵) ص ۷۵
۴۔ ایضاً۔ ص ۱۲۱
۵۔ جنرل خالد محمود عارف Working With Zia ص ۴۰۱
۶۔ ایضاً۔ ص ۴۰۲

باب ۱۳: اسلام میں سیاسی جانشینی کا مسئلہ

۱۔ امیر حسن صدیقی Caliphate and Sultanate (کراچی مطبوعات جمیعتہ الفلاح، ۱۹۶۳) ص ۱۳
۲۔ ایضاً۔ ص ۴۲

باب ۱۴: سپریم کورٹ کا دوسرا جنم؟

۱۔ صدیقی Caliphate ص ۵۱

۲۔ پالا نیوبرگ، Judging the State ص ۵

۳۔ ایضاً۔ ص ۱۲

۴۔ ایضاً۔ ص ۱۲۰

۵۔ ایضاً۔ ص ۱۲۱

۶۔ ایضاً۔ ص ۲۱۶

۷۔ ولیم ای لیوخٹن برگ Supreme Court Reborn (نیویارک : اوکسفرڈ یونیورسٹی پریس، ۱۹۹۵) ص ۴۴

۸۔ ابردشیر کاؤس جی، Ehtesab or Intikhab (کراچی روزنامہ ڈان مورخہ ۳ر جنوری ۱۹۹۷)

باب ۱۶: تفکر و تدبر

۱۔ جان کینتھ گالبرائتھ، Age of Uncertainty (لندن : برٹش براڈکاسٹنگ کارپوریشن، ۱۹۷۳) ص ۳۳۰

۲۔ ایضاً۔ ص ۴۹

۳۔ کنفیوشس، Analects (۴۹ قبل مسیح)

۴۔ پال کینڈی، The Rise and Fall of the Great Powers (نیویارک : رینڈم ہاؤس، ۱۹۸۷) ص ۱۳

۵۔ پرسیول سپیر Twilight of the Mughals (نیویارک : اوکسفرڈ یونیورسٹی پریس، ۱۹۸۰) ص۔ ۱۰ اور ۱۱

اشاریہ

آئزن ہاور، ڈوائیٹ ڈی، ۹۰، ۱۶۲۔ ۶۳
ابو بکر صدیقؓ، ۲۲۵۔ ۲۶
ابو جعفر منصور، ۲۱۳
اتاترک، جنرل مصطفےٰ کمالؒ، ۱۱۵
اتمان زئی، ۵
اچکزئی، محمود خان، ۱۴۴
احسن، اعتزاز، ۱۳۹
احمد، ایس غیاث الدین، ۳۸
احمد، نیاز، ۲۱
ارزبرگر، ماتھیاس، ۴۰
اسپائرو، اگ نیو، ۱۷۷
اسٹالین، جوزف، ۹۳۔ ۹۴، ۱۳۴، ۱۳۵، ۱۴۴، ۱۹۴، ۲۶۳
اسٹالین سوتیلانا، ۹۳، ۹۴
اسلام، طارق، ۱۳۱، ۲۹۲
اسمٰعیل خیل، ۱۲۳
اصفہانی، اختر، ۳۱
اظفر، کمال، ۱۷۱
اظہر، میاں، ۱۵۷
اعظم، جنرل، ۱۷
الیزبتھ، زارینہ، ۱۸۸
الٰہی، چودھری فضل، ۱۷۲
امیر، بیگم شیریں، ۸۷
امین، حفیظ اللہ، ۱۲۰، ۱۲۱
امین، نورالامین، ۳۷
انوار الحق، چیف جسٹس، ۸۱
ایبٹ آباد، ۱۱، ۱۲۵، ۲۰۰، ۲۳۲
ایکاپلکو، ۱۰۳
ایوب، کیپٹن گوہر، ۲۴، ۵۳
ایوبی، صلاح الدین، ۱۹۵
بابر، میجر جنرل نصیر اللہ خان، ۱۹۰، ۲۷۷
بابو خیل، ۳
بختیار یحیٰ، ۸۲، ۱۸۴
بڈابیر، ۱۹

بریژنیف، لیونڈ، ۱۲۰، ۱۲۱

برک، ایڈمنڈ، ۲۵۰

بروہی، اے کے، ۸۳

بسمارک، اوٹودان، ۱۱٦، ۱۸۷

بگتی، اکبر، ۱۸۳

بلوچستان، ۲۳، ۷۷، ۱۰۵، ۱۰٦، ۱۱۸، ۲۲۲

بنگلہ دیش، ٦۷

بوناپارٹ، نپولین، ۹۱، ۱۰۷

بور جیس، جارج لوئیس، ۲۴۲

بھاشانی، مولانا، ٦٦، ٦۷

بھٹو، بے نظیر، ۵۸، ۱۳۱، ۱۳٦، ۱۵۹، ۱٦۱،
۷۱-۹۲، ۱۸۲، ۱۸۵-۹۲، ۲۱۰،
۲۲۴-۴۸، ۲۵۴، ۲٦۰-۷۰، ۲۷٦اور آگے۔

بھٹو، پیر بخش، ۷۸

بھٹو، ذوالفقار علی خاں، ۱۹-۲۲، ۲٦، ۲۹-۳۴،
۴۱-۴۴، ۵۲-٦۲، ۷۰-۷۳، ۹٦-۹۷،
۱۰۱، ۱۰۵-۱۰۹، ۱۴۲، ۱۷۳، ۱۹۵،
۱۹۷، ۲۰۱-۲۰۲، ۲۳۲، ۲۵۹،
۲٦۷-۲۷۲،

بھٹو، ممتاز، ۴۱، ۷۴، ۸٦،

بھٹو، مناآ۲۱-۲۳، ۵۹-۸٦،

بھٹو، نبی بخش، ۸۷

بیگ، جنرل مرزااسلم، ۱۳۴

پراچہ، احسان الحق، ۱۳۹، ۱۴۵

پشاور ۴، ۵، ٦، ۱۲، ۱۷، ۱۹، ۳۰، ۴۳، ۵۹، ٦۹،
۹۵، ۱۱۸، ۱۲۳، ۱۲۵، ۱۲٦، ۱۴۳
۲۰۳، ۲۱۵، ۲۲۰، ۲۲۲، ۲۸۷

پنس ٹک (PINSTECH)، ۵۰،

پہلوی، رضاشاہ، ۲٦، ۲۷، ۲۱۵،

پیرزادہ، جنرل الیس جی ایم ایم، ۳۰، ۳۱، ۳۵،
۳۹، ۷۴،

پیرزادہ، حفیظ، ۴۱، ۷۵،

پیرزادہ، شریف الدین، ۱۱۱، ۱۳۴، ۱۵۰، ۱۲۱،

تاثیر سلمان، ۱۳۹، ۱۴۵

تاشقند، ۵۳،

تورے میلی نوس، ۴۳

تیمور، ۲۴۰

ٹراٹسکی، ۸، ۱۰،

ٹرومین، ہنری، ۱۹۴

ٹوانہ، جسٹس عبدالمجید، ۲۳۹

ٹوڈوو، زرخوف، ۱۳۰

ٹیلی رینڈ، چارلس ڈی، ۸

ثناءالحق، ۳۱

جانسن، سیموئل، ۲۴۹

جانسن، لنڈن بی، ۸۹-۹۰

جتوئی، غلام مصطفی، ۲۵، ۱۳۵، ۱۴۴، ۱۲۱،
۱۴۵

جعفری، وسیم عون، ۷

جلال آباد، ۱۱۸، ۱۱9

جناح، قائداعظم محمد علی، ۱۳، ۹۱، ۱۲۷،
۲۱٦-۲۳، ۲۳۳

جناح، مس فاطمہ، ۲۳، ۲۴

جنجوعہ، جنرل آصف نواز، ۱۳۸-۴۰

جونیجو، محمد خان، ۱۱۵، ۱۳۴، ۱۴۴

جہانزیب، بریگیڈیئز، ۳۲

جیلانی، عاصمہ، ۲۰۸، ۲۳۲

چارسدہ، ۴، ۵، ۱۳

چٹھہ، حامد ناصر، ۱۴۳، ۱۸۶

چرچل، سر ونسٹن، ۸۹

چندر، رمیش، ۸

چند، مہر، ۷

چودھری، محمود علی خاں، ۱۰۳

چیسٹر فیلڈ، لارڈ، ۴۱

حسن، ڈاکٹر مبشر، ۳۲

حسن، لفٹیننٹ جنرل گل، ۳۳، ۳۵، ۳۸

حسین، جسٹس مشتاق، ۸۱

حسین، چودھری الطاف، ۱۴۵، ۱۵۷

حسین، چودھری شجاعت، ۱۷۶

حسین، ضیاء، ۲۰۰

حیات، فیصل صالح، ۱۴۳، ۱۴۵

حیدرآباد، مقدمہ سازش، ۲۰_۲۲، ۷۷،
۱۰۳_۱۰۵

حیدر، اقبال، ۱۸۹

خالد، ملک معراج، ۲۵۵، ۲۵۷

خان، آغا محمد یحیٰی، ۱۵، ۳۰_۳۹، ۷۳_۱۔۷۳،
۲۳، ۲۴، ۱۹۵، ۱۹۷، ۲۰۰، ۲۳۲،
۲۴۷

خان، آفتاب احمد، ۷۸

خان، ارشاد، ۸۲

خان، ائیر مارشل اصغر، ۱۸۳، ۱۸۴

خان، جاوید، ۱۴۷

خان، جسٹس قیصر، ۸۱

خان، جسٹس یعقوب علی، ۲۰۹، ۲۳۲،

خان، جنرل ٹکا، ۳۱، ۳۲، ۳۳۹

خان، چنگیز، ۴۳

خان، چودھری نثار علی، ۱۳۸، ۱۴۰، ۱۴۱_۱۴۶، ۱۴۷

خان، ڈاکٹر عبدالقدیر، ۵۰

خان، رحیم داد، ۳

خان، سرور جان، ۱۰۰

خان، سلطان، ۳۳، ۳۸، ۳۹

خان، عبدالخالق، ۶۰، ۶۱، ۱۶۹، ۷۷

خان، عبدالغفار، ۵، ۱۱۸، ۱۱۹

خان، عبدالقیوم، ۱۴، ۱۲۶

خان، عبدالمجید، ۱۳

خان، عبدالولی، ۶۷

خان، غلام اسحٰق، ۱۳، ۱۵، ۳۲، ۳۸، ۵۷،
۵۸، ۷۴، ۲۵، ۲۶، ۸۰، ۹۴، ۱۰۰،
۱۰۱، ۱۰۲، ۱۰۳، ۱۰۵، ۱۱۴، ۱۲۳، ۱۲۷،
۱۲۵_۱۲۷، ۱۸۲، ۱۸۷، ۱۹۷، ۲۰۳،
۲۰۴، ۲۱۲

خان، فیلڈ مارشل محمد ایوب، ۱۱، ۱۵، ۱۶، ۲۳،
۲۴، ۲۶، ۲۷، ۲۹، ۴۵_۵۷، ۶۰، ۷۳،
۶۶، ۱۱۰، ۱۹۵، ۱۹۹، ۲۳۲

خان، قربان علی، ۱۵

خان، کرنل امیر محمد، ۶۹

خان، کریم داد، ۳

خان، مظفر علی، ۸

خان، معراج محمد، ۲۵

خان، مولوی تمیز الدین، ۷، ۲۰، ۲۰۹، ۲۳۲

خان، مهر دل، ۶۹

خان، نواب محمد احمد، ۷۹

خان، نوابزادہ نصر اللہ، ۱۸۳، ۱۸۴

خروشچیف، ۱۹

خیام، عمر، ۲۶۶

داؤد، محمد، ۱۲۰_۲۱

درانی، میجر جنرل اسد، ۱۳۴

دوسو، ۷، ۲۰۴، ۲۰۸، ۲۰۹، ۲۳۲

دہلی، ۱۳، ۱۴، ۴۰، ۲۱۵، ۲۵۳

ڈائسی، اے وی، ۷، ۴۵، ۲۰۵

ڈھاکہ، ۱۳_۱۴، ۲۴، ۳۰_۴۱، ۶۱، ۶۶، ۷۲، ۷۳، ۸۴

ڈونلڈ کیگن، ۷، ۲۲

ڈیرہ اسماعیل خان، ۱۶، ۷۲

ڈیگال، چارلس، ۲۰، ۹۵، ۱۰۶، ۱۱۲

ذوالفقار، بریگیڈیئر، ۱۳۴، ۱۴۹

ربن ٹراپ، جوکم وان، ۱۴۴

رحیم، ائیر مارشل، ۳۶

رحیم، جے اے، ۳۲، ۴، ۷

رحیم، خواجہ احمد طارق، ۱۵۲_۱۵۶

رس کیپل، سر جارج، ۶

رشید، قیصر، ۳۱

رضا، رفیع، ۱۳۴، ۱۵۰، ۱۷۱

رفیع، میجر جنرل، ۲۶

رکٹ، کپتان، ۵

روبس پیر، ۹۱

روزویلٹ، فرینکلن ڈی، ۲۰۴

روسٹن کوسکی، ۷، ۱۷، ۱۸۰

روسو، جین جاک، ۲۱۳

روہڈز، رچرڈ، ۷، ۱۴

ریگن، رونلڈ، ۷، ۱۲، ۱۹۴

زاہد، جسٹس ناصر اسلم، ۲۳۵

زرداری، آصف علی، ۱۳۲، ۱۴۲، ۱۶۶، ۱۸۵، ۱۸۹، ۲۴۳، ۲۴۹، ۲۸۵، ۲۹۰، ۲۹۵، ۳۰۰

زرنن، کاؤنٹ، ۸_۱۰

زیٹلن، آرنلڈ، ۳۱

زیدی، سید اجلال حیدر، ۱۸۵_۸۶

ژوہب، ۱۵، ۱۶، ۲۳

ژوجانگ، ۲۵۱

ساہنی، ۷

سپیر پر سیول، ۲۵۲، ۲۶۵

سجاد، وسیم، ۱۸۳، ۱۸۵، ۱۸۶، ۱۸۷، ۱۸۲، ۲۰۳

سدے، رابرٹ، ۲۴۵

سری نگر، ۱۲۵

سلی مین، کیپٹن، ۲۴، ۷

سمیع الحق، مولانا، ۱۵۸_۱۵۹

ثناء الحق، المامون، ۳۱

سنگھ، چندر، ۵

سنگھ، مس وی زیڈ، ۱۰

سنڈیمین فورٹ، ۱۵، ۲۳

سہروردی، حسین شہید، ۲۶

علی ابن ابو طالب، ٢٢٥ـ ٢٢٦

علی، جام صادق، ٢١

علی، محمود، ٣ ٧

علی، میجر جنرل شیر، ٦٨

علی گڑھ، ٦، ٧، ١٠، ١٧

علوی، ممتاز، ٣٨

غوث، عبدالصمد، ١٢٠

فاروقی، بابی، ٧

فاروقی، نصیر احمد، ٢٦

فرخ،لفٹنٹ جنرل، ١٤٠، ١٤١

فریڈرک اعظم، ١٨٨

فضل الرحمان، ١٤٩، ١٧١، ١٧٨، ٢٢٨، ٢٨٥، ٢٨٩،
٢٩٥، ٣٠١، ٣٠٩

فورڈ، جیرالڈ، ١٦٣

فہیم، مخدوم امین، ١٤٢

قاہر، خلیفہ، ٢٣١

قصوری، احمد رضا، ٩، ٧، ٢٦٧ـ ٧١

قمرالاسلام، ٣٨ـ ٣٣، ٤٤

کابل، ٣

کارٹر، جمی، ٢١٥

کارورریمنڈ، ٢٥٠

کاکڑ، جنرل عبدالوحید، ١٤١، ١٤٣، ٧ ١٤ـ ٤٩،
١٥٨ـ ١٦٠

کشمیر، ١٠، ١٢٥

کلیانی، ٣

کرامویل، آلیور، ٨٥، ١٩٦

کنگ، مارٹن لوتھر، ٧، ٢٤٣

سوری، ٧، ١٠

سیف اللہ، انور، ١٤٣ـ ١٤٨، ١٨٥، ١٩٣

سانتیر، ٢٠١

سین سن، ٢٠١، ٢٠٢

سید، جی۔ایم، ٦٦

شاہ، برنارڈ، ٨

شاہ، چیف جسٹس نسیم حسن، ٢١٠

شاہ، فیروز تغلق، ٢١٥

شاہ، سید پرویز علی، ٢٣٥

شاہ، سید سجاد علی، ١٥٠ـ ١٥٦

شاہ، سید غوث علی، ١٤٢

شاہی، آغا، ٧ ٢

شریف، شاہباز، ١٣٩

شومین، پروفیسر دانیال، ٢٣٨

شہاب الدین، خواجہ، ٨٤

شیٹس، ڈاکٹر، ١٠

شیخ، عبدالقادر، ٢٥

شیرپاؤ، آفتاب احمد خان، ١٤٦، ١٤٧

صوابی، ١٢، ١٣، ١٢٦

صدانی، جسٹس خواجہ محمد احمد، ٩، ٧

ضیاءالدین، ٢٣

ضیاء الحق، ٨، ٢٨، ٩، ٨٠، ٨٣، ٨٤، ٨٧ـ ٨٧،
٧٩ـ ١١٩

عارف، جنرل خالد محمود، ٨٠، ٢١١، ٢١٢

عبدالحمید، آغا، ٥٩

عبدالحمید، لیفٹنٹ جنرل، ٢٠٠

عبدالناصر، جمال، ١٩

اردو

کنگھم، سر جارج، ۱۲۵
کنڈی، حبیب اللہ، ۱۴۶، ۱۹۳
کوسٹہ ڈیل سول، ۴۳، ۱۰۳
کوہاٹ، ۵، ۱۲۶
کھوٹہ، ۷۷
کھلنا، ۳۴
کھر، غلام مصطفیٰ، ۲۳، ۱۴۲، ۱۸۹
کینڈی، جان ایف، ۲۹، ۹۰
گالبرائتھ، جان کینتھ، ۲۴ ۷
گاندھی، مسز اندرا، ۳۹، ۱۱۶
گڑھی خدا بخش، ۷۸
گنگر چ نیوٹ، ۱۲۸
گوہر، الطاف، ۳۰، ۴۳، ۴۴، ۴۵، ۵۷، ۱۰۰
گیلانی، افتخار، ۱۳۲، ۱۳۸، ۱۴۴، ۱۴۶، ۲۸۷
لاڑکانہ، ۲۲، ۸۵، ۸۱، ۸۷، ۲۴۳، ۲۴۹،
۲۸۷، ۲۹۰، ۲۹۴، ۳۰۱
لاہور، ۷، ۸، ۱۰، ۱۳، ۱۵، ۲۱، ۲۶، ۳۸، ۵۸،
۲۸، ۷۹، ۸۱، ۸۲، ۱۱۳، ۱۲۶، ۱۵۷،
۱۵۲، ۱۵۸، ۱۵۹، ۱۲۴، ۲۲۰، ۲۳۲،
۲۳۹، ۲۶۶، ۲۷۱، ۲۸۳، ۲۹۳
لغاری، سردار فاروق احمد خان، ۱۴۶، ۷ ۱۴،
۱۸۳ـ ۹۰، ۱۹۸، ۲۰۳، ۲۲۰ـ۲۲،
۲۵۴، ۲۵۵
لنکن، ابراہیم، ۱۹۵
لوئس شانزد ہم، ۱۹۵
لے کامٹے ایلکس ڈی ٹاکول، ۷۸
مارکر، جمشید کے اے، ۷، ۸، ۱۰، ۲۲، ۲۳،

مارکر، ڈائنا، ۲۲
مارگلہ ہلز، ۱۲۸، ۱۳۰ـ ۱۹۲
مانسرہ، ۵، ۱۱، ۱۲۵
مالوٹوف، ۱۳۴
محمد، غلام، ۲۰، ۲۰۴
محمود، مسعود، ۷۹، ۸۱، ۲۷۶، ۲۶۹،
مجیب الرحمان، ۳۲، ۳۳، ۶۰، ۷۰، ۷۱، ۷۲، ۷۹،
مردان، ۳، ۱۲، ۲۰
مرزا، اسکندر، ۱۴، ۴۵، ۴۵، ۴۷، ۴۹،
مرسیر، ۲۶۴
مزاری، میر بلخ شیر، ۱۲۲، ۱۲۹، ۱۸۴
مسیح، تارا، ۲۰۲
مقیم، میجر جنرل فضل، ۷۲
ملک، لفٹیننٹ جنرل عبدالمجید، ۱۶۰
منشی، عزیز، ۱۳۴، ۱۵۰، ۱۷۱، ۱۷۶
میڈ، مارگریٹ، ۲۶۵
میرابیو، ۹۱
میک آرتھر، جنرل ڈگلس، ۱۲۵
میکیاولی، ۲۰۴
مینگل، عطاء اللہ خاں، ۱۰۵
میمن، غلام نبی، ۲۴
نجیب اللہ، ۱۱۹
نسیم الاسلام، ۲۱، ۲۳، ۸۵، ۸۲
نطشے، ۹۳
نکسن، رچرڈ، ۹۴، ۱۳۰، ۱۹۲
نی مونلر، مارٹن، ۲۵۰
نوڈ یرو، ۸۷

ویوا، کین سارو، ۲۲۸

ہارون، محمود، ۳۰

ہٹلر، اڈولف، ۹۹، ۱۱۳

ہشت نگر، ۳

ہوتی، ۳، ۴، ۶۸

ہولڈ زور تھ، ۶

ہیگل، ۹۲

نور، مسعود نبی، ۲۳

نوشہرہ، ۳، ۱۲۳

نونن، پیگی، ۱۶۴، ۱۹۴

نہرو، جواہر لال، ۲۴، ۶

وٹو، منظور احمد، ۱۵۶، ۱۵، ۶

ولنگٹن، ڈیوک آف، ۴۱

ویلٹے، ڈاکٹر، ۱۰